JN189067

1話5分!

12歳までに読みたい名作100

麻布中学校・高等学校教諭
中島克治 監修

新星出版社

はじめに

みなさん、こんにちは。

みなさんは、どんな毎日《まいにち》を過《す》ごしていますか?

学校《がっこう》に慣《な》れるので精一杯《せいいっぱい》な小学《しょうがく》1・2年生《ねんせい》。少《すこ》し慣《な》れてはくるものの、勉強《べんきょう》も本格的《ほんかくてき》なものになって、遊《あそ》びと学《まな》びのバランスが取《と》りづらくなる3・4年生《ねんせい》。学校《がっこう》の中《なか》でもいろいろな委員会《いいんかい》や部活《ぶかつ》が始《はじ》まり、先生《せんせい》の片《かた》うでとなり、学校行事《がっこうぎょうじ》などでは、下級生《かきゅうせい》の模範《もはん》になることも引《ひ》き受《う》けるようになる5・6年生《ねんせい》。それ以外《いがい》に、おけいこごとや地域《ちいき》のスポーツクラブなどに通《かよ》っている子《こ》もいるかも知《し》れません。いそがしく、そして心《こころ》の余裕《よゆう》を失《うしな》いがちになってはいませんか。

そんなとき、こころを立《た》て直《なお》し、新《あら》たな喜《よろこ》びをあたえてくれるのが、読書《どくしょ》です。

しかし、自分《じぶん》の目線《めせん》だけでは、読書《どくしょ》の範囲《はんい》がどうしてもせばまり、新鮮味《しんせんみ》を感《かん》じられなくなってしまうと思《おも》います。この本《ほん》はそんなときのためにあるのです。

この本《ほん》には、面白《おもしろ》く楽《たの》しい作品《さくひん》やちょっぴりスリリングな作品《さくひん》、読《よ》み進《すす》めるうちにハマる作品《さくひん》や感動《かんどう》することまちがいなしの名作《めいさく》が目白《めじろ》おしでしょうかいされています。一読《いちどく》すれば、作品《さくひん》の素晴《すば》らしさが伝《つた》わってくることでしょう。あとは、この本《ほん》でしょうかいされた作品《さくひん》に、じかに接《せっ》して、その面白《おもしろ》さを存分《ぞんぶん》に味《あじ》わってください。

きっと、何《なに》ものにもかえがたい読書体験《どくしょたいけん》になることでしょう。

中島克治《なかじまかつじ》

1話《わ》5分《ふん》！12歳《さい》までに読《よ》みたい名作《めいさく》100　目次《もくじ》

第《だい》1部《ぶ》 1話《わ》5分《ふん》！ 名作《めいさく》100選《せん》

第《だい》1章《しょう》 低学年向《ていがくねんむ》け

第《だい》2章《しょう》

中《ちゅう》学《がく》年《ねん》向《む》け

第《だい》3章《しょう》　高学年向《こうがくねんむ》け

第《だい》2部《ぶ》 もっと読《よ》みたい！ ブックリスト305

この本《ほん》の使《つか》い方《かた》

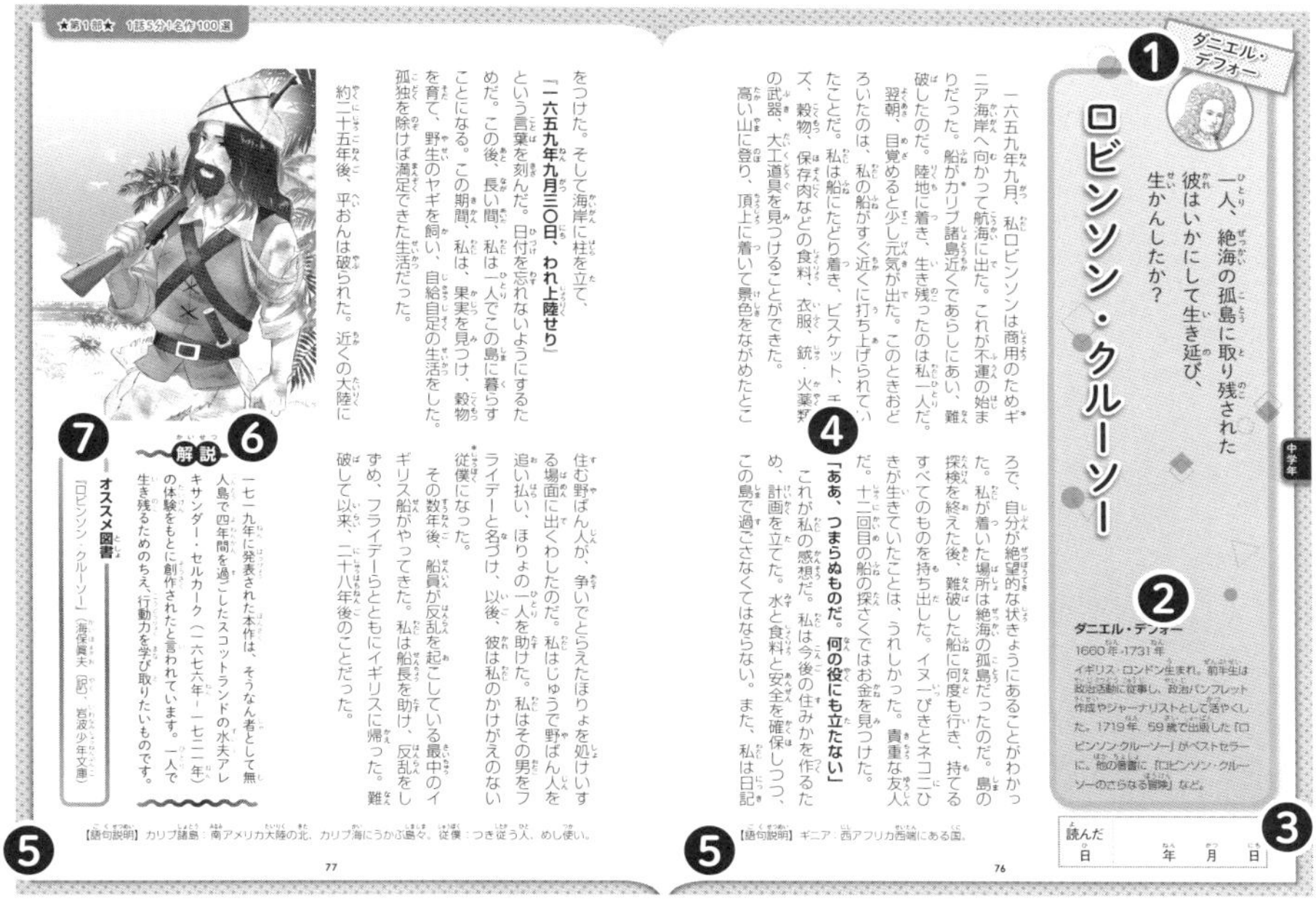

★第1部★　1話5分!名作100選
中学年
1
ダニエル・デフォー
一人、絶海の孤島に取り残された彼はいかにして生き延び、生かんしたか？
ロビンソン・クルーソー
一六五九年九月、私ロビンソンは商用のためギニア海岸へ向かって航海に出た。これが不運の始まりだった。船がカリブ諸島近くであらしにあい、難破したのだ。陸地に着き、生き残ったのは私一人だ。
翌朝、目覚めると少し元気が出た。このときおどろいたのは、私の船がすぐ近くに打ち上げられていたことだ。私は船にたどり着き、ビスケット、チーズ、穀物、保存肉などの食料、衣服、銃・火薬などの武器、大工道具を見つけることができた。
高い山に登り、頂上に着いて景色をながめたところで、自分が絶望的な状きょうにあることがわかった。私が着いた場所は絶海の孤島だったのだ。島の探検を終えた後、難破した船に何度も行き、持てるすべてのものを持ち出した。イヌ一ぴきとネコ二ひきが生きていたことは、うれしかった。貴重な友人だ。十二回目の船の探さくではお金を見つけた。
4
「ああ、つまらぬものだ。何の役にも立たない」
これが私の感想だ。私は今後の住みかを作るため、計画を立てた。水と食料と安全を確保しつつ、この島で過ごさなくてはならない。また、私は日記をつけた。そして海岸に柱を立て、
「一六五九年九月三〇日、われ上陸せり」
という言葉を刻んだ。日付を忘れないようにするためだ。この後、長い間、私は一人でこの島に暮らすことになる。この期間、私は、果実を見つけ、穀物を育て、野生のヤギを飼い、自給自足の生活をした。孤独を除けば満足できた生活だった。
約二十五年後、平おんは破られた。近くの大陸に住む野ばん人が、争いでとらえたほりょを処けいする場面に出くわしたのだ。私はじゅうで野ばん人を追い払い、ほりょの一人を助けた。私はその男をフライデーと名づけ、以後、彼は私のかけがえのない従僕になった。
その数年後、船員が反乱を起こしている最中のイギリス船がやってきた。私は船長を助け、反乱をしずめ、フライデーらとともにイギリスに帰った。難破して以来、二十八年後のことだった。
2
ダニエル・デフォー
1660年-1731年
イギリス・ロンドン生まれ。前半生は政治活動に従事し、政治パンフレット作成やジャーナリストとして活やくした。1719年、59歳で出版した『ロビンソン・クルーソー』がベストセラーに。他の著書に『ロビンソン・クルーソーのさらなる冒険』など。
3
読んだ日　年　月　日
6
解説
一七一九年に発表された本作は、無人島で四年間を過ごしたスコットランドの水夫アレキサンダー・セルカーク（一六七六年－一七二一年）の体験をもとに創作されたと言われています。一人で生き残るためのちえ、行動力を学び取りたいものです。
7
オススメ図書
『ロビンソン・クルーソー』（海保眞夫〔訳〕　岩波少年文庫）
5
【語句説明】カリブ諸島：南アメリカ大陸の北、カリブ海にうかぶ島々。従僕：つき従う人。めし使い。
77
5
【語句説明】ギニア：西アフリカ西端にある国。
76

1

作者名《さくしゃめい》・タイトル

この作品《さくひん》の作者《さくしゃ》とタイトルです。わかる限《かぎ》りで作者《さくしゃ》の顔《かお》もしょうかいしています。

2

作者《さくしゃ》プロフィール

生年《せいねん》と簡単《かんたん》な略歴《りゃくれき》をのせています。代表《だいひょう》作《さく》や、本書《ほんしょ》で他《ほか》に読《よ》める作品《さくひん》などもけいさいしました。

3

読《よ》んだ日《ひ》の記録《きろく》

読書記録《どくしょきろく》として、いつ読《よ》んだのかを残《のこ》しておくのもいいですね。

4

注目《ちゅうもく》したいところ

作品《さくひん》の中《なか》で、注目《ちゅうもく》したいセリフや出来事《できごと》、印象的《いんしょうてき》な場面《ばめん》などを太《ふと》い文字《もじ》にして読《よ》みやすくしました。

5

語句説明《ごくせつめい》

作品《さくひん》の中《なか》で重要《じゅうよう》な意味《いみ》を持《も》つ言葉《ことば》や、難解《なんかい》な語句《ごく》について解説《かいせつ》しています。

6

内容《ないよう》の解説《かいせつ》

作品《さくひん》の背景《はいけい》や作者《さくしゃ》のこと、内容《ないよう》について、知《し》っているとより深《ふか》く物語《ものがたり》が楽《たの》しめる情報《じょうほう》をのせました。

7

オススメの本《ほん》

あらすじを書《か》くにあたって参考《さんこう》にした本《ほん》や、小学生《しょうがくせい》が読《よ》みやすい本《ほん》をしょうかいしています。

第《だい》1部《ぶ》

1話《わ》5分《ふん》！

名作《めいさく》100選《せん》

日本《にほん》と世界《せかい》の名作《めいさく》 100 作品《さくひん》をあらすじでしょうかいしています。
最初《さいしょ》から順番《じゅんばん》に読《よ》んでもいいですし、タイトルやイラストを見《み》て
気《き》になったものから読《よ》んでもいいですね。
想像《そうぞう》のつばさを広《ひろ》げて、名作《めいさく》の世界《せかい》へ羽《は》ばたきましょう！

第《だい》1章《しょう》

低学年向《ていがくねんむ》け

低学年向《ていがくねんむ》けの21作品《さくひん》の中《なか》には、小《ちい》さいころに絵本《えほん》で読《よ》んだお話《はなし》もあるかもしれませんが、ここでしょうかいするオススメ図書《としょ》も読《よ》んでみましょう。きっと絵本《えほん》とはちがったおもしろみや新《あら》たな発見《はっけん》があるはずですよ。

エリック・ナイト

家族《かぞく》のもとへ帰《かえ》るため
ヨークシャーまで約六百《やくろっぴゃく》キロの
道《みち》のりを、ラッシーは歩《ある》く

名犬《めいけん》ラッシー

「ラッシーのおかげで時間《じかん》がわかる」

と、イングランド・ヨークシャー州《しゅう》にあるグリノームブリッジ村《むら》の人《ひと》たちは、みんな言《い》う。ラッシーは、村《むら》に住《す》むキャラクロー家《け》が飼《か》っているメスのコリー*犬《けん》だ。彼女《かのじょ》は毎日午後四時《まいにちごごよじ》になると、十二歳《じゅうにさい》の少年《しょうねん》ジョー・キャラクローを学校《がっこう》までむかえに行《い》く。ラッシーは村《むら》で一番美《いちばんうつく》しくてかしこい犬《いぬ》なのだ。

このころ、キャラクロー家《け》は貧《びん》ぼうだった。景気《けいき》が悪《わる》くて、ジョーの父親《ちちおや》が仕事《しごと》にありつけないのだ。困《こま》ったジョーの両親《りょうしん》は、ラッシーをラドリング*侯爵《こうしゃく》に売《う》ってしまった。喜《よろこ》んだラドリング侯爵《こうしゃく》は、ラッシーをドッグショーに出《だ》すため、スコットランドに連《つ》れていってしまった。ジョーはとても悲《かな》しんだ。

スコットランドに連《つ》れていかれたラッシーは、ドッグショーの訓練中《くんれんちゅう》、ある本能《ほんのう》に呼《よ》び起《お》こされた。

（四時《よじ》だ！　ジョーをむかえに行《い》かなくちゃ）

ラッシーは首輪《くびわ》をすりぬけ、一目散《いちもくさん》ににげ出《だ》した。南《みなみ》へ、ただ南《みなみ》へ。六百《ろっぴゃく》キロ以上《いじょう》もはなれたグリノームブリッジ村《むら》を目指《めざ》して、ラッシーは歩《ある》き続《つづ》けた。ノドがかわけば川《かわ》の水《みず》を飲《の》み、お腹《なか》が空《す》けばウサギ

【語句説明《ごくせつめい》】コリー犬《けん》：正式名称《せいしきめいしょう》はラフ・コリー。非常《ひじょう》にかしこく、羊《ひつじ》の番犬《ばんけん》としても有名《ゆうめい》。

エリック・ナイト
1897年《ねん》-1943年《ねん》
イギリス・ヨークシャー州《しゅう》生まれ。15歳《さい》でアメリカにわたり、新聞社《しんぶんしゃ》の雑用係《ざつようがかり》として働《はたら》く。新聞《しんぶん》に短編《たんぺん》を書《か》き始《はじ》めたのを機《き》に、ハリウッド映画《えいが》のきゃく本《ほん》も手《て》がける。代表作《だいひょうさく》に『名犬《めいけん》ラッシー』。

読《よ》んだ日《ひ》　年《ねん》　月《がつ》　日《にち》

を狩《か》って食《た》べた。村《むら》の人《ひと》以外《いがい》の人間《にんげん》は信用《しんよう》できない。なぜなら、人間《にんげん》たちは美《うつく》しいラッシーを見《み》ると、決《き》まってつかまえて売《う》り飛《と》ばそうとするからだ。

だが、犬《いぬ》が一《いっ》ぴきで旅《たび》をするのは無理《むり》がある。ラッシーの足《あし》はトゲがささって傷《きず》つき、体《からだ》はやせ細《ほそ》り、見事《みごと》だった毛並《けな》みは見《み》すぼらしくボロボロになった。川《かわ》を泳《およ》いでわたり、野犬狩《やけんが》りにていこうし、うえとかわきにたえて歩《ある》き続《つづ》けた結果《けっか》だった。

そんなラッシーにも救《すく》いの手《て》はあった。優《やさ》しい老《ろう》夫婦《ふうふ》が傷《きず》つきたおれたラッシーをかいほうしてくれたり、犬好《いぬず》きの旅《たび》の行商人《ぎょうしょうにん》が、ラッシーと同行《どうこう》してくれたりしたのだ。優《やさ》しい彼《かれ》らは、ラッシーの気《き》持《も》ちを理解《りかい》して旅《たび》のじゃまをしなかった。別《わか》れをおしみながらも、快《こころよ》く見送《みおく》ってくれた。

そしてついにラッシーはなつかしい村《むら》に帰《かえ》ってきた。肺《はい》えんにかかって、やせこけてあばら骨《ぼね》がうき出《で》たあわれな姿《すがた》で。ジョーと家族《かぞく》は喜《よろこ》び、ラッシーをかいほうした。ランドリング侯爵《こうしゃく》の了承《りょうしょう》も得《え》て、ラッシーはキャラクロー家《け》にもどったのだった。

解説《かいせつ》

一九三八年《ねん》に発表《はっぴょう》された本作《ほんさく》は、ナイトが飼《か》っていたコリー犬《けん》が、四百《よんひゃく》キロはなれた場所《ばしょ》から自宅《じたく》にもどってきた実話《じつわ》を基《もと》に書《か》かれたものです。コリー犬《けん》の忠誠心《ちゅうせいしん》の高《たか》さ、気高《けだか》さがわかる名作《めいさく》で、本作発表《ほんさくはっぴょう》以降《いこう》、コリー犬《けん》の人気《にんき》が世界中《せかいじゅう》で高《たか》まりました。

オススメ図書《としょ》

『新訳《しんやく》 名犬《めいけん》ラッシー』（岩貞《いわさだ》るみこ〔訳《やく》〕、講談社青い鳥文庫《こうだんしゃあおいとりぶんこ》）

【語句説明《ごくせつめい》】侯爵《こうしゃく》：西洋《せいよう》の貴族階級《きぞくかいきゅう》の一《ひと》つ。おおよそ位《くらい》の高《たか》い順《じゅん》に公爵《こうしゃく》、侯爵《こうしゃく》、伯爵《はくしゃく》、子爵《ししゃく》、男爵《だんしゃく》がある。

オー・ヘンリー

賢《けん》者《じゃ》のおくり物《もの》

愛《あい》するおたがいのためにおくり合《あ》った
一見《いっけん》おろかな、
実《じつ》は温《あたた》かく、かしこいおくり物《もの》

オー・ヘンリー
1862年《ねん》-1910年《ねん》
アメリカ・ノースカロライナ出身《しゅっしん》。20歳《さい》ごろからしっ筆活動《ぴつかつどう》を始《はじ》め、1902年《ねん》より『ニューヨーク・ワールド』紙《し》とけい約《やく》、1904年《ねん》に処女作《しょじょさく》『キャベツと王様《おうさま》』を出版《しゅっぱん》、生《しょう》がいで381編《ぺん》の作品《さくひん》を残《のこ》した短編《たんぺん》の名手《めいしゅ》。代表《だいひょう》作《さく》に『最後《さいご》の一葉《ひとは》』『賢者《けんじゃ》のおくり物《もの》』など。

低学年

一《いち》ドル八十七《はちじゅうなな》セント。それで全部《ぜんぶ》。明日《あした》はクリスマスだというのに。大切《たいせつ》なジムへのおくり物《もの》を買《か》うのに、これっぽちしかないなんて。デラは、そまつないすにつっぷして泣《な》きました。

ジェームズ・ディリンガム・ヤング家《け》には、週《しゅう》二十《にじゅう》ドルの収入《しゅうにゅう》しかありません。週八《しゅうはち》ドルの安《やす》アパートに住《す》むのがせいいっぱいなのです。それでも、デラはジェームズが帰《かえ》ると、「ジム」と愛《あい》しょうを呼《よ》んで、いつでもぎゅっと夫《おっと》をだきしめるのでした。

ヤング家《け》には、二《ふた》つの宝物《たからもの》がありました。一《ひと》つはジムの金時計《きんどけい》です。もう一《ひと》つはデラの美《うつく》しいかみでした。デラは自分《じぶん》の自《じ》まんのかみをジムへのおくり物《もの》を買《か》うために売《う》ることにしました。かみは二十《にじゅう》ドルで売《う》れました。そして、デラは町中《まちじゅう》をめぐり、ジムのかい中金時計《ちゅうきんどけい》をかざるための素晴《すば》らしいプラチナの時計《とけい》のくさりを見《み》つけました。値段《ねだん》は二十一《にじゅういち》ドル。ギリギリ買《か》える値段《ねだん》です。デラは時計《とけい》のくさりを買《か》って帰《かえ》りました。

その夜《よる》、ジムが帰《かえ》ってきましたが、デラを見《み》たとたん立《た》ち止《ど》まり、そのまま動《うご》きません。ジムはきみょ

【語句説明《ごくせつめい》】べっこう：ウミガメの一種《いっしゅ》・タイマイのこうらの加工品《かこうひん》。軽《かる》くて美《うつく》しい高級品《こうきゅうひん》で、装《そう》しょく品《ひん》の材料《ざいりょう》として使《つか》われる。

読《よ》んだ日《ひ》　年《ねん》　月《がつ》　日《にち》

うな表情《ひょうじょう》をうかべながら、ただ、じっとデラを見《み》つめています。

「かみの毛《け》は切《き》って、売《う》っちゃったの。かみはまたのびるわ。ねえ、ジム、私《わたし》はあなたを愛《あい》してるの」

ジムはオーバーのポケットから包《つつ》みを取《と》り出《だ》すと、テーブルに置《お》きました。

「ねえデラ、ぼくはかみ型《がた》で君《きみ》をきらいになったりするもんか。その包《つつ》みを開《あ》けてごらん」

包《つつ》みの中《なか》には、くしが入《はい》っていました。すでに売《う》ってなくなった美《うつく》しいかみにぴったりの*べっこうのくし。デラはうれしさと悲《かな》しみのため、しばらく泣《な》いた後《あと》、ジムに時計《とけい》のくさりをプレゼントしました。すると、ジムはいすにこしを下《お》ろし、にっこりとほほえみました。

「ねえデラ。実《じつ》はね、くしを買《か》うお金《かね》を作《つく》るために、ぼくは時計《とけい》を売《う》っちゃったのさ」

二人《ふたり》はおたがいのもっともすばらしい宝物《たからもの》を、おたがいのためにだいなしにしてしまいました。しかしこの二人《ふたり》こそ、もっともかしこい人《ひと》たちなのです。彼《かれ》らこそ、本当《ほんとう》の*東方《とうほう》の賢者《けんじゃ》なのです。

解説《かいせつ》

一九〇五年発表《ねんはっぴょう》。本作《ほんさく》は、クリスマス由来《ゆらい》のエピソードを下《した》じきにした短編小説《たんぺんしょうせつ》。一見《いっけん》むだに終《お》わったおくり物《もの》でしたが、代《か》わりに温《あたた》かい心《こころ》を交《こう》かんできたという優《やさ》しいお話《はなし》です。

オススメ図書《としょ》

『賢者《けんじゃ》の贈《おく》り物《もの》（新装版《しんそうばん》）』（飯島淳秀《いいじまよしひで》〔訳《やく》〕、講談社青い鳥《こうだんしゃあおいとり》文庫《ぶんこ》）

【語句説明《ごくせつめい》】東方《とうほう》の賢者《けんじゃ》：新約聖書《しんやくせいしょ》に登場《とうじょう》する三賢者《さんけんじゃ》のことで、クリスマスプレゼントの起源《きげん》とされる。二人《ふたり》のおくり物《もの》は、この東方《とうほう》の三賢者《さんけんじゃ》のおくり物《もの》にひってきするすてきなものだということ。

オスカー・ワイルド

幸《しあわ》せな王子《おうじ》

身《み》を捨《す》てて
人々《ひとびと》のためにつくした
王子《おうじ》とツバメの美《うつく》しく悲《かな》しい物語《ものがたり》

オスカー・ワイルド
1854年《ねん》-1900年《ねん》
1878年《ねん》、アイルランド出身《しゅっしん》。オックスフォード大学《だいがく》を首席《しゅせき》で卒業《そつぎょう》した年《とし》、長詩《ちょうし》『ラヴェンナ』を刊行《かんこう》。耽美的《たんびてき》・退《たい》はい的《てき》な生活《せいかつ》を送《おく》りながら文筆活動《ぶんぴつかつどう》を行《おこな》った。代表作《だいひょうさく》に『サロメ』『ドリアン・グレイの肖像《しょうぞう》』など。本書《ほんしょ》で読《よ》める作品《さくひん》は他《ほか》に**20**、**22**ページ。

町《まち》の中《なか》にそびえる高《たか》い柱《はしら》の上《うえ》に、「幸福《こうふく》の王子《おうじ》」の像《ぞう》が立《た》っていました。王子《おうじ》の像《ぞう》は全身《ぜんしん》が金《きん》ぱくでおおわれ、二《ふた》つの目《め》はサファイアで、王子《おうじ》のけんのつかには、大《おお》きな赤《あか》いルビーが光《ひか》っていました。

ある冬《ふゆ》の晩《ばん》、その町《まち》に小《ちい》さなツバメが飛《と》んできました。友《とも》だちらはすでにエジプト*に行《い》きましたが、そのツバメは残《のこ》っていました。

ツバメが羽《はね》を休《やす》めていると、雨《あめ》つぶが落《お》ちてきました。見上《みあ》げると、王子《おうじ》の像《ぞう》が泣《な》いています。ツバメがなぜ泣《な》くのかをたずねると、王子《おうじ》は言《い》いました。

「この高《たか》い場所《ばしょ》からは町《まち》のすべての悲《かな》しみが見《み》える。私《わたし》の心臓《しんぞう》はなまりでできているけれど、泣《な》かずにはいられないのだ」

王子《おうじ》はツバメに、病気《びょうき》の息子《むすこ》を持《も》つ母《はは》のため、ルビーを持《も》っていくようにたのみました。早《はや》くエジプトに行《い》きたかったツバメですが、迷《まよ》った挙句《あげく》、ルビーを持《も》っていきました。次《つぎ》の日《ひ》、王子《おうじ》は貧《まず》しい若者《わかもの》にサファイアを持《も》っていくようにツバメにたのみました。ツバメは仕方《しかた》なく、王子《おうじ》の片目《かため》をくりぬいてサファイアを取《と》り、若者《わかもの》のところへ運《はこ》びました。

【語句説明《ごくせつめい》】エジプト：王子《おうじ》の町《まち》の位置《いち》は、作中《さくちゅう》に明記《めいき》はないが、ヨーロッパのどこか。わたり鳥《どり》のツバメは、冬《ふゆ》に暖《あたた》かいアフリカのエジプトにわたる。

読《よ》んだ日《ひ》　年《ねん》　月《がつ》　日《にち》

そのまた次《つぎ》の日《ひ》、王子《おうじ》はツバメに、マッチ売《う》りの少女《しょうじょ》へ、もう一《ひと》つのサファイアを持《も》っていくようにたのみました。ツバメは、王子《おうじ》のもう片方《かたほう》の目《め》をくりぬき、少女《しょうじょ》のもとへ持《も》っていきました。

王子《おうじ》は、貧《まず》しい人々《ひとびと》に体《からだ》の金《きん》ぱくを配《くば》ってほしいとたのみました。ツバメは王子《おうじ》の金《きん》ぱくをはがし、貧《まず》しい人《ひと》たちに配《くば》りました。町《まち》の人々《ひとびと》は喜《よろこ》びました。

やがて、ツバメは寒《さむ》さのためにこごえて死《し》に、王《おう》子《じ》の足元《あしもと》に落《お》ちてしまいました。そのしゅん間《かん》、王《おう》子《じ》のなまりの心臓《しんぞう》が割《わ》れました。町《まち》の人々《ひとびと》はみすぼらしくなった王子《おうじ》の像《ぞう》を溶鉱炉《ようこうろ》でとかしました。しかし、こわれたなまりの心臓《しんぞう》だけは溶鉱炉《ようこうろ》でもとけませんでした。心臓《しんぞう》は、死《し》んだツバメとともに、ごみために捨《す》てられました。

天使《てんし》は、神様《かみさま》から「もっとも尊《とうと》いものを二《ふた》つ持《も》ってくるように」と言《い》われ、なまりの心臓《しんぞう》と死《し》んだ鳥《とり》を持《も》ち帰《かえ》りました。神様《かみさま》は喜《よろこ》びました。

「天国《てんごく》の庭園《ていえん》でこの小《ちい》さな鳥《とり》は永遠《えいえん》に歌《うた》い、黄金《おうごん》の都《みやこ》で幸福《こうふく》の王子《おうじ》は私《わたし》を賛美《さんび》するだろう」

解説《かいせつ》

一八八八年《ねん》に出版《しゅっぱん》。自己《じこ》ぎせいの末《すえ》に死《し》んだ二《ふた》つのたましいの美《うつく》しさと気高《けだか》さが、町《まち》の人《ひと》にはわからなかったという皮肉《ひにく》とあいしゅうに満《み》ちた短編《たんぺん》です。

オススメ図書《としょ》

『こども世界名作童話《せかいめいさくどうわ》33　しあわせな王子《おうじ》』（前川祐一《まえかわゆういち》（文《ぶん》）、ポプラ社《しゃ》）

オスカー・ワイルド

小鳥《ことり》が恋《こい》のために命《いのち》をかけて
作《つく》り出《だ》した紅《あか》いバラ。
だが若者《わかもの》は、そのバラを見《み》つけると……

ナイチンゲールとバラの花《はな》

オスカー・ワイルド
1854年《ねん》-1900年《ねん》

18ページ参照《さんしょう》。

「愛《いと》しいあのむすめ。紅《あか》いバラをくれるなら、彼女《かのじょ》はぼくとおどってくれると言《い》った。ああ、でもぼくの庭《にわ》には紅《あか》いバラなど一本《いっぽん》もない……」

一人《ひとり》の若者《わかもの》がそう言《い》ってなげいておりました。彼《かれ》は翌日《よくじつ》のぶとう会《かい》で、恋《こい》するむすめといっしょに過《す》ごしたかったのです。しかし、貧《まず》しい彼《かれ》は、一本《いっぽん》の紅《あか》いバラさえ買《か》うことができません。

若者《わかもの》が恋《こい》に苦《くる》しんでいるのを見《み》た一羽《いちわ》のナイチン*ゲールは、彼《かれ》の願《ねが》いをかなえたいと思《おも》いました。なぜなら、若者《わかもの》の家《いえ》の庭《にわ》にすむナイチンゲールもまた、若者《わかもの》に恋《こい》をしていたからです。ナイチンゲールは、紅《あか》いバラを求《もと》めて、若者《わかもの》の庭《にわ》を飛《と》び回《まわ》りました。

「ああ、なぜこの庭《にわ》には紅《あか》いバラがないのかしら。白《しろ》バラさん、私《わたし》は紅《あか》いバラが欲《ほ》しいのです」

「方法《ほうほう》はあるけれど、それはとてもおそろしいこと。私《わたし》には教《おし》えることなど、できはしない」

「何《なん》でもいたします。私《わたし》のあの人《ひと》が幸《しあわ》せになれるのなら、私《わたし》はどこへなりとも向《む》かいましょう」

「ならば、お前《まえ》の小《ちい》さな胸《むね》を私《わたし》のいばらにつき立《た》て、お前《まえ》の心臓《しんぞう》の血《ち》で私《わたし》を紅《あか》く染《そ》め上《あ》げなさい。命《いのち》

【語句説明《ごくせつめい》】ナイチンゲール：鳴《な》き声《ごえ》の美《うつく》しい鳥《とり》。和名《わめい》に「小夜啼鳥《サヨナキドリ》」「夜啼鶯《ヨナキウグイス》」。

読《よ》んだ日《ひ》　年《ねん》　月《がつ》　日《にち》

に代《か》えても手《て》に入《い》れることができるかな？」

「恋《こい》は命《いのち》より尊《とうと》いものよ。まして私《わたし》の命《いのち》など！」

ナイチンゲールは、自分《じぶん》の胸《むね》にいばらのとげをつき立《た》て、恋《こい》の歌《うた》を高《たか》らかに歌《うた》いながら死《し》にました。白《しろ》バラはナイチンゲールの血《ち》を吸《す》い上《あ》げて、美《うつく》しい死《し》の真紅《しんく》のバラに変《か》わりました。

翌朝《よくあさ》、若者《わかもの》は庭《にわ》で紅《あか》いバラを見《み》つけて喜《よろこ》び、むすめのところへ行《い》きました。むすめは紅《あか》いバラをチラリと見《み》ただけでこう言《い》いました。

「きれいなバラね。でも今夜《こんや》のぶとう会《かい》で着《き》るドレスには似合《にあ》わないわ。宝石《ほうせき》の方《ほう》がずっといいわね」

若者《わかもの》はむすめの言葉《ことば》を聞《き》いて、失望《しつぼう》し、おこりました。帰《かえ》り道《みち》、若者《わかもの》は手《て》にしていた美《うつく》しい紅《あか》いバラを道端《みちばた》に投《な》げ捨《す》てました。そこへ荷馬車《にばしゃ》が通《とお》りかかり、バラをひきつぶしました。美《うつく》しかった紅《あか》いバラは、見《み》るも無残《むざん》な姿《すがた》になりました。

「愛《あい》とは、くだらないものだ！」

若者《わかもの》はそうはき捨《す》てると、家《いえ》に帰《かえ》って、勉強《べんきょう》を始《はじ》めました。

解説《かいせつ》

一八八八年《ねん》に短編集《たんぺんしゅう》『幸《しあわ》せな王子《おうじ》』の中《なか》の一編《いっぺん》として出版《しゅっぱん》されました。ナイチンゲールは「恋《こい》とは命《いのち》より大切《たいせつ》なもの」と言《い》い、若者《わかもの》は「愛《あい》とはくだらないもの」とはき捨《す》てる言葉《ことば》の対比《たいひ》が、切《せつ》なさを増《ま》しています。

オススメ図書《としょ》

『幸福《こうふく》な王子《おうじ》―ワイルド童話全集《どうわぜんしゅう》』（西村孝次《にしむらこうじ》〔訳《やく》〕、新潮《しんちょう》文庫《ぶんこ》）

オスカー・ワイルド

わがままな巨人《きょじん》

美《うつく》しい庭《にわ》を一人《ひとり》じめにしていた巨人《きょじん》が
小《ちい》さな男《おとこ》の子《こ》を助《たす》けたときに
起《お》こった、あるきせき

子《こ》どもたちは毎日《まいにち》、午後《ごご》になると、巨人《きょじん》の庭《にわ》に行《い》って遊《あそ》んでいました。そこは、やわらかい緑《みどり》の草《くさ》が生《は》え、星《ほし》に似《に》た美《うつく》しい花《はな》がさき、鳥《とり》たちが美《うつく》しい歌《うた》を歌《うた》う、広《ひろ》くてすてきな庭《にわ》だったのです。

巨人《きょじん》は七年《ななねん》もの間《あいだ》、おにの友人《ゆうじん》を訪問《ほうもん》して留守《るす》にしていたのですが、ある日《ひ》とつぜん帰《かえ》ってきました。

そして子《こ》どもたちを追《お》い出《だ》し、立《た》て札《ふだ》を立《た》てました。

『立《た》ち入《い》る者《もの》には、ばつをあたえる』

以来《いらい》、巨人《きょじん》の庭《にわ》は、鳥《とり》は歌《うた》わず、花《はな》はさかない不《ふ》毛《もう》な庭《にわ》となったのです。春《はる》も夏《なつ》も秋《あき》も来《こ》ない冬《ふゆ》ばかりが続《つづ》いたある日《ひ》のこと、不思議《ふしぎ》なことに北風《きたかぜ》が止《や》む日《ひ》が来《き》ました。巨人《きょじん》が庭《にわ》を見《み》ると、子《こ》どもたちが木々《きぎ》の上《うえ》に座《すわ》っているのが見《み》えます。ただ、小《ちい》さな男《おとこ》の子《こ》だけが、木《き》の枝《えだ》に登《のぼ》れず、泣《な》いていました。

「春《はる》がなぜ来《こ》ないのか、今《いま》わかった。わしがわがままだったんだ。庭《にわ》を開放《かいほう》すれば、ここは永遠《えいえん》に子《こ》どもたちの遊《あそ》び場所《ばしょ》になるだろう」

巨人《きょじん》はその子《こ》をだき上《あ》げると、木《き》に乗《の》せてあげました。すると、木《き》にはいっぺんに花《はな》がさき乱《みだ》れ、鳥《とり》がやってきて歌《うた》を歌《うた》いました。小《ちい》さな男《おとこ》の子《こ》は巨人《きょじん》

オスカー・ワイルド
1854年《ねん》-1900年《ねん》

18ページ参照《さんしょう》。

低学年

読《よ》んだ日《ひ》　年《ねん》　月《がつ》　日《にち》

にキスをしました。子《こ》どもたちとともに春《はる》がもどってきたのです。以来《いらい》、毎日《まいにち》子《こ》どもたちはやってきて、巨人《きょじん》と遊《あそ》びました。でも、巨人《きょじん》が一番《いちばん》好《す》きだったあの小《ちい》さな男《おとこ》の子《こ》は二度《にど》と現《あらわ》れませんでした。

何年《なんねん》も経《た》ち、巨人《きょじん》は年老《としお》いて、体《からだ》も弱《よわ》くなりました。巨人《きょじん》はただ子《こ》どもたちが遊《あそ》ぶのをながめて楽《たの》しんでおりました。

ある冬《ふゆ》の朝《あさ》のこと、庭《にわ》に巨人《きょじん》が愛《あい》していた小《ちい》さな男《おとこ》の子《こ》が立《た》っていました。ただ、その子《こ》の両方《りょうほう》の手《て》のひらと小《ちい》さな両足《りょうあし》には*くぎのあとがありました。巨人《きょじん》はいかりくるいました。

「こんなひどいことをしたのは、だれだ？」

その子《こ》は巨人《きょじん》にほほえみかけ、こう言《い》いました。

「そうではないよ。これは*愛《あい》の傷《きず》なのだよ」

「今日《きょう》はあなたが、私《わたし》の庭《にわ》へいっしょに来《く》る日《ひ》だ。おいで。私《わたし》の庭《にわ》、パラダイスへ」

その日《ひ》の午後《ごご》、子《こ》どもたちが走《はし》ってくると、巨人《きょじん》は木《き》の下《した》に体《からだ》を横《よこ》たえて死《し》んでおり、なきがらは白《しろ》い花《はな》にすっかりおおわれておりました。

解説《かいせつ》

一八八八年《ねん》に『幸《しあわ》せな王子《おうじ》』の中《なか》の一編《いっぺん》として出版《しゅっぱん》されたワイルドの短編《たんぺん》。キリスト教文化圏《きょうぶんかけん》の国《くに》の人《ひと》は、手足《てあし》についた「くぎのあと」で、小《ちい》さな男《おとこ》の子《こ》の正体《しょうたい》がすぐにわかります。

オススメ図書《としょ》

『幸福《こうふく》な王子《おうじ》―ワイルド童話全集《どうわぜんしゅう》』（西村孝次《にしむらこうじ》〔訳《やく》〕、新潮《しんちょう》文庫《ぶんこ》）

【語句説明《ごくせつめい》】くぎのあと：イエス・キリストが手足《てあし》にくぎを打《う》たれ、はりつけになったときに、ついた傷《きず》。愛《あい》の傷《きず》：罪深《つみぶか》い人間《にんげん》たちに成《な》り代《か》わり、キリストが大《おお》いなる愛《あい》で受《う》け止《と》めたとされる傷《きず》。

カルロ・コッローディ

ピノッキオの冒険《ぼうけん》

なまけ者《もの》の木《き》の人形《にんぎょう》が
悪《わる》さをするたびにばつを受《う》け、
改心《かいしん》して人間《にんげん》の男《おとこ》の子《こ》になる物語《ものがたり》

むかしむかしあるところに……「王様《おうさま》がありました」とはなりません。木切《きぎ》れが一《ひと》つあったのです。木切《きぎ》れを手《て》に入《い》れたジェペットじいさんは、人形《にんぎょう》を作《つく》り、ピノッキオと名《な》づけました。

ところがこのピノッキオは、勉強《べんきょう》も努力《どりょく》も大《だい》きらい。食《た》べて、飲《の》んで、遊《あそ》んで暮《く》らすのが夢《ゆめ》だという、なまけ者《もの》でした。そんなピノッキオのためにジェペットじいさんは、自分《じぶん》の上着《うわぎ》を売《う》って学校《がっこう》へ行《い》かせようとしましたが、ピノッキオはそのお金《かね》で人形《にんぎょう》しばいを見《み》に行《い》く始末《しまつ》。しかもそのしばいも、ピノッキオが起《お》こしたさわぎでだいなしになりました。最《さい》初《しょ》はおこっていた人形《にんぎょう》しばいの親方《おやかた》でしたが、ピノッキオのために上着《うわぎ》を売《う》ったというジェペットじいさんに同情《どうじょう》し、ピノッキオに金貨《きんか》をあげました。

そのことを知《し》ったキツネとネコが、金貨《きんか》をうばおうとしてピノッキオをだまし、カシの木《き》につるしてしまいました。**殺《ころ》されかけたピノッキオは*仙女《せんにょ》に救《すく》われましたが、その代《か》わりに、うそをつくと鼻《はな》がのびるようになりました。**ピノッキオは仙女《せんにょ》に「いい子《こ》になる」とちかい、ジェペットじいさんのところ

【語句説明《ごくせつめい》】仙女《せんにょ》：不思議《ふしぎ》な力《ちから》を使《つか》う女性《じょせい》。妖精《ようせい》。

カルロ・コッローディ

1826年《ねん》-1890年《ねん》

イタリア・フィレンツェ市出身《ししゅっしん》。役人《やくにん》や新聞記者生活《しんぶんきしゃせいかつ》を経《へ》た後《あと》、子《こ》ども向《む》け新聞《しんぶん》に書《か》いた『ピノッキオの冒険《ぼうけん》』が大《だい》ヒットしたが、他《ほか》の作品《さくひん》はほとんど知《し》られていない。だが、ピノッキオは、世界中《せかいじゅう》に知《し》られ愛《あい》されるキャラクターとなった。

読《よ》んだ日《ひ》	年《ねん》　月《がつ》　日《にち》

へ帰《かえ》り、学校《がっこう》に通《かよ》うようになりました。

「仙女様《せんにょさま》が約束《やくそく》してくれたんだ。いい子《こ》にしてれば人間《にんげん》の子《こ》どもにしてくれるって！」

　でもやっぱり、ピノッキオはいい子《こ》にはなれませんでした。悪《わる》い友《とも》だちにさそわれて、遊《あそ》んで暮《く》らせるという国《くに》へ向《む》かったのです。その国《くに》で遊《あそ》んでばかりいたピノッキオは、ロバの姿《すがた》になってしまいました。実《じつ》はこの国《くに》は、子《こ》どもをだましてさらい、ロバ

として働《はたら》かせていたのでした。ロバになったピノッキオは、皮《かわ》をはがれるために海《うみ》に投《な》げこまれましたが、魚《さかな》たちがロバの部分《ぶぶん》の皮《かわ》や肉《にく》を食《た》べてしまったので、ピノッキオは元《もと》の人形《にんぎょう》にもどりました。
帰《かえ》ってこないピノッキオを探《さが》すため海《うみ》に出《で》たジェペットじいさんを追《お》いかけて、ピノッキオも海《うみ》へ行《い》きました。ところが、大《おお》きなフカ*に飲《の》みこまれてしまいました。すると、そのフカの腹《はら》の中《なか》には、ジェペットじいさんがいたのです。喜《よろこ》んだピノッキオはいい子《こ》になり、仙女《せんにょ》に人間《にんげん》にしてもらいました。

【語句説明《ごくせつめい》】フカ：サメ。

解説《かいせつ》

一八八一年発表《ねんはっぴょう》。世界中《せかいじゅう》に愛読《あいどく》されているイタリアの児童文学《じどうぶんがく》。わがままでいたずら好《ず》き、勉強《べんきょう》ぎらいのピノッキオが悪《わる》さと改心《かいしん》をくり返《かえ》す様子《ようす》が人間《にんげん》の子《こ》どもの姿《すがた》そのままのみりょくです。

オススメ図書《としょ》

『ピノッキオの冒険《ぼうけん》』（杉浦明平《すぎうらみんぺい》〈訳《やく》〉、岩波少年文庫《いわなみしょうねんぶんこ》）

ピーター・パン

「永遠《えいえん》の少年《しょうねん》」ピーター・パンが
少女《しょうじょ》ウェンディを連《つ》れ出《だ》し
ネバーランドで大冒険《だいぼうけん》！

ロンドンに住《す》むダーリング家《け》には、三人《さんにん》の子《こ》どもがいました。お姉《ねえ》さんのウェンディと二人《ふたり》の弟《おとうと》のジョンとマイケルです。両親《りょうしん》が出《で》かけたある夜《よる》、ピーター・パンが妖精《ようせい》のティンカー・ベルを連《つ》れて、窓《まど》から入《はい》ってきました。**妖精《ようせい》の魔法《まほう》で飛《と》べるようになったウェンディと二人《ふたり》の弟《おとうと》は、おとぎの国《くに》ネバーランド（どこにもない国《くに》）へ向《む》かいました。**

ネバーランドには、人魚《にんぎょ》、妖精《ようせい》、動物《どうぶつ》、そしてお母《かあ》さんを知《し》らない子《こ》どもたちがいました。ピーターは、ウェンディに子《こ》どもたちのお母《かあ》さんになってもらいたかったのです。しかし、ネバーランドにはお

ジェームス・マシュー・バリー
1860年《ねん》-1937年《ねん》
スコットランド・キリミュア生《う》まれ。エディンバラ大学卒業後《だいがくそつぎょうご》、新聞社《しんぶんしゃ》に勤《きん》務《む》するが退社《たいしゃ》。以後作家生活《いごさっかせいかつ》に入《はい》り、新進作家《しんしんさっか》として有名《ゆうめい》になる。代表作《だいひょうさく》は世界的《せかいてき》に有名《ゆうめい》な『ピーター・パン』。

読《よ》んだ日《ひ》　年《ねん》　月《がつ》　日《にち》

そろしい海《かい》ぞくたちもいました。特《とく》に海《かい》ぞくの頭《かしら》であるフック船長《せんちょう》は、かつてピーターとの戦《たたか》いで右《みぎ》うでを切《き》り落《お》とされ、うでをワニに食《た》べられていたので、ピーターをにくんでいました。

ウェンディは、ネバーランドに着《つ》くと、子《こ》どもたちのお母《かあ》さん代《が》わりになって、みんなのめんどうを見《み》ました。

一方《いっぽう》、フックはいろいろな悪《わる》さをピーターに仕《し》かけてきました。手下《てした》をけしかけたり毒殺《どくさつ》しようとしたりしたのです。そしてとうとう、ピーターをのぞいた子《こ》どもたちをさらってしまいました。

しばらくして、ピーターは子《こ》どもたちを助《たす》けに現《あらわ》れ、海《かい》ぞくの手下《てした》たちを全部《ぜんぶ》やっつけました。そしてフックと一人《ひとり》で対決《たいけつ》し、フックを追《お》いつめました。フックは死《し》を覚《かく》ごしましたが、最期《さいご》にピーターの*ぎょうぎの悪《わる》いところが見《み》たくなり、わざとつき落《お》とされやすい船《ふな》べりに立《た》ちました。フックのさそいにのり、ピーターは、剣《けん》を使《つか》わずに、フックをワニが待《ま》つ水中《すいちゅう》にけり落《お》としました。

「ぎょうぎが悪《わる》いぞ、ピーター・パン！」

フックは満足《まんぞく》そうに笑《わら》いながら、ワニの口《くち》へと落《お》ちていきました。ウェンディと子《こ》どもたちは、海《かい》ぞくからうばった海《かい》ぞく船《せん》でロンドンの家《いえ》に帰《かえ》りました。

行方不明《ゆくえふめい》になっていた子《こ》どもたちが帰《かえ》ってきたので、お父《とう》さんとお母《かあ》さんは大喜《おおよろこ》びし、三人《さんにん》の他《ほか》の子《こ》どもたちも全員《ぜんいん》、自分《じぶん》たちの子《こ》にしました。

ピーターはウェンディと再会《さいかい》を約束《やくそく》すると、ネバーランドに帰《かえ》っていきました。

解説《かいせつ》

一九一一年《ねん》に発表《はっぴょう》された本作《ほんさく》は、永遠《えいえん》に大人《おとな》にならない少年《しょうねん》ピーター・パンとウェンディの交流《こうりゅう》が、冒険《ぼうけん》を通《とお》してえがかれています。大人《おとな》になるということがどういうことなのか、考《かんが》えてみてください。

オススメ図書《としょ》

『ピーター・パン』（厨川圭子《くりやがわけいこ》〔訳《やく》〕、岩波少年文庫《いわなみしょうねんぶんこ》）

【語句説明《ごくせつめい》】ぎょうぎの悪《わる》いところが見《み》たくなり：にくいピーターが少年《しょうねん》らしい正義感《せいぎかん》で、堂々《どうどう》と一《いっ》き打《う》ちをいどんできたので、フックはくやしく思《おも》っていた。

シャルル・ペロー

おろかな願《ねが》い

もしも願《ねが》い事《ごと》がかなうなら……。
木《き》こりが望《のぞ》んだ
三《みっ》つの願《ねが》い事《ごと》はなんでしょう？

昔々《むかしむかし》、あるところに、貧《びん》ぼうな木《き》こりがいました。

木《き》こりはあんまり生活《せいかつ》が苦《くる》しいので、いつも神様《かみさま》はおれを助《たす》けてくれない、願《ねが》ってもムダだ、となげいていました。

ある日《ひ》、木《き》こりが森《もり》に行《い》くと、とつぜん目《め》の前《まえ》に*ゼウスが現《あらわ》れて言《い》いました。

「神《かみ》が願《ねが》いをかなえないだと？　よかろう、神《かみ》の名《な》において約束《やくそく》しよう。お前《まえ》が最初《さいしょ》にいだく三《みっ》つの願《ねが》いを必《かなら》ず聞《き》き届《とど》けてやろう」

木《き》こりは喜《よろこ》んで家《いえ》に帰《かえ》り、おかみさんにこのことを話《はな》しました。

「あんた、よく考《かんが》えるんだよ。ゆっくりと、一晩《ひとばん》考《かんが》えて願《ねが》い事《ごと》を決《き》めるんだよ」

木《き》こりはそうだな、とうなずくと、体《からだ》を休《やす》めながらワインを一《いっ》ぱい飲《の》みました。

「ああ、幸《しあわ》せだ。**こんなときにソーセージがあったら、さぞワインもうまいだろうに**」

するとたちまち、*一《いち》オーヌもある一本《いっぽん》のソーセージが現《あらわ》れました。それを見《み》て、おかみさんはびっくりして金切《かなき》り声《ごえ》をあげました。

【語句説明《ごくせつめい》】ゼウス：ギリシャ神話《しんわ》に登場《とうじょう》する最高神《さいこうしん》。かみなりを武器《ぶき》にする万能神《ばんのうしん》でもある。

シャルル・ペロー
1628年《ねん》-1703年《ねん》
フランス出身《しゅっしん》。子《こ》どもを意識《いしき》して書《か》かれた初《はじ》めての児童文学《じどうぶんがく》とされる『寓意《ぐうい》のある昔話《むかしばなし》、またはコント集《しゅう》～がちょうおばさんの話《はなし》』（日本《にほん》では『ペロー童話集《どうわしゅう》』）を1697年《ねん》に出版《しゅっぱん》。著作《ちょさく》に『赤《あか》ずきん』など多数《たすう》。本書《ほんしょ》で読《よ》める作品《さくひん》は他《ほか》に30ページ。

読《よ》んだ日《ひ》	年《ねん》　月《がつ》　日《にち》

「あんた！　あんだけ言《い》ったのに、なんでしょうもないことに願《ねが》い事《ごと》を使《つか》うのよ！」

木《き》こりも後《こう》かいしていたのですが、おかみさんがあんまりうるさいので、こう言《い》ってしまいました。

「うるせえぞ！　**こんなソーセージなんか、お前《まえ》の鼻《はな》にくっついちまえ！**」

ゼウスはそくざに、この願《ねが》いを聞《き》き届《とど》けました。おかみさんの鼻《はな》に、長《なが》い長《なが》いソーセージがぶら下《さ》がったのです。木《き》こりは、おかみさんの姿《すがた》を見《み》て、

またも後《こう》かいしました。

「最後《さいご》の願《ねが》いは、王様《おうさま》になってぜいたくな暮《く》らしをしてみようとも思《おも》うが、今《いま》のお前《まえ》は、そうは思《おも》わんだろう。**ゼウス様《さま》、ソーセージを消《け》してください**」

こうして、三《みっ》つの願《ねが》いはすべてかないました。

分別《ふんべつ》のない人《ひと》、そそっかしい人《ひと》、心配性《しんぱいしょう》の人《ひと》、ころころ意見《いけん》の変《か》わる人《ひと》、こういう人《ひと》たちは、願《ねが》い事《ごと》をするには向《む》きません。そんな人《ひと》たちは、せっかく神様《かみさま》が願《ねが》い事《ごと》をかなえてくれると約束《やくそく》しても、使《つか》いこなせる者《もの》はほとんどいない、というお話《はなし》でした。

【語句説明《ごくせつめい》】1オーヌ：約《やく》1.2メートル。

解説《かいせつ》

一六九三年発表《ねんはっぴょう》。「三《みっ》つの願《ねが》い」というタイトルでも有名《ゆうめい》な童話《どうわ》。ペローの童話《どうわ》はグリム童話《どうわ》と同《おな》じ話《はなし》が多《おお》いことで有名《ゆうめい》ですが、話《はなし》の終《お》わりのほとんどに「教訓《きょうくん》」が加《くわ》えてあるのが特《とく》ちょうです。

オススメ図書《としょ》

『ペロー童話集《どうわしゅう》』（天沢《あまざわ》退二郎《たいじろう》〔訳《やく》〕、岩波少年文庫《いわなみしょうねんぶんこ》）

シャルル・ペロー

長《なが》ぐつをはいた猫《ねこ》

遺産《いさん》として遺《のこ》された
一《いっ》ぴきの猫《ねこ》が言《い》いました。
「すべては私《わたし》にお任《まか》せあれ」

昔《むかし》、あるところに若者《わかもの》がおりました。父《ちち》が死《し》んだとき、遺《のこ》されたものは猫一《ねこいっ》ぴきでした。

「二人《ふたり》の兄《にい》さんは財産《ざいさん》をもらったのに、ぼくには猫《ねこ》一《いっ》ぴきだけ。ああ、これからどうしよう……」

するとそばでこれを聞《き》いていた猫《ねこ》が、ひどくかしこそうな顔《かお》をして、こんなことを言《い》いました。

「何《なに》、心配《しんぱい》なさらずともけっこう。私《わたし》にふくろをくださいな。それと、どこでも走《はし》ることができる長《なが》ぐつも。後《あと》はすべて私《わたし》にお任《まか》せあれ」

若者《わかもの》が猫《ねこ》にふくろと長《なが》ぐつをわたすと、猫《ねこ》は旅立《たびだ》ちました。とちゅう、猫《ねこ》はうさぎをつかまえ、ふくろに入《い》れて王様《おうさま》のところへ行《い》き、言《い》いました。

「主人《しゅじん》カラバ侯爵《こうしゃく》の言《い》いつけで参《まい》りました。わがかり*場《ば》のうさぎを一《いっ》ぴき、けん上《じょう》*にいたします」

カラバ侯爵《こうしゃく》というのは、猫《ねこ》のでたらめですが、王様《おうさま》はそんなことは知《し》りません。王様《おうさま》はお礼《れい》を言《い》いました。猫《ねこ》はそれ以来《いらい》、えものをつかまえては、王様《おうさま》にけん上《じょう》しに行《い》きました。そのたびに王様《おうさま》はお礼《れい》を言《い》い、やがて猫《ねこ》を信用《しんよう》するようになりました。

ある日《ひ》、猫《ねこ》は王様《おうさま》が王女《おうじょ》を連《つ》れて遊《あそ》びに出《で》かける

【語句説明《ごくせつめい》】かり場《ば》：主人《しゅじん》が、領地《りょうち》にしゅ味《み》のかり場《ば》を持《も》つほどの大貴族《だいきぞく》だということをほのめかしている。

シャルル・ペロー
1628年《ねん》-1703年《ねん》
28ページ参照《さんしょう》。

読《よ》んだ日《ひ》　年《ねん》　月《がつ》　日《にち》

ことを知《し》ると、若者《わかもの》に言《い》いました。

「川《かわ》で服《ふく》をぬいで、水浴《みずあ》びをしてください」

わけもわからず、若者《わかもの》が水浴《みずあ》びをしていると、王様《おうさま》と王女《おうじょ》がやってきました。となりで猫《ねこ》が、「わが主人《しゅじん》がおぼれている！」とさけんでいます。すると王様《おうさま》は、若者《わかもの》を助《たす》け出《だ》し、立派《りっぱ》な服《ふく》をくれました。

猫《ねこ》は、若者《わかもの》が王様《おうさま》からていねいなあつかいをされているのを見届《みとど》けると、その足《あし》で人食《ひとく》いおにの城《しろ》へ行《い》きました。猫《ねこ》は城《しろ》で人食《ひとく》いおにに会《あ》うと、人食《ひとく》いおにが何《なん》にでも変身《へんしん》できる魔法《まほう》を使《つか》えることをさんざんほめたたえた後《あと》で、こう言《い》いました。

「でも、ねずみにはなれないでしょう？」

人食《ひとく》いおにには、猫《ねこ》の口車《くちぐるま》に乗《の》り、ねずみに化《ば》けました。そこで猫《ねこ》はすかさず、ねずみを食《た》べてしまい、城《しろ》を乗《の》っ取《と》りました。

後《あと》からやってきた王様《おうさま》は猫《ねこ》からかんげいされ、この城《しろ》がカラバ侯爵《こうしゃく》の城《しろ》だと説明《せつめい》されると、すっかり満足《まんぞく》して、若者《わかもの》と王女《おうじょ》がけっこんすることを許《ゆる》しました。若者《わかもの》は王女《おうじょ》とけっこんし、猫《ねこ》といっしょに幸《しあわ》せな日々《ひび》を送《おく》りました。

【語句説明《ごくせつめい》】けん上《じょう》：えらい人《ひと》に物《もの》を差《さ》し上《あ》げること。

解説《かいせつ》

一六九七年刊行《ねんかんこう》の『寓意《ぐうい》のある昔話《むかしばなし》、またはコント集《しゅう》～がちょうおばさんの話《はなし》』の中《なか》の一編《いっぺん》。『長《なが》ぐつをはいた猫《ねこ》』はペローの童話《どうわ》が有名《ゆうめい》ですが、同様《どうよう》の話《はなし》はヨーロッパの国々《くにぐに》にあります。猫《ねこ》はずるがしこく見《み》えますが、主人思《しゅじんおも》いなのはまちがいありません。

オススメ図書《としょ》

『長《なが》ぐつをはいた猫《ねこ》』（伊豆平成《いずへいせい》〔作《さく》〕、角川《かどかわ》つばさ文庫《ぶんこ》）

マーク・トウェイン

王子《おうじ》とこじき

身分《みぶん》がまったくちがう
二人《ふたり》の少年《しょうねん》が入《い》れかわったことで起《お》こる
そう動《どう》をえがいた名作《めいさく》

マーク・トウェイン
1835年《ねん》-1910年《ねん》
アメリカ・ミズーリ州出身《しゅうしゅっしん》。蒸気船《じょうきせん》の水先案内人《みずさきあんないにん》、軍人《ぐんじん》、新聞記者《しんぶんきしゃ》など職《しょく》を転々《てんてん》とし、1873年《ねん》に『金《きん》ぴか時代《じだい》』で有名《ゆうめい》になる。「現代《げんだい》アメリカ文学《ぶんがく》の祖《そ》」と激賞《げきしょう》される作家《さっか》。作品《さくひん》は『トム・ソーヤーの冒険《ぼうけん》』（本書《ほんしょ》**86**ページ）『ハックルベリー・フィンの冒険《ぼうけん》』（本書《ほんしょ》**172**ページ）など多数《たすう》。

十六世紀半《じゅうろくせいきなか》ばのある日《ひ》、ロンドンで二人《ふたり》の男《おとこ》の子《こ》が生《う》まれた。一人《ひとり》は貧《まず》しい家《いえ》に生《う》まれたトム・キャンティ、もう一人《ひとり》は英国国王《えいこくこくおう》の王子《おうじ》として生《う》まれた*エドワード・テューダーである。一方《いっぽう》は望《のぞ》まれずに生《う》まれ、もう一方《いっぽう》は英国中《えいこくじゅう》が喜《よろこ》び祝《いわ》った赤《あか》んぼうの誕生《たんじょう》であった。トムは父《ちち》から暴行《ぼうこう》を受《う》け、うえて物《もの》ごいをしながら育《そだ》ち、エドワードは国王《こくおう》の期待《きたい》を一身《いっしん》に受《う》け、ごうかな食事《しょくじ》をして育《そだ》った。

やがて十歳《じっさい》になった二人《ふたり》は、王宮《おうきゅう》の門前《もんぜん》で出会《であ》った。トムが王子《おうじ》を見《み》たさに門《もん》に近《ちか》づいたところ、番《ばん》兵《へい》につかまり、そこをエドワードがぐう然《ぜん》に見《み》かけて助《たす》けたのだ。エドワードはトムを王宮《おうきゅう》に連《つ》れていき、トムの話《はなし》を聞《き》いた。王子《おうじ》の生活《せいかつ》にあこがれるトム、しょみんの生活《せいかつ》に興味《きょうみ》があるエドワードは、たがいに服《ふく》を取《と》りかえた。こじきの姿《すがた》をしたエドワードが門前《もんぜん》まで来《く》ると、番兵《ばんぺい》は王子《おうじ》をトムだとかんちがいして王宮《おうきゅう》から追《お》い出《だ》した。残《のこ》されたトムは、自分《じぶん》は王子《おうじ》ではないとうったえたが、だれからも信《しん》じてもらえなかった。**顔《かお》や体《からだ》つきがそっくりだったために、二人《ふたり》の生活《せいかつ》は入《い》れかわってしまったのである。**

【語句説明《ごくせつめい》】エドワード・テューダー：実在《じつざい》したイングランド王《おう》。エドワード六世《ろくせい》（1547年《ねん》-1553年《ねん》）。

読《よ》んだ日《ひ》　年《ねん》　月《がつ》　日《にち》

エドワードは、貧困《ひんこん》にあえぐしょみんの現実《げんじつ》を味《あじ》わった。すぐになぐろうとするトムの父《ちち》からにげ出《だ》したところを、*流浪《るろう》の騎士《きし》ヘンドンに救《すく》われた。ヘンドンは自分《じぶん》が王子《おうじ》だというエドワードの言葉《ことば》を信《しん》じなかったが、正義感《せいぎかん》の強《つよ》い彼《かれ》は、その後《ご》も困難《こんなん》に巻《ま》きこまれるエドワードを守《まも》り続《つづ》けた。

国王《こくおう》が死《し》に、王《おう》になってしまったトムは、次々《つぎつぎ》に持《も》ちこまれる裁判《さいばん》を、持《も》ち前《まえ》の優《やさ》しさとかしこさで、うまく裁《さば》き、人々《ひとびと》を助《たす》けていた。王《おう》に成《な》り代《か》わるのも悪《わる》くないと思《おも》い上《あ》がり始《はじ》めていたトムだったが、町中《まちなか》を行列《ぎょうれつ》していたときに、実《じつ》の母《はは》の声《こえ》を聞《き》いた。

「ああ、わたしのかわいい子《こ》があそこにいる！」

優《やさ》しい母《はは》の声《こえ》で、トムはわれに返《かえ》った。

*戴冠式《たいかんしき》の日《ひ》、トムに王冠《おうかん》があたえられようとするそのとき、エドワードが現《あらわ》れた。トムはエドワードの前《まえ》にひざまずき、周囲《しゅうい》に真実《しんじつ》を伝《つた》えた。エドワードは国王《こくおう》になり、トムを育児院《いくじいん》の理事長《りじちょう》にした。王《おう》子《じ》を助《たす》けたヘンドンは*伯爵《はくしゃく》の位《くらい》を授《さず》けられた。

解説《かいせつ》

一八八一年発表《ねんはっぴょう》。激変《げきへん》するかんきょうに置《お》かれた二人《ふたり》の少年《しょうねん》が奮《ふん》とうする姿《すがた》を、皮肉《ひにく》なユーモアを交《まじ》えてえがく傑作《けっさく》です。だれも見分《みわ》けられないトムの姿《すがた》を母親《ははおや》だけは見《み》ぬくシーンに感動《かんどう》させられます。

オススメ図書《としょ》

『王子《おうじ》とこじき』（河田智雄《かわだともお》（訳《やく》）、偕成社文庫《かいせいしゃぶんこ》）

【語句説明《ごくせつめい》】流浪《るろう》：住《す》む場所《ばしょ》も定《さだ》めず、さまよい歩《ある》くこと。戴冠式《たいかんしき》：正式《せいしき》に王位《おうい》をけい承《しょう》する儀式《ぎしき》。伯爵《はくしゃく》：貴族《きぞく》の爵位《しゃくい》。ヘンドンは貴族出身《きぞくしゅっしん》だったが、弟《おとうと》のいんぼうで家《いえ》を追《お》い出《だ》されていた。

ヨハンナ・シュピリ

ハイジ

スイスの大自然《だいしぜん》で育《そだ》つ天真《てんしん》らんまんな少女《しょうじょ》が周囲《しゅうい》に笑顔《えがお》と幸福《こうふく》をもたらす心温《こころあたた》まるストーリー

デーテおばさんに連《つ》れられて、ハイジはアルム*のおじいさんのところへやってきました。おじいさんはハイジを引《ひ》き取《と》り自分《じぶん》で育《そだ》てることにしました。

アルムでのハイジの生活《せいかつ》が始《はじ》まりました。ハイジはアルムの何《なに》もかもがめずらしくて仕方《しかた》ありません。山小屋《やまごや》の中《なか》も、干《ほ》し草《くさ》が積《つ》まれた屋根裏部屋《やねうらべや》も、彼女《かのじょ》はすぐに大好《だいす》きになりました。**そして、かまどの火《ひ》であぶった大《おお》きなチーズのかたまりを乗《の》せたパンのおいしさといったらありません。ヤギの乳《ちち》のおいしさも、ハイジが生《う》まれて初《はじ》めて飲《の》んだものでした。**

おじいさんの飼《か》っている二《に》ひきのヤギとも会《あ》えて、

【語句説明《ごくせつめい》】アルム：アルプス高原《こうげん》の牧草地《ぼくそうち》。ヤギ番《ばん》は夏《なつ》にだけ住《す》む場所《ばしょ》だが、おじいさんは一年中《いちねんじゅう》アルムに住《す》んでいた。

ヨハンナ・シュピリ

1827年《ねん》-1901年《ねん》

スイスのチューリッヒ州出身《しゅうしゅっしん》。幼少時《ようしょうじ》の体験《たいけん》を『ハイジ』に生《い》かした。日本《にほん》では『アルプスの少女《しょうじょ》ハイジ』の題《だい》で有名《ゆうめい》だが、原題《げんだい》は第《だい》1部《ぶ》『ハイジの修業時代《しゅぎょうじだい》と遍歴《へんれき》』、第《だい》2部《ぶ》が『ハイジは学《まな》んだことを役立《やくだ》てる』である。

読《よ》んだ日《ひ》　　年《ねん》　月《がつ》　日《にち》

ハイジは大満足《だいまんぞく》です。

アルムではヤギ飼《か》いのペーターと、その家族《かぞく》のお母《かあ》さんと、目《め》の見《み》えないおばあさんと仲良《なかよ》くなりました。とくにおばあさんは、ハイジのことが大好《だいす》きになり、いつもハイジに会《あ》いたがりました。ところが、ハイジは三年後《さんねんご》、フランクフルト*の大金持《おおがねも》ちの家《いえ》に行《い》かされることになってしまったのです。

大金持《おおがねも》ちの家《いえ》には、病弱《びょうじゃく》で一人《ひとり》で立《た》つこともできないクララという少女《しょうじょ》がいました。彼女《かのじょ》に友《とも》だちを作《つく》るため、ハイジは呼《よ》ばれたのです。ハイジはすぐにクララと仲良《なかよ》くなりました。ごはんのとき、ハイジが白《しろ》パンをポケットにかくすのを見《み》たクララは、なぜそんなことをするのか聞《き》きました。すると、ハイジは目《め》の見《み》えないおばあさんが、黒《くろ》パンが固《かた》くて食《た》べられないので、白《しろ》パンを持《も》っていってあげるんだと言《い》います。クララは感動《かんどう》して、ハイジがアルムに帰《かえ》ったら白《しろ》パンをたくさん送《おく》る約束《やくそく》をしました。

しばらくすると、ハイジは都会《とかい》の生活《せいかつ》が体《からだ》に合《あ》わず、病気《びょうき》になったため、アルムに帰《かえ》りました。ハイジのことが忘《わす》れられないクララは、お医者様《いしゃさま》のすすめもあって、アルムに行《い》きました。美《うつく》しいアルムの大自然《だいしぜん》とおいしいチーズとヤギの乳《ちち》のおかげで、クララはどんどん元気《げんき》になりました。そしてある日《ひ》、ついにクララが自分一人《じぶんひとり》で立《た》ったのです。

「わーい、わーい、クララが歩《ある》けるわ！」

ハイジはクララの姿《すがた》を見《み》て大喜《おおよろこ》びしました。そして、クララの家族《かぞく》とハイジとおじいさんはペーターの家族《かぞく》に会《あ》いに行《い》き、みんなで幸福《こうふく》を喜《よろこ》びました。

解説《かいせつ》

一八八〇年発表《ねんはっぴょう》の本作《ほんさく》は、日本《にほん》ではアニメ『アルプスの少女《しょうじょ》ハイジ』で有名《ゆうめい》です。ハイジが、へんくつなおじいさん、目《め》の見《み》えないおばあさん、病弱《びょうじゃく》のクララを幸《しあわ》せにしていく心温《こころあたた》まる物語《ものがたり》です。

オススメ図書《としょ》

『ハイジ』（上田真而子《うえだまにこ》〔訳《やく》〕、岩波少年文庫《いわなみしょうねんぶんこ》）

【語句説明《ごくせつめい》】フランクフルト：ドイツの大都市《だいとし》。

レフ・ニコラーエヴィッチ
トルストイ

イワンのばか

人間《にんげん》にとって大切《たいせつ》なのはお金《かね》？　権力《けんりょく》？
それとも……
愚直《ぐちょく》に生《い》きることのすばらしさを説《と》く

昔《むかし》、あるところにばかのイワンと、口《くち》のきけない妹《いもうと》が住《す》んでいました。イワンは妹《いもうと》を養《やしな》いながらけんめいに畑《はたけ》を耕《たがや》しました。それを知《し》った悪魔《あくま》は、イワンをだらく*させようと、手下《てした》を使《つか》って権力《けんりょく》や金貨《きんか》でイワンをゆうわくしようとしましたが、イワンはばかですから、そんなものは欲《ほ》しがりません。あべこべに悪魔《あくま》の苦手《にがて》な神様《かみさま》へのおいのりをされて、手《て》下《した》たちはみんな退治《たいじ》されてしまう始末《しまつ》でした。

ある日《ひ》、イワンはおひめ様《さま》が病気《びょうき》だと聞《き》いて、お城《しろ》に治《なお》してあげに行《い》きました。イワンは、ばかですから治《なお》す方法《ほうほう》を知《し》りません。それなのに、イワンがお城《しろ》に着《つ》いたとたん、どうしたわけか、おひめ様《さま》の

レフ・ニコラーエヴィッチ
トルストイ
1828年《ねん》-1910年《ねん》
ロシア・トゥーラ市《し》こう外《がい》出身《しゅっしん》。1851年《ねん》のコーカサス戦争《せんそう》、1853年《ねん》のクリミア戦争《せんそう》に従軍《じゅうぐん》した経験《けいけん》から、平和主義《へいわしゅぎ》への理想《りそう》を持《も》つようになる。代表作《だいひょうさく》に『戦争《せんそう》と平和《へいわ》』『アンナ・カレーニナ』『復活《ふっかつ》』など。本書《ほんしょ》で読《よ》める作《さく》品《ひん》は他《ほか》に**38**ページ。

【語句説明《ごくせつめい》】だらく：生活《せいかつ》がくずれ、品行《ひんこう》がいやしくなること。

読《よ》んだ日《ひ》　　年《ねん》　月《がつ》　日《にち》

低学年

病気《びょうき》が治《なお》ったので王様《おうさま》は大喜《おおよろこ》びです。王様《おうさま》はおひめ様《さま》とイワンをけっこんさせてくれました。

王様《おうさま》が死《し》んだ後《あと》、イワンは次《つぎ》の王様《おうさま》になりました。王様《おうさま》になってもイワンはせっせと畑《はたけ》を耕《たがや》しました。

おひめ様《さま》はさんざん考《かんが》えたあげく、イワンといっしょに畑《はたけ》を耕《たがや》すことにしました。イワンの国《くに》からは、かしこい者《もの》は去《さ》り、ばかだけが残《のこ》りました。

悪魔《あくま》は欲《よく》がないイワンを見《み》て、とてもおこりました。そこでとなりの国《くに》の王様《おうさま》に、イワンの国《くに》をせめるようにけしかけたのです。となりの国《くに》の兵隊《へいたい》たちがイワンの国《くに》にせめこむと、兵隊《へいたい》たちはおどろきました。だって、この国《くに》には兵隊《へいたい》が一人《ひとり》もいないのです。村々《むらむら》をあらすと村人《むらびと》は泣《な》いて言《い》いました。

「欲《ほ》しいならいくらでもあげるのに」

兵隊《へいたい》たちはばかばかしくなって引《ひ》き上《あ》げました。

困《こま》った悪魔《あくま》は、人《ひと》びとを欲深《よくぶか》くしようと金貨《きんか》をばらまきました。しかし村人《むらびと》は金貨《きんか》を欲《ほ》しがりません。悪魔《あくま》はお腹《なか》が空《す》いてくたびれ、イワンに泣《な》きつきました。イワンは、悪魔《あくま》に食《た》べ物《もの》をあげるように妹《いもうと》に言《い》いました。妹《いもうと》はすべすべ*な悪魔《あくま》の手《て》を見《み》て、食《た》べ物《もの》の残《のこ》りをあげました。悪魔《あくま》がおこると、口《くち》のきけない妹《いもうと》の代《か》わりにおひめ様《さま》が答《こた》えました。

「手《て》にまめがない人《ひと》には残《のこ》り物《もの》しかあげられません」

悪魔《あくま》はとてもくやしがり、階段《かいだん》に頭《あたま》を打《う》ちつけて死《し》んでしまいました。

イワンの国《くに》はだれでも養《やしな》ってもらえます。ただし、一《ひと》つだけ約束事《やくそくごと》があります。手《て》にまめがない人《ひと》は、人《ひと》の残《のこ》り物《もの》を食《た》べてなくてはならないのです。

解説《かいせつ》

一八八六年《ねん》に発表《はっぴょう》された、イワンを主人公《しゅじんこう》にした童話《どうわ》です。イワンはロシアの民話《みんわ》に登場《とうじょう》する愚直《ぐちょく》で誠実《せいじつ》で働《はたら》き者《もの》の代表的《だいひょうてき》な人物《じんぶつ》です。イワンを通《とお》して、トルストイが愚直《ぐちょく》な生《い》き方《かた》の美《うつく》しさを説《と》いています。

オススメ図書《としょ》

『イワンのばか』（金子幸彦《かねこゆきひこ》（訳《やく》）、岩波少年文庫《いわなみしょうねんぶんこ》）

【語句説明《ごくせつめい》】すべすべな悪魔《あくま》の手《て》：まじめに畑《はたけ》で働《はたら》く人《ひと》は手《て》にまめができているので、「働《はたら》く＝畑《はたけ》を耕《たがや》す」ことだと思《おも》っている妹《いもうと》は、悪魔《あくま》が働《はたら》いていない人《ひと》だと判断《はんだん》した。

レフ・ニコラーエヴィッチ
トルストイ

大《おお》熊《ぐま》座《ざ》

母《はは》のため、動物《どうぶつ》のため、他人《たにん》のため、
少女《しょうじょ》は飲《の》みたくて
たまらない水《みず》をあたえます

昔《むかし》、地上《ちじょう》に大《おお》ひでりがありました。川《かわ》も井戸《いど》もみんな干上《ひあ》がって、やぶも野原《のはら》の草《くさ》もすっかりかれはてて、人《ひと》やけものがかわいて死《し》んでいきました。

ある夜《よる》、一人《ひとり》の女《おんな》の子《こ》が、病気《びょうき》の母親《ははおや》に飲《の》ませる水《みず》を探《さが》しに、ひしゃく*を持《も》って家《いえ》を出《で》ました。けれども水《みず》はどこにもありません。女《おんな》の子《こ》はつかれて草《くさ》の上《うえ》でねむってしまいました。しばらく経《た》ち、女《おんな》の子《こ》が目覚《めざ》めると、不思議《ふしぎ》なことにひしゃくの中《なか》にすんだ水《みず》がたっぷり入《はい》っていました。大変喜《たいへんよろこ》んだ女《おんな》の子《こ》はその水《みず》を飲《の》もうとしましたが、母親《ははおや》の分《ぶん》がなくなると思《おも》い、がまんしました。そして女《おんな》の子《こ》は水《みず》がたっぷり入《はい》ったひしゃくを家《いえ》に運《はこ》び始《はじ》めました。

女《おんな》の子《こ》がしばらく歩《ある》くと、小犬《こいぬ》につまずいて転《ころ》んでしまいました。あんまり急《いそ》いでいたので、足元《あしもと》をよく見《み》て歩《ある》いていなかったのです。悲《かな》しそうに鳴《な》いている小犬《こいぬ》を横目《よこめ》に、転《ころ》がったひしゃくを見《み》ると、水《みず》は少《すこ》しもこぼれていません。女《おんな》の子《こ》を見上《みあ》げている小犬《こいぬ》を見《み》て、女《おんな》の子《こ》はひしゃくの水《みず》を手《て》のひらの上《うえ》に少《すこ》し移《うつ》し、分《わ》けてあげました。小犬《こいぬ》はとても喜《よろこ》んで、水《みず》をすっかり飲《の》み干《ほ》しました。すると、ひしゃ

【語句説明《ごくせつめい》】ひしゃく：水《みず》や油《あぶら》などの液体《えきたい》をすくう道具《どうぐ》。長《なが》い柄《え》がついている。

レフ・ニコラーエヴィッチ トルストイ
1828年《ねん》-1910年《ねん》

36ページ参照《さんしょう》

読《よ》んだ日《ひ》　年《ねん》　月《がつ》　日《にち》

くが銀色《ぎんいろ》にかがやきました。女《おんな》の子《こ》が家《いえ》に帰《かえ》り、水《みず》の入《はい》った銀《ぎん》のひしゃくを母親《ははおや》にわたすと、

「私《わたし》はもう死《し》ぬから、お前《まえ》が飲《の》みなさい」

と、ひしゃくを女《おんな》の子《こ》に返《かえ》しました。すると銀《ぎん》のひしゃくがまばゆく光《ひか》り、金色《きんいろ》にかがやいたのです。

のどがかわいてがまんできなくなった女《おんな》の子《こ》が金《きん》のひしゃくの水《みず》を飲《の》もうとすると、いきなり旅人《たびびと》が戸口《とぐち》から入《はい》ってきて、水《みず》を飲《の》ませて欲《ほ》しいとたのんできました。

女《おんな》の子《こ》はつばを飲《の》みこんで、金《きん》のひしゃくを旅人《たびびと》に差《さ》し出《だ》しました。すると、金《きん》のひしゃくの中《なか》に七《なな》つの大《おお》きなダイヤモンドが光《ひか》りかがやきました。そして、ひしゃくからは、きれいな冷《つめ》たい水《みず》が、後《あと》から後《あと》からこんこんとわき出《で》てきました。

七《なな》つの大《おお》きなダイヤモンドは、金《きん》のひしゃくから飛《と》び出《だ》し、空《そら》に向《む》かって高《たか》く、高《たか》く上《のぼ》っていきました。そしてとうとう、天《てん》まで上《のぼ》り、*大熊座《おおぐまざ》になりました。

解説《かいせつ》

一八八六年《ねん》に発表《はっぴょう》された本作《ほんさく》は、「七《なな》つの星《ほし》」とも訳《やく》されているトルストイの有名《ゆうめい》な童話《どうわ》で、「献身《けんしん》」の美《うつく》しさを説《と》いています。七《なな》つの星《ほし》とは大熊座《おおぐまざ》の一部《いちぶ》を構成《こうせい》する北斗七星《ほくとしちせい》のことで、ひしゃくの形《かたち》をしています。

オススメ図書《としょ》

『イワンのばか』（金子幸彦《かねこゆきひこ》（訳《やく》）、岩波少年文庫《いわなみしょうねんぶんこ》）

【語句説明《ごくせつめい》】大熊座《おおぐまざ》：日本《にほん》では一年中《いちねんじゅう》見《み》られる北《きた》の空《そら》にかがやく星座《せいざ》。こしからしっぽにあたる部分《ぶぶん》が、本《ほん》作《さく》に登場《とうじょう》する七《なな》つの星《ほし》「北斗七星《ほくとしちせい》」。

ワルデマル・ボンゼルス

昆虫《こんちゅう》の世界《せかい》を
美《うつく》しくびょう写《しゃ》した
世界中《せかいじゅう》で愛《あい》される童話《どうわ》

みつばちマーヤの冒険《ぼうけん》

生《う》まれてから二十一日《にじゅういちにち》経《た》ちました。小《ちい》さな体《からだ》は銀《ぎん》色《いろ》の毛《け》で光《ひか》っています。光《ひかり》の世界《せかい》へぬけ出《だ》した、かわいいマーヤおめでとう。

マーヤが部屋《へや》から出《で》たとき、それまでマーヤを育《そだ》ててくれたカッサンドラおばさんが、いろいろなことを教《おし》えてくれました。**自分勝手《じぶんかって》なことはしてはいけないこと、みんなの幸《しあわ》せを考《かんが》えること、外《そと》には美《うつく》しい自然《しぜん》や多《おお》くの虫《むし》がいることなどです。**

そして、いよいよマーヤは旅立《たびだ》ちました。マーヤは美《うつく》しいチューリップやバラの花《はな》の間《あいだ》を飛《と》び回《まわ》り

【語句説明《ごくせつめい》】スズメバチ：他《ほか》の昆虫《こんちゅう》をつかまえ、エサにする肉食《にくしょく》のハチ。ミツバチの巣《す》もひんぱんにおそう。

ワルデマル・ボンゼルス

1881年《ねん》-1952年《ねん》

ドイツ・シュレースヴィヒ＝ホルシュタイン州出身《しゅうしゅっしん》。若《わか》いころからヨーロッパ各地《かくち》やインド・エジプトなどを旅《たび》し、各地《かくち》の自然《しぜん》を観察《かんさつ》して著作《ちょさく》に生《い》かした。日本《にほん》で有名《ゆうめい》な作品《さくひん》はこの『みつばちマーヤの冒険《ぼうけん》』。

読《よ》んだ日《ひ》　年《ねん》　月《がつ》　日《にち》

ながら、いろんな昆虫《こんちゅう》に会《あ》いました。キンバエ、トンボ、センチコガネ、クロコオロギ、バッタたちです。

しばらくして、マーヤがオニグモの巣《す》に引《ひ》っかかって困《こま》っていると、センチコガネのクルトが助《たす》けてくれました。以前《いぜん》、マーヤはクルトがひっくり返《かえ》っているところを助《たす》けてあげたので、その恩返《おんがえ》しをしてくれたのです。マーヤは世《よ》の中《なか》には危険《きけん》がたくさんあることを知《し》りました。

ある日《ひ》、マーヤが花《はな》の中《なか》で休《やす》んでいると、いきなり*スズメバチにつかまり、ろうやに入《い》れられてしまいました。そこでマーヤは、スズメバチがミツバチのお城《しろ》をせめようとしていることを知《し》りました。マーヤはにげようとしましたが、番兵《ばんぺい》に見《み》つかってしまったのです。ところが、番兵《ばんぺい》はマーヤをにがしてくれました。番兵《ばんぺい》はトンボのシュヌックと恋人《こいびと》どうしでした。マーヤがシュヌックと知《し》り合《あ》いだとわかったので、見《み》のがしてくれたのです。マーヤは、スズメバチがせめてくることを知《し》らせるために、まっしぐらに、お城《しろ》へ帰《かえ》りました。

おそろしいスズメバチがミツバチの城《しろ》にせめこんできました。しかし、ミツバチたちはマーヤの知《し》らせを受《う》けていたので、準備《じゅんび》をととのえて待《ま》っていました。そして命《いのち》がけで戦《たたか》ったので、スズメバチをやっつけることに成功《せいこう》しました。

ミツバチの国《くに》に平和《へいわ》が戻《もど》りました。マーヤは女王《じょおう》さまからおほめの言葉《ことば》とごほうびをもらいました。空《そら》は青《あお》く、ミツバチたちは空中《くうちゅう》で喜《よろこ》びの*ロンドをおどり、お祝《いわ》いしました。

解説《かいせつ》

一九一二年《ねん》に書《か》かれた本作《ほんさく》は、「私《わたし》は虫《むし》であり、虫《むし》は私《わたし》である」という心境《しんきょう》で、ボンゼルスが虫《むし》たちの世界《せかい》を美《うつく》しくえがいた作品《さくひん》です。童話仕立《どうわじた》てでありながら、決《けっ》してあまくない虫《むし》の世界《せかい》が愛情《あいじょう》をこめて、えがかれています。

オススメ図書《としょ》

『みつばちマーヤの冒険《ぼうけん》』（熊田千佳慕《くまだちかぼ》〔絵《え》〕、小学館《しょうがくかん》）

【語句説明《ごくせつめい》】ロンド：日本語《にほんご》で「輪舞曲《りんぶきょく》」という。同《おな》じ旋律《せんりつ》をくり返《かえ》す古典的《こてんてき》な音楽《おんがく》の一《ひと》つ。

モンゴル民話《みんわ》

スーホの白《しろ》い馬《うま》

モンゴルの民族楽器《みんぞくがっき》
馬頭琴《ばとうきん》の成《な》り立《た》ちがわかる
少年《しょうねん》と白馬《はくば》の悲劇《ひげき》の物語《ものがたり》

低学年

昔《むかし》、モンゴルの草原《そうげん》に、スーホという、貧《まず》しい羊《ひつじ》飼《か》いの少年《しょうねん》がいました。スーホはおばあさんと二人《ふたり》暮《ぐ》らしで、おばあさんを助《たす》けてよく働《はたら》いていました。ある日《ひ》、スーホは草原《そうげん》で生《う》まれたばかりの白《しろ》い馬《うま》を見《み》つけました。近《ちか》くにお母《かあ》さん馬《うま》もいないので、スーホは家《いえ》に子馬《こうま》を連《つ》れ帰《かえ》り、心《こころ》をこめて世話《せわ》をしました。子馬《こうま》は雪《ゆき》のように白《しろ》く、きりっとひきしまって、だれもが見《み》とれるほどりっぱに育《そだ》ちました。

月日《つきひ》が流《なが》れ、ある年《とし》の春《はる》、との様《さま》が町《まち》で競馬《けいば》の大《たい》会《かい》を開《ひら》くといううわさが広《ひろ》まりました。一等《いっとう》になる

モンゴル民話《みんわ》

本作《ほんさく》は現在《げんざい》の内《うち》モンゴル自治区《じちく》のシリンゴル盟《めい》を中心《ちゅうしん》に語《かた》られてきた民話《みんわ》の中国語版《ちゅうごくごばん》をもとに、大塚勇三《おおつかゆうぞう》がしっ筆《ぴつ》した。モンゴル民話《みんわ》は大自然《だいしぜん》の中《なか》の動物《どうぶつ》や人間《にんげん》を題材《だいざい》にした「草原《そうげん》の民《たみ》」らしい話《はなし》が多数《たすう》ある。

読《よ》んだ日《ひ》　年《ねん》　月《がつ》　日《にち》

と、との様《さま》のむすめとけっこんできるという話《はなし》です。スーホは白《しろ》い馬《うま》で競馬大会《けいばたいかい》に参加《さんか》しました。

そして、見事《みごと》に一等《いっとう》になりました。けれどもとの様《さま》は、スーホが貧《まず》しい羊飼《ひつじか》いだと知《し》ると、むすめとけっこんさせる約束《やくそく》など、知《し》らんふりをして言《い》いました。

「銀貨三枚《ぎんかさんまい》やろう。白《しろ》い馬《うま》を置《お》いて帰《かえ》れ！」

スーホが断《ことわ》ると、大勢《おおぜい》の家来《けらい》たちになぐられて、との様《さま》に白《しろ》い馬《うま》をうばわれてしまいました。スーホは傷《きず》だらけで家《いえ》に帰《かえ》りました。

との様《さま》は白《しろ》い馬《うま》を手《て》に入《い》れて、いい気持《きも》ちです。お客《きゃく》さんをたくさん呼《よ》んで、酒盛《さかも》りをしながら白《しろ》い馬《うま》を見《み》せびらかしました。そして、との様《さま》が白《しろ》い馬《うま》にまたがると、白《しろ》い馬《うま》はとの様《さま》をおそろしい勢《いきお》いでふり落《お》とし、風《かぜ》のようにかけ出《だ》しました。

との様《さま》はおこって、家来《けらい》たちに弓《ゆみ》で白《しろ》い馬《うま》を殺《ころ》すように命《めい》じました。矢《や》は何本《なんぼん》もささりましたが、白《しろ》い馬《うま》はスーホの元《もと》に、にげ帰《かえ》りました。スーホの元《もと》にたどりつくと、白《しろ》い馬《うま》は死《し》んでしまいました。

悲《かな》しんだスーホはある晩《ばん》、夢《ゆめ》を見《み》ました。

「私《わたし》の骨《ほね》や皮《かわ》で楽器《がっき》を作《つく》ってください。そうすれば、私《わたし》はいつでもあなたのそばにいますよ」

夢《ゆめ》の中《なか》の白《しろ》い馬《うま》の言葉《ことば》通《どお》りにスーホは楽器《がっき》を作《つく》りました。これが*馬頭琴《ばとうきん》です。馬頭琴《ばとうきん》の美《うつく》しい調《しら》べは、スーホの悲《かな》しみをいやし、聞《き》く人《ひと》の心《こころ》をゆり動《うご》かしました。**スーホが作《つく》った馬頭琴《ばとうきん》は、やがてモンゴル中《じゅう》で作《つく》られ、あちこちの草原《そうげん》で羊飼《ひつじか》いたちの心《こころ》をなぐさめるようになりました。**

解説《かいせつ》

大塚勇三《おおつかゆうぞう》が一九六七年《ねん》に中国語《ちゅうごくご》の文章《ぶんしょう》からわかりやすく書《か》き直《なお》し、赤羽末吉《あかばすえきち》の絵《え》とともに絵本《えほん》として出版《しゅっぱん》。小学校《しょうがっこう》の国語《こくご》の教科書《きょうかしょ》にも採用《さいよう》されていた有名《ゆうめい》な民話《みんわ》です。

オススメ図書《としょ》

『スーホの白《しろ》い馬《うま》』（大塚勇三《おおつかゆうぞう》（再話《さいわ》）、福音館書店《ふくいんかんしょてん》）

【語句説明《ごくせつめい》】馬頭琴《ばとうきん》：モンゴル語《ご》でモリンホール。楽器《がっき》のさおの先端部分《せんたんぶぶん》が馬《うま》の頭《あたま》の形《かたち》をしているため、こう呼《よ》ばれる。２本《ほん》の弦《げん》から構成《こうせい》される弦楽器《げんがっき》。

蜘《く》蛛《も》の糸《いと》

おしゃか様《さま》が垂《た》らす一筋《ひとすじ》の蜘《く》蛛《も》の糸《いと》――。救《すく》いの糸《いと》を見《み》つけた悪党《あくとう》が他《ほか》の亡者《もうじゃ》に対《たい》してとった行動《こうどう》は？

ある日《ひ》のことでございます。おしゃか様《さま》は極楽《ごくらく》のはす池《いけ》のふちを独《ひと》りでお歩《ある》きになっていらっしゃいました。極楽《ごくらく》のはす池《いけ》の下《した》は、丁度《ちょうど》地《じ》ごくの底《そこ》に当《あ》たります。おしゃか様《さま》が池《いけ》をのぞきこむと、地《じ》ごくの底《そこ》に犍陀多《かんだた》という悪党《あくとう》がいるのが見《み》えました。

犍陀多《かんだた》は人《ひと》を殺《ころ》したり家《いえ》に火《ひ》をつけたりした大悪《だいあく》党《とう》です。おしゃか様《さま》は犍陀多《かんだた》をながめながら、彼《かれ》がかつて一《いっ》ぴきの蜘蛛《くも》を助《たす》けたことがあることを思《おも》い出《だ》しました。一《ひと》つでも善《よ》いことをしたからには助《たす》けてあげようとおしゃか様《さま》はお考《かんが》えになり、はすにかかっていた蜘蛛《くも》の糸《いと》を地《じ》ごくの底《そこ》に垂《た》らしました。

血《ち》の池《いけ》に苦《くる》しんでいた犍陀多《かんだた》は、この天上《てんじょう》から降《お》りてきた蜘蛛《くも》の糸《いと》を見《み》つけて喜《よろこ》びました。そして、すぐに蜘蛛《くも》の糸《いと》をつかみ取《と》り、よじ登《のぼ》っていきました。

血《ち》の池《いけ》が見《み》えなくなるほど高《たか》くまでよじ登《のぼ》ったころで、犍陀多《かんだた》は気《き》がつきました。なんと、数限《かずかぎ》りない多《おお》くの罪人《ざいにん》たちが、犍陀多《かんだた》の後《あと》を追《お》って、くもの糸《いと》をよじ登《のぼ》ってきたのです。犍陀多《かんだた》は蜘蛛《くも》の糸《いと》が切《き》れてしまうことをおそれて、大声《おおごえ》でわめきました。

芥川龍之介《あくたがわりゅうのすけ》
1892年《ねん》-1927年《ねん》
東京市京橋区《とうきょうしきょうばしく》（現在《げんざい》の中央区明石町《ちゅうおうくあかしちょう》）に牛乳製造《ぎゅうにゅうせいぞう》はん売業《ばいぎょう》の長男《ちょうなん》として生《う》まれる。東京帝国大学文科大学英文《とうきょうていこくだいがくぶんかだいがくえいぶん》学科在学中《がくかざいがくちゅう》に菊池寛《きくちかん》らと同人誌《どうじんし》『新思潮《しんしちょう》』を刊行《かんこう》。夏目漱石門下《なつめそうせきもんか》に入《はい》る。代表作《だいひょうさく》に『羅生門《らしょうもん》』『地獄変《じごくへん》』など。
本書《ほんしょ》で読《よ》める作品《さくひん》は他《ほか》に46、108ページ。

読《よ》んだ日《ひ》　　年《ねん》　月《がつ》　日《にち》

「こら、罪人《ざいにん》ども。この蜘蛛《くも》の糸《いと》はおれのものだぞ。下《お》りろ、下《お》りろ」

そのとたんでございます。今《いま》まで何《なん》ともなかった蜘蛛《くも》の糸《いと》が、犍陀多《かんだた》のぶら下《さ》がっているところから、急《きゅう》にぷつりと音《おと》を立《た》てて切《き》れました。犍陀多《かんだた》は、あっという間《ま》もなく、まっさかさまに落《お》ちてしまいました。

おしゃか様《さま》は極楽《ごくらく》のはす池《いけ》のふちに立《た》って、一部《いちぶ》始終《しじゅう》を見《み》ていらっしゃいましたが、やがて犍陀多《かんだた》が血《ち》の池《いけ》の底《そこ》へ石《いし》のようにしずんでしまいますと、悲《かな》しそうなお顔《かお》をなさいました。**犍陀多《かんだた》は自分《じぶん》ばかり地《じ》ごくからぬけ出《だ》そうとする無《む》じひな心《こころ》のために、ばつを受《う》けてしまったのです。おしゃか様《さま》から見《み》ると、浅《あさ》ましく*思《おぼし》めされたのでございましょう。**

しかし極楽《ごくらく》のはす池《いけ》のはすは、そんなことに関《かか》わりなく、白《しろ》い花《はな》をさかせ、あたりによいにおいをあふれかえらせています。極楽《ごくらく》ももう昼《ひる》に近《ちか》くなったのでございましょう。

解説《かいせつ》

一九一八年《ねん》に芥川《あくたがわ》が初《はじ》めて書《か》いた児童文学作品《じどうぶんがくさくひん》。悪人《あくにん》の代表《だいひょう》として犍陀多《かんだた》が登場《とうじょう》しますが、人間《にんげん》の中《なか》にひそむあさましい心《こころ》を、子《こ》どもにもわかるように童話仕立《どうわじた》てでえがいた名作《めいさく》です。

オススメ図書《としょ》

『くもの糸《いと》・杜子春《とししゅん》（新装版《しんそうばん》）―芥川龍之介短編集《あくたがわりゅうのすけたんぺんしゅう》―』（講談社青《こうだんしゃあお》い鳥文庫《とりぶんこ》）

【語句説明《ごくせつめい》】思《おぼし》めす：お考《かんが》えになる、お気持《きも》ちになる。尊敬語《そんけいご》。

芥川《あくたがわ》龍之介《りゅうのすけ》

杜《と》子《し》春《しゅん》

地《じ》ごくに落《お》ちても
無言《むごん》の修業《しゅぎょう》を続《つづ》ける杜子春《としゅん》が
ついに声《こえ》をあげたしゅん間《かん》は――

＊唐《とう》の都《みやこ》に、両親《りょうしん》に死《し》なれて貧《びん》ぼうになってしまった杜子春《としゅん》という若者《わかもの》がいました。杜子春《としゅん》がとほうに暮《く》れていると、目《め》の前《まえ》に一人《ひとり》の老人《ろうじん》が現《あらわ》れました。老人《ろうじん》は杜子春《としゅん》の話《はなし》を聞《き》くと、黄金《おうごん》の在《あ》りかを教《おし》えて去《さ》っていきました。

黄金《おうごん》を見《み》つけた杜子春《としゅん》は大金持《おおがねも》ちになりました。すると、それまで貧《びん》ぼうな杜子春《としゅん》には見向《みむ》きもしなかった友人《ゆうじん》たちが、遊《あそ》びにくるようになったのです。杜子春《としゅん》は友人《ゆうじん》たちとぜいたくざんまいの暮《く》らしをし、やがてお金《かね》を使《つか》い果《は》たしてしまいました。杜子《とし》春《しゅん》はまた貧《びん》ぼうになり、友人《ゆうじん》たちははなれていきました。世間《せけん》のはく情《じょう》さを知《し》った杜子春《としゅん》は、再《ふたた》び現《あらわ》れた老人《ろうじん》が＊仙人《せんにん》であると知《し》り、弟子《でし》にしてくれるようたのみました。

杜子春《としゅん》の願《ねが》いを聞《き》き入《い》れた仙人《せんにん》は、彼《かれ》を自分《じぶん》の住処《すみか》である山《やま》の中《なか》へ連《つ》れていきました。

「おれは留守《るす》にするが、その間《あいだ》お前《まえ》は一言《ひとこと》も口《くち》を利《き》いてはならぬ。できねば仙人《せんにん》になれぬぞ」

仙人《せんにん》と固《かた》く約束《やくそく》した杜子春《としゅん》は、だまって岩《いわ》の上《うえ》に座《すわ》り続《つづ》けました。とらやへびが現《あらわ》れても、あらしが

【語句説明《ごくせつめい》】唐《とう》：中国《ちゅうごく》の王朝《おうちょう》（618年《ねん》-907年《ねん》）。仙人《せんにん》：世間《せけん》をはなれて山中《さんちゅう》に住《す》み、不老不死《ふろうふし》で神通力《じんつうりょく》を持《も》つ。

芥川龍之介《あくたがわりゅうのすけ》
1892年《ねん》-1927年《ねん》
44ページ参照《さんしょう》。

読《よ》んだ日《ひ》　年《ねん》　月《がつ》　日《にち》

来《き》ても一切《いっさい》声《こえ》を出《だ》しません。最後《さいご》に現《あらわ》れた＊神将《しんしょう》は、口《くち》を利《き》かない杜子春《とししゅん》に腹《はら》を立《た》て、杜子春《とししゅん》を殺《ころ》してしまいました。

杜子春《とししゅん》は地《じ》ごくに落《お》ち、ありとあらゆるごうもんにかけられました。それでも声《こえ》をあげない杜子春《とししゅん》に業《ごう》をにやしたえんま＊大王《だいおう》は、杜子春《とししゅん》の両親《りょうしん》をごうもんにかけました。必死《ひっし》に口《くち》を閉《と》ざしている杜子春《とししゅん》に母親《ははおや》は言《い》いました。

「私《わたし》たちはどうなっても、お前《まえ》さえ幸《しあわ》せならいいの。言《い》いたくないならだまっておいで」

そのしゅん間《かん》、杜子春《とししゅん》はさけびました。

「お母《かあ》さん」

杜子春《とししゅん》はいつの間《ま》にか唐《とう》の都《みやこ》にもどっていました。目《め》の前《まえ》にいた仙人《せんにん》は杜子春《とししゅん》に話《はな》しかけました。

「あのままだまっていたら、おれはお前《まえ》を殺《ころ》していたよ。さあ、これからどうするつもりだ？」

「人間《にんげん》らしい、正直《しょうじき》な暮《く》らしをします」

「その言葉《ことば》、忘《わす》れるな。お前《まえ》には畑《はたけ》つきの家《いえ》をやろう。そこで暮《く》らせ」

そう言《い》うと、仙人《せんにん》は笑《わら》って去《さ》っていきました。

解説《かいせつ》

中国《ちゅうごく》の唐代末期《とうだいまっき》に書《か》かれた『杜子春伝《とししゅんでん》』を元《もと》に、芥川《あくたがわ》が童話化《どうわか》した作品《さくひん》です。それまで苦《くる》しみたえてきた杜子春《とししゅん》が、最後《さいご》に親子《おやこ》の情《じょう》にほだされる人間味《にんげんみ》にあふれたお話《はなし》です。

オススメ図書《としょ》

『くもの糸《いと》・杜子春《とししゅん》　芥川龍之介作品集《あくたがわりゅうのすけさくひんしゅう》』（角川《かどかわ》つばさ文庫《ぶんこ》）

【語句説明《ごくせつめい》】神将《しんしょう》：仏教《ぶっきょう》の行者《ぎょうじゃ》を守護《しゅご》する武神《ぶしん》。えんま大王《だいおう》：地《じ》ごくの王《おう》。人《ひと》の生前《せいぜん》の行《おこな》いを裁《さば》く裁判官《さいばんかん》。

小川未明《おがわみめい》

野《の》ばら

国境《こっきょう》でのどかな生活《せいかつ》を送《おく》る
二人《ふたり》の兵士《へいし》の仲《なか》を
無《む》じひにも、戦争《せんそう》が引《ひ》きさく

小川未明《おがわみめい》
1882年《ねん》-1961年《ねん》
新潟県高田《にいがたけんたかだ》（現在《げんざい》の上越市《じょうえつし》）生《う》まれ。中頸城尋常中学校《なかくびきじんじょうちゅうがっこう》（現在《げんざい》の高田高校《たかだこうこう》）卒業後《そつぎょうご》、生《しょう》がいで1000点以上《てんいじょう》の作品《さくひん》を送《おく》り出《だ》し続《つづ》けた。代表作《だいひょうさく》に小説《しょうせつ》『魯鈍《ろどん》な猫《ねこ》』、童話《どうわ》『金《きん》の輪《わ》』『赤《あか》い蝋燭《ろうそく》と人魚《にんぎょ》』（本書 **118** ページ）など。

読《よ》んだ日《ひ》　　年《ねん》　月《がつ》　日《にち》

大《おお》きな国《くに》と、それよりは少《すこ》し小《ちい》さな国《くに》とがとなり合《あ》っていました。その二《ふた》つの国《くに》の間《あいだ》には、何事《なにごと》も起《お》こらず平和《へいわ》でありました。

国境《こっきょう》には両方《りょうほう》の国《くに》から兵隊《へいたい》が一人《ひとり》ずつ派《は》けんされて、国境《こっきょう》を定《さだ》めた＊石《せき》ひを守《まも》っていました。大《おお》きな国《くに》の兵士《へいし》は老人《ろうじん》で、小《ちい》さな国《くに》の兵士《へいし》は青年《せいねん》でした。春《はる》の国境《こっきょう》には、一株《ひとかぶ》の野《の》ばらがしげっていました。

他《ほか》に話《はなし》をする人《ひと》もなく、二人《ふたり》はすぐに仲良《なかよ》くなり、将《しょう》ぎをさすようになりました

「やあ、これはおれの負《ま》けかいな」

と、老人《ろうじん》が笑《わら》うと、青年《せいねん》もうれしそうに目《め》をかがやかせます。こうして仲良《なかよ》く国境《こっきょう》で暮《く》らしていた二人《ふたり》でしたが、一年《いちねん》が経《た》ち、再《ふたた》び春《はる》がやってくると、両《りょう》国《こく》の間《あいだ》に戦争《せんそう》が起《お》こりました。これまで仲良《なかよ》く暮《く》らしていた二人《ふたり》は、敵味方《てきみかた》の間《あいだ》がらになったのです。

「さあ、今日《きょう》からお前《まえ》さんと私《わたし》は敵同士《てきどうし》になったのだ。私《わたし》は＊少佐《しょうさ》だから、私《わたし》を殺《ころ》せば出世《しゅっせ》できる。さあ、殺《ころ》してください」

老人《ろうじん》の言葉《ことば》を聞《き》くと青年《せいねん》は、

「何《なに》を言《い》うのです。どうしてあなたと私《わたし》が敵同士《てきどうし》で

【語句説明《ごくせつめい》】石《せき》ひ：石《いし》に文字《もじ》を刻《きざ》んで建《た》てたもの。少佐《しょうさ》：軍隊《ぐんたい》の階級《かいきゅう》の一《ひと》つで、中佐《ちゅうさ》の下《した》、大尉《たいい》の上《うえ》。

しょう。私《わたし》の敵《てき》は他《ほか》にいます」
と、言《い》い残《のこ》して去《さ》っていきました。国境《こっきょう》にはただ一人《ひとり》、老人《ろうじん》が残《のこ》されました。老人《ろうじん》は青年《せいねん》の身《み》を案《あん》じながら、日々《ひび》を過《す》ごしました。

ある日《ひ》のこと、国境《こっきょう》を旅人《たびびと》が通《とお》りかかったので、老人《ろうじん》は戦争《せんそう》はどうなったかとたずねました。すると、旅人《たびびと》は小《ちい》さな国《くに》が負《ま》けて、その国《くに》の兵士《へいし》はみな殺《ごろ》しになって、戦争《せんそう》は終《お》わったことを告《つ》げました。

青年《せいねん》は死《し》んだのかと思《おも》いながら、石《せき》ひにこしかけていると、老人《ろうじん》はいつの間《ま》にか居《い》ねむりをしました。すると、かなたから軍隊《ぐんたい》がやってきました。馬《うま》に乗《の》ってそれを指揮《しき》するのは、かの青年《せいねん》でした。軍隊《ぐんたい》はきわめて*静《せい》しゅくで声一《こえひと》つたてません。やがて老《ろう》人《じん》の前《まえ》を通《とお》るとき、青年《せいねん》は*もく礼《れい》をして、ばらの花《はな》をかいだのでありました。

老人《ろうじん》が何《なに》か言《い》おうとすると、目《め》が覚《さ》めました。それはまったく夢《ゆめ》だったのです。それからひと月《つき》ばかりすると野《の》ばらがかれてしまいました。その年《とし》の秋《あき》、老人《ろうじん》は南《みなみ》の方《ほう》へひまをもらって帰《かえ》りました。

解説《かいせつ》

仲《なか》の良《よ》い友人《ゆうじん》が戦争《せんそう》で別《わか》れを強《し》いられる物語《ものがたり》です。「児童文学《じどうぶんがく》の父《ちち》」「日本《にほん》のアンデルセン」としょう賛《さん》された未明《みめい》は多作《たさく》の作家《さっか》として知《し》られますが、本作同様《ほんさくどうよう》の美《うつく》しくも悲《かな》しい作風《さくふう》で人気《にんき》があります。

オススメ図書《としょ》

『小川未明童話集《おがわみめいどうわしゅう》』（新潮文庫《しんちょうぶんこ》）

【語句説明《ごくせつめい》】静《せい》しゅく：ひっそり静《しず》まりかえっていること。もく礼《れい》：だまって礼《れい》をすること。

太宰治《だざいおさむ》

走《はし》れメロス

自分《じぶん》を信《しん》じる友《とも》の命《いのち》をかけて、約束《やくそく》を守《まも》るためにメロスは走《はし》る！

メロスは村《むら》の牧人《ぼくじん》である。十六《じゅうろく》の妹《いもうと》と二人暮《ふたりぐ》らしだ。その妹《いもうと》は近々《ちかぢか》けっこんする。メロスは妹《いもうと》のけっこん式《しき》の品々《しなじな》を買《か》うために、十里《じゅうり》はなれたシラクスの市《し》にやってきた。ところが、市全体《しぜんたい》がやけにさみしい。メロスは近《ちか》くの老人《ろうじん》にわけをたずねた。

「王様《おうさま》は人《ひと》を殺《ころ》します。人《ひと》が信《しん》じられず、家族《かぞく》も家臣《かしん》も民衆《みんしゅう》も殺《ころ》します」

メロスは激《げき》どした。必《かなら》ず、かの*邪智暴虐《じゃちぼうぎゃく》の王《おう》を除《のぞ》かねばならぬと決意《けつい》した。メロスは王《おう》を殺《ころ》そうとしたがつかまり、王《おう》の前《まえ》に引《ひ》き出《だ》された。

「この者《もの》を殺《ころ》せ。人間《にんげん》を信《しん》じてはならぬ」

「王《おう》よ。三日《みっか》のゆう予《よ》が欲《ほ》しい。妹《いもうと》のけっこん式《しき》を挙《あ》げた後《あと》、私《わたし》は帰《かえ》ってくる。身代《みが》わりに私《わたし》の*竹馬《ちくば》の友《とも》セリヌンティウスを人質《ひとじち》にするがいい」

「お前《まえ》が帰《かえ》らねば、お前《まえ》の友《とも》を代《か》わりに殺《ころ》すぞ」

メロスの親友《しんゆう》セリヌンティウスは、人質《ひとじち》になることを快《こころよ》く引《ひ》き受《う》けた。メロスはすぐに出発《しゅっぱつ》し、村《むら》へ帰《かえ》った。そして、だれにもわけを話《はな》さず、急《いそ》いで妹《いもうと》のけっこん式《しき》を挙《あ》げさせた。妹《いもうと》の幸《しあわ》せを見届《みとど》けると、メロスは翌朝《よくあさ》シラクスに向《む》かって走《はし》り出《だ》した。

【語句説明《ごくせつめい》】邪智暴虐《じゃちぼうぎゃく》：悪《わる》ぢえが働《はたら》き、乱暴《らんぼう》で残《ざん》こくなこと。竹馬《ちくば》の友《とも》：おさななじみ。

太宰治《だざいおさむ》
1909年《ねん》-1948年《ねん》
青森県北津軽郡金木村《あおもりけんきたつがるぐんかなぎむら》（現在《げんざい》の五所《ごしょ》川原市《がわらし》）生《う》まれ。情《じょう》ちょ的《てき》なものから軽《けい》みょうなものまではば広《ひろ》い作風《さくふう》で、きせい文学全《ぶんがくぜん》ぱんを批判《ひはん》したため、新戯作派《しんぎさくは》、無頼派《ぶらいは》と呼《よ》ばれた。本書《ほんしょ》で読《よ》める作品《さくひん》は他《ほか》に196、198ページ。

読《よ》んだ日《ひ》　年《ねん》　月《がつ》　日《にち》

私《わたし》はこよい殺《ころ》される。殺《ころ》されるために走《はし》るのだ。

メロスはつらかった。だが、メロスは走《はし》った。とちゅう、あれくるう川《かわ》を泳《およ》いでわたり、山《さん》ぞくと戦《たたか》い、心身《しんしん》がつかれ果《は》ててもメロスは走《はし》った。だが、ついにたおれるときが来《き》た。清水《しみず》の近《ちか》くにたおれこみ、すべてをあきらめようとした。それでも清《し》水《みず》を一口《ひとくち》飲《の》み、体力《たいりょく》と良心《りょうしん》を取《と》りもどした。

「悪《わる》い夢《ゆめ》を見《み》た。私《わたし》は正義《せいぎ》のために死《し》ぬのだ！」

再《ふた》びメロスは走《はし》り出《だ》した。苦難《くなん》が連続《れんぞく》したメロスは、今《いま》やほとんどはだかである。そして陽《ひ》がしずみきるしゅん間《かん》、メロスは間《ま》に合《あ》った。

「今帰《いまかえ》ったぞ。さあ、殺《ころ》されるのは私《わたし》だ！」

なわをほどかれたセリヌンティウスとメロスは、おたがいを一度《いちど》はあきらめかけたことを告白《こくはく》し合《あ》い、一度《いちど》ずつなぐり合《あ》った。そしてだき合《あ》って泣《な》いた。

これを見《み》て王《おう》は二人《ふたり》に言《い》った。

「お前《まえ》たちはわしの心《こころ》に勝《か》った」

群集《ぐんしゅう》の間《あいだ》にかん声《せい》が起《お》こった。メロスが気《き》づくと、少女《しょうじょ》がメロスに＊緋《あか》のマントをささげている。メロスははだかであることに気《き》づいて、赤面《せきめん》した。

解説《かいせつ》

ドイツの詩人《しじん》フリードリヒ・フォン・シラー（一七五九年《ねん》－一八〇五年《ねん》）の詩《し》を基《もと》に、太宰《だざい》がほん案《あん》した物語《ものがたり》。メロスにとって自分《じぶん》の死《し》より大切《たいせつ》なのは、自分《じぶん》を信《しん》じてくれる親友《しんゆう》との友情《ゆうじょう》でした。

オススメ図書《としょ》

『人間失格《にんげんしっかく》・走《はし》れメロス』（双葉社《ふたばしゃ》ジュニア文庫《ぶんこ》）

【語句説明《ごくせつめい》】緋《あか》のマント：こく明《あか》るい赤色《あかいろ》のマント。

手《て》袋《ぶくろ》を買《か》いに

一人《ひとり》で手袋《てぶくろ》を買《か》いに町《まち》に行《い》く子《こ》ぎつねと心配《しんぱい》しつつそれを待《ま》つ母《はは》ぎつねの心温《こころあたた》まる物語《ものがたり》

寒《さむ》い冬《ふゆ》が、きつねの親子《おやこ》のすんでいる森《もり》へやってきました。そこで母《かあ》さんぎつねは子《こ》ぎつねを連《つ》れて、人間《にんげん》の住《す》む町《まち》の近《ちか》くまで来《き》たのです。

「ぼうや、お手々《てて》を片方《かたほう》お出《だ》し」

母《かあ》さんぎつねはそう言《い》うと、子《こ》ぎつねの手《て》を人間《にんげん》の子《こ》どもの手《て》に変《か》えてしまいました。

「母《かあ》ちゃん、これなあに?」

母《かあ》さんぎつねは、それが人間《にんげん》の手《て》であることを子《こ》ぎつねに説明《せつめい》した後《あと》、*ぼうし屋《や》を探《さが》して戸《と》をたたくんだよ、と言《い》いました。

「人間《にんげん》が、すこうし戸《と》を開《あ》けるからね、人間《にんげん》のほうの手《て》をさし入《い》れて、手袋《てぶくろ》をちょうだいって言《い》うんだよ。きつねの手《て》は出《だ》しちゃだめよ」

母《かあ》さんぎつねはお金《かね》を子《こ》ぎつねにわたして、人間《にんげん》にはくれぐれも注意《ちゅうい》するよう何度《なんど》も言《い》いました。

子《こ》ぎつねは一人《ひとり》で歩《ある》いて町《まち》まで行《い》き、目当《めあ》ての店《みせ》を見《み》つけました。喜《よろこ》んだ子《こ》ぎつねは、店《みせ》の戸《と》をトントンとたたきました。すると、母《かあ》さんの言《い》うとおり、戸《と》が少《すこ》し開《ひら》いたので、手《て》をさし入《い》れて言《い》いました。

「このお手々《てて》にちょうどいい手袋《てぶくろ》ください」

【語句説明《ごくせつめい》】ぼうし屋《や》:手袋《てぶくろ》はぼうし屋《や》さんで売《う》っていた。

新美南吉《にいみなんきち》

1913年《ねん》-1943年《ねん》

愛知県知多郡半田町《あいちけんちたぐんはんだちょう》(現在《げんざい》の半田市《はんだし》)出身《しゅっしん》。17歳《さい》で『ごんぎつね』をしっ筆《ぴつ》。東京外国語学校英語部文科《とうきょうがいこくごがっこうえいごぶぶんか》卒業《そつぎょう》後《ご》、本格的《ほんかくてき》しっ筆活動《ぴつかつどう》に入《はい》るが早世《そうせい》。代表作《だいひょうさく》に『おじいさんのランプ』『花《はな》のき村《むら》と盗人《ぬすっと》たち』(本書《ほんしょ》54ページ)など。

低学年

読《よ》んだ日《ひ》　年《ねん》　月《がつ》　日《にち》

店《みせ》の人《ひと》はおやおやと思《おも》いました。きつねの手《て》が手《て》袋《ぶくろ》をくれと言《い》っています。子《こ》ぎつねはまちがえて、きつねのほうの手《て》を出《だ》してしまっていたのでした。

「先《さき》にお金《かね》をください」

店《みせ》の人《ひと》は、*木《こ》の葉《は》のお金《かね》でだまされると思《おも》ったのです。しかし、受《う》け取《と》ったお金《かね》は本物《ほんもの》だったので、子《こ》ぎつねに子《こ》ども用《よう》の手袋《てぶくろ》を持《も》たせてやりました。子《こ》ぎつねはお礼《れい》を言《い》って帰《かえ》りました。

母《かあ》さんぎつねは、子《こ》ぎつねを心配《しんぱい》しながら、ふるえて待《ま》っていましたので、ぼうやが来《く》ると、暖《あたた》かい胸《むね》にだきしめて泣《な》きたいほど喜《よろこ》びました。

「母《かあ》ちゃん、人間《にんげん》ってちっともこわかないや」

「どうして？」

「まちがえて本当《ほんとう》のお手々《てて》出《だ》しちゃったの。でも、ちゃんとこんないい暖《あたた》かい手袋《てぶくろ》くれたもの」

と言《い》って、手袋《てぶくろ》のはまった両手《りょうて》をパンパンやって見《み》せました。お母《かあ》さんぎつねは「まあ！」とあきれましたが、

「本当《ほんとう》に人間《にんげん》はいいものかしら。本当《ほんとう》に人間《にんげん》はいいものかしら」

とつぶやきました。

解説《かいせつ》

南吉《なんきち》が二十歳《にじっさい》のときに書《か》いた（諸説《しょせつ》あり）童話《どうわ》で、死《し》の直後《ちょくご》に刊行《かんこう》された童話集《どうわしゅう》「牛《うし》をつないだ椿《つばき》の木《き》」に収《しゅう》ろくされています。優《やさ》しさの中《なか》に、人間《にんげん》への不信《ふしん》もかい間見《まみ》える、南吉《なんきち》らしいお話《はなし》です。

オススメ図書《としょ》

『ごんぎつね・てぶくろを買《か》いに』（角川《かどかわ》つばさ文庫《ぶんこ》）

【語句説明《ごくせつめい》】木《こ》の葉《は》のお金《かね》：日本《にほん》では、きつねやたぬきが木《こ》の葉《は》をお金《かね》に変化《へんげ》させ、人間《にんげん》をだますという伝《でん》説《せつ》が知《し》られている。

新美南吉《にいみなんきち》

花《はな》のき村《むら》と盗人《ぬすっと》たち

他人《たにん》から一度《いちど》も信用《しんよう》されなかった
盗人《ぬすっと》の親分《おやぶん》が
子《こ》どもとの出会《であ》いで良心《りょうしん》を取《と》りもどす

新美南吉《にいみなんきち》
1913年《ねん》-1943年《ねん》

52ページ参照《さんしょう》。

昔《むかし》、花《はな》のき村《むら》に五人組《ごにんぐみ》の盗人《ぬすっと》がやってきました。盗人《ぬすっと》のかしらと、手下《てした》たちです。四人《よにん》の手下《てした》たちはみな新人《しんじん》でした。かしらが言《い》いました。

「わしはここで待《ま》っているから、お前《まえ》らは村《むら》の様子《ようす》を見《み》てこい」

手下《てした》たちは村《むら》の中《なか》に入《はい》っていきました。かしらが手下《てした》たちを待《ま》っていると、牛《うし》を連《つ》れた子《こ》どもがやってきて、声《こえ》をかけてきました。

「おじさん、この牛《うし》、持《も》っていてね」

子《こ》どもはそう言《い》って、赤《あか》い*手綱《たづな》をかしらの手《て》に預《あず》けました。すると、子《こ》どもはそのまま遊《あそ》びに行《い》って

【語句説明《ごくせつめい》】手綱《たづな》：牛《うし》が勝手《かって》なことをしないように、操《あやつ》るためのひも。

読《よ》んだ日《ひ》　年《ねん》　月《がつ》　日《にち》

しまったのです。かしらはおどろきました。

「盗人《ぬすっと》のわしを信《しん》じるだと。今《いま》まで自分《じぶん》を信《しん》じてくれる人《ひと》などいなかったのに」

いつの間《ま》にか、かしらはなみだを流《なが》していました。

かしらは牛《うし》を返《かえ》そうと思《おも》い、しばらく待《ま》ちましたが、子《こ》どもは現《あらわ》れませんでした。そのうち、手下《てした》たちが帰《かえ》ってきました。

かしらは手下《てした》たちと子《こ》どもを探《さが》し回《まわ》りましたが、見《み》つからないので、村役人《むらやくにん》のところに行《い》きました。村役人《むらやくにん》の老人《ろうじん》は、わけを聞《き》くと、喜《よろこ》んでみんなに酒《さけ》をごちそうしてくれました。かしらは、老人《ろうじん》の優《やさ》しさに心《こころ》を打《う》たれ、再《ふたた》びなみだを流《なが》して言《い》いました。

「ご老人《ろうじん》、わしらは盗人《ぬすっと》です。こんなわしらを信《しん》じてくださるご老人《ろうじん》をあざむけません。ですが、これらは、昨日《きのう》わしの弟子《でし》になったばかりで、まだ何《なに》も悪《わる》いことはしておりません。どうぞ、これらだけは許《ゆる》してやってください」

そして、手下《てした》たち四人《よにん》に向《む》かってこう言《い》いました。

「盗人《ぬすっと》にはもうけっしてなるな」

四人《よにん》はかしらの言葉《ことば》を胸《むね》に、かしらを残《のこ》して去《さ》っていきました。

こうして五人《ごにん》の盗人《ぬすっと》は改心《かいしん》しましたが、そのもとになったあの子《こ》どもはだれだったのでしょう。花《はな》のき村《むら》の人々《ひとびと》は、お地蔵《じぞう》さんのおかげだろうとうわさしました。村《むら》の人々《ひとびと》がみな心《こころ》の良《よ》い人々《ひとびと》だったので、お地蔵《じぞう》さんが盗人《ぬすっと》から救《すく》ってくれたのです。そうならば、村《むら》というものは、心《こころ》のよい人々《ひとびと》が住《す》まねばならぬということにもなるのであります。

解説《かいせつ》

南吉《なんきち》が亡《な》くなる前年《ぜんねん》に書《か》かれたといわれる作品《さくひん》です。盗人《ぬすっと》が改心《かいしん》したのはお地蔵《じぞう》さんの力《ちから》だけでなく、村人《むらびと》の温《あたた》かい心《こころ》のおかげだともいえますね。

オススメ図書《としょ》

『ごんぎつね　新美南吉傑作選《にいみなんきちけっさくせん》（新装版《しんそうばん》）』（講談社青い鳥文庫《こうだんしゃあおいとりぶんこ》）

コラム

マンガは小説《しょうせつ》への第一歩《だいいっぽ》！

小説《しょうせつ》もマンガもつきつめればエンターテインメント。
「読《よ》む楽《たの》しさ」にちがいはありません。どちらも読《よ》んで自分《じぶん》の世界《せかい》を広《ひろ》げよう！

「マンガばかり読《よ》んで、もっとちゃんとした本《ほん》を読《よ》みなさい」としかられた経験《けいけん》はありませんか？　これはしかるほうがまちがいです。そもそも小説《しょうせつ》が高級《こうきゅう》なもので、マンガが取《と》るに足《た》らないものだという考《かんが》えが、とんでもない誤解《ごかい》なのです。小説《しょうせつ》とマンガのちがいは「表現《ひょうげん》の手法《しゅほう》のちがい」の一点《いってん》のみです。小説《しょうせつ》が文章《ぶんしょう》の芸術《げいじゅつ》であると仮定《かてい》するならば、マンガは絵《え》とセリフの芸術《げいじゅつ》です。どちらも良質《りょうしつ》の作品《さくひん》は、ストーリーのおく深《ぶか》さ、人物《じんぶつ》の心理《しんり》のえがき方《かた》、情景《じょうけい》びょう写《しゃ》のすばらしさが、それぞれの手法《しゅほう》で表現《ひょうげん》されており、どちらが高級《こうきゅう》、というものではありません。

そこで小説《しょうせつ》は難《むずか》しそうで読《よ》みたくない、というのであれば、まずはマンガを読《よ》みましょう。小説《しょうせつ》もマンガも「読《よ》む楽《たの》しさ」は同《おな》じです。むしろ小説《しょうせつ》にはないような傑作《けっさく》も多《おお》いのです。例《たと》えば、萩尾望都《はぎおもと》の『半神《はんしん》』という結合《けつごう》そう生児《せいじ》（体《からだ》の一部分《いちぶぶん》がくっついたまま誕生《たんじょう》したふた子《ご》）をえがいた作品《さくひん》はわずか16ページの短編《たんぺん》ですが、おそらく小説《しょうせつ》にすればこの分量《ぶんりょう》では納《おさ》まらない、ふくざつな心理《しんり》をえがいた大傑作《だいけっさく》です。同《おな》じく萩尾《はぎお》の、永遠《えいえん》に少年《しょうねん》の姿《すがた》のまま生《い》き続《つづ》ける吸血《きゅうけつ》きをえがいた『ポーの一族《いちぞく》』や本格ＳＦ作品《ほんかくエスエフさくひん》の『11人《にん》いる！』という名作《めいさく》もおすすめです。

マンガをおすすめするなら外《はず》せない作者《さくしゃ》に手塚治虫《てづかおさむ》がいます。彼《かれ》は現《げん》在《ざい》のマンガの基《き》そを作《つく》ったとでもいうべき世界最大《せかいさいだい》の功労者《こうろうしゃ》です。「生《せい》命《めい》の尊厳《そんげん》」を根底《こんてい》にえがいた『火《ひ》の鳥《とり》』や『ブラックジャック』は、現《げん》代《だい》の若者《わかもの》が読《よ》んでも面白《おもしろ》く読《よ》めます。ただ、このようなしょうかいをすると、おすすめマンガも難《むずか》しそうだと思《おも》う読者《どくしゃ》もいそうですね。しかし、そうではなく、小説《しょうせつ》であれ、マンガであれ、名作《めいさく》といわれる作品《さくひん》がいまも読《よ》まれる理由《りゆう》は、単《たん》に「とても面白《おもしろ》いから」なのです。多《おお》くのマンガを楽《たの》しく読《よ》んでいるうちに、もっとたくさん面白《おもしろ》い話《はなし》を読《よ》みたくなる日《ひ》がくるはずです。そのときには、小説《しょうせつ》の世界《せかい》ものぞいてみてください。

第《だい》2章《しょう》

中《ちゅう》学《がく》年《ねん》向《む》け

中学年向《ちゅうがくねんむ》けの39作品《さくひん》は、世界《せかい》で大人気《だいにんき》の作品《さくひん》や日本《にほん》で長《なが》く親《した》しまれてきた作家《さっか》がたくさん登場《とうじょう》します。もっとくわしく知《し》りたいと思《おも》った話《はなし》は、原作《げんさく》を読《よ》むことでより深《ふか》く文《ぶん》章《しょう》の味《あじ》わいや美《うつく》しさを感《かん》じることができるでしょう。

アーネスト・トムソン・シートン

おおかみ王《おう》ロボ

アメリカの牧場主《ぼくじょうぬし》たちから
悪魔《あくま》のようにおそれられた
ほこり高《たか》き、おおかみ王《おう》の生《しょう》がい

アーネスト・トムソン・シートン
1860年《ねん》-1946年《ねん》
イギリスのサウスシールズ出身《しゅっしん》。カナダのオンタリオ美術学校卒業後《びじゅつがっこうそつぎょうご》、博《はく》物学《ぶつがく》を志《こころざ》し、画家《がか》・博物学者《はくぶつがくしゃ》として活《かつ》やくする。『シートン動物記《どうぶつき》』は、全《ぜん》著作物《ちょさくぶつ》に対《たい》する日本《にほん》での総《そう》しょう。作《さく》品《ひん》に『おおかみ王《おう》ロボ』『ギザ耳《みみ》ぼうや』などがある。

「カランポー谷《たに》のおおかみ王《おう》ロボ*に千《せん》ドルの賞金《しょうきん》がかけられた」

　このうわさはまたたく間《ま》にアメリカ・ニューメキシコ州全域《しゅうぜんいき》に広《ひろ》がった。五《ご》ひきの仲間《なかま》を率《ひき》いる「おおかみ王《おう》ロボ」と呼《よ》ばれるおおかみのことを、地元《じもと》の羊飼《ひつじか》いや牛飼《うしか》いで知《し》らぬ者《もの》はいない。**ロボはずるがしこくて強《つよ》く、うで利《き》きのおおかみハンターでも退治《たいじ》できない悪魔《あくま》のようなおおかみなのである。**

　私《わたし》は友人《ゆうじん》の牧場主《ぼくじょうぬし》の手紙《てがみ》でこのことを知《し》り、ロボ退治《たいじ》のいらいを引《ひ》き受《う》けた。現地《げんち》におもむいた私《わたし》は、四《よん》か所《しょ》に毒《どく》を仕《し》こんだ肉《にく》を置《お》いた。注意深《ちゅういぶか》く肉《にく》の間《あいだ》に毒《どく》をはさみこみ、人間《にんげん》のにおいがつかないようにした特製《とくせい》のわなだ。だが、わなはすべて見破《みやぶ》られ、あろうことか、四《よん》か所《しょ》にはなれて置《お》いてあった肉《にく》が一《ひと》つの場所《ばしょ》に集《あつ》めて積《つ》み上《あ》げられていた。私《わたし》は、ロボがふつうのおおかみではないことを思《おも》い知《し》らされた。

　私《わたし》は作戦《さくせん》を変《か》え、ロボの妻《つま》*ブランカにねらいをしぼり、ブランカを殺《ころ》した。

　その日以来《ひいらい》、ロボの遠《とお》ぼえがひんぱんに聞《き》こえる

【語句説明《ごくせつめい》】ロボ:スペイン語《ご》で「おおかみ(lobo)」。ロボは、おおかみのきょういの代名詞的存在《だいめいしてきそんざい》である。

中学年

読《よ》んだ日《ひ》　年《ねん》　月《がつ》　日《にち》

ようになった。苦《くる》し気《げ》に長引《ながび》くロボの遠《とお》ぼえを聞《き》いた羊飼《ひつじか》いたちは、こんなに悲《かな》し気《げ》な遠《とお》ぼえは聞《き》いたことがない、と言《い》った。

そしてついに、ロボがわなにかかる日《ひ》が来《き》た。いかりと悲《かな》しみに冷静《れいせい》さを欠《か》いていたのか、ロボは私《わたし》の仕《し》かけたわなの一《ひと》つにとらえられていたのだ。私《わたし》はロボをその場《ば》で殺《ころ》さず、生《い》けどりにした。じゅうで毛皮《けがわ》を傷《きず》つけたくなかったのだ。

ロボを連《つ》れ帰《かえ》った私《わたし》は、ロボの前《まえ》に肉《にく》と水《みず》を置《お》いた。だが、ロボはそれらに見向《みむ》きもせず、ただ一心《いっしん》にはるかな草原《そうげん》のかなたを見《み》つめていた。私《わたし》がステッキでさわっても身動《みうご》き一《ひと》つしなかった。

翌朝《よくあさ》、ロボのところへ行《い》くと、彼《かれ》は静《しず》かに横《よこ》たわって死《し》んでいた。おそらく妻《つま》を失《うしな》った悲《かな》しみに絶望《ぜつぼう》したのだろう。ほこり高《たか》きおおかみ王《おう》のたましいは、天《てん》に向《む》かったのだ。牛飼《うしか》いはブランカの死体《したい》を運《はこ》んできて、ロボにこう言《い》った。

「また、いっしょに仲良《なかよ》くやれよ」

【語句説明《ごくせつめい》】ブランカ：スペイン語《ご》で「白《しろ》い（blanco）」という意味《いみ》。

解説《かいせつ》

一八九六年《ねん》に刊行《かんこう》された『シートン動物記《どうぶつき》』の中《なか》の一編《いっぺん》。実話仕立《じつわじた》てになっていますが、シートン自身《じしん》のそれまでの経験《けいけん》を総合《そうごう》して書《か》かれた創作《そうさく》といわれています。

オススメ図書《としょ》

『シートン動物記《どうぶつき》1―おおかみ王《おう》ロボほか―』（阿部知二《あべともじ》〔訳《やく》〕、講談社青《こうだんしゃあお》い鳥文庫《とりぶんこ》）

家《いえ》なき子《こ》

**義理《ぎり》の親《おや》に売《う》られた少年《しょうねん》レミは
動物《どうぶつ》たちに囲《かこ》まれて
旅芸人《たびげいにん》として大《おお》きく成長《せいちょう》する**

ぼくは拾《ひろ》われた子《こ》だ。でも八歳《はっさい》になるまで、ぼくを拾《ひろ》ったバルブラン母《かあ》さんが育《そだ》ててくれた。だけど、父《とう》さんがケガをして働《はたら》けなくなったから、動物使《どうぶつづか》いの*旅芸人《たびげいにん》ヴィタリスさんにぼくは売《う》られた。最初《さいしょ》はいやいや母《かあ》さんと別《わか》れたけれど、ヴィタリスさんは優《やさ》しかった。字《じ》や芸《げい》を教《おし》えてくれて、ぼくに一人《ひとり》でも生《い》きていく力《ちから》を授《さず》けてくれたんだ。

「いいかねレミ。動物《どうぶつ》を教育《きょういく》するならおこってはいけない。いかりは本来《ほんらい》の自分《じぶん》を忘《わす》れる。教《おし》えることは教《おし》えられることなんだ。わしは犬《いぬ》をかしこくし、

エクトール・アンリ・マロ
1830年《ねん》-1907年《ねん》
フランスのラ・ブィユ村生《むらう》まれ。法律《ほうりつ》関係《かんけい》の仕事《しごと》をしていた父《ちち》にならい法《ほう》律学《りつがく》を学《まな》ぶが、パリで作家《さっか》を目指《めざ》す。大人向《おとなむ》けの小説《しょうせつ》では大成《たいせい》せず児童文《じどうぶん》学《がく》に転向《てんこう》し、この『家《いえ》なき子《こ》』がヒット。他《ほか》の作品《さくひん》に『家《いえ》なき娘《むすめ》』がある。

読《よ》んだ日《ひ》	年《ねん》　月《がつ》　日《にち》

犬《いぬ》はわしの人格《じんかく》を作《つく》り上《あ》げてくれたんだ。わかるね」

ところが、ヴィタリスさんは旅《たび》のとちゅうで警官《けいかん》といざこざを起《お》こしてしまった。ヴィタリスさんは、二《に》か月間《げつかん》も悪《わる》くない。それでもヴィタリスさんは、ろうやに入《い》れられることになってしまった。

困《こま》っていると、ちょうどそのとき、イギリスから温泉治《おんせんち》りょうに来《き》ていた病弱《びょうじゃく》のアーサーと彼《かれ》のお母《かあ》さんのミリガンさんが、ぼくを助《たす》けてくれた。ヴィタリスさんがろうやから出《で》るまで、ぼくのめんどうを見《み》てくれたんだ。お礼《れい》に芸《げい》を見《み》せたり、アーサーに本《ほん》の読《よ》み方《かた》を教《おし》えたりした。ミリガンさんによると、アーサーには行方不明《ゆくえふめい》の兄《あに》がいるらしい。

ヴィタリスさんがろうやから出《で》て、やっと旅《たび》が再《さい》開《かい》できたけど、雪山《ゆきやま》で犬《いぬ》たちがオオカミに殺《ころ》され、サルが病死《びょうし》して、心身《しんしん》ともにつかれ切《き》ったヴィタリスさんは死《し》んでしまった。悲《かな》しみにたえていると、花屋《はなや》のアキャンさんがぼくを引《ひ》き取《と》ってくれた。アキャンさんの家族《かぞく》はぼくに優《やさ》しく、とくに口《くち》のきけない末《すえ》むすめのリーズとは仲良《なかよ》くなった。

でもアキャンさんは破産《はさん》して、一家《いっか》はバラバラになった。ぼくは仕方《しかた》なく、生《い》き残《のこ》りの犬《いぬ》カピと芸《げい》をしながらまた旅《たび》を始《はじ》めたんだ。とちゅう、芸達者《げいだっしゃ》の少年《しょうねん》マチアを相棒《あいぼう》にしつつ、ぼくたちはお金《かね》をかせいで、バルブラン母《かあ》さんに会《あ》いに行《い》った。

するとバルブラン母《かあ》さんは、本当《ほんとう》の親《おや》がぼくを探《さが》していると教《おし》えてくれた。本当《ほんとう》の親《おや》とはなんとミリガンさんだった。ミリガンさんは喜《よろこ》び、ぼくやマチア、リーズを引《ひ》き取《と》り、みんなで仲良《なかよ》く暮《く》らした。

解説《かいせつ》

一八七八年発表《ねんはっぴょう》。レミは多《おお》くのひさんな経験《けいけん》をしますが、旅《たび》の師《し》しょうヴィタリスさんの教《おし》えを守《まも》り、強《つよ》くたくましく、成長《せいちょう》していきました。強《つよ》さとともに優《やさ》しさを忘《わす》れないレミの姿《すがた》に心《こころ》をうたれます。

オススメ図書《としょ》
『家《いえ》なき子《こ》』（二宮《にのみや》フサ〔訳《やく》〕、偕成社文庫《かいせいしゃぶんこ》）

【語句説明《ごくせつめい》】旅芸人《たびげいにん》：旅《たび》をしながら芸《げい》を見《み》せる商売《しょうばい》。レミたちは犬《いぬ》やサルに演劇《えんげき》をさせ、ヴィタリスさんが演《えん》奏《そう》していた。レミの役《やく》は、動物《どうぶつ》たちにバカにされる役《やく》。

エルンスト・テオドール・アマデウス・ホフマン

有名《ゆうめい》なバレエ作品《さくひん》の基《もと》になった
勇《ゆう》かんな人形《にんぎょう》と優《やさ》しい少女《しょうじょ》の
不思議《ふしぎ》な不思議《ふしぎ》なお話《はなし》

クルミわりとネズミの王様《おうさま》

エルンスト・テオドール・アマデウス・ホフマン

1776年《ねん》-1822年《ねん》

ドイツ・ケーニヒスベルク市《し》（現在《げんざい》のロシア・カリーニングランド）出身《しゅっしん》。司法試験《しほうしけん》に合格《ごうかく》し法律家《ほうりつか》となったが、作曲家《さっきょくか》、音楽評論家《おんがくひょうろんか》、画家《がか》など多方面《たほうめん》で才能《さいのう》を発揮《はっき》。彼《かれ》の小説《しょうせつ》『牡猫《おすねこ》ムルの人生観《じんせいかん》』は、漱石《そうせき》の『吾輩《わがはい》は猫《ねこ》である』（本書《ほんしょ》124ページ）の中《なか》でもふれられている。

中学年

クリスマスの夜《よる》、マリーが大好《だいす》きなドロッセルマイアーおじさまが不格好《ぶかっこう》なクルミわり人形《にんぎょう》をくれました。マリーはこのプレゼントを気《き》に入《い》りました。しかし、兄《あに》のフリッツが無理《むり》に大《おお》きなクルミをわろうとしたため、人形《にんぎょう》はこわれてしまいました。

クルミわり人形《にんぎょう》を気《き》の毒《どく》に思《おも》ったマリーは、ねむる前《まえ》に他《ほか》の人形《にんぎょう》のベッドでクルミわり人形《にんぎょう》を休《やす》ませようとしました。すると部屋《へや》の様子《ようす》が変化《へんか》し、七《なな》つの首《くび》を持《も》つネズミの王様《おうさま》が、軍勢《ぐんぜい》をともなって現《あらわ》れました。クルミわり人形《にんぎょう》も動《うご》き出《だ》し、他《ほか》の人形《にんぎょう》たちを率《ひき》いてネズミの軍《ぐん》を相手《あいて》に戦争《せんそう》を始《はじ》めたのです。人形《にんぎょう》の危機《きき》を救《すく》おうとしたところで、マリーは目覚《めざ》めました。マリーがドロッセルマイアーおじさまにこの話《はなし》をすると、彼《かれ》は、ネズミののろいを受《う》けてみにくくなった、ひめのお話《はなし》をしてくれました。

おとぎ話《ばなし》の宮《きゅう》てい時計士《とけいし》ドロッセルマイアーは苦労《くろう》の末《すえ》、「*クラカトゥクのクルミ」を食《た》べれば、のろいが解《と》けることをつきとめました。しかし、「クラカトゥクのクルミ」は固《かた》すぎて、だれも、かんで

【語句説明《ごくせつめい》】クラカトゥクのクルミ：「クラカトゥク」という中国《ちゅうごく》の文字《もじ》が、からに刻《きざ》まれた魔法《まほう》のクルミ。

読《よ》んだ日《ひ》　年《ねん》　月《がつ》　日《にち》

わることができませんでした。ところが、ドロッセルマイアーのおいっ子《こ》の若者《わかもの》がクルミをかみわったのです。ひめののろいは解《と》けましたが、代《か》わりに若者《わかもの》がのろいを受《う》けて、不格好《ぶかっこう》になりました。

この話《はなし》を聞《き》くと、マリーは彼女《かのじょ》の持《も》つくるみわりこそが、その若者《わかもの》なのだと思《おも》いました。それから間《ま》もなくした夜《よる》、マリーの元《もと》にネズミの王様《おうさま》が現《あらわ》れ、いやがらせを始《はじ》めました。困《こま》ったマリーがクルミわり人形《にんぎょう》に話《はな》すと、彼《かれ》はこう言《い》いました。

「おじょう様《さま》、私《わたし》に剣《けん》を一《ひと》ふりおあたえください。後《あと》のことは私《わたし》がなんとかいたします」

マリーは兄《あに》フリッツの兵隊人形《へいたいにんぎょう》の剣《けん》を借《か》り、クルミわり人形《にんぎょう》にあたえました。その夜《よる》、クルミわり人形《にんぎょう》はマリーの元《もと》に現《あらわ》れ、もらった剣《けん》でネズミの王様《おうさま》をやっつけたことを話《はな》しました。数日後《すうじつご》、ドロッセルマイアーおじさまが、おいっ子《こ》を連《つ》れてやってきました。**なんと、このおいこそクルミわり人形《にんぎょう》で、マリーのおかげで元《もと》の姿《すがた》にもどれたのでした。**

解説《かいせつ》

一八一六年《ねん》に発表《はっぴょう》された本作《ほんさく》は、ホフマンが友人《ゆうじん》の子《こ》どものために作《つく》った童話《どうわ》だと言《い》われています。チャイコフスキーのバレエ『くるみ割《わ》り人形《にんぎょう》』の原作《げんさく》として大変有名《たいへんゆうめい》です。

オススメ図書《としょ》

『クルミわりとネズミの王《おう》さま』（上田真而子《うえだまにこ》〔訳《やく》〕、岩波《いわなみ》少年文庫《しょうねんぶんこ》）

少女《しょうじょ》ポリアンナ

ポリアンナが行《おこな》う『うれしい探《さが》し』ゲームが町中《まちじゅう》に笑《わら》いと共感《きょうかん》を呼《よ》び起《お》こす

エレナ・ポーター
1868年《ねん》-1920年《ねん》
アメリカ・ニューハンプシャー州出身《しゅうしゅっしん》。24歳《さい》でけっこん後《ご》、小説《しょうせつ》を書《か》き始《はじ》め、34歳《さい》で『金髪《きんぱつ》のマーガレット』で小説家《しょうせつか》デビュー。1913年《ねん》に出版《しゅっぱん》した「ポリアンナ」シリーズが大《だい》ヒットして有名作家《ゆうめいさっか》になる。主《おも》な作品《さくひん》に『ポリアンナの青春《せいしゅん》』など。

読《よ》んだ日《ひ》　年《ねん》　月《がつ》　日《にち》

ナンシーは、女主人《おんなしゅじん》ポリーの言《い》いつけで、女《おんな》の子《こ》を駅《えき》にむかえに行《い》った。ポリーは*孤児《こじ》になった十一《じゅういっ》歳《さい》になるめいっ子《こ》を引《ひ》き取《と》るつもりのようだ。駅《えき》に着《つ》くと、一人《ひとり》の女《おんな》の子《こ》がいきなりだきついてきた。

「おばさん、会《あ》えてうれしいわ！」

「ち、ちがう！　私《わたし》はナンシー。あんたのおばさんのとこのお手伝《てつだ》いよ。ポリアンナさんよね？」

「うん。おばさんじゃなくてもナンシーに会《あ》えてうれしいわ！　おばさんにはこの後会《あとあ》えるのね？」

なんでもかんでも**「うれしい！」**を連発《れんぱつ》し、頭《あたま》に思《おも》いうかんだことをすぐさま口《くち》にするポリアンナに、ナンシーは軽《かる》くめまいを覚《おぼ》えた。あの厳格《げんかく》なポリーが、彼女《かのじょ》を見《み》たらどんな反応《はんのう》をするだろう、と。

ナンシーのけ*念《ねん》は現実《げんじつ》のものになった。ポリアンナはポリーに会《あ》ったとたんに**「うれしい！」**を連発《れんぱつ》し、厳格《げんかく》であるはずのポリーを困《こま》らせ、とまどわせたのだ。その後《ご》、ポリアンナはポリーに厳《きび》しくしかられたときも、そのたびに喜《よろこ》んで見《み》せた。ある日《ひ》、ナンシーは、ポリアンナにそのわけをたずねた。

「これはゲームなの。*『うれしい探《さが》し』っていうゲー

【語句説明《ごくせつめい》】孤児《こじ》：両親《りょうしん》のいない未成年者《みせいねんしゃ》。け念《ねん》：気《き》がかり。心配《しんぱい》。

ム。どんなこともうれしいって思《おも》うゲームを死《し》んだパパに教《おそ》わったの。ナンシーもやろうよ」

こうしてポリアンナはナンシーを手始《てはじ》めに、周囲《しゅうい》の人物《じんぶつ》たちを『うれしい探《さが》し』ゲームに巻《ま》きこみ始《はじ》めた。町《まち》でも有名《ゆうめい》な金持《かねも》ちで変人《へんじん》のペンドルトンが足《あし》を折《お》ったときには、看護《かんご》してくれる人《ひと》がいることを喜《よろこ》ぶべきだと話《はな》し、ペンドルトンの閉《と》じた心《こころ》を開《ひら》いた。ペンドルトンをみていたチルトン医師《いし》には、医師《いし》はみんなを治《なお》して助《たす》けることができる、この世《よ》で一番《いちばん》うれしい仕事《しごと》だと言《い》って彼《かれ》を感動《かんどう》させた。気《き》難《むずか》しいポリーも次第《しだい》にポリアンナを心《こころ》から愛《あい》するようになった。

だが、ポリアンナに不幸《ふこう》が訪《おとず》れた。自動車事故《じどうしゃじこ》にあい、足《あし》が動《うご》かなくなってしまったのだ。心配《しんぱい》したチルトンの紹介《しょうかい》で、ポリアンナは遠《とお》くの町《まち》の名医《めいい》の元《もと》で治《ち》りょうを受《う》けることになった。

時《とき》が経《た》ち、ポリアンナからポリーに手紙《てがみ》が届《とど》いた。

『あのね、あたし、歩《ある》けたの！　うれしいわ！今日《きょう》は六歩《ろっぽ》よ。明日《あした》は八歩《はっぽ》歩《ある》いてみせるわ！』

解説《かいせつ》

本作《ほんさく》はコミカルなストーリーが得意《とくい》なエレナ・ポーターが書《か》いた少女小説《しょうじょしょうせつ》。ところどころふき出《だ》してしまうような会話表現《かいわひょうげん》や人物《じんぶつ》びょう写《しゃ》と、明《あか》るく前向《まえむ》きなポリアンナの性格《せいかく》がマッチしている楽《たの》しい名作《めいさく》です。

オススメ図書《としょ》

『少女《しょうじょ》ポリアンナ』（木村由利子《きむらゆりこ》〔訳《やく》〕、角川《かどかわ》つばさ文庫《ぶんこ》）

【語句説明《ごくせつめい》】うれしい探《さが》し：原文《げんぶん》で「the Glad Game《ザ グラッド ゲーム》」。「よかった探《さが》し」と訳《やく》されることが多《おお》い。本作《ほんさく》が有名《ゆうめい》になったためか、きょくたんな楽観主義《らっかんしゅぎ》のことをポリアンナ主義《しゅぎ》（Pollyannaism《ポリアンナイズム》）と呼《よ》ぶこともある。

ジーン・ウェブスター

あしながおじさん

孤児院育《こじいんそだ》ちの少女《しょうじょ》が
正体不明《しょうたいふめい》の人物《じんぶつ》からえん助《じょ》を受《う》けて
幸《しあわ》せをつかむハッピーストーリー

*孤児院《こじいん》で育《そだ》ってきたジェルーシャ・アボットは、十六歳《じゅうろくさい》のある日《ひ》、幸運《こううん》にめぐまれました。*ジョン・スミスと名乗《なの》るお金持《かねも》ちがジェルーシャの作文《さくぶん》を読《よ》んで興味《きょうみ》を持《も》ち、大学《だいがく》に行《い》かせてくれるというのです。条件《じょうけん》は、将来作家《しょうらいさっか》になること、そして、ひと月《つき》に一度《いちど》、スミス氏《し》に手紙《てがみ》を書《か》いて大学生活《だいがくせいかつ》を報告《ほうこく》することでした。**ジェルーシャは、スミス氏《し》の後《うし》ろ姿《すがた》を一度見《いちどみ》かけたことがあり、彼《かれ》のことを「あしながおじさん」と呼《よ》ぶことにしました。**

大学《だいがく》に通《かよ》い始《はじ》めたジェルーシャは、孤児院《こじいん》でつけられた*名前《なまえ》をいやがり、自分《じぶん》でジュディと名乗《なの》りました。ジュディは楽《たの》しい学生生活《がくせいせいかつ》を送《おく》りましたが、

【語句説明《ごくせつめい》】孤児院《こじいん》：両親《りょうしん》のいない未成年者《みせいねんしゃ》をやしなうための施設《しせつ》。

ジーン・ウェブスター

1876年《ねん》-1916年《ねん》

アメリカ・ニューヨーク州《しゅう》生まれ。文《ぶん》ごうマーク・トゥエインのめいのむすめ。1897年《ねん》に入学《にゅうがく》したヴァッサー大学時代《だいがくじだい》の体験《たいけん》をもとに『あしながおじさん』を発表《はっぴょう》し、有名《ゆうめい》になった。他《ほか》の著書《ちょしょ》に『続《ぞく》あしながおじさん』。

読《よ》んだ日《ひ》　年《ねん》　月《がつ》　日《にち》

中学年

同級生《どうきゅうせい》の会話《かいわ》にはついていけません。貧《まず》しい孤児《こじ》院生活《いんせいかつ》では『ロビンソン・クルーソー』も『ジェイン・エア』も『不思議《ふしぎ》の国《くに》のアリス』も読《よ》んだことがなかったからです。『若草物語《わかくさものがたり》』を知《し》らなかったのは、学校中《がっこうじゅう》で自分《じぶん》だけだということも、ジュディは正直《しょうじき》に手紙《てがみ》に書《か》きました。

ジュディが想像《そうぞう》するあしながおじさんは、背《せ》が高《たか》いすてきな老紳士《ろうしんし》でした。でも、あしながおじさんは、手紙《てがみ》が大《だい》きらいなのか、返事《へんじ》は一通《いっつう》もありません。ジュディはそのことをさびしく思《おも》いながらも、少《すこ》しでも変《か》わったことや思《おも》いついたことがあれば、ひと月《つき》に一回《いっかい》と限《かぎ》らず、何度《なんど》もあしながおじさんに手紙《てがみ》を書《か》きました。特《とく》に級友《きゅうゆう》の親《しん》せきで、変《か》わり者《もの》と評判《ひょうばん》のジャービス・ペンデルトンという男性《だんせい》との交友《こうゆう》については、楽《たの》しく書《か》き送《おく》ったのです。

あしながおじさんのえん助《じょ》で大学《だいがく》を無事《ぶじ》に卒業《そつぎょう》した後《あと》、ジュディはジャービス・ペンデルトンからプロポーズを受《う》けました。しかし、ジュディは孤児《こじ》院出身《いんしゅっしん》という経歴《けいれき》を打《う》ち明《あ》けることができず、彼《かれ》を愛《あい》していながらも求《きゅう》こんを断《ことわ》ってしまいました。

なやんだジュディが、あしながおじさんに手紙《てがみ》でなやみを打《う》ち明《あ》けると、会《あ》って話《はなし》をすることになりました。喜《よろこ》んだジュディがあしながおじさんの家《いえ》に行《い》くと、そこには、ジャービス・ペンデルトンがいたのです。

「やあジュディ。ぼくがあしながおじさんだよ」

幸福《こうふく》に包《つつ》まれて帰宅《きたく》したジュディは、あしながおじさんに生《う》まれて初《はじ》めてのラブレターを書《か》きました。

解説《かいせつ》

一九一二年《ねん》に発表《はっぴょう》された本作《ほんさく》は、ほぼ全編《ぜんぺん》ジュディの手紙形式《てがみけいしき》で書《か》かれています。不幸《ふこう》な生《お》い立《た》ちのむすめが、お金持《かねも》ちの優《やさ》しい男性《だんせい》とけっこんするというシンデレラ・ストーリーは、ジュディのみりょく的《てき》な性格《せいかく》と相《あい》まって、ベストセラーとなりました。

オススメ図書《としょ》

『あしながおじさん』（曽野綾子《そのあやこ》〔訳《やく》〕、講談社青《こうだんしゃあお》い鳥文庫《とりぶんこ》）

【語句説明《ごくせつめい》】ジョン・スミス：日本《にほん》でいう「山田太郎《やまだたろう》」のような一般的《いっぱんてき》な人名《じんめい》で、たいていは匿名《とくめい》と同《おな》じ意味《いみ》の偽名《ぎめい》として使《つか》われることが多《おお》い。名前《なまえ》：孤児院《こじいん》の近所《きんじょ》にある墓石《ぼせき》から取《と》られた名前《なまえ》なので、ジュディはいやがっていた。

ジャン・アンリ・ファーブル

イソップ童話《どうわ》にウソがある!?
昆虫学者《こんちゅうがくしゃ》が観察《かんさつ》した
正《ただ》しいアリの生態《せいたい》

ファーブル昆虫記《こんちゅうき》より「アリとセミ」

ジャン・アンリ・ファーブル
1823年《ねん》-1915年《ねん》
フランス・アヴェロン県《けん》生まれ。教師《きょうし》、博物館館長《はくぶつかんかんちょう》の経歴後《けいれきご》、1879年《ねん》、セリニアンに移《うつ》り住《す》み、自《みずか》らアルマスと名付《なづ》けた裏庭《うらにわ》で、死去《しきょ》までの36年《ねん》間、昆虫《こんちゅう》の研究《けんきゅう》にぼっとうした。著書《ちょしょ》に『ファーブル昆虫記《こんちゅうき》』。

中学年

*おとぎ話《ばなし》にこんなものがあります。*アリとセミのお話《はなし》です。なまけ者《もの》のセミは夏中歌《なつじゅううた》ってばかりで遊《あそ》んでいたので、冬《ふゆ》が来《き》て食《た》べ物《もの》がなくなると困《こま》ってしまいます。セミはあわれなかっこうをして、夏《なつ》の間一生《あいだいっしょう》けんめいに働《はたら》いていたアリのところへ行《い》って、食《た》べ物《もの》をねだりました。でもアリは断《ことわ》って言《い》いました。

「あんた、夏中歌《なつじゅううた》ってばかりだったね。今度《こんど》はおどりでもおどったらいかが?」

こんなのはウソです。私《わたし》がセミのめいよを取《と》りもどしてやりましょう。**セミとアリには付《つ》き合《あ》いがありますが、本当《ほんとう》はおとぎ話《ばなし》とアベコベの関係《かんけい》です。実《じつ》はアリの方《ほう》がセミに食《た》べ物《もの》をねだります。ときにはずうずうしく、どろぼうもします。**

夏《なつ》は虫《むし》たちもノドがカラカラです。でもセミは朝《あさ》から、そのとがった口先《くちさき》で木《き》の皮《かわ》に穴《あな》を開《あ》けて働《はたら》き、井戸《いど》をほっているのです。穴《あな》が開《あ》くとセミは口《くち》の管《くだ》を差《さ》しこんで、おいしい樹液《じゅえき》を吸《す》います。この井戸《いど》からにじみ出《で》るわずかな樹液《じゅえき》をねらうのが、他《ほか》の虫《むし》たちです。ハチ・ハエ・ハサミムシといろいろ

【語句説明《ごくせつめい》】おとぎ話《ばなし》:原文《げんぶん》ではフランス詩人《しじん》によるものと書《か》かれているが、大本《おおもと》をたどれば、ギリシアのイソップ童話《どうわ》のこと。

読《よ》んだ日《ひ》　　年《ねん》　月《がつ》　日《にち》

な虫《むし》がいますが、一番《いちばん》タチが悪《わる》いのがアリです。アリはセミを追《お》い出《だ》して、井戸《いど》を独《どく》せんしようとします。

私《わたし》は以前《いぜん》、アリがセミの足《あし》にかみついているのを見《み》たことがあります。ずうずうしいやつは、セミの口《くち》の管《くだ》を井戸《いど》から引《ひ》っこぬこうとしていました。

これでおわかりでしょう。横合《よこあ》いから物《もの》をねだり、うばい取《と》るのがアリのやりかたなのです。もう一《ひと》つ、でたらめ童話《どうわ》のしょうこを挙《あ》げましょう。

五《ご》～六週間《ろくしゅうかん》、喜《よろこ》びの歌《うた》を歌《うた》い続《つづ》けたセミは、命《いのち》がつきて木《き》から落《お》ちます。セミの死体《したい》がカラカラに干上《ひあ》がるころ、やってくるのが凶悪《きょうあく》なアリです。アリは、あわれなセミの死体《したい》をずたずたに引《ひ》きさき、自分《じぶん》たちの食《た》べ物《もの》として倉庫《そうこ》へ運《はこ》んでいきます。中《なか》にはまだ死《し》んでいない、木《き》から落《お》ちただけのセミに、アリが群《むら》がっていることがあります。アリがセミの命《いのち》にとどめをさしているのです。セミはアリに物《もの》ごいをしません。それどころか、樹液《じゅえき》も自分《じぶん》の命《いのち》も、アリにほどこしているのです。

解説《かいせつ》

一八七八年《ねん》から約三十年《やくさんじゅうねん》にわたって出版《しゅっぱん》された本作《ほんさく》は全十巻《ぜんじっかん》で、多《おお》くの昆虫《こんちゅう》の習性《しゅうせい》について書《か》かれています。研究《けんきゅう》が進《すす》んだ現代《げんだい》ではまちがった考察《こうさつ》もありますが、ファーブルは自分《じぶん》が観察《かんさつ》した結果《けっか》を忠実《ちゅうじつ》に書《か》きました。その姿勢《しせい》は今《いま》も高《たか》く評価《ひょうか》されています。

オススメ図書《としょ》

『ファーブルの昆虫記《こんちゅうき》』（中村浩《なかむらひろし》・江口清《えぐちきよし》〔訳《やく》〕、講談社青《こうだんしゃあお》い鳥文庫《とりぶんこ》）

【語句説明《ごくせつめい》】アリとセミのお話《はなし》：日本《にほん》ではイソップ童話《どうわ》の『アリとキリギリス』として知《し》られる。ヨーロッパの寒冷地帯《かんれいちたい》にはセミがいないため、キリギリスに改変《かいへん》された話《はなし》が日本《にほん》に伝《つた》わった。セミが生息《せいそく》するギリシア発《はっ》しょうの物語《ものがたり》なので本来《ほんらい》は『アリとセミ』。

ジュール・ルナール

にんじん

母《はは》から不当《ふとう》なあつかいを受《う》けながらも「にんじん」と呼《よ》ばれる少年《しょうねん》はひねくれず、大《おお》らかに成長《せいちょう》する

「おや、鳥小屋《とりごや》の戸《と》を閉《し》め忘《わす》れているね」

と、お母《かあ》さんは言《い》いました。外《そと》はもう真《ま》っ暗《くら》です。

お母《かあ》さんは兄《にい》さんと姉《ねえ》さんに戸《と》を閉《し》めてくるように言《い》いましたが、二人《ふたり》とも言《い》うことを聞《き》きません。

「じゃあ、にんじん、お前《まえ》が行《い》ってくるんだよ」

お母《かあ》さんは、末《すえ》の男《おとこ》の子《こ》に「にんじん」とあだ名《な》をつけて呼《よ》んでいました。かみの毛《け》が赤《あか》くて、そばかすだらけの顔《かお》をしていたからです。にんじんは暗《くら》くてこわいので行《い》きたくありませんでした。でもお母《かあ》さんにぶたれたくないので、勇気《ゆうき》を出《だ》して鳥小《とりご》屋《や》の戸《と》を閉《し》めました。でも、ほめられないばかりか、以後毎晩《いごまいばん》、鳥小屋《とりごや》の戸《と》を閉《し》める係《かかり》にされました。

にんじんは、今《いま》までに何回《なんかい》も*ベッドの中《なか》で失敗《しっぱい》しています。夜中《よなか》に起《お》きるとおまるにするのですが、今夜《こんや》はお母《かあ》さんがおまるを置《お》くのを忘《わす》れたらしく、にんじんはがまんできずに、だんろにおしっこをしてしまいました。翌朝《よくあさ》、お母《かあ》さんにおこられたので、にんじんは言《い》い訳《わけ》をしようと思《おも》いましたが、ベッドの足元《あしもと》には、なぜかおまるが置《お》いてあります。お母《かあ》さんの仕業《しわざ》です。にんじんは困《こま》ってしまいました。

【語句説明《ごくせつめい》】ベッドの中《なか》で失敗《しっぱい》：おねしょをしてしまうということ。

ジュール・ルナール

1864年《ねん》-1910年《ねん》

フランス・マイエンヌ県《けん》生《う》まれ。1889年《ねん》に文芸雑誌《ぶんげいざっし》『メルキュール・ド・フランス』の創刊《そうかん》にじんりょくし、知名度《ちめいど》が上《あ》がる。1897年《ねん》に散文劇《さんぶんげき》『別《わか》れもたのし』が成功《せいこう》して一流作家《いちりゅうさっか》の仲間入《なかまい》りに。代表作《だいひょうさく》に『ぶどう畑《ばたけ》のぶどう作《づく》り』『にんじん』など。

読《よ》んだ日《ひ》　　年《ねん》　月《がつ》　日《にち》

いつもおこられるにんじんは、ついにお母《かあ》さんに反《はん》こうしました。お使《つか》いに行《い》けという命令《めいれい》に、お父《とう》さんが行《い》けというなら行《い》くけど、お母《かあ》さんのためになら絶対《ぜったい》いやだ、と言《い》い張《は》ったのです。

その様子《ようす》を見《み》ていたお父《とう》さんは、にんじんを散歩《さんぽ》に連《つ》れていき、話《はな》し合《あ》いました。お父《とう》さんは、自分《じぶん》だけが不幸《ふこう》だと思《おも》ってはいけない、大人《おとな》になるまでがまんするんだ、とにんじんに話《はな》しかけました。にんじんはお父《とう》さんの言《い》うことをわかっていました。

それでも、それまでのお母《かあ》さんのにんじんに対《たい》する仕打《しう》ちはひどすぎたのです。実《じつ》はお父《とう》さんも、お母《かあ》さんのことを快《こころよ》く思《おも》っていませんでした。そのことがわかると、にんじんは喜《よろこ》びました。

けれど、にんじんの姉《ねえ》さんのけっこんが決《き》まった日《ひ》には感情《かんじょう》が高《たか》ぶり、こうさけんでしまいました。

「ぼくなんか、だれも愛《あい》してくれやしない！」

このさけびをお母《かあ》さんが聞《き》き、ものすごい顔《かお》でやってきたので、にんじんはあわてて言《い》いました。

「そりゃ、お母《かあ》さんは別《べつ》さ」

解説《かいせつ》

一八九四年発表《ねんはっぴょう》。ルナールの少年期《しょうねんき》の体験《たいけん》をもとに書《か》かれた作品《さくひん》で、にんじんの日常《にちじょう》を短《みじか》いエピソードに分《わ》けた小話集《こばなししゅう》といった形式《けいしき》。冷《さ》めた目《め》で大人《おとな》たちの態度《たいど》をながめる、にんじんの心情《しんじょう》がたんたんとえがかれています。

オススメ図書《としょ》

『こども世界名作童話《せかいめいさくどうわ》15　にんじん』（サレナ＝ドラガン〔文《ぶん》〕、ポプラ社《しゃ》）

ジョナサン・スウィフト

ガリバー旅行記《りょこうき》

小人国《こびとこく》・巨人国《きょじんこく》・空飛《そらと》ぶ島《しま》・馬《うま》の国《くに》……
船医《せんい》ガリバーが訪《おとず》れる
不思議《ふしぎ》な国《くに》の数々《かずかず》

中学年

ぼくはレミュエル・ガリバー。イギリスの船医《せんい》だ。一六九九年《ねん》、イギリスから出港《しゅっこう》した船《ふね》は深《ふか》いきりのせいで＊座《ざ》しょうした。気《き》がつくと、体中《からだじゅう》がしばりつけられている。体《からだ》の上《うえ》には＊六《ろく》インチもない人間《にんげん》がいた。なんと小人《こびと》である。ぼくはこの小人国《こびとこく》リリパットでしばらく過《す》ごすことになった。

ある日《ひ》、リリパットは、となりの小人国《こびとこく》と戦争《せんそう》になった。日《ひ》ごろよくしてもらった恩《おん》を返《かえ》すため、ぼくは敵国《てきこく》のかん隊《たい》を全部《ぜんぶ》つかまえて戦争《せんそう》を止《と》めた。皇《こう》ていは敵国《てきこく》をみな殺《ごろ》しにするように言《い》ってきたけど、そいつはごめんだ。転《てん》ぷくして流《なが》れ着《つ》いたボートを見《み》つけて小人国《こびとこく》をにげ出《だ》した。

【語句説明《ごくせつめい》】座《ざ》しょう：船《ふね》が浅《あさ》せに乗《の》り上《あ》げ動《うご》けなくなること。6インチ：約《やく》15センチ。

ジョナサン・スウィフト
1667年《ねん》-1745年《ねん》
アイルランド・ダブリン出身《しゅっしん》。イングランド系《けい》アイルランド人《じん》のふうし作家《さっか》。持病《じびょう》のメニエール病《びょう》になやまされながら、ふうし作品《さくひん》を発表《はっぴょう》し続《つづ》けた。代《だい》表作《ひょうさく》に『ガリバー旅行記《りょこうき》』。

読《よ》んだ日《ひ》	年《ねん》　月《がつ》　日《にち》

一七〇二年《ねん》、あらしにあって巨人国《きょじんこく》に着《つ》いた。この国《くに》の人間《にんげん》は大人《おとな》で＊六十《ろくじっ》フィートもある。ぼくは国《こく》王《おう》にえっ見《けん》し、ヨーロッパの風《ふう》ぞく・宗教《しゅうきょう》・政治《せいじ》・学問《がくもん》について話《はなし》をした。国王陛下《こくおうへいか》は、ぼくの話《はなし》をおおよそ理解《りかい》した様子《ようす》だった。だが、ぼくが火薬《かやく》の武器《ぶき》の話《はなし》をしたとき、彼《かれ》は言《い》った。

「なんと、おそろしい。そんな人殺《ひとごろ》しの発明《はつめい》をした者《もの》は、人類《じんるい》の敵《てき》である悪魔《あくま》にちがいない」

三年後《さんねんご》、ぼくは、とつじょ空飛《そらと》ぶ大《おお》ワシに連《つ》れ去《さ》られ、帰国《きこく》できた。

一七〇六年《ねん》、海《かい》ぞく船《せん》につかまったぼくは、小船《こぶね》に乗《の》せられて、置《お》いてきぼりにされた。何日《なんにち》かすると、空飛《そらと》ぶ島《しま》が現《あらわ》れた。空飛《そらと》ぶ島《しま》の名《な》はラピュータというらしい。ラピュータの国民《こくみん》は全員科学者《ぜんいんかがくしゃ》で、変《へん》な研究《けんきゅう》ばかりしていた。あきてきたぼくは帰国《きこく》しようとしたが、イギリスへの直行便《ちょっこうびん》はない。結局《けっきょく》、ラグナグという島《しま》から日本《にほん》へわたり、＊日本《にほん》の国王《こくおう》に交《こう》しょうして帰国《きこく》した。

一七一〇年《ねん》、ぼくはまたも、海《かい》ぞくにあって馬《うま》の国《くに》に置《お》き去《ざ》りにされた。だが、見《み》かけは馬《うま》そのものの彼《かれ》らは優《すぐ》れた知性《ちせい》を持《も》っていた。彼《かれ》らには毛《け》ぎらいしている種族《しゅぞく》がいた。ヤフーだ。ヤフーは欲深《よくぶか》く、常《つね》に同種族同士《どうしゅぞくどうし》で争《あらそ》うことにみにくい存在《そんざい》だが、困《こま》ったことに彼《かれ》らの見《み》た目《め》はぼくにそっくりだ。つまり人間《にんげん》なのだ。

ぼくはこの理知的《りちてき》な馬《うま》の国《くに》を気《き》に入《い》ったのだが、彼《かれ》らはぼくを気《き》に入《い》らず、結局追《けっきょくお》い出《だ》された。

一七一五年《ねん》、ぼくは帰国《きこく》した。

解説《かいせつ》

一七二六年《ねん》に初版《しょはん》が刊行《かんこう》され、三五年《ねん》に完全版《かんぜんばん》が刊行《かんこう》。本作《ほんさく》には不思議《ふしぎ》な国《くに》が登場《とうじょう》しますが、これらは人間社会《にんげんしゃかい》への皮肉《ひにく》になっており、社会《しゃかい》のむじゅんや、みにくさをおかしな国《くに》になぞらえています。

オススメ図書《としょ》

『ガリバー旅行記《りょこうき》』（加藤光也《かとうみつや》（訳《やく》）、講談社青《こうだんしゃあお》い鳥文庫《とりぶんこ》）

【語句説明《ごくせつめい》】60フィート：約《やく》18メートル。日本《にほん》の国王《こくおう》：この作品《さくひん》では徳川《とくがわ》の将軍《しょうぐん》を指《さ》すらしい。時期的《じきてき》には6代将軍徳川家宣《だいしょうぐんとくがわいえのぶ》。

セルマ・ラーゲルレーヴ

ニルスの不思議《ふしぎ》な旅《たび》

小人《こびと》にさせられたいじめっ子《こ》が
鳥《とり》たちとの旅《たび》を通《とお》して
やさしくたくましい少年《しょうねん》に成長《せいちょう》

スウェーデンの南外《みなみはず》れのベンメンヘイという村《むら》に、ニルスという少年《しょうねん》がいました。ニルスはなまけ者《もの》で、動物《どうぶつ》たちをいじめてばかりいる悪《わる》い子《こ》でした。

両親《りょうしん》が留守《るす》にしたある日《ひ》のこと、ニルスは部屋《へや》で*小人《こびと》のトムテを見《み》つけました。トムテをつかまえたところ、ニルスはトムテの魔法《まほう》で小人《こびと》の姿《すがた》に変《か》えられてしまいました。これを見《み》たスズメやニワトリやネコやウシは、いい気味《きみ》だと言《い》って笑《わら》いました。

ニルスがおこって家《いえ》を飛《と》び出《だ》すと、空《そら》でいたずら者《もの》のガン*たちが、空《そら》をうまく飛《と》べないガチョウたちをからかっていました。負《ま》けん気《き》の強《つよ》いガチョウのモルテンが、ガンの空《そら》の旅《たび》につきあおうと飛《と》びたちました。ニルスは必死《ひっし》で止《と》めようと、モルテンの首《くび》にしがみつきましたが、小人《こびと》の力《ちから》ではどうにもなりません。モルテンといっしょに空《そら》へとまい上《あ》がってしまいました。こうして、ニルスとモルテンはガンの旅《たび》につきあうことになったのでした。

ニルスは両親《りょうしん》もなげくほどの悪《わる》い子《こ》でしたが、モルテンや、ガンの隊長《たいちょう》アッカたちと旅《たび》をするうちに、変《か》わっていきました。ニルスは仲間《なかま》を守《まも》るため、

【語句説明《ごくせつめい》】小人《こびと》のトムテ：スウェーデンに伝《つた》わる「家《いえ》に幸《こう》福《ふく》をもたらす」妖精《ようせい》。

セルマ・ラーゲルレーヴ
1858年《ねん》-1940年《ねん》
スウェーデン・モールバッカ出身《しゅっしん》。生《う》まれつき足《あし》が不自由《ふじゆう》で外《そと》で遊《あそ》べず、文学《ぶんがく》を好《この》み、後《のち》に教師《きょうし》になる。1890年《ねん》に雑誌《ざっし》に投《とう》こうした短編《たんぺん》でデビューし、人気作家《にんきさっか》として活《かつ》やく。スウェーデン初《はつ》のノーベル文学賞受賞作家《ぶんがくしょうじゅしょうさっか》。代表作《だいひょうさく》がこの『ニルスの不思議《ふしぎ》な旅《たび》』。

読《よ》んだ日《ひ》	年《ねん》	月《がつ》	日《にち》

中学年

見張《みは》りをしたり、悪者《わるもの》を追《お》いはらったりするようになったのです。ガンたちを食《た》べようとするキツネのズルを、ニルスは何度《なんど》もげきたいしました。
　ズルはニルスをうらんでいましたが、彼《かれ》に親切《しんせつ》にされて、最後《さいご》は改心《かいしん》しました。いい子《こ》になったニルスを人間《にんげん》にもどしたいアッカは、トムテからその方《ほう》法《ほう》を聞《き》き出《だ》します。その方法《ほうほう》とはなんと、ニルスの両親《りょうしん》がモルテンを殺《ころ》すというものでした。アッカと仲間《なかま》たちは、そんなざんこくなことを、ニルスとモルテンに教《おし》えられません。
　何《なに》も知《し》らないニルスとモルテンが家《いえ》に帰《かえ》ったところ、両親《りょうしん》はモルテンをつかまえて食《た》べようとしました。びんぼうな両親《りょうしん》は、ほかに食《た》べるものがなかったのです。ニルスはその光景《こうけい》を見《み》てさけびました。

「お願《ねが》い、モルテンを殺《ころ》さないで！」

　そのしゅん間《かん》、ニルスは人間《にんげん》にもどりました。人《にん》間《げん》にもどることができたニルスは、もう動物《どうぶつ》たちの言葉《ことば》はわからなくなりました。ニルスは空《そら》を飛《と》ぶガンたちを見上《みあ》げながら、手《て》をふって別《わか》れました。

解説《かいせつ》

女性作家《じょせいさっか》のラーゲルレーヴが子《こ》どものために書《か》いた本作《ほんさく》は、一九〇六年《ねん》に発表《はっぴょう》され、世界中《せかいじゅう》で愛読《あいどく》されている長編童話《ちょうへんどうわ》です。スウェーデンではニルスの人《にん》気《き》は大変《たいへん》なもので、お札《さつ》に印刷《いんさつ》されるほどです。

オススメ図書《としょ》

『ニルスのふしぎな旅《たび》』（山室静《やまむろしずか》〔訳《やく》〕、講談社青《こうだんしゃあお》い鳥文庫《とりぶんこ》）

【語句説明《ごくせつめい》】ガン：季節《きせつ》ごとに遠方《えんぽう》の地《ち》へ旅《たび》をする習性《しゅうせい》がある、わたり鳥《どり》の一種《いっしゅ》。

ダニエル・デフォー

ロビンソン・クルーソー

一人《ひとり》、絶海《ぜっかい》の孤島《ことう》に取《と》り残《のこ》された彼《かれ》はいかにして生《い》き延《の》び、生《せい》かんしたか?

一六五九年《ねん》九月《がつ》、私《わたし》ロビンソンは商用《しょうよう》のため*ギニア海岸《かいがん》へ向《む》かって航海《こうかい》に出《で》た。これが不運《ふうん》の始《はじ》まりだった。船《ふね》が*カリブ諸島近《しょとうちか》くであらしにあい、難破《なんぱ》したのだ。陸地《りくち》に着《つ》き、生《い》き残《のこ》ったのは私一人《わたしひとり》だ。翌朝《よくあさ》、目覚《めざ》めると少《すこ》し元気《げんき》が出《で》た。このときおどろいたのは、私《わたし》の船《ふね》がすぐ近《ちか》くに打《う》ち上《あ》げられていたことだ。私《わたし》は船《ふね》にたどり着《つ》き、ビスケット、チーズ、穀物《こくもつ》、保存肉《ほぞんにく》などの食料《しょくりょう》、衣服《いふく》、銃《じゅう》・火薬類《かやくるい》の武器《ぶき》、大工道具《だいくどうぐ》を見《み》つけることができた。

高《たか》い山《やま》に登《のぼ》り、頂上《ちょうじょう》に着《つ》いて景色《けしき》をながめたところで、自分《じぶん》が絶望的《ぜつぼうてき》な状《じょう》きょうにあることがわかった。私《わたし》が着《つ》いた場所《ばしょ》は絶海《ぜっかい》の孤島《ことう》だったのだ。島《しま》の探検《たんけん》を終《お》えた後《あと》、難破《なんぱ》した船《ふね》に何度《なんど》も行《い》き、持《も》てるすべてのものを持《も》ち出《だ》した。イヌ一《いっ》ぴきとネコ二《に》ひきが生《い》きていたことは、うれしかった。貴重《きちょう》な友人《ゆうじん》だ。十二回目《じゅうにかいめ》の船《ふね》の探《たん》さくではお金《かね》を見《み》つけた。

「ああ、つまらぬものだ。何《なん》の役《やく》にも立《た》たない」

これが私《わたし》の感想《かんそう》だ。私《わたし》は今後《こんご》の住《す》みかを作《つく》るため、計画《けいかく》を立《た》てた。水《みず》と食料《しょくりょう》と安全《あんぜん》を確保《かくほ》しつつ、この島《しま》で過《す》ごさなくてはならない。また、私《わたし》は日記《にっき》

【語句説明《ごくせつめい》】ギニア:西《にし》アフリカ西端《せいたん》にある国《くに》。

ダニエル・デフォー

1660年《ねん》-1731年《ねん》

イギリス・ロンドン生《う》まれ。前半生《ぜんはんせい》は政治活動《せいじかつどう》に従事《じゅうじ》し、政治《せいじ》パンフレット作成《さくせい》やジャーナリストとして活《かつ》やくした。1719年《ねん》、59歳《さい》で出版《しゅっぱん》した『ロビンソン・クルーソー』がベストセラーに。他《ほか》の著書《ちょしょ》に『ロビンソン・クルーソーのさらなる冒険《ぼうけん》』など。

読《よ》んだ日《ひ》	年《ねん》　月《がつ》　日《にち》

中学年

をつけた。そして海岸《かいがん》に柱《はしら》を立《た》て、

『一六五九年《ねん》九月《がつ》三〇日《にち》、われ上陸《じょうりく》せり』

という言葉《ことば》を刻《きざ》んだ。日付《ひづけ》を忘《わす》れないようにするためだ。この後《あと》、長《なが》い間《あいだ》、私《わたし》は一人《ひとり》でこの島《しま》に暮《く》らすことになる。この期間《きかん》、私《わたし》は、果実《かじつ》を見《み》つけ、穀物《こくもつ》を育《そだ》て、野生《やせい》のヤギを飼《か》い、自給自足《じきゅうじそく》の生活《せいかつ》をした。孤独《こどく》を除《のぞ》けば満足《まんぞく》できた生活《せいかつ》だった。

約《やく》二《に》十五《じゅうご》年後《ねんご》、平《へい》おんは破《やぶ》られた。近《ちか》くの大陸《たいりく》に住《す》む野《や》ばん人《じん》が、争《あらそ》いでとらえたほりょを処《しょ》けいする場面《ばめん》に出《で》くわしたのだ。私《わたし》はじゅうで野《や》ばん人《じん》を追《お》い払《はら》い、ほりょの一人《ひとり》を助《たす》けた。私《わたし》はその男《おとこ》をフライデーと名《な》づけ、以後《いご》、彼《かれ》は私《わたし》のかけがえのない*従僕《じゅうぼく》になった。

その数年後《すうねんご》、船員《せんいん》が反乱《はんらん》を起《お》こしている最中《さいちゅう》のイギリス船《せん》がやってきた。私《わたし》は船長《せんちょう》を助《たす》け、反乱《はんらん》をしずめ、フライデーらとともにイギリスに帰《かえ》った。難《なん》破《ぱ》して以来《いらい》、二十八年後《にじゅうはちねんご》のことだった。

解説《かいせつ》

一七一九年《ねん》に発表《はっぴょう》された本作《ほんさく》は、そうなん者《しゃ》として無《む》人島《じんとう》で四年間《よねんかん》を過《す》ごしたスコットランドの水夫《すいふ》アレキサンダー・セルカーク（一六七六年《ねん》－一七二一年《ねん》）の体験《たいけん》をもとに創作《そうさく》されたと言《い》われています。一人《ひとり》で生《い》き残《のこ》るためのちえ、行動力《こうどうりょく》を学《まな》び取《と》りたいものです。

オススメ図書《としょ》

『ロビンソン・クルーソー』（海保眞夫《かいほまさお》（訳《やく》）、岩波少年文庫《いわなみしょうねんぶんこ》）

【語句説明《ごくせつめい》】カリブ諸島《しょとう》：南《みなみ》アメリカ大陸《たいりく》の北《きた》、カリブ海《かい》にうかぶ島々《しまじま》。従僕《じゅうぼく》：つき従《したが》う人《ひと》、めし使《つか》い。

ハワード・パイル

ロビン・フッドの冒険《ぼうけん》

シャーウッドの森《もり》に住《す》む
弓名人《ゆみめいじん》が仲間《なかま》とともに
金持《かねも》ちや役人《やくにん》をやっつける痛快物語《つうかいものがたり》

ハワード・パイル
1853年《ねん》-1911年《ねん》
アメリカ合衆国《がっしゅうこく》デラウェア州《しゅう》ウィルミントン出身《しゅっしん》。若年層《じゃくねんそう》向《む》けのイラストレーター・著述家《ちょじゅつか》として活《かつ》やくしつつ、学校《がっこう》を設立《せつりつ》して、多《おお》くのイラストレーターを育《そだ》てた。『ロビン・フッドの冒険《ぼうけん》』のほか、『アーサー王物語《おうものがたり》』も有名《ゆうめい》。

中学年

昔《むかし》、イングランドのノッティンガムという町《まち》の近《ちか》くのシャーウッドの森《もり》に、ロビン・フッドと百人《ひゃくにん》をこえる森《もり》の仲間《なかま》たちが暮《く》らしていました。ロビンは弓《ゆみ》の達人《たつじん》で、イングランドで一番《いちばん》のうで前《まえ》です。

仲間《なかま》のリトル・ジョンはロビンの*右《みぎ》うでの太《ふと》った大男《おおおとこ》で*六尺棒《ろくしゃくぼう》をふり回《まわ》せばかなう者《もの》がいない勇者《ゆうしゃ》、ロビンのおいのウィル・スカーレットはおしゃれな二枚目《にまいめ》で剣《けん》のうで前《まえ》は達人級《たつじんきゅう》、*吟遊詩人《ぎんゆうしじん》のアラン・ア・デイルはだれもがうっとりするほどの美声《びせい》で歌《うた》う歌《うた》の名人《めいじん》、お酒《さけ》が大好《だいす》きなタックは怪力《かいりき》のおぼう

【語句説明《ごくせつめい》】右《みぎ》うで：もっともたよりになる部下《ぶか》の比《ひ》ゆ。
六尺棒《ろくしゃくぼう》：固《かた》い木《き》で作《つく》られた約《やく》1.8 mの棒《ぼう》。

読《よ》んだ日《ひ》　　年《ねん》　月《がつ》　日《にち》

さんです。
彼《かれ》らは、元《もと》は善良《ぜんりょう》な領民《りょうみん》でしたが、悪《わる》い領主《りょうしゅ》や聖職者《せいしょくしゃ》にお金《かね》や土地《とち》をだまし取《と》られて、シャーウッドの森《もり》ににげこんできたのです。**ロビンと仲間《なかま》たちは、悪《わる》い金持《かねも》ちから金品《きんぴん》をうばい、貧《まず》しい人《ひと》たちに分《わ》け与《あた》えていたので、有名《ゆうめい》な人気者《にんきもの》でした。**しかし、領主《りょうしゅ》や聖職者《せいしょくしゃ》たちにとっては天敵《てんてき》なので、権力者《けんりょくしゃ》たちはロビンたちを目《め》の敵《かたき》にしていました。

権力者《けんりょくしゃ》たちはロビンをわなにかけようとしたり、暗殺者《あんさつしゃ》を放《はな》ったりしましたが、ロビンたちはそれらを簡単《かんたん》にはねのけました。権力者《けんりょくしゃ》たちは歯《は》がみしてくやしがりましたが、どうにもなりません。

こうしたロビンたちの活《かつ》やくが、とうとうリ*チャード国王《こくおう》の耳《みみ》に入《はい》りました。興味《きょうみ》を覚《おぼ》えた国王《こくおう》は、シャーウッドの森《もり》に行《い》きました。すると、緑《みどり》の服《ふく》を着《き》た金髪《きんぱつ》の青《あお》い目《め》の男《おとこ》が、とつぜん現《あらわ》れました。

「やあ、そこの高貴《こうき》なお方《かた》。この先《さき》に、ちょいといかした食堂《しょくどう》があるんだ。お代《だい》はたっぷりちょうだいしますがね。おいやとあらば、食事《しょくじ》ぬきでお代《だい》だけいただきます。さあ、財布《さいふ》を見《み》せてくださいな」

目《め》の前《まえ》の男《おとこ》がロビンだとわかった国王《こくおう》は、おとなしくお金《かね》を出《だ》しました。するとロビンはゆかいそうに笑《わら》って、国王《こくおう》を森《もり》のえん会《かい》に招待《しょうたい》しました。

森《もり》のえん会《かい》はごうせいで、余興《よきょう》に弓《ゆみ》や六尺棒《ろくしゃくぼう》のうで自《じ》まん大会《たいかい》が行《おこな》われました。あまりに楽《たの》しいえん会《かい》だったので、国王《こくおう》は喜《よろこ》んで身分《みぶん》を明《あ》かし、ロビンに伯爵《はくしゃく》の位《くらい》を与《あた》え、家来《けらい》にしました。ロビンは忠実《ちゅうじつ》に国王《こくおう》に仕《つか》え、その後《ご》も大活《だいかつ》やくしました。

解説《かいせつ》

イギリスに伝《つた》わる伝説的《でんせつてき》な集団《しゅうだん》の物語《ものがたり》を、パイルが一八八三年《ねん》にまとめた古典《こてん》の名作《めいさく》。弓《ゆみ》の達人《たつじん》ロビン・フッドと仲間《なかま》たちの物語《ものがたり》は、世界中《せかいじゅう》で有名《ゆうめい》です。

オススメ図書《としょ》

『ロビン・フッドの冒険《ぼうけん》』（小林《こばやし》みき〔訳《やく》〕、ポプラ社《しゃ》）

【語句説明《ごくせつめい》】吟遊詩人《ぎんゆうしじん》：詩曲《しきょく》を作《つく》り、旅《たび》をしながら歌《うた》う人《ひと》。リチャード国王《こくおう》：「獅子心王《ししんおう》」とあだ名《な》された勇《ゆう》かんな王《おう》（1157年《ねん》-1199年《ねん》）。生《しょう》がいを戦争《せんそう》と冒険《ぼうけん》で過《す》ごしたことで有名《ゆうめい》。

ヒュー・ロフティング

ドリトル先生《せんせい》アフリカへ行《い》く

動物《どうぶつ》の言葉《ことば》が話《はな》せる
世界《せかい》でただ一人《ひとり》のお医者《いしゃ》さん
ドリトル先生《せんせい》のゆかいな冒険《ぼうけん》

ヒュー・ロフティング
1886年《ねん》-1947年《ねん》
イギリス・バークシャー出身《しゅっしん》のアメリカの作家《さっか》。1920年《ねん》に処女作《しょじょさく》『ドリトル先生《せんせい》アフリカゆき』を発表《はっぴょう》し、1923年《ねん》にシリーズ第《だい》2作《さく》『ドリトル先生航海記《せんせいこうかいき》』でニューベリー賞《しょう》を受賞《じゅしょう》。代表作《だいひょうさく》に『ドリトル先生《せんせい》』シリーズ。

読《よ》んだ日《ひ》　　年《ねん》　月《がつ》　日《にち》

中学年

昔《むかし》、イギリスにジョン・ドリトルというお医者《いしゃ》さんがいました。先生《せんせい》は動物《どうぶつ》が大好《だいす》きで、いろいろな動物《どうぶつ》を飼《か》っていたので、人間《にんげん》のかん者《じゃ》さんはこわがって治《ち》りょうに来《き》てくれません。先生《せんせい》はいつも貧《びん》ぼうでした。ある日《ひ》、オウムのポリネシアが先生《せんせい》に言《い》いました。

「先生《せんせい》、動物《どうぶつ》のお医者《いしゃ》さんになりなさい。あたしが鳥《とり》の言葉《ことば》を教《おし》えてあげるから」

こうして先生《せんせい》はポリネシアに手伝《てつだ》ってもらいながら、いろいろな動物《どうぶつ》と話《はな》せるようになっていったのです。**このことは動物《どうぶつ》たちの間《あいだ》でうわさになって広《ひろ》まっていき、とうとう世界中《せかいじゅう》の動物《どうぶつ》が先生《せんせい》の存在《そんざい》を知《し》ったのでした。**

十二月《じゅうにがつ》のある晩《ばん》、アフリカから飛《と》んできた季節外《きせつはず》れのツバメが、急《きゅう》な知《し》らせを運《はこ》んできました。アフリカのサルたちが伝染病《でんせんびょう》に苦《くる》しんでいるというのです。先生《せんせい》は家《いえ》の動物《どうぶつ》たちといっしょに、アフリカへ旅立《たびだ》つことにしました。

困難《こんなん》の末《すえ》、ようやくアフリカのジョリギンキ王国《おうこく》に着《つ》いたものの、ジョリギンキ国王《こくおう》はかつて白人《はくじん》に国土《こくど》をあらされたことを理由《りゆう》に、問答無用《もんどうむよう》で先生《せんせい》をとらえて投《とう》ごくしました。

すると、空《そら》を飛《と》べるオウムのポリネシアがろうごくをぬけ出《だ》し、先生《せんせい》の声真似《こえまね》をして、国中《くにじゅう》の人間《にんげん》を病気《びょうき》にするぞと国王《こくおう》をおどしました。先生《せんせい》が透明人間《とうめいにんげん》だと思《おも》った国王《こくおう》はおどろいて、先生《せんせい》をしゃく放《ほう》しました。後《あと》でだまされたと気《き》づいた国王《こくおう》は追手《おって》を差《さ》し向《む》けますが、先生《せんせい》たちの危機《きき》を知《し》ったサルたちが、みんなを助《たす》けてくれました。

無事《ぶじ》にサルの国《くに》へたどり着《つ》くことができた先生《せんせい》は、仲間《なかま》とジャングルの動物《どうぶつ》たちの協力《きょうりょく》を得《え》て、伝染病《でんせんびょう》に苦《くる》しむたくさんのサルを治《なお》しました。

帰《かえ》り道《みち》、先生一行《せんせいいっこう》はジョリギンキ領内《りょうない》で再《ふたた》びとらわれてしまいましたが、なやみを解決《かいけつ》してあげたことで協力者《きょうりょくしゃ》になった第一王子《だいいちおうじ》・バンポのおかげで、だつごくに成功《せいこう》します。船《ふね》に乗《の》った後《あと》も事件《じけん》は続《つづ》き、海《かい》ぞくにおそわれたり、行方不明《ゆくえふめい》の漁師《りょうし》を助《たす》けたりしましたが、動物《どうぶつ》たちの活《かつ》やくですべて解決《かいけつ》。先生《せんせい》はなつかしのわが家《や》に帰《かえ》ることができたのです。

解説《かいせつ》

一九二〇年《ねん》に初《はじ》めて刊行《かんこう》された『ドリトル先生《せんせい》』シリーズは、動物《どうぶつ》の言葉《ことば》を話《はな》せるお医者《いしゃ》さんの物語《ものがたり》として世界中《せかいじゅう》で絶大《ぜつだい》な人気《にんき》をほこっています。第二作《だいにさく》の『航海記《こうかいき》』は、以後《いご》シリーズ全体《ぜんたい》の語《かた》り手《て》となる助手《じょしゅ》のトミー君《くん》が登場《とうじょう》するオススメの作品《さくひん》です。

オススメ図書《としょ》

『新訳《しんやく》　ドリトル先生《せんせい》アフリカへ行《い》く』（河合祥一郎《かわいしょういちろう》〈訳《やく》〉、角川《かどかわ》つばさ文庫《ぶんこ》）

フェリクス・ザルテン

バンビ

厳《きび》しい自然《しぜん》の中《なか》、
危険《きけん》なアイツからのきょうふにたえ、
バンビは一人《ひとり》で生《い》きぬいていく

その子《こ》ジカは森《もり》のしげみの中《なか》で生《う》まれました。お母《かあ》さんジカは、子《こ》ジカにバンビ*と名《な》づけました。バンビはお母《かあ》さんに質問《しつもん》するのが好《す》きでした。お母《かあ》さんはなんでも答《こた》えてくれましたが、たまに、わざと答《こた》えてくれないことがありました。

お母《かあ》さんは自然《しぜん》の中《なか》で生《い》きていく方法《ほうほう》を、バンビに教《おし》えました。言葉《ことば》で伝《つた》えられないことがあると知《し》っていたお母《かあ》さんは、バンビが成長《せいちょう》するにつれ、少《すこ》しずつ教《おし》えたのです。そして、バンビが成長《せいちょう》したとき、お母《かあ》さんは、バンビを少《すこ》しずつ遠《とお》ざけました。

バンビがそれをとてもさびしく思《おも》っていたところ、シカの古老《ころう》に出会《であ》いました。古老《ころう》はバンビの様子《ようす》を

【語句説明《ごくせつめい》】バンビ：イタリア語《ご》の子《こ》どもを意味《いみ》する「バンビーノ」の略語《りゃくご》ではないかとされる。

フェリクス・ザルテン
1869年《ねん》-1945年《ねん》
ハンガリー・ブタペスト生《う》まれ。ウィーンで学《まな》び、劇評《げきひょう》や戯曲《ぎきょく》、小説《しょうせつ》を発表《はっぴょう》して活《かつ》やく。1938年《ねん》にアメリカに亡命《ぼうめい》し、第二次世界大戦後《だいにじせかいたいせんご》の1945年《ねん》、ヨーロッパ・スイスにもどった。他《ほか》の著作《ちょさく》に『バンビの子《こ》どもたち』など。

中学年

読《よ》んだ日《ひ》　年《ねん》　月《がつ》　日《にち》

見《み》て、厳《きび》しい声《こえ》で言《い》いました。

「一人《ひとり》でいることができぬのか？　はずかしいことだ」

バンビは古老《ころう》の言葉《ことば》を聞《き》いて反省《はんせい》しました。

ある日《ひ》バンビが草原《そうげん》にいると、かみなりのような*とどろきが鳴《な》りひびき、若《わか》いシカがたおれました。気《き》がつくと、お母《かあ》さんが必死《ひっし》の声《こえ》でさけんでいます。

「走《はし》りなさい！　*アイツが来《き》たのよ！」

（アイツってだれだ？　アイツは仲間《なかま》を殺《ころ》した）

バンビの近《ちか》くにはもう、お母《かあ》さんはいませんでした。しばらくすると、古老《ころう》が現《あらわ》れました。バンビは古老《ころう》にアイツとはだれなのか、たずねました。

「自分《じぶん》で見《み》る、聞《き》く、においをかぐ。自分《じぶん》で習《なら》え」

生《い》きるのは難《むずか》しく、危険《きけん》はいっぱいです。バンビはたくさんのことを学《まな》ぶ必要《ひつよう》がありました。

数年後《すうねんご》、バンビはたくましく成長《せいちょう》し、古老《ころう》と再《ふたた》び出会《であ》いました。バンビが古老《ころう》と話《はな》していると、あのとどろきが鳴《な》りひびきました。様子《ようす》を見《み》に行《い》くと、だれかにおそわれたアイツが死《し》んでいました。

「アイツも死《し》ぬ。われらと同《おな》じようにアイツもおそれ、なやみ、苦《くる》しむ。アイツはわれらの上《うえ》にいるのではない。となりにいるのだ。それ、見《み》ての通《とお》りだ」

そう言《い》うと、古老《ころう》はバンビに別《わか》れを告《つ》げました。

しばらく経《た》ったある夏《なつ》の日《ひ》、バンビは親《おや》に置《お》き去《ざ》りにされた二頭《にとう》の子《こ》ジカに出会《であ》いました。さびしげな子《こ》ジカたちに、バンビは厳《きび》しい声《こえ》で言《い》いました。

「一人《ひとり》でいることができぬのか？」

解説《かいせつ》

一九二三年発表《ねんはっぴょう》。人間《にんげん》ではなく、動物《どうぶつ》の視点《してん》から書《か》かれた当時《とうじ》は画期的《かっきてき》な作品《さくひん》。ノロジカの子《こ》、バンビが成長《せいちょう》していく中《なか》で、自然《しぜん》の中《なか》で生《い》きぬくことの厳《きび》しさと人間《にんげん》へのきょうふが、えがかれています。

オススメ図書《としょ》

『バンビ　森《もり》の、ある一生《いっしょう》の物語《ものがたり》』（上田真而子《うえだまにこ》〔訳《やく》〕、岩《いわ》波少年文庫《なみしょうねんぶんこ》）

【語句説明《ごくせつめい》】とどろき：銃《じゅう》の音《おと》。アイツ：人間《にんげん》。密《みつ》りょう者《しゃ》。

フランセス・ホジソン・バーネット

秘密《ひみつ》の花園《はなぞの》

無愛想《ぶあいそう》でわがままな女《おんな》の子《こ》が
見《み》つけた秘密《ひみつ》の庭園《ていえん》。
生《う》まれ変《か》わった庭園《ていえん》が起《お》こしたきせきとは？

フランセス・ホジソン・バーネット 1849年《ねん》-1924年《ねん》

イギリス・マンチェスター生《う》まれのアメリカの小説家《しょうせつか》。バーネット夫人《ふじん》の呼《よ》び名《な》で有名《ゆうめい》。児童向《じどうむ》けに書《か》いた『小公子《しょうこうし》』がベストセラーになり、以後作家《いごさっか》として活《かつ》やく。作品《さくひん》に『小公子《しょうこうし》』『小公女《しょうこうじょ》』『秘密《ひみつ》の花園《はなぞの》』などがある。

メアリ・レノックスは孤独《こどく》でした。彼女《かのじょ》は無愛想《ぶあいそう》でわがままで乱暴《らんぼう》で、好《す》かれる要素《ようそ》がまったくない女《おんな》の子《こ》だったからです。そんな彼女《かのじょ》につけられたあだ名《な》は「*つむじ曲《ま》がりのメアリさん」。わがまま放《ほう》題《だい》のメアリでしたが、彼女《かのじょ》に無関心《むかんしん》な両親《りょうしん》が*コレラで死《し》んだことで、彼女《かのじょ》はおじのクレイブンさんに引《ひ》き取《と》られることになりました。クレイブンさんは、おくさんを亡《な》くした悲《かな》しみで心《こころ》を閉《と》ざしており、いつも長期旅行《ちょうきりょこう》に出《で》かけていました。

孤独《こどく》なメアリは庭《にわ》で遊《あそ》ぶうち、一羽《いちわ》のコマドリと仲良《なかよ》くなりました。コマドリに導《みちび》かれるように後《あと》をついていくと、そこは亡《な》きクレイブンさんのおくさんが愛《あい》した「秘密《ひみつ》の花園《はなぞの》」でした。庭《にわ》は、あれ放題《ほうだい》でしたが、メアリは秘密《ひみつ》の花園《はなぞの》を復活《ふっかつ》させる決心《けっしん》をします。

メアリに力《ちから》を貸《か》してくれたのは、使用人《しようにん》のマーサの弟《おとうと》ディコンでした。ディコンはどんな動物《どうぶつ》とも心《こころ》を通《かよ》わせ、自然《しぜん》のことならなんでも知《し》っている不《ふ》思議《しぎ》な少年《しょうねん》です。メアリはディコンとともに自然《しぜん》に親《した》しむうちに、明《あか》るい積極的《せっきょくてき》なみりょくのある女《おんな》

【語句説明《ごくせつめい》】コレラ：コレラ菌《きん》によって発《はっ》しょうする感染《かんせん》しょう。1800年代《ねんだい》にイギリスで大流行《だいりゅうこう》した。

読《よ》んだ日《ひ》　年《ねん》　月《がつ》　日《にち》

中学年

の子《こ》に変《か》わっていきました。

クレイブンさんが旅行《りょこう》から帰《かえ》ってきたとき、メアリは思《おも》い切《き》ってお願《ねが》い事《ごと》をしました。

「地面《じめん》を少《すこ》しください！」

「地面《じめん》？……いいだろう。昔《むかし》、土《つち》が好《す》きで、花《はな》が好《す》きだった人《ひと》がいた。いくらでもいいぞ」

クレイブンさんの許《ゆる》しを得《え》たメアリは、思《おも》う存分《ぞんぶん》、秘密《ひみつ》の花園《はなぞの》を育《そだ》てることができるようになりました。

ある日《ひ》、メアリは、屋《や》しきの中《なか》でクレイブンさんの息子《むすこ》のコリンという少年《しょうねん》と出会《であ》います。コリンは病弱《びょうじゃく》で死期《しき》が近《ちか》いと言《い》われていました。

メアリが秘密《ひみつ》の花園《はなぞの》の存在《そんざい》をコリンに打《う》ち明《あ》けると、コリンは興味《きょうみ》を示《しめ》しました。やがて、春《はる》が訪《おとず》れ、コリンを復活《ふっかつ》した秘密《ひみつ》の花園《はなぞの》に連《つ》れていったそのとき、きせきが起《お》こりました。それまでまったく歩《ある》けなかったコリンが立《た》ち上《あ》がって歩《ある》いたのです。

秋《あき》、旅行《りょこう》から帰《かえ》ったクレイブンさんが事実《じじつ》を知《し》ると、なみだを流《なが》して喜《よろこ》びました。秘密《ひみつ》の花園《はなぞの》はみんなを幸《しあわ》せにしてくれたのです。

解説《かいせつ》

一九一一年《ねん》発表《はっぴょう》。自然《しぜん》とふれ合《あ》うことで、無愛想《ぶあいそう》な少女《しょうじょ》と病弱《びょうじゃく》な少年《しょうねん》が成長《せいちょう》していき、幸《しあわ》せな結末《けつまつ》をむかえます。

オススメ図書《としょ》

『秘密《ひみつ》の花園《はなぞの》（1）〜（3）』（谷口由美子《たにぐちゆみこ》〔訳《やく》〕、講談社《こうだんしゃ》青《あお》い鳥文庫《とりぶんこ》）

【語句説明《ごくせつめい》】つむじ曲《ま》がりのメアリさん：童《どう》よう『マザー・グース』の「メアリ、メアリ、つむじ曲《ま》がりさん（Mary《メアリ》, Mary《メアリ》, quite《クワイト》 contrary《カントラリイ》)」の一節《いっせつ》からつけられたあだ名《な》。メアリはこのあだ名《な》がきらいだった。

マーク・トウェイン

わんぱく少年《しょうねん》が引《ひ》き起《お》こすトラブルを
ワクワクするタッチでえがいた
アメリカ児童文学《じどうぶんがく》の傑作《けっさく》

トム・ソーヤーの冒険《ぼうけん》

マーク・トウェイン
1835年《ねん》-1910年《ねん》
32ページ参照《さんしょう》。

中学年

読《よ》んだ日《ひ》	年《ねん》　月《がつ》　日《にち》

トム・ソーヤーは、近所《きんじょ》で評判《ひょうばん》の悪《わる》ガキだ。弟《おとうと》シッドといっしょにおばのポリーの元《もと》で暮《く》らしている。勉強《べんきょう》ぎらいで、いたずら好《ず》き。家《いえ》の手伝《てつだ》いをサボっては、毎日《まいにち》おばにしかられている。

いたずらのばつとして、ポリーおばさんからへいのペンキぬりを命《めい》じられたトムは、さっそく悪《わる》ぢえを働《はたら》かせた。**ペンキぬりをいかにも楽《たの》しそうにするふりをして、次々《つぎつぎ》と通《とお》りかかる友人《ゆうじん》たちが、ペンキぬりをやりたがるように仕向《しむ》けたのだ。**

案《あん》の定《じょう》、「おいらにもペンキぬりやらせておくれよ」という友人《ゆうじん》が続出《ぞくしゅつ》した。さらにトムは、友人《ゆうじん》たちから「ペンキぬり料《りょう》」として、ビー玉《だま》やリンゴ

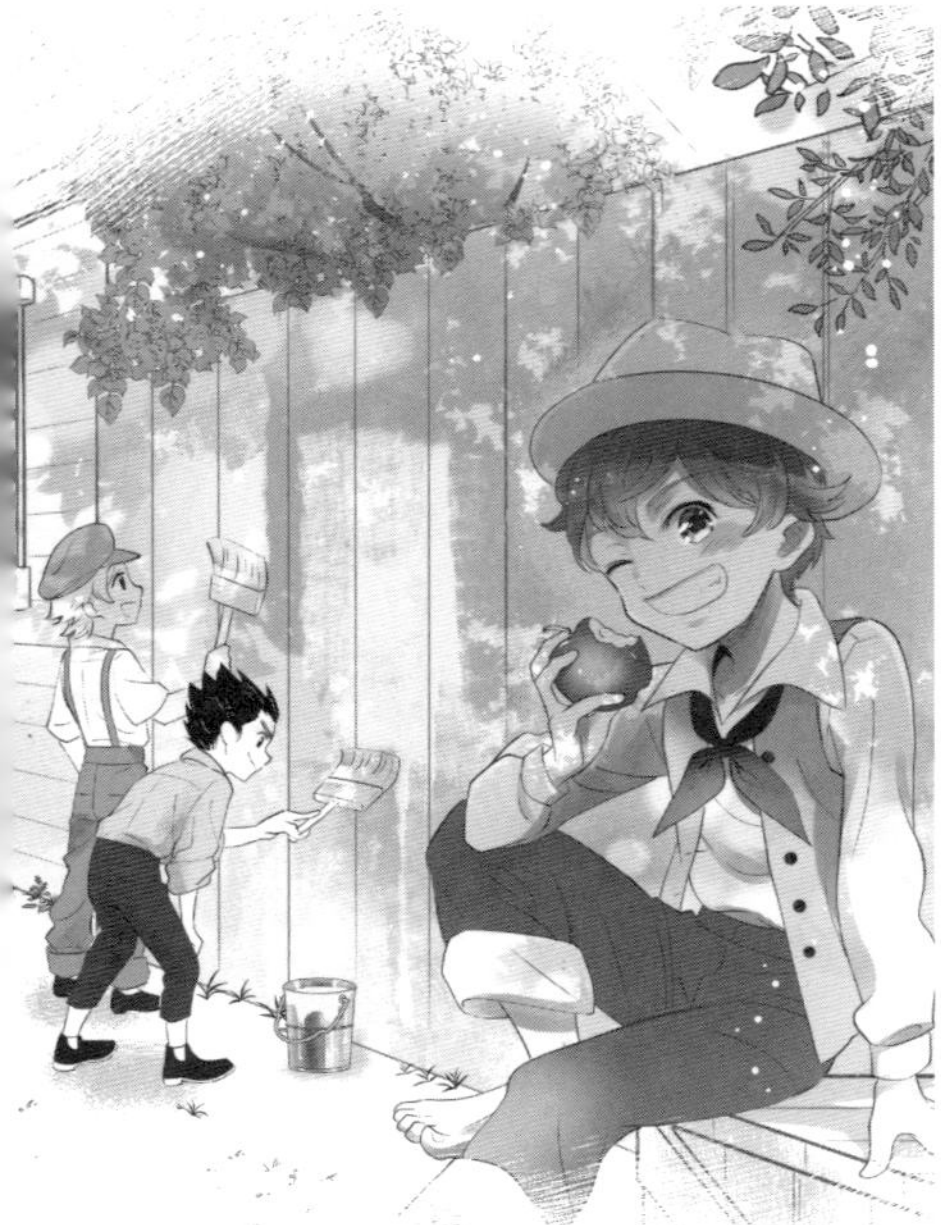

をせしめた。仕事終了《しごとしゅうりょう》を報告《ほうこく》すると、トムはポリーおばさんにほめられた。が、その後《あと》がよくない。その直後《ちょくご》にまた悪《わる》さをして、結局《けっきょく》ポリーおばさんにおこられた。

それ以後《いご》も、トムは、トムと同《おな》じく、とんでもない悪《わる》ガキで、一人《ひとり》で生活《せいかつ》をしている「宿《やど》なしハック」ことハックルベリー・フィンと遊《あそ》んだり、家出《いえで》してミシシッピー川《がわ》をいかだで下《くだ》り、海《かい》ぞくごっこをやったりと、やりたい放題《ほうだい》の毎日《まいにち》を送《おく》っていた。

そんなある日《ひ》、トムはハックといっしょに、真夜中《まよなか》の墓地《ぼち》で殺人《さつじん》を目《も》げきしてしまった。犯人《はんにん》のジョーは、裁判《さいばん》の場《ば》でトムに真実《しんじつ》を告《つ》げられ、にげた。

それから、二人《ふたり》がゆうれい屋《や》しきと呼《よ》ばれる屋《や》しきへ探検《たんけん》に出《で》かけたときに、ジョーが金貨《きんか》を運《はこ》び出《だ》し、町外《まちはず》れのどうくつへ行《い》くところを目《も》げきする。

夏休《なつやす》みになると、トムは大好《だいす》きな少女《しょうじょ》ベッキーを連《つ》れて町外《まちはず》れにあるどうくつへ遊《あそ》びに出《で》かけた。とちゅうで迷《まよ》ってしまい、三日間《みっかかん》暗《くら》やみと、空腹《くうふく》とになやまされていると、どうくつ内《ない》でジョーに出会《であ》ってしまった。追《お》いかけてくるジョーからにげ出《だ》し、町《まち》へ戻《もど》ってきたトムは、判事《はんじ》にジョーと会《あ》ったことを報告《ほうこく》した。どうくつはふさがれ、ジョーはどうくつ内《ない》で、うえて死《し》んだ。

その後《ご》、ジョーがどうくつで何《なに》をしていたのかが気《き》になっていたトムは、ハックとともに再《ふたた》びどうくつに入《はい》り、そこで大量《たいりょう》の金貨《きんか》を発見《はっけん》して大金持《おおがねも》ちになった。**だが二人《ふたり》はいつも通《どお》りの悪《わる》ガキで、将来《しょうらい》、山《さん》ぞくになるちかいを立《た》てるのであった。**

解説《かいせつ》

一八七六年発表《ねんはっぴょう》。アメリカ文学史上《ぶんがくしじょう》の傑作《けっさく》。続編《ぞくへん》で、ハックを主人公《しゅじんこう》にした『ハックルベリー・フィンの冒険《ぼうけん》』もあわせて読《よ》みたい名作《めいさく》です。

オススメ図書《としょ》

『トム・ソーヤーの冒険《ぼうけん》（新装版《しんそうばん》）』（飯島淳秀《いいじまよしひで》〔訳《やく》〕、講談社《こうだんしゃ》青《あお》い鳥文庫《とりぶんこ》）

ミゲル・デ・セルバンテス・サアベドラ

ドン・キホーテ

自分《じぶん》を勇《ゆう》かんな騎士《きし》だと思《おも》いこむ男《おとこ》が
そぼくで忠実《ちゅうじつ》な男《おとこ》を相棒《あいぼう》にくり広《ひろ》げる
ゆかいな冒険《ぼうけん》

ミゲル・デ・セルバンテス・サアベドラ　1547年《ねん》-1616年《ねん》
スペイン・マドリード近郊《きんこう》生《う》まれ。1585年《ねん》に最初《さいしょ》の小説《しょうせつ》『ラ・ガラテーア』を出版後《しゅっぱんご》に破産《はさん》し、1597年《ねん》に投《と》ごく。このときに、『ドン・キホーテ』を構想《こうそう》したとされる。1605年《ねん》に『ドン・キホーテ』前編《ぜんぺん》を出版後《しゅっぱんご》、世界的《せかいてき》に名声《めいせい》を得《え》た。1615年《ねん》に後編《こうへん》を出版《しゅっぱん》。

中学年

ラ・マンチャ地方《ちほう》のある村《むら》に、もうすぐ五十歳《ごじっさい》になる男《おとこ》がいた。彼《かれ》は「合戦《かっせん》・魔法《まほう》・冒険《ぼうけん》・恋《こい》・一騎《いっき》打《う》ち」が満《まん》さいの騎士道物語《きしどうものがたり》を好《この》んで読《よ》んだが、あまりに夢中《むちゅう》になりすぎて、おかしくなった。自分《じぶん》を時代《じだい》さくごの勇《ゆう》かんな騎士《きし》だと思《おも》いこみ、ごくふつうの農家《のうか》のむすめを空想上《くうそうじょう》の貴婦人《きふじん》ドゥルシネーアと呼《よ》んで＊愛《あい》をささげ、自《みずか》らドン・キホーテ・デ・ラ・マンチャと名乗《なの》って冒険《ぼうけん》に出《で》かけたのだ。

　ドン・キホーテがまたがるのは、よれよれのやせ馬《うま》ロシナンテ、「一国《いっこく》の領主《りょうしゅ》」にしてもらえる約束《やくそく》で従者《じゅうしゃ》になったのは、正直者《しょうじきもの》だが無学《むがく》の農民《のうみん》、ロバに乗《の》ったサンチョ・パンサである。

　二人《ふたり》は旅《たび》の最中《さいちゅう》、巨大《きょだい》な物体《ぶったい》を見《み》つけた。

「わが友《とも》、サンチョよ、あの巨人《きょじん》を退治《たいじ》するぞ！」

「だんな様《さま》、ありゃ、巨人《きょじん》じゃねえ。風車《ふうしゃ》だよ」

　サンチョが止《と》めるのも聞《き》かず、ドン・キホーテはロシナンテにまたがり、やりをかかげて全力《ぜんりょく》で風車《ふうしゃ》にとつげきした。当然《とうぜん》のように、ドン・キホーテは風車《ふうしゃ》にはね飛《と》ばされ、打《う》ちのめされた。

「おのれ、悪《あく》の魔法使《まほうつか》いめ。わしのめいよをおとし

【語句説明《ごくせつめい》】愛《あい》をささげ：物語《ものがたり》の西洋騎士道《せいようきしどう》では、騎士《きし》は高貴《こうき》な女性《じょせい》をすうはいし愛《あい》をささげるルールがある。

読《よ》んだ日《ひ》	年《ねん》　月《がつ》　日《にち》

めるため、巨人《きょじん》を風車《ふうしゃ》に変《か》えよったな！」

風車《ふうしゃ》を巨人《きょじん》だと言《い》い張《は》ってやまないドン・キホーテをサンチョがなだめつつ、二人《ふたり》は旅《たび》を続《つづ》けた。

ドン・キホーテは、ふつうの旅宿《たびやど》を、騎《き》士《し》に親切《しんせつ》な城《しろ》だと思《おも》いこんで宿代《やどだい》をきょひしてたたきのめされ、羊《ひつじ》の群《む》れを戦《せん》とう中《ちゅう》の軍勢《ぐんぜい》だと言《い》い張《は》って、とつげきを仕《し》かけるといったでたらめな冒険《ぼうけん》を続《つづ》けた。

ドン・キホーテの*おかしな冒険《ぼうけん》は本《ほん》に記《しる》され、スペイン中《じゅう》で有名人《ゆうめいじん》になり、旅先《たびさき》で大《だい》かんげいされた。

しかし、彼《かれ》らの冒険《ぼうけん》をはばむ者《もの》がいた。「銀月《ぎんげつ》の騎《き》士《し》」を名乗《なの》る者《もの》が、敗者《はいしゃ》が勝者《しょうしゃ》の言《い》うことを聞《き》くという条件《じょうけん》で、決《けっ》とうを申《もう》しこんだのだ。銀月《ぎんげつ》の騎《き》士《し》の正体《しょうたい》は、ドン・キホーテと同《おな》じ村《むら》に住《す》むカラスコだった。カラスコはドン・キホーテを心配《しんぱい》して村《むら》に連《つ》れ戻《もど》すため、ドン・キホーテの空想《くうそう》につきあい騎《き》士《し》として登場《とうじょう》し、ドン・キホーテを負《ま》かした。

ドン・キホーテは約束《やくそく》を守《まも》り、村《むら》に帰《かえ》った。やがてドン・キホーテは正気《しょうき》に戻《もど》り、サンチョやカラスコのなみだに見送《みおく》られながら、静《しず》かに天国《てんごく》に行《い》った。

解説《かいせつ》

おそらくスペイン史上《しじょう》、もっとも有名《ゆうめい》で人気《にんき》のある小説《しょうせつ》。おかしくなったように見《み》えるドン・キホーテが人格者《じんかくしゃ》であること、無学《むがく》な従者《じゅうしゃ》のサンチョが人《ひと》としてまっとうな常識《じょうしき》とちえを備《そな》えている人物《じんぶつ》であるところなど、がんちくの深《ふか》い物語《ものがたり》です。

オススメ図書《としょ》

『ドン・キホーテ』（牛島信明《うしじまのぶあき》編《へん》〔訳《やく》〕、岩波少年文庫《いわなみしょうねんぶんこ》）

【語句説明《ごくせつめい》】おかしな冒険《ぼうけん》は本《ほん》に記《しる》され：本作《ほんさく》の前編《ぜんぺん》（前半部分《ぜんはんぶぶん》）のこと。実際《じっさい》に10年後《ねんご》に書《か》かれた後編《こうへん》では、物語内《ものがたりない》の登場人物《とうじょうじんぶつ》たちが二人《ふたり》の存在《そんざい》を知《し》っている設定《せってい》で物語《ものがたり》が進《すす》む。

ミュンヒハウゼン

ほらふき男爵《だんしゃく》の冒険《ぼうけん》

実在《じつざい》した男爵《だんしゃく》が
過去《かこ》の大冒険《だいぼうけん》を物語《ものがた》る。
ただし、内容《ないよう》は奇想天外《きそうてんがい》のホラ話《ばなし》！

さて、今晩《こんばん》も私《わたし》の話《はなし》をお聞《き》きになりたいですと？

よろしい、これまで私《わたし》がロシア*へ行《い》き、トルコとの戦争《せんそう》に参加《さんか》したことはお話《はな》ししましたな。私《わたし》がすばらしく速《はや》い馬《うま》に乗《の》って、味方《みかた》を置《お》き去《ざ》りにして単騎《たんき》*で敵《てき》じんにかけこんだことも、私《わたし》の馬《うま》が半分《はんぶん》にちょん切《ぎ》れても生《い》きていたことも。

私《わたし》はまったく勇《ゆう》かんでかしこく、大活《だいかつ》やくをしましたが、戦争《せんそう》というものは一人《ひとり》の力《ちから》ではままならぬものです。私《わたし》はとうとうトルコ兵《へい》につかまって、どれいとして売《う》られてしまいました。

私《わたし》はトルコ王《おう》のミツバチを飼《か》う仕事《しごと》をさせられました。ある日《ひ》、クマがやってきてミツをうばおうとしてミツバチをおそいました。私《わたし》がものすごい力《ちから》でオノを投《な》げつけたところ、なんとオノは月《つき》まで飛《と》んで行《い》ってしまったではありませんか。

名案《めいあん》を思《おも》いついて、私《わたし》はインゲン豆《まめ》をまきました。トルコのインゲン豆《まめ》はたいそうのびが早《はや》いのです。

私《わたし》は、ぐんぐんと月《つき》までのびたインゲン豆《まめ》のツルをよじ登《のぼ》って月《つき》までオノを取《と》りに行《い》きました。大変《たいへん》な苦労《くろう》をしてオノを見《み》つけて帰《かえ》ろうとすると、な

【語句説明《ごくせつめい》】ロシア：ロシアとトルコは昔《むかし》から仲《なか》が悪《わる》く、現代《げんだい》にいたるまで、何度《なんど》も戦争《せんそう》をしている。

ミュンヒハウゼン
1720年《ねん》-1797年《ねん》
ドイツ生《う》まれ。ヒエロニュムス・フォン・ミュンヒハウゼンは、ほらふき男爵《だんしゃく》の異名《いみょう》で有名《ゆうめい》。本作《ほんさく》は本人《ほんにん》が書《か》いたものではなく、多種多数《たしゅたすう》の内容《ないよう》のものが無許可《むきょか》で出版《しゅっぱん》されている。ドイツの詩人《しじん》ビュルガーが1786年《ねん》にまとめたものがもっとも有名《ゆうめい》。

読《よ》んだ日《ひ》　年《ねん》　月《がつ》　日《にち》

んとツルが太陽《たいよう》の光《ひかり》でひからびて、ボロボロです。ツルでは帰《かえ》れそうもないので、そのへんにあったわらで、なわを作《つく》ったのです。

そんななわじゃ地球《ちきゅう》まで届《とど》かないだろう、ですって？　そこが私《わたし》のちえの見《み》せどころです。**なわを月《つき》のはしっこに結《むす》んで、私《わたし》は地球《ちきゅう》に向《む》かって下《お》り始《はじ》めました。なわのはしっこまで来《く》ると、今度《こんど》はなわの上《うえ》の部分《ぶぶん》を切《き》り取《と》って下《した》に結《むす》び足《た》しました。これをくり返《かえ》せば、地上《ちじょう》に降《お》り立《た》てるわけです。**

ところがどっこい、やはり切《き》ったり結《むす》んだりをくり返《かえ》したせいでしょうなあ。地上《ちじょう》までまだ相当遠《そうとうとお》いのに、なわは切《き》れてしまいました。私《わたし》は空《そら》から落《お》ちて、地面《じめん》に大穴《おおあな》を開《あ》けてしまいましたよ。ずいぶん深《ふか》い穴《あな》だったので、弱《よわ》りましたなあ。そこで、私《わたし》は四十年《よんじゅうねん》もかけてのばしたつめで土《つち》をほり、階段《かいだん》を作《つく》って、地上《ちじょう》に出《で》たというわけです。

おや、今日《きょう》はもうおそい時間《じかん》です。みなさん、またおいでなさいな。この次《つぎ》には別《べつ》の話《はなし》をしてさしあげましょう。では今日《きょう》のところは、おやすみなさい。

解説《かいせつ》

一七八一年《ねん》に出版《しゅっぱん》された本作《ほんさく》は、実在《じつざい》したミュンヒハウゼン男爵《だんしゃく》が、ロシアで経験《けいけん》した冒険《ぼうけん》に空想《くうそう》を交《まじ》え、来客《らいきゃく》に聞《き》かせた話《はなし》がもとになっています。本来誠実《ほんらいせいじつ》でまじめだったという男爵《だんしゃく》が、お客《きゃく》をおどろかせる姿《すがた》を想像《そうぞう》しながら読《よ》むと楽《たの》しいですね。

オススメ図書《としょ》

『ほらふき男爵《だんしゃく》の冒険《ぼうけん》』（高橋健二《たかはしけんじ》〔訳《やく》〕、偕成社文庫《かいせいしゃぶんこ》）

【語句説明《ごくせつめい》】単騎《たんき》：たった一騎《いっき》。一人《ひとり》で敵《てき》じんにとつにゅうすることは、勇者《ゆうしゃ》の証明《しょうめい》とされてきた。

メアリー・シェリー

フランケンシュタイン

みにくい姿《すがた》で創《つく》り出《だ》された
怪物《かいぶつ》の孤独《こどく》と悲《かな》しみをえがいた
怪奇《かいき》SF《エスエフ》小説《しょうせつ》の傑作《けっさく》！

イギリスの北極探検隊《ほっきょくたんけんたい》の隊長《たいちょう》ウォルトンは、北《ほっ》極海《きょくかい》ですい弱《じゃく》した青年《せいねん》を見《み》つけた。彼《かれ》の名《な》はフランケンシュタイン博士《はかせ》。博士《はかせ》の話《はなし》によると、彼《かれ》は生《せい》命《めい》のなぞを解《と》き明《あ》かすため、禁断《きんだん》の実験《じっけん》に手《て》をつけた。複数《ふくすう》の死体《したい》を手《て》に入《い》れた彼《かれ》は、死体《したい》をつなぎ合《あ》わせ、人造人間《じんぞうにんげん》を作《つく》り上《あ》げたのだ。誕生《たんじょう》した生物《せいぶつ》は、優《すぐ》れた体力《たいりょく》と人間《にんげん》の心《こころ》、そして知性《ちせい》を持《も》ち合《あ》わせていた。だが、科学《かがく》が生《う》み出《だ》した結果《けっか》とはいえ、*神《かみ》をもおそれぬ不《ふ》そんな行《おこな》いのためか、容《よう》ぼうがひどくみにくい怪物《かいぶつ》となってしまっていた。

メアリー・シェリー

1797年《ねん》-1851年《ねん》

イギリス・ロンドン生《う》まれ。両親《りょうしん》が有《ゆう》名《めい》な作家《さっか》で、夫《おっと》は詩人《しじん》のパーシー・シェリーという作家一家《さっかいっか》。二十歳《にじっさい》で『フランケンシュタイン』をとく名《めい》で書《か》きあげて評判《ひょうばん》を得《え》た後《あと》、作家活動《さっかかつどう》を精力《せいりょく》的《てき》にした。

中学年

読《よ》んだ日《ひ》　　年《ねん》　月《がつ》　日《にち》

怪物《かいぶつ》のおぞましさに博士《はかせ》は絶望《ぜつぼう》し、怪物《かいぶつ》をそのまま残《のこ》して、とうぼうした。だが、強《つよ》い肉体《にくたい》を持《も》つ怪物《かいぶつ》は生《い》き延《の》びた。自分《じぶん》のみにくさゆえ人里《ひとざと》をさけつつ、かくれながら言語《げんご》を学《まな》び、知識《ちしき》を吸収《きゅうしゅう》したのだ。

怪物《かいぶつ》はさびしかった。みにくい容《よう》ぼうのため人前《ひとまえ》に出《で》られない孤独《こどく》の悲《かな》しみと苦《くる》しみを負《お》っていた。そしてついに怪物《かいぶつ》は、にげた博士《はかせ》の前《まえ》に現《あらわ》れた。

「おれのはんりょ*を創《つく》ってくれ。願《ねが》いをかなえてくれるならおれは今後《こんご》人前《ひとまえ》に出《で》ない。人間《にんげん》どもをおびえさせ、迷《めい》わくをかけずにすむのだ。たのむ！」

だが、博士《はかせ》はさらに怪物《かいぶつ》を増《ふ》やすことをおそれ、彼《かれ》の願《ねが》いをきょひし、彼《かれ》と別《わか》れた。悲《かな》しみに絶望《ぜつぼう》した怪物《かいぶつ》は、博士《はかせ》の友人《ゆうじん》や新妻《にいづま》を殺害《さつがい》した。ふくしゅうのため、博士《はかせ》は怪物《かいぶつ》を追《つい》せきして、北極海《ほっきょくかい》まで来《き》たところでウォルトンの船《ふね》に拾《ひろ》われたのだ。

すい弱《じゃく》した博士《はかせ》は、彼《かれ》の退治《たいじ》をウォルトンにたくすと息《いき》を引《ひ》き取《と》った。すると、彼《かれ》が船《ふね》に現《あらわ》れ、ウォルトンの目《め》の前《まえ》で博士《はかせ》の遺体《いたい》を見《み》て、なげいた。

「おれの罪《つみ》は完結《かんけつ》した。おれは無力《むりょく》な人間《にんげん》を殺《ころ》し、おれを創《つく》った人間《にんげん》を破《は》めつに追《お》いやった悪党《あくとう》だ」

ウォルトンが怪物《かいぶつ》を非難《ひなん》すると、彼《かれ》は答《こた》えた。

「おれはいつも情愛《じょうあい》や友情《ゆうじょう》を求《もと》めていたのだ。だが、おれは独《ひと》りきりなのだ。おれの苦《くる》しみはお前《まえ》にはわかるまい。心配《しんぱい》するな、もはや悪事《あくじ》に手《て》を染《そ》めはしない。おれは北《きた》の果《は》てで死《し》ぬつもりだからだ」

怪物《かいぶつ》はウォルトンにこう話《はな》すと、北極海《ほっきょくかい》にうかんでいた、船《ふね》のそばにうかぶ氷《こおり》のかたまりに飛《と》び移《うつ》り、やみのはるかかなたに消《き》えていった。

解説《かいせつ》

一八一八年発表《ねんはっぴょう》。フランケン博士《はかせ》の名前《なまえ》で有名《ゆうめい》なこの怪物《かいぶつ》に名前《なまえ》はありません。本作《ほんさく》はSF《エスエフ》小説《しょうせつ》の祖《そ》とも呼《よ》ばれるゴシック（怪奇《かいき》）小説《しょうせつ》の傑作《けっさく》で、悪事《あくじ》を働《はたら》いたとはいえ、彼《かれ》（怪物《かいぶつ》）の孤独《こどく》と悲《かな》しみは胸《むね》にせまるものがあるでしょう。

オススメ図書《としょ》

『フランケンシュタイン』（芹澤恵《せりさわめぐみ》（訳《やく》）、新潮文庫《しんちょうぶんこ》）

【語句説明《ごくせつめい》】神《かみ》をもおそれぬ不《ふ》そんな行《おこな》い：不《ふ》そんとは思《おも》いあがること。本作《ほんさく》の場合《ばあい》は、生命《せいめい》を作《つく》り出《だ》す行《おこな》いは神《かみ》と同様《どうよう》のものであり、人間《にんげん》として、してはならない科学研究《かがくけんきゅう》そのものを指《さ》す。はんりょ：仲間《なかま》、配《はい》ぐう者《しゃ》。この場合《ばあい》は、女《おんな》の怪物《かいぶつ》。

ライマン・フランク・バーム

オズの魔《ま》法《ほう》使《つか》い

悪《わる》い魔《ま》女《じょ》をたおし、家《いえ》に帰《かえ》るため、
不《ふ》思《し》議《ぎ》な世《せ》界《かい》で
三《さん》人《にん》の仲《なか》間《ま》とくり広《ひろ》げる大《だい》冒《ぼう》険《けん》

中学年

ライマン・フランク・バーム
1856年《ねん》-1919年《ねん》
アメリカ・ニューヨーク州《しゅう》生まれ。イラストレーターのウィリアム・W・デンスローと組《く》んで1899年《ねん》『ファザーグース彼《かれ》の本《ほん》』で成《せい》功《こう》、1900年《ねん》に同《おな》じくデンスローと組《く》んだこの『オズの魔《ま》法《ほう》使《つか》い』で大《だい》成《せい》功《こう》を収《おさ》め、『オズ』はシリーズ化《か》した。

アメリカのカンザスにドロシーという女《おんな》の子《こ》が、おじさん夫《ふう》婦《ふ》といっしょに小《ち》さな家《いえ》に住《す》んでいました。ドロシーは*孤《こ》児《じ》でしたが、さびしくなんかありません。小《こ》犬《いぬ》のトトがそばにいたからです。

ある日《ひ》、ドロシーがトトと家《いえ》にいると、大《おお》きなたつ巻《まき》がやってきて、家《いえ》ごとふき飛《と》ばされてしまいました。飛《と》ばされた家《いえ》は、オズの魔《ま》法《ほう》の国《くに》に着《ちゃく》地《ち》しました。そのとき、悪《わる》い魔《ま》女《じょ》を下《した》じきにしてしまったため、住《じゅう》人《にん》たちはドロシーを英《えい》ゆうあつかいし、魔《ま》女《じょ》がはいていた銀《ぎん》のくつをはくようにすすめました。

「私《わたし》、カンザスに帰《かえ》りたいんだけど」

「オズの魔《ま》法《ほう》使《つか》いなら、あんたの願《ねが》いをかなえてくれるかもしれないねえ」

側《そば》にいた北《きた》のよい魔《ま》女《じょ》がそう教《おし》えてくれたので、ドロシーはトトを連《つ》れてオズがいる都《みやこ》へと旅《たび》立《だ》ちました。**とちゅう、ちえが欲《ほ》しいカカシ、心《こころ》が欲《ほ》しい*ブリキの木《き》こり、勇《ゆう》気《き》が欲《ほ》しいライオンを仲《なか》間《ま》にします。**みんな、オズに願《ねが》いをかなえてほしいのです。

ところが都《みやこ》に着《つ》き、オズと会《あ》うと、西《にし》の悪《わる》い魔《ま》女《じょ》をたおさないと、願《ねが》いはかなえられないと言《い》います。

【語《ご》句《く》説《せつ》明《めい》】孤《こ》児《じ》：両《りょう》親《しん》のいない未《み》成《せい》年《ねん》者《しゃ》。ブリキ：スズのメッキをした金《きん》属《ぞく》性《せい》の板《いた》。

読《よ》んだ日《ひ》　年《ねん》　月《がつ》　日《にち》

仕方《しかた》がないので、ドロシーたちは悪《わる》い魔女《まじょ》をたおすために、旅立《たびだ》ちました。

旅《たび》の最中《さいちゅう》に一行《いっこう》は悪《わる》い魔女《まじょ》のぼう害《がい》にあいましたが、ライオンが勇気《ゆうき》を出《だ》して敵《てき》に立《た》ち向《む》かい、カカシはちえをしぼってみんなを助《たす》け、ブリキの木《き》こりはみんなを心配《しんぱい》してなみだを流《なが》しました。ドロシーは悪《わる》い魔女《まじょ》につかまりましたが、バケツの水《みず》をぶっかけると、悪《わる》い魔女《まじょ》をたおせてしまいました。悪《わる》い魔女《まじょ》は、水《みず》にとけてしまう体質《たいしつ》だったのです。

そうしてオズのところへもどると、なんとオズは、自分《じぶん》はただの人間《にんげん》の奇術師《きじゅつし》で、魔法《まほう》は使《つか》えないと告白《こくはく》します。**ドロシーはがっかりしましたが、数々《かずかず》のぼうけんをしたことで、カカシ、ブリキの木《き》こり、ライオンは、自分《じぶん》に自信《じしん》を持《も》って、この世界《せかい》で生《い》きられるようになっていたのです。**

とほうに暮《く》れるドロシーにちえを授《さず》けたのは、南《みなみ》のよい魔女《まじょ》でした。なんと、ドロシーがはいていた銀《ぎん》のくつには強《つよ》い魔法《まほう》がこめられていたのです。ドロシーは銀《ぎん》のくつの力《ちから》で空《そら》を飛《と》び、トトといっしょにカンザスに帰《かえ》りました。

解説《かいせつ》

一九〇〇年発表《ねんはっぴょう》。本作《ほんさく》に登場《とうじょう》するカカシ、ブリキの木《き》こり、ライオンが欲《ほ》しがったちえ、心《こころ》、勇気《ゆうき》は、結局《けっきょく》、最初《さいしょ》から三人《さんにん》が持《も》っていたものでした。「願《ねが》い」は自分《じぶん》の力《ちから》でかなえるものなのです。

オススメ図書《としょ》

『オズの魔法使《まほうつか》い─ドロシーとトトの大冒険《だいぼうけん》─』（松村達雄《まつむらたつお》〔訳《やく》〕、講談社青《こうだんしゃあお》い鳥文庫《とりぶんこ》）

若《わか》草《くさ》物《もの》語《がたり》

貧困《ひんこん》と困難《こんなん》にも負《ま》けずに
夢《ゆめ》に向《む》かってけんめいに生《い》きる
四姉妹《よんしまい》の成長物語《せいちょうものがたり》

十九世紀後半《じゅうきゅうせいきこうはん》、アメリカの片田舎《かたいなか》に四姉妹《よんしまい》が住《す》む家《いえ》があった。美《うつく》しく女性的《じょせいてき》な長女《ちょうじょ》メグ、少年《しょうねん》のように活発《かっぱつ》で読書好《どくしょず》きな次女《じじょ》ジョー、内気《うちき》で音楽《おんがく》が大好《だいす》きな三女《さんじょ》ベス、わがままだけどかわいらしい四女《よんじょ》エイミー。彼女《かのじょ》たちの父親《ちちおや》は*戦地《せんち》におもむいており、優《やさ》しい母《はは》が貧《まず》しいながらも姉妹《しまい》たちを育《そだ》てていた。

クリスマスの朝《あさ》、四姉妹《よんしまい》の母《はは》は、近所《きんじょ》の極貧《ごくひん》の家《いえ》に、自分《じぶん》たちの朝食《ちょうしょく》をあげることを提案《ていあん》した。四姉妹《よんしまい》は喜《よろこ》んでそれを実行《じっこう》した。このことを伝《つた》え聞《き》いた、おとなりに住《す》むお金持《かねも》ちのローレンス老人《ろうじん》は、クリスマスのお祝《いわ》いに四姉妹《よんしまい》を家《いえ》に招待《しょうたい》し、ごちそうでもてなした。それをきっかけに、ジョーはロー

ルイザ・メイ・オルコット

1832年《ねん》-1888年《ねん》

アメリカ・ペンシルバニア州《しゅう》フィラデルフィア市出身《ししゅっしん》。1868年《ねん》に発表《はっぴょう》された『若草物語《わかくさものがたり》』の第《だい》1部《ぶ》は、少女時代《しょうじょじだい》をもとにした半自伝的《はんじでんてき》な物語《ものがたり》。以後若草物語《いごわかくさものがたり》はシリーズ化《か》し、4部作《ぶさく》になった。代表作《だいひょうさく》に『若草物語《わかくさものがたり》』など。

【語句説明《ごくせつめい》】戦地《せんち》：アメリカ南北戦争《なんぼくせんそう》。

読《よ》んだ日《ひ》　　年《ねん》　月《がつ》　日《にち》

レンス家《け》の一人息子《ひとりむすこ》、ローリーと仲良《なかよ》くなった。

夏休《なつやす》みがやってきた。四姉妹《よんしまい》は休《やす》みを満《まん》きつするため、勉強《べんきょう》も家事《かじ》もやらず、遊《あそ》ぶ計画《けいかく》を立《た》てた。そんな四姉妹《よんしまい》を母《はは》はだまって見《み》ていた。

その日《ひ》、一家《いっか》は大《おお》そう動《どう》になった。末《すえ》っ子《こ》のエイミーはともかく、家事《かじ》を分担《ぶんたん》した他《ほか》の姉妹《しまい》はさんざんだった。ジョーはパンをこがすし、ベスはペットのカナリヤのえさをやり忘《わす》れて死《し》なせるし、メグはお客様《きゃくさま》の応対《おうたい》に四苦八苦《しくはっく》した。これにこりた四姉妹《よんしまい》は、以来《いらい》家事《かじ》をまじめにやるようになった。

夏《なつ》が過《す》ぎ、秋《あき》が深《ふか》まったある日《ひ》、事件《じけん》が起《お》こった。母《はは》が留守《るす》のときにベスが*しょうこう熱《ねつ》にかかり、意《い》識不明《しきふめい》の重体《じゅうたい》におちいったのだ。メグは一生不平《いっしょうふへい》を言《い》わないと神《かみ》にちかい、エイミーは自分《じぶん》が看病《かんびょう》すると言《い》い張《は》った。ジョーは心配《しんぱい》しすぎてベスが死《し》んだとかんちがいした。ベスはなんとか回復《かいふく》したが、それからベスは病弱《びょうじゃく》な体《からだ》になってしまった。

再《ふたた》びクリスマスがやってきた。この日《ひ》、戦地《せんち》から父《ちち》が帰《かえ》ってきて、家族《かぞく》は喜《よろこ》びに包《つつ》まれた。父《ちち》は姉妹《しまい》の様子《ようす》を見《み》て、一人《ひとり》ひとりをほめた。

「メグの白《しろ》く美《うつく》しかった手《て》は、家事《かじ》でよく働《はたら》く手《て》になったね。おてんばのジョーは優《やさ》しいむすめになった。ベスは病気《びょうき》が治《なお》ってよかった。はにかみ屋《や》だったけど、今《いま》はちがうね。エイミーはわがままを言《い》わなくなった。みんな、私《わたし》の自《じ》まんのむすめだよ」

父《ちち》のいない一年《いちねん》を通《とお》して、四姉妹《よんしまい》はりっぱな「*小《ちい》さなしゅく女《じょ》」に成長《せいちょう》していたのだった。

解説《かいせつ》

十九世紀後半《じゅうきゅうせいきこうはん》のアメリカを舞台《ぶたい》に、四姉妹《よんしまい》の一《いち》年間《ねんかん》を描《えが》いたオルコットの自伝的小説《じでんてきしょうせつ》。主人公《しゅじんこう》のジョーは作者《さくしゃ》の分身《ぶんしん》とされます。続編《ぞくへん》に『続《ぞく》 若草《わかくさ》物語《ものがたり》』『第三若草物語《だいさんわかくさものがたり》』『第四若草物語《だいよんわかくさものがたり》』があります。

オススメ図書《としょ》

『若草物語《わかくさものがたり》（新装版《しんそうばん》）』（谷口由美子《たにぐちゆみこ》〔訳《やく》〕、講談社青い鳥文庫《こうだんしゃあおいとりぶんこ》）

【語句説明《ごくせつめい》】しょうこう熱《ねつ》：死亡率《しぼうりつ》が高《たか》い（当時《とうじ》）伝染病《でんせんびょう》。小《ちい》さなしゅく女《じょ》：本作《ほんさく》の原題《げんだい》は“Little Women《リトルウイメン》”。この場合《ばあい》は「小《ちい》さいけれどりっぱな大人《おとな》の女性《じょせい》」の意味《いみ》。

ルイス・キャロル

不《ふ》思《し》議《ぎ》の国《くに》のアリス

へんてこな世界《せかい》に迷《まよ》いこんだ
少女《しょうじょ》アリスがハチャメチャな体験《たいけん》をする
おかしなおかしな物語《ものがたり》

アリスはお姉《ねえ》さんと並《なら》んで土手《どて》に座《すわ》っていました。アリスがうとうとしていると、一《いっ》ぴきの白《しろ》ウサギがチョッキから懐中時計《かいちゅうどけい》を取《と》り出《だ》してながめ、

「まずい、まずい、ち刻《こく》だあ〜!」

と言《い》いながら大《おお》きな穴《あな》に飛《と》びこんでいきました。アリスは変《へん》に思《おも》って、白《しろ》ウサギのあとを追《お》いかけて、穴《あな》に飛《と》びこみました。地面《じめん》に降《お》り、白《しろ》ウサギのあとを追《お》おうと周《まわ》りを見回《みまわ》すと、『**ワタシをお飲《の》み**』と書《か》いてあるビンがあります。飲《の》むとアリスの体《からだ》はどんどん小《ちい》さくなりました。困《こま》ったアリスがまた周《まわ》りを見回《みまわ》すと『**ワタシをお食《た》べ**』と書《か》いてあるケーキがあります。食《た》べると、今度《こんど》はアリスの体《からだ》がすっごく大《おお》きくなりました。ますます困《こま》ったアリスは周《まわ》りに池《いけ》を作《つく》るほどわんわん泣《な》きました。

小《ちい》さくなったり大《おお》きくなったりしながら、しばらく歩《ある》いていくと、森《もり》でチェシャねこに出会《であ》いました。チェシャねこは、女王《じょおう》の*クロッケー大会《たいかい》で会《あ》おうと言《い》い、消《き》えました。消《き》えるとき、ニヤニヤ笑《わら》いだけがしばらく残《のこ》りました。森《もり》をぬけると*三月《さんがつ》ウサギとぼうし屋《や》がお茶会《ちゃかい》をしていました。いつまで経《た》って

【語句説明《ごくせつめい》】三月《さんがつ》ウサギ:「三月《さんがつ》のウサギのように気《き》がくるっている」という英語《えいご》の慣用句《かんようく》から生《う》み出《だ》されたキャラクター。

ルイス・キャロル
1832年《ねん》-1898年《ねん》
イギリス・チェシャー州《しゅう》生まれ。本名《ほんみょう》はチャールズ・ドジソン。数学者《すうがくしゃ》。1854年《ねん》にオックスフォード大学《だいがく》クライスト・チャーチ・カレッジを最優《さいゆう》しゅうの成績《せいせき》で卒業後《そつぎょうご》、同校《どうこう》の数学講師《すうがくこうし》となる。他《ほか》の作品《さくひん》に『鏡《かがみ》の国《くに》のアリス』など。

読《よ》んだ日《ひ》	年《ねん》　月《がつ》　日《にち》

も終《お》わらない、おかしなお茶会《ちゃかい》です。アリスがさらに歩《ある》いていくと、今度《こんど》はきれいな庭《にわ》に着《つ》きました。そこには**「この者《もの》の首《くび》をはねよ！」**というのが口《くち》ぐせのハートの女王様《じょおうさま》と王様《おうさま》がいました。その周囲《しゅうい》にはトランプカードの姿《すがた》をした兵隊《へいたい》がいます。

女王《じょおう》はアリスを見《み》てクロッケーにさそいました。ボールは生《い》きたハリネズミ、それを打《う》つ棒《ぼう》は生《い》きたフラミンゴという変《へん》な競技《きょうぎ》です。そこへチェシャねこが首《くび》だけで現《あらわ》れたので、みんなは大《おお》さわぎ。

アリスがいったんその場《ば》を去《さ》り、またもどってくると、今度《こんど》は女王様《じょおうさま》が裁判《さいばん》を開《ひら》いていました。女王様のタルトをだれかがぬすんだのです。アリスがじん問《もん》を受《う》けていると、またもアリスの体《からだ》が大《おお》きくなり、議場《ぎじょう》は大混乱《だいこんらん》。女王様《じょおうさま》はアリスに向《む》かって**「この者《もの》の首《くび》をはねよ！」**と言《い》ったので、アリスはおこって**「何《なに》よ、ただのトランプのくせに！」**と言《い》いました。すると、トランプたちは空中《くうちゅう》にまい上《あ》がりました。気《き》がつくと、アリスはお姉《ねえ》さんのひざまくらでねていました。とてもへんてこりんな夢《ゆめ》でした。

解説《かいせつ》

一八六五年出版《ねんしゅっぱん》の本作《ほんさく》は知人《ちじん》の少女《しょうじょ》アリスのために書《か》かれた児童小説《じどうしょうせつ》。世界中《せかいじゅう》にほん訳《やく》された物語《ものがたり》で、本作《ほんさく》で有名《ゆうめい》になった白《しろ》ウサギやチェシャねこなどのキャラクターは、他《ほか》の作家《さっか》が自分《じぶん》の作品《さくひん》に登場《とうじょう》させたり、比《ひ》ゆに使《つか》ったりするほど人気《にんき》です。

オススメ図書《としょ》

『不思議《ふしぎ》の国《くに》のアリス』（河合祥一郎《かわいしょういちろう》〔訳《やく》〕、角川《かどかわ》つばさ文庫《ぶんこ》）

【語句説明《ごくせつめい》】 クロッケー：しばふの上《うえ》に、鉄製《てつせい》の小《ちい》さな門《もん》をいくつか並《なら》べ、その間《あいだ》を木《き》の槌《つち》で木製《もくせい》の球《たま》を打《う》って通過《つうか》させ、得点《とくてん》を争《あらそ》う球技《きゅうぎ》。イギリスで人気《にんき》。

赤《あか》毛《げ》のアン

真《ま》っ赤《か》なかみとそばかすだらけの女《おんな》の子《こ》が
周囲《しゅうい》をそう動《どう》に巻《ま》きこみながら
成長《せいちょう》してゆく物語《ものがたり》

マリラはおこっていました。なぜなら孤児《こじ》*の男《おとこ》の子《こ》を引《ひ》き取《と》る約束《やくそく》をしていたのに、兄《あに》のマシュウは十一歳《じゅういっさい》の女《おんな》の子《こ》を家《いえ》に連《つ》れてきたからです。女《おんな》の子《こ》は、自分《じぶん》がいらない子《こ》だと知《し》ると泣《な》き出《だ》しました。

「ああ、もう泣《な》きなさんな。あんた、名前《なまえ》は？」

「コーデリア……と、呼《よ》んでほしいんだけど。すてきな名前《なまえ》でしょ。あ、あの、本名《ほんみょう》はアン・シャーリー。**でもアンなんてありきたりの名前《なまえ》だわ。どうしてもアンって呼《よ》ぶならe*をつけて呼《よ》んでください**」

「……なんて、よくしゃべるむすめだこと。じゃあ、eがついたアン。しばらくはとめてあげる」

マリラはアンを帰《かえ》すつもりでしたが、結局情《けっきょくじょう》にほだされ、アンをそのまま引《ひ》き取《と》ることにしました。

アンは頭《あたま》がよく、マリラの言《い》うことをよく聞《き》き、マシュウになついているいい子《こ》でしたが、それでもかんしゃくを起《お》こすことがありました。**自分《じぶん》の赤《あか》いかみの悪口《わるぐち》を言《い》われると、おこり出《だ》すのです。**

学校《がっこう》に通《かよ》い出《だ》したアンは、級友《きゅうゆう》からも人気《にんき》があり、ダイアナという親友《しんゆう》もできました。しかし、同《どう》級生《きゅうせい》の男《おとこ》の子《こ》ギルバートがアンにちょっかいをか

【語句説明《ごくせつめい》】孤児《こじ》：両親《りょうしん》がいない未成年者《みせいねんしゃ》。eをつけて：アンの感覚《かんかく》ではAnn《アン》では感《かん》じが悪《わる》く、eがついたAnne《アン》は上品《じょうひん》、ということらしい。

L・M・モンゴメリ

1874年《ねん》-1942年《ねん》

カナダ・プリンスエドワード島出身《とうしゅっしん》。カナダのダルハウジー大学《だいがく》で文学《ぶんがく》を学《まな》んだ後《あと》、1901～1902年《ねん》に新聞社《しんぶんしゃ》に勤務《きんむ》。1908年《ねん》に最初《さいしょ》の長編《ちょうへん》『赤《あか》毛《げ》のアン』を出版後《しゅっぱんご》、次々《つぎつぎ》に続編《ぞくへん》を出《だ》す。著作《ちょさく》に赤毛《あかげ》のアン連作《れんさく》シリーズ「アン・ブックス」がある。

読《よ》んだ日《ひ》　年《ねん》　月《がつ》　日《にち》

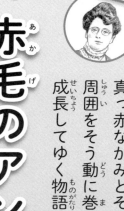

けたとき、事件《じけん》が起《お》こりました。ギルバートが、アンの赤《あか》いかみを「にんじん！」とからかったのです。アンは激《げき》どして、手《て》に持《も》っていた*石板《せきばん》がくだけるほど、ギルバートの頭《あたま》に打《う》ちつけました。

以来《いらい》、アンとギルバートは犬猿《けんえん》の仲《なか》になりました。ただ、二人《ふたり》とも頭《あたま》がよかったので、ライバルとして競争《きょうそう》し合《あ》うことで二人《ふたり》の成績《せいせき》はぐんぐんのびました。そしてアンが十五歳《じゅうごさい》のとき、二人《ふたり》は名門《めいもん》クイーン学院《がくいん》に同点《どうてん》トップの成績《せいせき》で入学《にゅうがく》したのです。そして二人《ふたり》は優《ゆう》しゅうな成績《せいせき》で、クイーン学院《がくいん》を卒業《そつぎょう》しました。

しかし、アンは大学進学《だいがくしんがく》をあきらめました。マシュウが心臓発作《しんぞうほっさ》で死《し》んでしまったのです。アンらが住《す》んでいた*グリン・ゲイブルスを売《う》るというマリラを引《ひ》き止《と》めていっしょに暮《く》らすため、アンは小学校《しょうがっこう》の先生《せんせい》になるつもりでした。でも地元《じもと》の小学校《しょうがっこう》の教《きょう》員《いん》に空《あ》きはありません。**困《こま》っていると、先《さき》に教員《きょういん》になっていたギルバートが、自分《じぶん》の職場《しょくば》をゆずってくれました。アンは深《ふか》く感謝《かんしゃ》し、以後《いご》二人《ふたり》は仲良《なかよ》くなりました。アンは幸《しあわ》せでした。**

解説《かいせつ》

モンゴメリが自分自身《じぶんじしん》の少女時代《しょうじょじだい》の経験《けいけん》を基《もと》にした作品《さくひん》。本書《ほんしょ》でもしょうかいしている文《ぶん》ごうマーク・トウェインは、「（不思議《ふしぎ》の国《くに》の）アリス以来《いらい》、もっともかわいらしく、もっとも感動的《かんどうてき》でもっともゆかいな子《こ》」と、絶賛《ぜっさん》しています。

オススメ図書《としょ》

『赤毛《あかげ》のアン』（村岡花子《むらおかはなこ》〔訳《やく》〕、講談社青い鳥文庫《こうだんしゃあおいとりぶんこ》）

【語句説明《ごくせつめい》】石板《せきばん》：アンらがノート代《が》わりに使《つか》っていた学用品《がくようひん》。グリン・ゲイブルス：アンが住《す》んでいた家《いえ》。直訳《ちょくやく》すると「緑《みどり》の切妻屋根《きりづまやね》」。切妻屋根《きりづまやね》とは、しゃ面《めん》のついた山形《やまがた》の屋根《やね》のこと。

何《なん》でも願《ねが》いをかなえてくれる
魔法《まほう》のランプをめぐる
アラジンと悪《わる》い魔法使《まほうつか》いの争《そう》だつ戦《せん》

アラジンと魔《ま》法《ほう》のランプ

イスラムの民話《みんわ》

ペルシャをぶ台《たい》にしたイスラム世界《せかい》の民話《みんわ》で、作者《さくしゃ》は不明《ふめい》。『アラビアンナイト』（千夜一夜物語《せんやいちやものがたり》）の一編《いっぺん》とされることもあるが、実《じつ》のところは不明《ふめい》。アラビア語原典《ごげんてん》にはないと言《い》われている。本書《ほんしょ》で読《よ》めるイスラムの民話《みんわ》は他《ほか》に104、106ページ。

読《よ》んだ日《ひ》　　年《ねん》　月《がつ》　日《にち》

昔《むかし》、*中国《ちゅうごく》の都《みやこ》にアラジンという、なまけ者《もの》の若者《わかもの》が母親《ははおや》と二人《ふたり》で住《す》んでいました。ある日《ひ》、アラジンが遊《あそ》んでいると、魔法使《まほうつか》いが現《あらわ》れて言《い》いました。

「これからお前《まえ》を連《つ》れていくどうくつにある、古《ふる》いランプを取《と》ってきてほしいのだ。用心《ようじん》のため、お前《まえ》に魔法《まほう》の指輪《ゆびわ》をくれてやろう。できるな？」

アラジンは魔法使《まほうつか》いの言《い》う通《とお》りにどうくつにもぐり、ランプを手《て》に入《い》れました。出口《でぐち》に差《さ》しかかると、魔法使《まほうつか》いがランプをよこせと言《い》います。アラジンが外《そと》に出《で》てからわたすと返事《へんじ》をすると、短気《たんき》な魔法使《まほうつか》いは、おこってアラジンをどうくつに閉《と》じこめてしまいました。困《こま》ったアラジンが魔法《まほう》の指輪《ゆびわ》をこすったところ、なんと魔人《まじん》が現《あらわ》れました。

「何《なん》なりとお言《い》いつけを、ご主人様《しゅじんさま》」

魔人《まじん》は指輪《ゆびわ》の精《せい》で、指輪《ゆびわ》の持《も》ち主《ぬし》の希望《きぼう》をかなえてくれるのです。こうしてアラジンはどうくつを出《で》ることができました。

帰宅《きたく》したアラジンは、古《ふる》いランプを売《う》るために、ランプをみがき、こすりました。すると、指輪《ゆびわ》の魔《ま》人《じん》より大《おお》きな魔人《まじん》が現《あらわ》れて、こう言《い》いました。

【語句説明《ごくせつめい》】中国《ちゅうごく》：ペルシャの民話《みんわ》だが、原典《げんてん》では中国《ちゅうごく》と書《か》かれている。

「何《なん》なりとお言《い》いつけを、ご主人様《しゅじんさま》」

この日以来《ひいらい》、アラジンはランプの魔人《まじん》の力《ちから》で大金《おおがね》持《も》ちになり、王様《おうさま》のむすめとけっこんしました。しかし、このことを知《し》った魔法使《まほうつか》いはおこり、アラジンから魔法《まほう》のランプをぬすみ出《だ》し、ひめをさらってにげました。

アラジンはひめを助《たす》け出《だ》すため、指輪《ゆびわ》の魔人《まじん》を呼《よ》び出《だ》し、魔法使《まほうつか》いの住《す》む城《しろ》へ連《つ》れて行《い》ってもらいました。しかし、指輪《ゆびわ》の魔人《まじん》の力《ちから》では、ランプの魔人《まじん》にかないません。そこで、アラジンは魔法使《まほうつか》いの御殿《ごてん》にいるひめに会《あ》うと、ますい薬《やく》をわたし、酒《さけ》に混《ま》ぜて魔法使《まほうつか》いに飲《の》ませるように言《い》いました。アラジンは薬《くすり》で眠《ねむ》っている魔法使《まほうつか》いを退治《たいじ》しました。

魔法使《まほうつか》いには弟《おとうと》がいました。弟《おとうと》は兄《あに》の復《ふく》しゅうのため、*れい験《げん》あらたかな呪術師《じゅじゅつし》になりすまし、魔法《まほう》のランプを取《と》り返《かえ》そうとしました。しかし、ランプの魔人《まじん》が、呪術師《じゅじゅつし》が悪者《わるもの》だと見《み》ぬいてアラジンに教《おし》えたので、アラジンは弟《おとうと》を退治《たいじ》することができました。以後《いご》アラジンたちは幸《しあわ》せに暮《く》らしました。

【語句説明《ごくせつめい》】れい験《げん》：不思議《ふしぎ》な力《ちから》でもたらす利益《りえき》。

解説《かいせつ》

本作《ほんさく》は『アリババと四十人《よんじゅうにん》の盗賊《とうぞく》』（一〇四ページ）と同様《どうよう》、アラビアンナイトと無関係《むかんけい》という説《せつ》がのうこうです。中国《ちゅうごく》が舞台《ぶたい》なのに、お話全体《はなしぜんたい》にペルシャ文化《ぶんか》が色《いろ》こい点《てん》もおもしろいところです。

オススメ図書《としょ》

『アラジンと魔法《まほう》のランプ 新編《しんぺん》 アラビアン ナイト』（川《かわ》真田純子《まだじゅんこ》〔訳《やく》〕、講談社青い鳥文庫《こうだんしゃあおいとりぶんこ》）

「ひらけ、ゴマ！」の合言葉《あいことば》で
全世界《ぜんせかい》に知《し》られる
ペルシャの有名《ゆうめい》な昔話《むかしばなし》

アリババと四十人《よんじゅうにん》の盗賊《とうぞく》

イスラムの民話《みんわ》

102ページ参照《さんしょう》。

昔《むかし》＊ペルシャにアリババという若者《わかもの》がおりました。

ある日《ひ》、アリババがロバを連《つ》れて山《やま》へ行《い》くと、四十《よんじゅう》人《にん》の盗賊《とうぞく》を見《み》つけました。かくれて様子《ようす》をうかがっていると、盗賊《とうぞく》の親分《おやぶん》が、岩《いわ》の前《まえ》で言《い》いました。

「＊開《ひら》け、ゴマ！」

すると大《おお》きな岩《いわ》が、スーと開《ひら》いたのです。

男《おとこ》たちはほら穴《あな》の中《なか》に入《はい》ると、持《も》っていた荷物《にもつ》を置《お》いてまた出《で》てきました。

「閉《と》じろ、ゴマ！」

親分《おやぶん》がさけぶと岩《いわ》はスーと閉《と》じました。盗賊《とうぞく》たちが去《さ》り、アリババが真似《まね》をすると、岩《いわ》が開《ひら》きました。

アリババはお宝《たから》を見《み》つけ、大金持《おおがねも》ちになりました。

【語句説明《ごくせつめい》】ペルシャ：現在《げんざい》のイラン。

読《よ》んだ日《ひ》	年《ねん》	月《がつ》	日《にち》

アリババが大金持《おおがねも》ちになったことを知《し》った兄《あに》のカシムは、無理《むり》やりアリババから秘密《ひみつ》を聞《き》き出《だ》すと、さっそくロバを引《ひ》いて岩山《いわやま》へ出《で》かけました。合言葉《あいことば》を言《い》い、岩《いわ》を開《あ》けて中《なか》に入《はい》ると、やはりそこは宝《たから》の山《やま》。カシムは岩《いわ》を閉《と》じて夢中《むちゅう》になって宝《たから》をかき集《あつ》めました。ところが、外《そと》に出《で》ようとしたところ、カシムは岩《いわ》を開《ひら》く言葉《ことば》を忘《わす》れてしまったのです。

「開《ひら》け、マメ！　開《ひら》け、ムギ！」

とやっているうちに、カシムはもどってきた盗賊《とうぞく》たちに殺《ころ》されてしまいました。

後日《ごじつ》、心配《しんぱい》になったアリババは岩山《いわやま》に行き、カシムの死体《したい》を見《み》つけて丁重《ていちょう》にそう式《しき》を出《だ》しました。秘密《ひみつ》がばれたことを知《し》った盗賊《とうぞく》たちは、カシムの仲間《なかま》を探《さが》していました。そして、とうとう盗賊《とうぞく》の一人《ひとり》が、アリババの家《いえ》を見《み》つけたのです。盗賊《とうぞく》はアリババの家《いえ》のとびらに、目印《めじるし》として白《しろ》いバツ印《じるし》をつけました。

ところが、アリババの家《いえ》には美《うつく》しくかしこい女《おんな》使用人《しようにん》のモルジアナがいました。モルジアナは目印《めじるし》を見《み》つけると、近所《きんじょ》の家《いえ》のすべてにバツ印《じるし》をつけました。これでは目印《めじるし》はだいなしです。こうしてモルジアナの機転《きてん》で難《なん》をのがれたアリババでしたが、盗《とう》賊《ぞく》たちはしつこく、ついに家《いえ》を発見《はっけん》されました。

盗賊《とうぞく》たちは商人《しょうにん》のふりをして、油《あぶら》ツボにかくれてアリババの家《いえ》に入《はい》りました。しかし、またもやモルジアナが盗賊《とうぞく》の計略《けいりゃく》を見《み》ぬき、油《あぶら》ツボのすべてに熱《あつ》い油《あぶら》を注《そそ》いで回《まわ》り、盗賊《とうぞく》を全《ぜん》めつさせました。

モルジアナはアリババの息子《むすこ》とけっこんし、みんなで仲良《なかよ》く暮《く》らしました。

解説《かいせつ》

『アラビアンナイト』は九世紀《きゅうせいき》ごろに成立《せいりつ》したと推測《すいそく》されていますが、実《じつ》のところは不明《ふめい》。本作《ほんさく》は、全世《ぜんせ》界《かい》で親《した》しまれているペルシャの昔話《むかしばなし》で、前半《ぜんはん》はアリババ、後半《こうはん》はモルジアナが主人公《しゅじんこうてき》的な役割《やくわり》です。

オススメ図書《としょ》

『ぼくらのアラビアン・ナイト アリ・ババと四十人《よんじゅうにん》の盗賊《とうぞく》 シンドバッドの冒険《ぼうけん》』（宗田理《そうだおさむ》〔文《ぶん》〕、角川《かどかわ》つばさ文庫《ぶんこ》）

【語句説明《ごくせつめい》】開《ひら》け、ゴマ！：「ゴマ」は原典通《げんてんどお》りだが、なぜ「ゴマ」なのかは、よくわかっていない。この言葉《ことば》は、全世界《ぜんせかい》で原典通《げんてんどお》りにほん訳《やく》されている。

イスラムの民話《みんわ》

シンドバッドの冒険《ぼうけん》

若《わか》き日《ひ》のシンドバッドが
七《なな》つの冒険《ぼうけん》をくり広《ひろ》げ
大金持《おおがねも》ちになるお話《はなし》

昔《むかし》、バグダッドの町《まち》に『荷担《にかつ》ぎシンドバッド』という者《もの》がおりました。荷担《にかつ》ぎの仕事《しごと》はつらく、歌《うた》を歌《うた》っていると、ごうていから使《つか》いの者《もの》が現《あらわ》れて、彼《かれ》を家《いえ》に招《まね》きました。彼《かれ》が主人《しゅじん》の前《まえ》に進《すす》み出《で》て名乗《なの》ると、主人《しゅじん》は喜《よろこ》んで言《い》いました。

「いい歌《うた》だった。私《わたし》は『船乗《ふなの》りシンドバッド』。お前《まえ》と同《おな》じ名《な》だ。兄弟《きょうだい》よ、私《わたし》の話《はなし》を聞《き》いてくれ」

船乗《ふなの》りシンドバッドは、自分《じぶん》がこれまでしてきた冒険《ぼうけん》の物語《ものがたり》を、荷担《にかつ》ぎシンドバッドに話《はな》し始《はじ》めました。それは不思議《ふしぎ》な不思議《ふしぎ》な七《なな》つの冒険《ぼうけん》でした。

一《ひと》つ目《め》の冒険《ぼうけん》は、島《しま》のように大《おお》きな魚《さかな》に出会《であ》った話《はなし》でした。島《しま》と間《ま》ちがえて上陸《じょうりく》した彼《かれ》は、魚《さかな》の背《せ》でたき火《び》をしてそう難《なん》し、命《いのち》からがら助《たす》かったのです。二《ふた》つ目《め》は、ロック鳥《ちょう》*に出会《であ》った話《はなし》。航海《こうかい》に出《で》ていたシンドバッドは、自分《じぶん》の船《ふね》に忘《わす》れられて、島《しま》に置《お》き去《ざ》りにされてしまいました。このときロック鳥《ちょう》の卵《たまご》を見《み》つけたのです。**ロック鳥《ちょう》は、子《こ》どものエサ用《よう》にゾウを食《く》わせるという大《おお》きな鳥《とり》で、卵《たまご》も人間《にんげん》の家《いえ》ぐらいの大《おお》きさでした。**シンドバッドはこっそりと親《おや》のロック鳥《ちょう》につかまり、無事《ぶじ》に帰《かえ》りました。

【語句説明《ごくせつめい》】ロック鳥《ちょう》：シンドバッドの冒険《ぼうけん》でもっとも有名《ゆうめい》な、とても大《おお》きな鳥《とり》。

中学年

イスラムの民話《みんわ》

102ページ参照《さんしょう》。

読《よ》んだ日《ひ》　年《ねん》　月《がつ》　日《にち》

三つ目《め》は人《ひと》を食《た》べる巨大《きょだい》なサルとヘビの話《はなし》。シンドバッドは戦《たたか》うこともできず、にげ回《まわ》るばかりでした。四《よ》つ目《め》は、夫婦《ふうふ》のうち片方《かたほう》が死《し》ぬと、はんりょも死《し》ななければならないこわい国《くに》の話《はなし》。五《いつ》つ目《め》は、またもロック鳥《ちょう》の卵《たまご》を見《み》つけてしまった話《はなし》。このときは仲間《なかま》がたくさんいましたが、シンドバッドが止《と》めるのも聞《き》かずに仲間《なかま》が卵《たまご》を割《わ》り、ひなを食《た》べてしまいました。親鳥《おやどり》はおこり、シンドバッドたちの船《ふね》をしずめました。そう難《なん》し、一人《ひとり》になったシンドバッドは、シンドバッドのかたの上《うえ》に乗《の》りたがる海《うみ》の老人《ろうじん》に出会《であ》いました。弱《よわ》ったシンドバッドは、老人《ろうじん》を酒《さけ》でよわせてかたから引《ひ》きはがし、やっとのことでにげました。六《むっ》つ目《め》は生《なま》の*龍涎香《りゅうぜんこう》を見《み》つけた話《はなし》。七《なな》つ目《め》は金持《かねも》ちのむすめとけっこんした話《はなし》でした。

こうした多《おお》くの冒険《ぼうけん》をしたため、船乗《ふなの》りシンドバッドは大金持《おおがねも》ちになったのです。二人《ふたり》のシンドバッドは、その後《ご》も仲良《なかよ》く暮《く》らしました。

解説《かいせつ》

本作《ほんさく》は「アラビアンナイト」の第二百九十夜《だいにひゃくきゅうじゅうや》～第《だい》三百十五夜《さんびゃくじゅうごや》に当《あ》たるお話《はなし》とされています。船乗《ふなの》りシンドバッドが毎日一話《まいにちいちわ》ずつ、荷担《にかつ》ぎシンドバッドに冒険《ぼうけん》を話《はな》すという、「一夜《いちや》につき一話《いちわ》」というアラビアンナイトの形式《けいしき》にのっとったお話《はなし》です。

オススメ図書《としょ》

『ぼくらのアラビアン・ナイト　アリ・ババと四十人《よんじゅうにん》の盗賊《とうぞく》　シンドバッドの冒険《ぼうけん》』（宗田理《そうだおさむ》〔文《ぶん》〕、角川《かどかわ》つばさ文庫《ぶんこ》）

【語句説明《ごくせつめい》】龍涎香《りゅうぜんこう》：マッコウクジラの腸内《ちょうない》にできる結石《けっせき》。よいにおいを放《はな》つため、香水《こうすい》の原料《げんりょう》として大事《だいじ》にされてきた。

芥川龍之介《あくたがわりゅうのすけ》

鼻《はな》

細長《ほそなが》い腸《ちょう》づめのような、
長《なが》くて有名《ゆうめい》なおしょうの鼻《はな》が短《みじか》くなった!?
これを見《み》た周囲《しゅうい》の者《もの》の反応《はんのう》は——

芥川龍之介《あくたがわりゅうのすけ》
1892年《ねん》-1927年《ねん》

44ページ参照《さんしょう》。

禅智《ぜんち》*内供《ないぐ》の鼻《はな》といえば、*池《いけ》の尾《お》で知《し》らない者《もの》はない。長《なが》さは*五六寸《ごろくすん》あって上《うわ》くちびるの上《うえ》からあごの下《した》まで下《さ》がっている。形《かたち》は元《もと》も先《さき》も同《おな》じように太《ふと》い。いわば細長《ほそなが》い*腸《ちょう》づめのような物《もの》が、顔《かお》のまん中《なか》からぶら下《さ》がっているのである。

五十歳《ごじっさい》の内供《ないぐ》は、表面《ひょうめん》には出《だ》さないが、内心《ないしん》ではこの鼻《はな》を苦《く》に病《や》んできた。飯《めし》を食《く》うにも一人《ひとり》で食《く》えない。鼻先《はなさき》が椀《わん》に落《お》ちないように、弟子《でし》に板《いた》を持《も》たせて、鼻《はな》を持《も》ち上《あ》げてもらいながら飯《めし》を食《く》うのである。一度《いちど》、板《いた》を持《も》つ者《もの》が、くしゃみをした際《さい》、鼻先《はなさき》がかゆに落《お》ちた話《はなし》は、当時《とうじ》京都《きょうと》までうわさされた。

ある年《とし》の秋《あき》、弟子《でし》の一人《ひとり》が鼻《はな》を短《みじか》くする法《ほう》を教《おそ》わってきた。その法《ほう》というのは、湯《ゆ》で鼻《はな》をゆでた後《あと》、人《ひと》に鼻《はな》をふませるという簡単《かんたん》なものであった。

弟子《でし》のすすめを内心喜《ないしんよろこ》んだ内供《ないぐ》は、さっそくこの法《ほう》を試《ため》すことにした。ゆだった鼻《はな》をふませていると実《じつ》に気持《きも》ちいい。やがて鼻《はな》にはあわつぶのようなものがうかび上がった。

「これを毛《け》ぬきでぬけと申《もう》します」と、弟子《でし》が言《い》うので、内供《ないぐ》はだまって弟子《でし》の言《い》う通《とお》りにさせた。毛《け》

【語句説明《ごくせつめい》】内供《ないぐ》：みかどのいる宮中《きゅうちゅう》に仕《つか》えるそうりょ。
池《いけ》の尾《お》：地名《ちめい》。現在《げんざい》の京都府宇治市《きょうとふうじし》。

読《よ》んだ日《ひ》　年《ねん》　月《がつ》　日《にち》

ぬきで鼻《はな》のあぶらをぬくと、鳥《とり》の羽《はね》のくきのような形《かたち》のものが*四分《しぶ》ばかりの長《なが》さにぬけるのである。

「もう一度《いちど》、これをゆでれば、ようござる」

さて、二度目《にどめ》にゆでた鼻《はな》を鏡《かがみ》で見《み》ると、なるほど、短《みじか》くなっている。内供《ないぐ》は満足《まんぞく》した。

「これでもう笑《わら》う者《もの》はあるまい」と。

しかし以後《いご》、内供《ないぐ》の顔《かお》を見《み》て、他人《たにん》が笑《わら》うようになった。**他人《たにん》の不幸《ふこう》に同情《どうじょう》しない者《もの》はいないが、人《ひと》がその不幸《ふこう》を切《き》りぬけると、今度《こんど》は物足《ものた》りなくなるらしい。**内供《ないぐ》は、人々《ひとびと》の内心《ないしん》を察《さっ》すると、日《ひ》ごとに不《ふ》きげんになっていった。内供《ないぐ》がなんとなく不快《ふかい》に思《おも》ったのは、**周囲《しゅうい》の態度《たいど》に、このぼうかん者《しゃ》の利己《りこ》主義《しゅぎ》をそれとなく感《かん》づいたからに他《ほか》ならない。**内供《ないぐ》は鼻《はな》が短《みじか》くなったのが、かえってうらめしくなった。

すると、ある夜《よる》のことである。内供《ないぐ》はふと鼻《はな》がむずがゆいのに気《き》がついた。翌朝《よくあさ》、内供《ないぐ》が起《お》きると、ほとんど忘《わす》れていた感覚《かんかく》がもどってきた。内供《ないぐ》が鼻《はな》に手《て》をやると、昔《むかし》のあの長《なが》い鼻《はな》がぶら下《さ》がっていた。

「これでもう笑《わら》う者《もの》はあるまい」

内供《ないぐ》は心《こころ》の中《なか》でまた自分《じぶん》にささやいた。長《なが》い鼻《はな》を明《あ》け方《がた》の秋風《あきかぜ》にぶらつかせながら。

解説《かいせつ》

『今昔物語《こんじゃくものがたり》』『宇治拾遺物語《うじしゅういものがたり》』に書《か》かれている、いつ話《わ》を題材《だいざい》とした短編小説《たんぺんしょうせつ》。同情心《どうじょうしん》と優《ゆう》えつ感《かん》はむじゅんしているようで、実《じつ》は同《おな》じなのではないかという問《と》いかけがされている作品《さくひん》です。

オススメ図書《としょ》

『くもの糸《いと》・杜子春《とししゅん》 芥川龍之介作品集《あくたがわりゅうのすけさくひんしゅう》』（角川《かどかわ》つばさ文庫《ぶんこ》）

【語句説明《ごくせつめい》】五六寸《ごろくすん》:15 ～ 18 センチぐらい。一寸《いっすん》は約《やく》3 センチ。腸《ちょう》づめ:ソーセージ。四分《しぶ》:12 ミリぐらい。一分《いちぶ》は約《やく》3 ミリ。

有島武郎《ありしまたけお》

一房《ひとふさ》の葡萄《ぶどう》

幼《おさな》い日《ひ》の過《あやま》ちとともに思《おも》い出《だ》す
優《やさ》しかった先生《せんせい》の白《しろ》く美《うつく》しい手《て》と、
手《て》の平《ひら》に乗《の》った葡萄《ぶどう》の美《うつく》しさを

有島武郎《ありしまたけお》
1878年《ねん》-1923年《ねん》
東京小石川《とうきょうこいしかわ》（現在《げんざい》の文京区《ぶんきょうく》）出身《しゅっしん》。農学者《のうがくしゃ》を志《こころざ》して札幌農学校《さっぽろのうがっこう》に進学後《しんがくご》、1903年《ねん》に渡米《とべい》。帰国後《きこくご》、志賀直哉《しがなおや》や武者小路実篤《むしゃのこうじさねあつ》らとともに同人《どうじん》「白樺《しらかば》」に参加《さんか》した。代表作《だいひょうさく》に『カインの末裔《まつえい》』『或《あ》る女《おんな》』などがある。

読《よ》んだ日《ひ》　　年《ねん》　月《がつ》　日《にち》

中学年

ぼくは小《ちい》さいときに絵《え》をかくことが好《す》きでした。ぼくの通《かよ》っていた学校《がっこう》は西洋人《せいようじん》ばかり住《す》んでいる横《よこ》浜《はま》の山《やま》の手《て》で、ぼくの学校《がっこう》も教師《きょうし》は西洋人《せいようじん》ばかりでした。通《とお》りの海《うみ》ぞいに立《た》って見《み》ると、真青《まっさお》な海《うみ》の上《うえ》に船《ふね》がいっぱい並《なら》んでいて、眼《め》がいたいようにきれいでした。ぼくはその景色《けしき》を絵《え》にかいてみようとしました。けれども、あのすき通《とお》るような海《うみ》のあい色《いろ》と、船《ふね》にぬってある*洋紅色《ようこうしょく》は、ぼくの持《も》っている絵具《えのぐ》では、どうしてもうまく出《だ》せませんでした。

ふとぼくは学校《がっこう》の友《とも》だちの持《も》っている西洋絵具《せいようえのぐ》を思《おも》い出《だ》しました。ジムというその子《こ》の持《も》っている絵具《えのぐ》は*舶来《はくらい》の上等《じょうとう》の物《もの》で、とりわけてあい色《いろ》と洋紅《ようこう》色《しょく》はびっくりするほど美《うつく》しい物《もの》でした。その日《ひ》からジムの絵具《えのぐ》が欲《ほ》しくてたまらなくなりました。

ある日《ひ》、昼《ひる》ご飯《はん》が済《す》み、他《ほか》の子《こ》どもたちが運動場《うんどうじょう》に出《で》て遊《あそ》んでいるとき、ぼくはジムのつくえのところに行《い》って、手早《てばや》くその箱《はこ》のふたを開《あ》けて、あいと洋紅《ようこう》との二色《にしょく》をポケットの中《なか》におしこんでしまいました。けれども、すぐに他《ほか》の生徒《せいと》に見《み》つかり、先《せん》生《せい》に言《い》いつけられました。優《やさ》しい女《おんな》の先生《せんせい》は生徒《せいと》た

【語句説明《ごくせつめい》】洋紅《ようこう》：あざやかな紅色《べにいろ》。舶来《はくらい》：船《ふね》で運《はこ》ばれてきた外国《がいこく》の品《しな》。

ちを帰《かえ》すと、ぼくをなぐさめ、一房《ひとふさ》の西洋葡萄《せいようぶどう》をくれました。

次《つぎ》の日《ひ》、ぼくはいやいや学校《がっこう》に行《い》くと、ジムが飛《と》んできて、ぼくを先生《せんせい》の部屋《へや》に連《つ》れていきました。

「ジム、あなたはいい子《こ》。よく私《わたし》の言《い》ったことがわかってくれました。二人《ふたり》は今《いま》からいいお友《とも》だちになるんですよ。二人《ふたり》とも上手《じょうず》にあく手《しゅ》をなさい」

と、先生《せんせい》はにこにこしながら、ぼくたちを向《む》かい合《あ》わせました。ぼくがもじもじしていますと、ジムはぼくの手《て》を引《ひ》っ張《ぱ》り出《だ》して、かたくにぎってくれました。

すると先生《せんせい》は、また葡萄《ぶどう》の一房《ひとふさ》をもぎ取《と》って、ジムとぼくとにくださいました。

先生《せんせい》の真白《まっしろ》い手《て》の平《ひら》にむらさき色《いろ》の葡萄《ぶどう》のつぶが乗《の》っていたその美《うつく》しさを、ぼくは今《いま》でもはっきりと思《おも》い出《だ》すことができます。

もう二度《にど》と会《あ》えないと知《し》りながら、ぼくは今《いま》でもあの先生《せんせい》がいたらなあと思《おも》います。秋《あき》になるといつでも葡萄《ぶどう》の房《ふさ》はむらさき色《いろ》に色《いろ》づいて美《うつく》しく粉《こな》をふきますけれども、それを受《う》けた大理石《だいりせき》のような白《しろ》い美《うつく》しい手《て》はどこにも見《み》つかりません。

解説《かいせつ》

有島《ありしま》の最初《さいしょ》の創作童話《そうさくどうわ》で、有島《ありしま》の幼少期《ようしょうき》の実体験《じったいけん》を基《もと》にした作品《さくひん》です。当時《とうじ》、発展《はってん》のとちゅうにあった日本人《にほんじん》にとって、「舶来《はくらい》」の品《しな》は一流品《いちりゅうひん》と同《おな》じ意《い》味《み》を持《も》つ、あこがれのものでした。

オススメ図書《としょ》

『一房《ひとふさ》の葡萄《ぶどう》 他四篇《ほかよんぺん》』（岩波文庫《いわなみぶんこ》）

泉鏡花《いずみきょうか》

歌行灯《うたあんどん》

芸《げい》は身《み》を殺《ころ》すか助《たす》くるか、いんねんのある老人二人《ろうじんふたり》と若者《わかもの》を一人《ひとり》のむすめの「舞《まい》」が再《ふたた》び結《むす》ぶ

*霜月十日《しもつきとおか》あまりの月夜《つきよ》の晩《ばん》、桑名《くわな》に着《つ》いたばかりの老人客《ろうじんきゃく》が二人《ふたり》いた。旅中《りょちゅう》の二人《ふたり》は東海道中膝栗毛《とうかいどうちゅうひざくりげ》に登場《とうじょう》する*人物《じんぶつ》を気取《きど》って、桑名名物《くわなめいぶつ》焼きハマグリで一《いっ》ぱいやろうと宿《やど》に向《む》かった。とちゅう、二人《ふたり》はうどん屋《や》の前《まえ》で博多節《はかたぶし》をいい声《こえ》で唄《うた》う*門附《かどづけ》の若者《わかもの》と行《い》きちがい、宿《やど》に入《はい》った。

若者《わかもの》はうどん屋《や》に入《はい》ると酒《さけ》を注文《ちゅうもん》し、*あんまをたのんだ。あんまに体《からだ》をもませながら若者《わかもの》は言《い》う。

「私《わたし》はね、お仲間《なかま》のあんまを一人殺《ひとりころ》してるんだ」

一方《いっぽう》、宿《やど》に着《つ》いた老人二人《ろうじんふたり》は芸者《げいしゃ》を呼《よ》んだ。だがやってきた三重《みえ》というむすめは、芸《げい》はほとんどできないが、能《のう》の舞《まい》の真似事《まねごと》ならできるという。三重《みえ》に舞《ま》わせると、二人《ふたり》は目《め》を見開《みひら》いておどろいた。

「今《いま》の舞《まい》の気組《きぐ》みとその形《かた》。教《おし》えも教《おし》えた、習《なら》いも習《なら》ったものじゃ。だれに習《なら》ったのか想像《そうぞう》はつく」

実《じつ》はこの二人《ふたり》、小《こ》つづみの名人《めいじん》、雪叟《せっそう》と、能役者《のうやくしゃ》の名手《めいしゅ》、恩地源三郎《おんちげんざぶろう》であった。三重《みえ》が舞《まい》を習《なら》った相手《あいて》は、名《な》も知《し》らぬ門附《かどづけ》だという。

泉鏡花《いずみきょうか》
1873年《ねん》-1939年《ねん》
石川県金沢市下新町《いしかわけんかなざわししもしんちょう》生まれ。尾崎紅葉《おざきこうよう》に師事《しじ》し、『高野聖《こうやひじり》』で人気作家《にんきさっか》になる。情《じょう》ちょあふれる作風《さくふう》で評価《ひょうか》が高《たか》く、幻想文学《げんそうぶんがく》の先駆者《せんくしゃ》としての評価《ひょうか》もある。代表作《だいひょうさく》に『照葉狂言《てりはきょうげん》』『婦系図《おんなけいず》』『歌行燈《うたあんどん》』など。本書《ほんしょ》で読《よ》める作品《さくひん》は他《ほか》に**114**ページ。

読《よ》んだ日《ひ》　年《ねん》　月《がつ》　日《にち》

【語句説明《ごくせつめい》】霜月十日《しもつきとおか》：旧暦十一月十日《きゅうれきじゅういちがつとおか》。人物《じんぶつ》：弥次郎兵衛《やじろべえ》と喜多八《きたはち》。門附《かどづけ》：大道芸《だいどうげい》の一種《いっしゅ》。門口《かどぐち》に立《た》ち、芸《げい》を行《おこな》って金品《きんぴん》を得《え》る職業《しょくぎょう》。

うどん屋《や》の若者《わかもの》の話《はなし》は続《つづ》く。三年前《さんねんまえ》、若者《わかもの》は宗《しゅう》山《ざん》というあんまのうわさを聞《き》いた。宗山《しゅうざん》はあんまだが、*謡《うたい》の名手《めいしゅ》で羽《は》ぶりがいいという。しゃくにさわった若者《わかもの》は宗山《しゅうざん》に会《あ》いに行《い》き、謡《うたい》をさせている最《さい》中《ちゅう》に、自分《じぶん》のひざをたたいた。調子《ちょうし》を外《はず》した宗山《しゅうざん》は、若者《わかもの》の正体《しょうたい》を恩地源三郎《おんちげんざぶろう》のおい喜多八《きたはち》と見破《みやぶ》り、その夜《よる》のうちに憤死《ふんし》した。後《こう》かいした若者《わかもの》こと喜多八《きたはち》は、宗山《しゅうざん》のむすめに舞《まい》を教《おし》えた。いきさつを聞《き》いた源三郎《げんざぶろう》は喜多八《きたはち》を*勘当《かんどう》し、喜多八《きたはち》は門附《かどづけ》となった。

ここまで喜多八《きたはち》が語《かた》ったころ、宿《やど》にいる源三郎《げんざぶろう》は宗山《しゅうざん》のむすめ三重《みえ》に舞《まい》を舞《ま》うように願《ねが》い、雪叟《せっそう》が小《こ》つづみを打《う》ち鳴《な》らした。うどん屋《や》にいた喜多八《きたはち》は、聞《き》こえてくる名人雪叟《めいじんせっそう》の小《こ》つづみを耳《みみ》にすると、ハッと身《み》を起《お》こして宿屋《やどや》の下《した》に向《む》かい、謡《うたい》を始《はじ》めた。舞《ま》い続《つづ》ける三重《みえ》は喜多八《きたはち》の謡《うたい》を聞《き》いておどろき、よろめいた。

「やあ、大事《だいじ》なところ、たおれるな」

名手《めいしゅ》、源三郎《げんざぶろう》が三重《みえ》の背中《せなか》を支《ささ》える。月《つき》がいてつき夜《よ》もふける中《なか》、見事《みごと》な舞《まい》と謡《うたい》が調和《ちょうわ》した。

解説《かいせつ》

一九一〇年発表《ねんはっぴょう》。宿屋《やどや》の老人二人《ろうじんふたり》とうどん屋《や》の若《わか》者《もの》の話《はなし》が交《こう》ごに語《かた》られ、最後《さいご》に一《ひと》つの場面《ばめん》に収束《しゅうそく》する構成《こうせい》と、能《のう》のぶ台《たい》を見《み》るような情景《じょうけい》びょう写《しゃ》が見事《みごと》な作品《さくひん》です。

オススメ図書《としょ》
『歌行燈《うたあんどん》』（岩波文庫《いわなみぶんこ》）

【語句説明《ごくせつめい》】あんま：指圧師《しあつし》。マッサージをする人《ひと》。謡《うたい》：能《のう》の声楽《せいがく》。言葉《ことば》・セリフを、節《ふし》をつけてうたう。勘《かん》当《とう》：肉親《にくしん》の縁《えん》を切《き》ること。

泉鏡花《いずみきょうか》

高《こう》野《や》聖《ひじり》

たどり着《つ》いた山中《さんちゅう》の家《いえ》には
あやしい美女《びじょ》が住《す》んでいた——。
若《わか》きそうりょがそうぐうした不思議《ふしぎ》な体験《たいけん》

旅《たび》で出会《であ》った*上人《しょうにん》から、私《わたし》は不思議《ふしぎ》な話《はなし》を聞《き》いた。

若《わか》いころの上人《しょうにん》が、信州松本《しんしゅうまつもと》に向《む》かって旅《たび》をしていた。そのとき、口《くち》ぎたなく下品《げひん》で無礼《ぶれい》な薬売《くすりう》りに出会《であ》った。男《おとこ》は地元民《じもとみん》が危険《きけん》だという旧道《きゅうどう》を歩《ある》いていったので、上人《しょうにん》は彼《かれ》を止《と》めるために後《あと》を追《お》った。

しかし、薬売《くすりう》りは見《み》つからない。そのまま歩《ある》いていくとへびが出《で》た。苦労《くろう》してへびをさけると、今度《こんど》はひる。雨《あめ》のように山《やま》ひるが降《ふ》ってくる森《もり》をくぐりぬけ、やっとのことで一《いっ》けんの家《いえ》にたどり着《つ》いた。

そこには美女《びじょ》と少年《しょうねん》と親父《おやじ》がいた。上人《しょうにん》が一夜《ひとよ》の宿《やど》を願《ねが》うと、美女《びじょ》は快《こころよ》く引《ひ》き受《う》けてくれた。

「お暑《あつ》うござんしたでしょう。裏《うら》のがけ下《した》に、流《なが》れのきれいな川《かわ》がござんす」

美女《びじょ》はそう言《い》うと、上人《しょうにん》を川《かわ》へ案内《あんない》した。とちゅう、現《あらわ》れた*ひきを美女《びじょ》は追《お》い払《はら》った。

川《かわ》に着《つ》き、美女《びじょ》は川《かわ》の水《みず》を手《て》にすくい、全身《ぜんしん》をさすってくれた。その心地《ここち》よさは、まるで花《はな》びらの中《なか》へ包《つつ》まれたよう。ふと、気《き》がつくと、美女《びじょ》は全裸《ぜんら》になっており、大《おお》こうもりやさるにまとわりつかれて

【語句説明《ごくせつめい》】上人《しょうにん》：修行《しゅぎょう》を積《つ》んだそうりょを敬《うやま》って言《い》う呼《よ》び方《かた》。

泉鏡花《いずみきょうか》
1873年《ねん》-1939年《ねん》

112ページ参照《さんしょう》。

読《よ》んだ日《ひ》　年《ねん》　月《がつ》　日《にち》

いた。不意《ふい》を打《う》たれたように美女《びじょ》がさけんだ。

「いけないよ。お客様《きゃくさま》があるじゃないかね」

ひきとこうもりとさるで三度《さんど》。なぜこうもけだものが現《あらわ》れる。だが、上人《しょうにん》は何《なに》も問《と》わずに美女《びじょ》と家《いえ》にもどった。すると、家《いえ》で待《ま》っていた親父《おやじ》は、意外《いがい》そうな顔《かお》をした。

「あれ、おぼう様《さま》、元《もと》の体《からだ》で帰《かえ》らっしゃったの」

そう言《い》いながら、親父《おやじ》はうまや*から一《いっ》ぴきの馬《うま》を引《ひ》き出《だ》し、そのまま馬《うま》を売《う》りに里《さと》へ出《で》かけた。

その晩《ばん》、ねようとすると、外《そと》で鳥《とり》やけもののさわぐ音《おと》が聞《き》こえ、家《いえ》がぐらぐらとゆらめいた。上人《しょうにん》が*一心不乱《いっしんふらん》に経《きょう》を唱《とな》えたところ、静《しず》かになった。

翌日《よくじつ》、上人《しょうにん》は家《いえ》を出《で》たが、そうりょの身分《みぶん》を捨《す》ててでも、美女《びじょ》と暮《く》らしたかった。もどろうとすると、馬《うま》を売《う》りに出《で》かけた親父《おやじ》が帰《かえ》ってきて、上人《しょうにん》を引《ひ》き留《と》めた。

「やめておくがいい。ふつうならおじょう様《さま》が体《からだ》をさわって人間《にんげん》でいられるはずがない。おじょう様《さま》がお前様《まえさま》を助《たす》けたのが不思議《ふしぎ》じゃ。昨日《きのう》、おらが売《う》りに行《い》った馬《うま》は、おじょう様《さま》にほれた薬売《くすりう》りじゃ」

（では、ひきもこうもりもさるも夜中《よなか》の音《おと》も……）

上人《しょうにん》は我《われ》に返《かえ》り、里《さと》へ向《む》かってかけ出《だ》した。

解説《かいせつ》

帰省《きせい》する若者《わかもの》が、旅先《たびさき》で知《し》り合《あ》ったそうりょと道《みち》連《づ》れになり、不思議《ふしぎ》な話《はなし》を聞《き》かされるという形式《けいしき》をとる短編《たんぺん》。怪奇《かいき》・幻想小説《げんそうしょうせつ》の名高《なだか》い名作《めいさく》です。

オススメ図書《としょ》
『高野聖《こうやひじり》』（集英社文庫《しゅうえいしゃぶんこ》）

【語句説明《ごくせつめい》】ひき：ヒキガエル。うまや：馬小屋《うまごや》。一心不乱《いっしんふらん》：一《ひと》つのことに心《こころ》を集中《しゅうちゅう》させること。

伊藤左千夫《いとうさちお》

野《の》菊《ぎく》の墓《はか》

死《し》んだむすめの手《て》にあったものは
ぼくの写真《しゃしん》と手紙《てがみ》だった……
読者《どくしゃ》の心《こころ》を打《う》つ悲恋《ひれん》の物語《ものがたり》

伊藤左千夫《いとうさちお》　1864年《ねん》-1913年《ねん》
上総国武射郡《かずさのくにむさぐん》（現在《げんざい》の千葉県山武市《ちばけんさんむし》）出身《しゅっしん》。1898年《ねん》に「非新自讃歌論《ひしんじさんかろん》」を発表《はっぴょう》し、その後《ご》正岡子規《まさおかしき》に師事《しじ》した。『野菊《のぎく》の墓《はか》』は夏目漱石《なつめそうせき》から評価《ひょうか》された。他《ほか》に『隣《となり》の嫁《よめ》』『春《はる》の潮《しお》』などの作品《さくひん》がある。

中学年

＊後《のち》の月《つき》という時分《じぶん》が来《く》ると、どうも思《おも》わずにはいられない。幼《おさな》いころのこととは思《おも》うが何分《なにぶん》にも忘《わす》れることができない。もはや十年余《じゅうねんあま》りも過《す》ぎ去《さ》った昔《むかし》のことであるから、細《こま》かい事実《じじつ》は多《おお》くは覚《おぼ》えていないけれど、今《いま》なお昨日《きのう》のごとく、そのときのことを考《かんが》えていると、なみだがとめどなくわくのである。

ぼくは小学校《しょうがっこう》を卒業《そつぎょう》したばかりで＊十五歳《じゅうごさい》、民子《たみこ》は十七《じゅうなな》であった。ぼくと民子《たみこ》は大《だい》の仲《なか》よしで、近所《きんじょ》の女《おんな》どもは、ぼくたちの仲《なか》を言《い》いはやしていた。

＊陰暦《いんれき》の九月十三日《くがつじゅうさんにち》の朝《あさ》、母《はは》の指図《さしず》でぼくと民子《たみこ》は山畑《やまはた》の綿《わた》を採《と》ってくることになった。二人《ふたり》そろってゆくもはずかしく、急《いそ》いで村《むら》を通《とお》りぬけようと考《かんが》え、ぼくは一足先《ひとあしさき》になって出《で》かけ、村外《むらはず》れの大《おお》きないちょうの樹《き》の根《ね》で民子《たみこ》と落《お》ち合《あ》った。民子《たみこ》と連《つ》れ立《だ》って歩《ある》くとちゅう、ぼくは一《ひと》にぎりの野菊《のぎく》をつんだ。それを見《み》た民子《たみこ》は喜《よろこ》んだ。

「まあ、きれいな野菊《のぎく》。私《わたし》ほんとうに野菊《のぎく》が好《す》き。きっと、私《わたし》、野菊《のぎく》の生《う》まれ変《か》わりよ」

「民《たみ》さんはそんなに野菊《のぎく》が好《す》き……道理《どうり》でどうやら民《たみ》さんは野菊《のぎく》のような人《ひと》だ」

【語句説明《ごくせつめい》】後《のち》の月《つき》：旧暦九月十三日夜《きゅうれきくがつじゅうさんにちよる》の月《つき》のこと。十三夜《じゅうさんや》ともいう。十五歳《じゅうごさい》：数《かぞ》え年《どし》。満年令《まんねんれい》では十三歳《じゅうさんさい》。民子《たみこ》も満十五歳《まんじゅうごさい》。

読《よ》んだ日《ひ》　　年《ねん》　月《がつ》　日《にち》

民子《たみこ》は野菊《のぎく》を顔《かお》におし当《あ》ててうれしがった。その日《ひ》、夜《よる》おそく帰《かえ》ったぼくと民子《たみこ》は、母《はは》にしかられた。東京《とうきょう》の寮《りょう》に入《い》れられることになったぼくは、民《たみ》子《こ》とはなれたくない気持《きも》ちを手紙《てがみ》に書《か》き、民子《たみこ》にわたした。ぼくは学校《がっこう》へ行《い》ってからも、民子《たみこ》のことばかり思《おも》われて仕方《しかた》がない。その年《とし》の暮《く》れ、家《いえ》に帰《かえ》って見《み》ると、民子《たみこ》は実家《じっか》に帰《かえ》されていた。民子《たみこ》は泣《な》いていたらしい。ぼくが学校《がっこう》へもどった後《あと》、民子《たみこ》はよめに行《い》かされたと聞《き》いた。ぼくは不思議《ふしぎ》と平気《へいき》だった。民子《たみこ》の境遇《きょうぐう》がどうであろうと、ぼくの民子《たみこ》に対《たい》する心《こころ》は変《か》わらないのだ。民子《たみこ》も同《おな》じだろう。

数年後《すうねんご》の夏《なつ》、帰省《きせい》したときに、流産《りゅうざん》が原因《げんいん》で、民《たみ》子《こ》が死《し》んだことを知《し》った。死《し》んだとき、民子《たみこ》は左《ひだり》の手《て》にぼくの写真《しゃしん》と、あの手紙《てがみ》をにぎっていたという。民子《たみこ》の墓《はか》の周囲《しゅうい》には野菊《のぎく》が一面《いちめん》に植《う》えられた。

民子《たみこ》は望《のぞ》まぬけっこんをして世《よ》を去《さ》り、ぼくは望《のぞ》まぬけっこんをして生《い》き長《なが》らえている。今《いま》もなお、民子《たみこ》はぼくの写真《しゃしん》とぼくの手紙《てがみ》とを胸《むね》をはなさずに持《も》っていよう。ぼくの心《こころ》は一日《いちにち》も民子《たみこ》の上《うえ》を去《さ》らぬ。

解説《かいせつ》

一九〇六年《ねん》に発表《はっぴょう》された本作《ほんさく》は、伊藤左千夫《いとうさちお》のデビュー作《さく》です。少年《しょうねん》のころのあわい純愛《じゅんあい》をえがいた本作《ほんさく》は、夏目漱石《なつめそうせき》にも絶賛《ぜっさん》された左千夫《さちお》の代表《だいひょう》作《さく》で、美《うつく》しい悲恋《ひれん》の物語《ものがたり》は今《いま》も読者《どくしゃ》の心《こころ》をゆさぶります。

オススメ図書《としょ》
『野菊《のぎく》の墓《はか》』（新潮文庫《しんちょうぶんこ》）

【語句説明《ごくせつめい》】陰暦《いんれき》の九月《くがつ》：現在《げんざい》のこよみでは、九月下旬《くがつげじゅん》から十一月上旬《じゅういちがつじょうじゅん》に当《あ》たる。

小川未明《おがわみめい》

赤《あか》い蝋燭《ろうそく》と人魚《にんぎょ》

災難《さいなん》を防《ふせ》ぐ絵入《えい》りの白《しろ》い蝋燭《ろうそく》が赤《あか》い蝋燭《ろうそく》にぬりかえられたときに起《お》こった異変《いへん》とは——

小川未明《おがわみめい》
1882年《ねん》-1961年《ねん》
48ページ参照《さんしょう》。

北《きた》の海《うみ》にすむ人魚《にんぎょ》が、人間《にんげん》の町《まち》に子《こ》どもを産《う》み落《お》として去《さ》っていきました。人魚《にんぎょ》は子《こ》どもと別《わか》れたくなかったのですが、人間世界《にんげんせかい》で暮《く》らすほうが、子《こ》どもの幸《しあわ》せになると思《おも》ったのです。赤《あか》んぼうは山《やま》の上《うえ》のお宮近《みやちか》くの町《まち》で、蝋燭《ろうそく》を商《あきな》っている老夫婦《ろうふうふ》に拾《ひろ》われました。老夫婦《ろうふうふ》は赤《あか》んぼうが人間《にんげん》の子《こ》でないことを承知《しょうち》の上《うえ》で、大事《だいじ》に育《そだ》てたのです。

美《うつく》しく育《そだ》ったむすめは、自分《じぶん》が絵《え》をかいた蝋燭《ろうそく》を、おじいさんに売《う》るようにすすめました。おじいさんが許《ゆる》すと、むすめは、赤《あか》い絵具《えのぐ》で白《しろ》い蝋燭《ろうそく》に、魚《さかな》や、貝《かい》や、また海草《うみくさ》のようなものを上手《じょうず》にかきました。絵《え》がかかれた蝋燭《ろうそく》はとてもよく売《う》れました。

しばらくすると、不思議《ふしぎ》なうわさが広《ひろ》まりました。**絵《え》がかかれた白《しろ》い蝋燭《ろうそく》に火《ひ》を点《とも》して山《やま》の上《うえ》のお宮《みや》にささげ、その燃《も》えさしを身《み》につけて海《うみ》に出《で》ると、どんな大暴風雨《おおあらし》の日《ひ》でも、けっして船《ふね》がてんぷくしたり、おぼれて死《し》んだりしないというのです。**このうわさは遠《とお》くの村《むら》までひびきました。

あるとき、南《みなみ》の方《ほう》の国《くに》から、やし*がやってきました。やしはむすめが人魚《にんぎょ》であることを見《み》ぬき、老夫《ろうふ》

【語句説明《ごくせつめい》】やし：出店《でみせ》や街頭《がいとう》で、見世物《みせもの》などの芸《げい》をひろうする商売人《しょうばいにん》。

読《よ》んだ日《ひ》　　年《ねん》　月《がつ》　日《にち》

婦《ふ》にその人魚《にんぎょ》を売《う》ってくれないかと申《もう》したのであります。老夫婦《ろうふうふ》は金《かね》に心《こころ》をうばわれて、むすめをやしに売《う》ってしまいました。むすめは泣《な》いていやがりましたが、老夫婦《ろうふうふ》は聞《き》き入《い》れませんでした。悲《かな》しみにくれたむすめは、手《て》に持《も》っている蝋燭《ろうそく》をみんな赤《あか》くぬってしまいました。そしてそのまま赤《あか》い蝋燭《ろうそく》を残《のこ》して、売《う》られていったのです。

それからしばらく経《た》ったおだやかな晩《ばん》のことです。一人《ひとり》の色《いろ》の白《しろ》い女《おんな》が蝋燭《ろうそく》を買《か》いにきました。女《おんな》の長《なが》く黒《くろ》いかみはびっしょりと水《みず》にぬれています。女《おんな》は真赤《まっか》な蝋燭《ろうそく》を選《えら》んで買《か》い、帰《かえ》って行《い》きました。

その夜《よる》のことであります。急《きゅう》に空《そら》の模様《もよう》が変《か》わって大暴風雨《おおあらし》となり、難破《なんぱ》をした船《ふね》は、数《かぞ》えきれないほどでありました。その後《ご》、不思議《ふしぎ》なことに、赤《あか》い蝋燭《ろうそく》が山《やま》のお宮《みや》に点《とも》った晩《ばん》は、どんなに天気《てんき》がよくてもたちまち大暴風雨《おおあらし》になりました。天《てん》ばつをおそれた老夫婦《ろうふうふ》は、蝋燭屋《ろうそくや》をやめてしまいました。

その後《ご》も、**だれが、お宮《みや》に上《あ》げるものか、毎晩《まいばん》、赤《あか》い蝋燭《ろうそく》が点《とも》りました。そして赤《あか》い蝋燭《ろうそく》を見《み》た者《もの》はみんな海《うみ》におぼれて死《し》にました。**いく年《とし》も経《た》たずして、町《まち》は亡《ほろ》びて、失《な》くなってしまいました。

解説《かいせつ》

新潟県上越市大潟区《にいがたけんじょうえつしおおがたく》の雁子浜《がんごはま》に伝《つた》わる人魚伝説《にんぎょでんせつ》を基《もと》にしたとされる小川未明《おがわみめい》の出世作《しゅっせさく》。人間《にんげん》の自分《じぶん》勝手《かって》さと裏切《うらぎ》られた人魚《にんぎょ》のおん念《ねん》のおそろしさが伝《つた》わってきます。

オススメ図書《としょ》

『小川未明童話集《おがわみめいどうわしゅう》』（新潮文庫《しんちょうぶんこ》）

幸田露伴《こうだろはん》

五《ご》重《じゅうの》塔《とう》

世《よ》わたり下手《べた》の大工《だいく》が命《いのち》をかける
一世一代《いっせいいちだい》の大仕事《おおしごと》!
暴風雨《ぼうふうう》のびょう写《しゃ》で評価《ひょうか》が高《たか》い名作《めいさく》

幸田露伴《こうだろはん》
1867年《ねん》-1947年《ねん》
江戸《えど》(現在《げんざい》の東京都《とうきょうと》)下谷《したや》生《う》まれ。『風流仏《ふうりゅうぶつ》』で評価《ひょうか》され、『五重塔《ごじゅうのとう》』『運命《うんめい》』などの文語体作品《ぶんごたいさくひん》で、文《ぶん》だんでの地位《ちい》を確立《かくりつ》した。他《た》に類《るい》を見《み》ない博覧強記《はくらんきょうき》の人《ひと》「知《ち》の巨人《きょじん》」として有名《ゆうめい》。

中学年

「技量《ぎりょう》はあっても宝《たから》の持《も》ちぐされ」の例《たと》え通《どお》り、大工《だいく》の十兵衛《じゅうべえ》は、その世《よ》わたりの下手《へた》さ加減《かげん》をからかわれ、仲間《なかま》から〈のっそり〉というあだ名《な》までつけられて、くさり切《き》っていた。

ある日《ひ》、*谷中《やなか》の感応寺《かんおうじ》に五重塔《ごじゅうのとう》が建立《こんりゅう》されることを知《し》った十兵衛《じゅうべえ》は、すでに建立責任者《こんりゅうせきにんしゃ》に親方《おやかた》の源《げん》太《た》が決《き》まっているにも関《かか》わらず、意《い》を決《けっ》して感応寺《かんおうじ》の*上人《しょうにん》に願《ねが》い出《で》た。

「この仕事《しごと》ができれば、のっそり十兵衛《じゅうべえ》は死《し》んでも構《かま》わないのでござりまする。今度《こんど》の五重塔《ごじゅうのとう》は私《わたし》に建《た》てさせてくだされ。拝《おが》みます。この通《とお》り!」

うでの点《てん》からいえば、源太《げんた》も十兵衛《じゅうべえ》と比《くら》べてそん色《しょく》ない。上人《しょうにん》は迷《まよ》ったが、源太《げんた》の側《がわ》が折《お》れ、ついに十兵衛《じゅうべえ》が五重塔《ごじゅうのとう》を建《た》てることになった。

「弟分《おとうとぶん》に譲《ゆず》るのも男児《だんじ》の心意気《こころいき》だ」

と、笑《わら》う源太《げんた》だが、妻《つま》のお吉《よし》はおもしろくない。お吉《よし》は源太《げんた》の弟子《でし》である清吉《せいきち》に、そのくやしさを話《はな》してしまう。お吉《よし》の話《はなし》を聞《き》いておこった清吉《せいきち》は、手《て》おので十兵衛《じゅうべえ》におそいかかり、とうとう十兵衛《じゅうべえ》の片耳《かたみみ》をそぎ落《お》として、大《おお》けがを負《お》わせてしまった。

【語句説明《ごくせつめい》】谷中《やなか》:現在《げんざい》の東京都台東区《とうきょうとたいとうく》にある地名《ちめい》。上人《しょうにん》:修行《しゅぎょう》を積《つ》んだそうりょを敬《うやま》って言《い》う呼《よ》び方《かた》。

読《よ》んだ日《ひ》	年《ねん》 月《がつ》 日《にち》

医者《いしゃ》は*破傷風《はしょうふう》のおそろしさを説《と》き、女房《にょうぼう》も止《と》めたが、十兵衛《じゅうべえ》は翌日《よくじつ》も仕事《しごと》に出《で》た。

「この仕事《しごと》、万《まん》が一《いち》にも仕損《しそん》じては、上人様《しょうにんさま》や源太《げんた》親方《おやかた》に顔向《かおむ》けできぬ。生《い》きながらえたとて、塔《とう》ができねば、この十兵衛《じゅうべえ》は死《し》んだも同然《どうぜん》の身《み》だわい」

十兵衛《じゅうべえ》のしゅう念《ねん》が実《みの》り、見事《みごと》な五重塔《ごじゅうのとう》が完成《かんせい》した。ところが*落成式《らくせいしき》の日取《ひど》りも決《き》まったころ、大《だい》暴風雨《ぼうふうう》がやってきた。**たける*夜叉《やしゃ》のごとく、垣《かき》を引《ひ》き捨《す》て、塀《へい》をけたおし、門《もん》も破《やぶ》り、屋根《やね》をもめくり、軒端《のきはし》のかわらをふみくだく、すさまじい暴風雨《ぼうふうう》だ。**

五重塔《ごじゅうのとう》がたおれるのではないかと人々《ひとびと》は心配《しんぱい》したが、自分《じぶん》のうでを信《しん》じる十兵衛《じゅうべえ》は動《どう》ようしなかった。しかし、上人《しょうにん》が心配《しんぱい》していると聞《き》き、自分《じぶん》も死《し》ぬかくごで塔《とう》に上《のぼ》った。塔《とう》の下《した》では、源太《げんた》が風雨《あめかぜ》の中《なか》、不測《ふそく》の事態《じたい》に備《そな》えて見回《みまわ》りをしていた。

江戸《えど》で一《いち》、二《に》を争《あらそ》う大寺《おおでら》すらたおれた暴風《ぼうふう》の中《なか》、感応寺《かんおうじ》の五重塔《ごじゅうのとう》にひ害《がい》はなかった。後日《ごじつ》、上人《しょうにん》は源太《げんた》と十兵衛《じゅうべえ》を呼《よ》び寄《よ》せ、二人《ふたり》の前《まえ》で五重塔《ごじゅうのとう》に*銘《めい》を入《い》れた。**「*江都《こうと》の住人《じゅうにん》十兵衛《じゅうべえ》、これを造《つく》り、川越《かわごえ》源太郎《げんたろう》これを成《な》す」**と。

解説《かいせつ》

暴風雨《ぼうふうう》のびょう写《しゃ》がみりょくの作品《さくひん》です。原作《げんさく》は文語体《ぶんごたい》なので、古文《こぶん》や漢文《かんぶん》になじんでから読《よ》むのがおすすめ。モデルとなった谷中《やなか》の五重塔《ごじゅうのとう》は一九五七年《ねん》に放火《ほうか》で焼失《しょうしつ》しました。

オススメ図書《としょ》

『五重塔《ごじゅうのとう》』（岩波文庫《いわなみぶんこ》）

【語句説明《ごくせつめい》】破傷風《はしょうふう》：傷口《きずぐち》から菌《きん》が入《はい》ることで、はっ症《しょう》すると命《いのち》に関《かか》わる病気《びょうき》。落成式《らくせいしき》：建物《たてもの》が完成《かんせい》したことを祝《いわ》うぎ式《しき》。夜叉《やしゃ》：おそろしい鬼神《きしん》。銘《めい》：すぐれた品《しな》に人《ひと》の功績《こうせき》を記《しる》したもの。江都《こうと》：江戸《えど》のこと。

夏目漱石《なつめそうせき》

坊《ぼっ》ちゃん

冒頭《ぼうとう》と結《むす》びの文章《ぶんしょう》は日本文学史上《にほんぶんがくしじょう》もっとも有名《ゆうめい》。主人公《しゅじんこう》「坊《ぼっ》ちゃん」の痛快青春《つうかいせいしゅん》ストーリー

親《おや》ゆずりの無鉄《むてっ》ぽうで子《こ》どものときから損《そん》ばかりしている。ケンカといたずらをくり返《かえ》すおれは、親父《おやじ》や母《はは》、兄《あに》からきらわれた。ただ、ばあさん女中《じょちゅう》の清《きよ》だけはおれをかわいがってくれた。

「あなたは真《ま》っ直《すぐ》で、よいご気性《きしょう》だ」

と清《きよ》は言《い》い、おれを坊《ぼっ》ちゃんと呼《よ》んだ。

親父《おやじ》が死《し》んだ後《あと》、清《きよ》を東京《とうきょう》に置《お》いて、おれは*四国《しこく》の中学《ちゅうがく》で数学教師《すうがくきょうし》をすることになった。着任《ちゃくにん》のあいさつをすませた後《あと》、清《きよ》に手紙《てがみ》を書《か》いた。手紙《てがみ》はきらいだが、清《きよ》は心配《しんぱい》しているだろう。

【語句説明《ごくせつめい》】四国《しこく》：明記《めいき》はないが、かつて漱石《そうせき》が教師《きょうし》としてふ任《にん》していた愛媛県松山市《えひめけんまつやまし》だとされている。

夏目漱石《なつめそうせき》

1867年《ねん》-1916年《ねん》

江戸牛込馬場下横町《えどうしごめばばしたよこまち》（現在《げんざい》の東京《とうきょう》都新宿区喜久井町《としんじゅくくきくいちょう》）出身《しゅっしん》。帝国大学《ていこくだいがく》（後《のち》の東京帝国大学《とうきょうていこくだいがく》、現在《げんざい》の東京大学《とうきょうだいがく》）英文科卒業《えいぶんかそつぎょう》。代表作《だいひょうさく》に、『草枕《くさまくら》』『こころ』など。本書《ほんしょ》で読《よ》める作品《さくひん》は他《ほか》に124ページ。

読《よ》んだ日《ひ》　年《ねん》　月《がつ》　日《にち》

「昨日《きのう》着いた。校長《こうちょう》はたぬき、教頭《きょうとう》は赤《あか》シャツ、英《えい》語教師《ごきょうし》はうらなり、数学《すうがく》は山《やま》あらし、画学《ががく》は野《の》だいこ、とあだなをつけた。さようなら」

教師《きょうし》たちはみんなひどい。特《とく》に赤《あか》シャツや野《の》だいこはいんしつだ。生徒《せいと》に人気《にんき》がある山《やま》あらしのかげ口《ぐち》を言《い》うのはともかく、赤《あか》シャツは美人《びじん》と評判《ひょうばん》のマドンナにほれて、マドンナのこん約者《やくしゃ》のうらなりを遠《とお》くの学校《がっこう》へ転属《てんぞく》させてしまった。赤《あか》シャツは気障《きざ》で腹黒《はらぐろ》く、野《の》だいこはそんな赤《あか》シャツにおべっかばかり言《い》う。おれはこんなやつらは大《だい》きらいだ。こいつらより教養《きょうよう》はないが、清《きよ》のほうがよっぽど上等《じょうとう》だ。

やがて、山《やま》あらしが職《しょく》をやめさせられた。生徒集《せいとしゅう》団《だん》の大《おお》ゲンカを止《と》めるために、おれと山《やま》あらしが暴《あば》れ回《まわ》って新聞《しんぶん》ざたになったことが原因《げんいん》らしい。おれには何《なん》のばつもない。山《やま》あらしに話《はなし》を聞《き》くと、新聞《しんぶん》記者《きしゃ》に手《て》を回《まわ》したのはどうやら赤《あか》シャツらしい。なんという*かん物《ぶつ》だ。*天《てん》ちゅうを加《くわ》えてやる。

頭《あたま》にきたおれは、赤《あか》シャツをこらしめることにした。ある晩《ばん》、赤《あか》シャツと野《の》だいこが芸者遊《げいしゃあそ》びをすることを知《し》ったおれと山《やま》あらしはその場《ば》に乗《の》りこみ、赤《あか》シャツと野《の》だいこをたたきのめした。そして、学《がっ》校《こう》に辞表《じひょう》を出《だ》し、東京《とうきょう》へ帰《かえ》った。

「坊《ぼっ》ちゃん、よくまあ、帰《かえ》ってきてくださった」

と、清《きよ》はなみだを流《なが》して喜《よろこ》んだ。おれは鉄道《てつどう》の技師《ぎし》になり、清《きよ》と暮《く》らすことにした。清《きよ》は満足《まんぞく》げだったが、気《き》の毒《どく》なことに肺炎《はいえん》で死《し》んだ。死《し》ぬ前日《ぜんじつ》、清《きよ》はおれを呼《よ》んで、坊《ぼっ》ちゃん後生《ごしょう》だから清《きよ》が死《し》んだら、坊《ぼっ》ちゃんと同《おな》じお寺《てら》にうめてください、と言《い》った。

だから清《きよ》の墓《はか》は*小日向《こひなた》の養源寺《ようげんじ》にある。

解説《かいせつ》

漱石《そうせき》の初期《しょき》の代表作《だいひょうさく》で、ユーモアあふれる痛快青春小説《つうかいせいしゅんしょうせつ》です。坊《ぼっ》ちゃんと清《きよ》との交情《こうじょう》に心《こころ》を打《う》たれる読者《どくしゃ》も多《おお》く、漱石作品《そうせきさくひん》でもっとも人気《にんき》がある作品《さくひん》としても知《し》られています。

オススメ図書《としょ》

『坊《ぼっ》ちゃん』（集英社《しゅうえいしゃ》みらい文庫《ぶんこ》）

【語句説明《ごくせつめい》】かん物《ぶつ》：悪《わる》ぢえが働《はたら》く腹黒《はらぐろ》い人《ひと》。天《てん》ちゅう：正義《せいぎ》のこらしめ。天《てん》ばつ。小日向《こひなた》の養源寺《ようげんじ》：坊《ぼっ》ちゃんの先祖代々《せんぞだいだい》の墓《はか》がある寺《てら》。東京都文京区《とうきょうとぶんきょうく》に実在《じつざい》する寺《てら》で、清《きよ》のモデルとなった人物《じんぶつ》の墓《はか》もある。

夏目漱石《なつめそうせき》

文化人《ぶんかじん》たちの変人《へんじん》ぶりが
猫《ねこ》の目《め》を通《とお》してユーモアたっぷりに
えがかれた漱石《そうせき》のデビュー作《さく》

吾輩《わがはい》は猫《ねこ》である

吾輩《わがはい》は猫《ねこ》である。名前《なまえ》はまだ無《な》い。

どこで生《う》まれたかとんと見当《けんとう》がつかぬ。なんでも、うす暗《ぐら》いじめじめした所《ところ》でニャーニャー泣《な》いていたことだけは記《き》おくしている。今《いま》は縁《えん》あって教師《きょうし》の家《いえ》にやっかいになっている。吾輩《わがはい》の主人《しゅじん》は勉強家《べんきょうか》のごとく見《み》せているが、実《じつ》はそうではない。彼《かれ》の書《しょ》さいでよく昼《ひる》ねをしている。これが教師《きょうし》なら猫《ねこ》でもできる。人間《にんげん》と生《う》まれたなら教師《きょうし》になるにかぎる。それでも主人《しゅじん》に言《い》わせると教師《きょうし》ほどつらいものはないそうだ。

夏目漱石
1867年《ねん》-1916年《ねん》

122ページ参照《さんしょう》。

【語句説明《ごくせつめい》】美学《びがく》：美《び》の本質《ほんしつ》を追求《ついきゅう》する学問《がくもん》。

読《よ》んだ日《ひ》　年《ねん》　月《がつ》　日《にち》

主人《しゅじん》の家《いえ》には、*美学者《びがくしゃ》の迷亭《めいてい》、主人《しゅじん》の教《おし》え子《ご》で今《いま》は理学者《りがくしゃ》の寒月《かんげつ》、詩人《しじん》の東風《とうふう》といったおかしな人間《にんげん》たちが入《い》れかわりやってくる。みな立派《りっぱ》な文化人《ぶんかじん》らしいが、話《はな》すのはほら話《ばなし》や食《く》い物《もの》の話《はなし》ばかりだ。たまに寒月君《かんげつくん》が物理学《ぶつりがく》の話《はなし》を始《はじ》めたら、これがなんと「首《くび》くくりの力学《りきがく》」だ。主人《しゅじん》はあくびをするし、迷亭《めいてい》はとちゅうで*風来《ふうらい》ぼうのような*珍語《ちんご》で話《はなし》を混《ま》ぜ返《かえ》す。ここは変人《へんじん》たちの退《たい》くつしのぎの場《ば》だ。

ある日《ひ》、この家《いえ》にめずらしい女客《おんなきゃく》が来《き》た。鼻《はな》がやけに大《おお》きい四十過《よんじゅうす》ぎの女《おんな》だ。吾輩《わがはい》はこの偉大《いだい》な鼻《はな》に敬意《けいい》を表《あらわ》し、彼女《かのじょ》を「鼻子《はなこ》」と呼《よ》ぶつもりだ。

鼻子《はなこ》は金田《かねだ》という*金満家《きんまんか》の妻《つま》であるらしく、*いたけだかな態度《たいど》で寒月君《かんげつくん》が将来出世《しょうらいしゅっせ》しそうかどうかたずねてくる。寒月君《かんげつくん》と鼻子《はなこ》のむすめとの縁談《えんだん》らしいのだが、聞《き》いた相手《あいて》が悪《わる》い。ここにいるのは主人《しゅじん》と迷亭《めいてい》の二人《ふたり》の変人《へんじん》である。第一《だいいち》、主人《しゅじん》は金満家《きんまんか》や実業家《じつぎょうか》などというやからへの尊敬《そんけい》の度合《どあ》いは低《ひく》い。鼻子《はなこ》は話《はなし》の通《つう》じない二人《ふたり》に腹《はら》を立《た》て帰《かえ》っていった。

後日《ごじつ》、来訪《らいほう》した寒月君《かんげつくん》に主人《しゅじん》が話《はなし》を聞《き》くと、博士《はかせ》論文《ろんぶん》を書《か》くためにガラスの球《たま》を毎日《まいにち》みがいているという。十年二十年《じゅうねんにじゅうねん》かかるそうだ。博士《はかせ》になれねば、鼻子《はなこ》のむすめとのけっこんはなるまい。そう思《おも》っていたら、後日寒月君《ごじつかんげつくん》は別人《べつじん》とけっこんしてしまった。それまでさんざん策《さく》を練《ね》り、主人《しゅじん》にまでいやがらせをしてきた鼻子《はなこ》には気《き》の毒《どく》なことだ。

変人《へんじん》たちの集《あつ》まりで出《だ》されたビールを吾輩《わがはい》もなめたところ、よって水《みず》がめに落《お》ちた。吾輩《わがはい》は死《し》ぬ。**死《し》んでこの太平《たいへい》を得《え》る。太平《たいへい》は死《し》ななければ得《え》られぬ。南無阿弥陀仏南無阿弥陀仏《なむあみだぶつなむあみだぶつ》。ありがたいありがたい。**

解説《かいせつ》

一九〇五年《ねん》に発表《はっぴょう》された本作《ほんさく》は、猫《ねこ》の視点《してん》から主《しゅ》人一家《じんいっか》や、主人《しゅじん》の家《いえ》に集《あつ》まる彼《かれ》の友人《ゆうじん》たちの人間《にんげん》模様《もよう》がえがかれています。漱石《そうせき》の作品《さくひん》はいずれも冒頭《ぼうとう》の文《ぶん》が有名《ゆうめい》なので、覚《おぼ》えておくのもよいでしょう。

オススメ図書《としょ》

『吾輩《わがはい》は猫《ねこ》である』（講談社青《こうだんしゃあお》い鳥文庫《とりぶんこ》）

【語句説明《ごくせつめい》】風来《ふうらい》ぼう：どこからともなくやってくる人《ひと》という意味《いみ》だが、この場合《ばあい》は無責任《むせきにん》な人《ひと》。珍語《ちんご》：おかしな言葉《ことば》、表現《ひょうげん》。金満家《きんまんか》：金持《かねも》ち。いたけだかな態度《たいど》：えらそうな態度《たいど》。

樋口一葉《ひぐちいちよう》

大《おお》つごもり

困《こん》きゅうにたえて生《い》きるむすめと
正直者一家《しょうじきものいっか》の
生活《せいかつ》の一場面《いちばめん》をえがいた一葉《いちよう》の名作《めいさく》

樋口一葉《ひぐちいちよう》
1872年《ねん》-1896年《ねん》
東京生《とうきょうう》まれ。1891年《ねん》、数《かぞ》え年《どし》20歳《さい》で『かれ尾花《おばな》一もと』をしっ筆《ぴつ》。24歳《さい》で若《わか》くして命《いのち》を落《お》とす。亡《な》くなるまでのわずか1年《ねん》2か月《げつ》で日本文学《にほんぶんがく》史《し》に残《のこ》る名作《めいさく》を多数出《たすうだ》したきせきの女流作家《じょりゅうさっか》として知《し》られる。代表作《だいひょうさく》に『たけくらべ』『にごりえ』など多数《たすう》。

中学年

十八歳《じゅうはっさい》になったお峰《みね》は山村家《やまむらけ》の奉公《ほうこう》に出《で》た。この山村家《やまむらけ》、＊御新造《ごしんぞう》さんがきつい性格《せいかく》のため、奉公人《ほうこうにん》が長続《ながつづ》きしない。しかしお峰《みね》はめげずにたえていた。

育《そだ》ての親《おや》である正直者《しょうじきもの》で評判《ひょうばん》の、おじの安兵衛《やすべえ》が病気《びょうき》だと知《し》ったお峰《みね》はおいとまをもらって里帰《さとがえ》りする。安兵衛《やすべえ》が病気《びょうき》になってからは八歳《はっさい》の安兵衛《やすべえ》の息子《むすこ》、三之助《さんのすけ》がしじみを売《う》って薬代《くすりだい》をかせいでいると聞《き》き、お峰《みね》は三之助《さんのすけ》をだきしめた。

「なんて親孝行《おやこうこう》の子《こ》なんだろう。でもね、お前《まえ》はいくら体《からだ》が大《おお》きくても八歳《はっさい》なんだよ。お前《まえ》の苦労《くろう》をこれまで知《し》らなくてごめんね」

この後安兵衛《あとやすべえ》の話《はなし》をよくよく聞《き》いてみると、今度《こんど》の＊大《おお》つごもりまでに＊二円《にえん》の借金《しゃっきん》を返《かえ》さなくてはならないという。お峰《みね》は山村家《やまむらけ》に借金《しゃっきん》を申《もう》しこむから安心《あんしん》して、と言《い》い残《のこ》して、おじ宅《たく》を後《あと》にした。

お峰《みね》はもどるとさっそく、御新造《ごしんぞう》に借金《しゃっきん》の相談《そうだん》をした。だが、すげなく断《ことわ》られた。このとき先妻《せんさい》の子《こ》である石之助《いしのすけ》が帰《かえ》ってきたので、機《き》げんが悪《わる》かったのだ。御新造《ごしんぞう》と石之助《いしのすけ》は仲《なか》が悪《わる》い。石之助《いしのすけ》は、御新造《ごしんぞう》が自分《じぶん》の実《じつ》のむすめに山村家《やまむらけ》のあとをつがせるた

【語句説明《ごくせつめい》】御新造《ごしんぞう》：他人《たにん》の妻《つま》への敬《けい》しょう。若妻《わかづま》。本作《ほんさく》の場合《ばあい》は、山村家《やまむらけ》の後妻《ごさい》。大《おお》つごもり：大《おお》みそか。

読《よ》んだ日《ひ》　　年《ねん》　月《がつ》　日《にち》

めに、彼《かれ》を家《いえ》から追《お》い出《だ》す計画《けいかく》を立《た》てていることを知《し》っていた。そのため、遊《あそ》び人《にん》になって、わざとぜいたくざんまいの毎日《まいにち》を送《おく》っていたのである。

一方《いっぽう》、安兵衛《やすべえ》の借金《しゃっきん》の期限《きげん》は刻々《こくこく》とせまっていた。あせったお峰《みね》は居間《いま》の引《ひ》き出《だ》しから二円《にえん》をぬすんでしまう。居間《いま》では石之助《いしのすけ》が昼《ひる》ねをしていたが、気《き》づいている様子《ようす》はなかった。とはいえ、大《おお》つごもりの日《ひ》には*大勘定《おおかんじょう》という習慣《しゅうかん》がある。金勘定《かねかんじょう》をされれば、お峰《みね》の所業《しょぎょう》はすぐにばれるに決《き》まっている。お峰《みね》は、もしすべてが明《あき》らかになれば、おじたち一家《いっか》を守《まも》るために、自殺《じさつ》をする決心《けっしん》をしていた。

大《おお》つごもりの日《ひ》、御新造《ごしんぞう》は、お峰《みね》に引《ひ》き出《だ》しを開《あ》けて中《なか》を確認《かくにん》するように命《めい》じた。観念《かんねん》してお峰《みね》が引《ひ》き出《だ》しを開《あ》けると、中《なか》には紙切《かみき》れが一枚入《いちまいはい》っているだけだった。

『引《ひ》き出《だ》しの金《かね》、拝借《はいしゃく》いたしました　石之助《いしのすけ》』

さては遊《あそ》び人《にん》の石之助《いしのすけ》の仕業《しわざ》かと、みんなは思《おも》い、お峰《みね》は罪《つみ》をまぬかれた。**石之助《いしのすけ》はすべてを知《し》って、自《みずか》ら罪《つみ》をかぶったのかもしれない。ならば石之助《いしのすけ》はお峰《みね》の*守《まも》り本尊《ほんぞん》ということになる。さて、この後二人《ごふたり》はどうなったのだろうか。**

解説《かいせつ》

一八九四年《ねん》に発表《はっぴょう》された本作《ほんさく》は、樋口一葉《ひぐちいちよう》の困《こん》きゅう生活《せいかつ》の中《なか》で書《か》かれた作品《さくひん》です。当時《とうじ》の貧乏《びんぼう》に生《う》まれついた人《ひと》が、いかに苦労《くろう》していたか真《しん》にせまる筆致《ひっち》でえがかれています。山村家《やまむらけ》にとって二円《にえん》ははした金《がね》でしたが、お峰《みね》にとっては大金《たいきん》だったのです。

オススメ図書《としょ》

『大《おお》つごもり・十三夜《じゅうさんや》』（岩波文庫《いわなみぶんこ》）

【語句説明《ごくせつめい》】二円《にえん》：物価《ぶっか》の価値《かち》がちがうので現代《げんだい》の額《がく》にかん算《さん》するのはむずかしいが、20万《まん》～40万円《まんえん》くらい。
大勘定《おおかんじょう》：一年間《いちねんかん》の総《そう》まとめの収入《しゅうにゅう》と支出《ししゅつ》の計算《けいさん》。守《まも》り本尊《ほんぞん》：守《まも》り神《がみ》。

村《むら》に現《あらわ》れたなぞの少年《しょうねん》は
風《かぜ》の神様《かみさま》だったのか？
子《こ》どもたちの心情《しんじょう》をあざやかにえがく

風《かぜ》の又三郎《またさぶろう》

どっどど　どどうど　どどうど　どどう
青《あお》いくるみもふきとばせ
すっぱいかりんもふきとばせ
どっどど　どどうど　どどうど　どどう

谷川《たにがわ》の岸《きし》に小《ちい》さな学校《がっこう》がありました。

教室《きょうしつ》はたった一《ひと》つでしたが、生徒《せいと》は三年生《さんねんせい》がないだけで、一年《いちねん》から六年《ろくねん》までみんなありました。

さわやかな九月《がつ》一日《ついたち》の朝《あさ》、青空《あおぞら》で風《かぜ》がどうっと鳴《な》り、日光《にっこう》は運動場《うんどうじょう》いっぱいでした。子《こ》どもたちが教室《きょうしつ》に入《はい》ると、赤《あか》いかみの男《おとこ》の子《こ》が机《つくえ》に座《すわ》っていました。風《かぜ》とともにやってきた、そのきみょうな転校生《てんこうせい》を子《こ》どもたちは「＊風《かぜ》の又三郎《またさぶろう》」だと思《おも》いました。転校生《てんこうせい》の名前《なまえ》が「高田三郎《たかださぶろう》」だと知《し》ると、子《こ》どもたちは（やっぱり風《かぜ》の又三郎《またさぶろう》だ）と思《おも》ったのです。

東北弁《とうほくべん》を話《はな》す子《こ》どもたちにとって、都会《とかい》の言葉《ことば》を話《はな》す三郎《さぶろう》には違和感《いわかん》がありましたが、六年生《ろくねんせい》の一郎《いちろう》たちと三郎《さぶろう》は仲良《なかよ》く遊《あそ》ぶようになりました。高原《こうげん》で馬《うま》と遊《あそ》んだり、ブドウを取《と》ったりして遊《あそ》ぶうち、三郎《さぶろう》はなじんできましたが、やはり村《むら》の子《こ》どもたちに

【語句説明《ごくせつめい》】風《かぜ》の又三郎《またさぶろう》：日本各地《にほんかくち》でまつられる「風《かぜ》の神《かみ》」。「風《かぜ》の三郎《さぶろう》」と呼《よ》ぶ地方《ちほう》もある。

宮沢賢治《みやざわけんじ》
1896年《ねん》-1933年《ねん》
岩手県稗貫郡花巻町《いわてけんひえぬきぐんはなまきまち》（現在《げんざい》の花巻市《はなまきし》）出身《しゅっしん》。盛岡高等農林学校卒業《もりおかこうとうのうりんがっこうそつぎょう》後《ご》、花巻農学校《はなまきのうがっこう》の教師《きょうし》になる。多《おお》くの詩《し》や童話《どうわ》の創作《そうさく》を続《つづ》け、30歳《さい》で農学校《のうがっこう》を退職《たいしょく》。本書《ほんしょ》で読《よ》める作品《さくひん》は他《ほか》に**130、132、134**ページ。

中学年

読《よ》んだ日《ひ》　　年《ねん》　月《がつ》　日《にち》

とって三郎《さぶろう》は少《すこ》し変《か》わった子《こ》に思《おも》えました。

川遊《かわあそ》びに行《い》った日《ひ》、夕立《ゆうだち》がやってきて、風《かぜ》がふき始《はじ》めると、みんなは泳《およ》いでいる三郎《さぶろう》に向《む》かって、

「雨《あめ》はざっこざっこ雨三郎《あめさぶろう》、
風《かぜ》はどっこどっこ又三郎《またさぶろう》」

と、はやしたてました。三郎《さぶろう》はだれがさけんだのかと言《い》いましたが、だれも返事《へんじ》をしませんでした。

後日《ごじつ》、風《かぜ》と雨《あめ》が激《はげ》しい朝《あさ》、一郎《いちろう》は風《かぜ》が胸《むね》の底《そこ》にひどくしみこんだように思《おも》いながら起《お》き、いつもより早《はや》めに友《とも》だちの嘉助《きすけ》をさそって学校《がっこう》へ行《い》きました。学校《がっこう》に着《つ》くと、二人《ふたり》は先生《せんせい》から、三郎《さぶろう》がお父《とう》さんの仕事《しごと》の都合《つごう》で昨日転校《きのうてんこう》して、学校《がっこう》から去《さ》ったことを聞《き》きました。昨日《きのう》は日曜日《にちようび》だったのです。

「やっぱりあいつは風《かぜ》の又三郎《またさぶろう》だったな」

と嘉助《きすけ》が高《たか》くさけびました。二人《ふたり》はしばらくだまったまま、相手《あいて》が本当《ほんとう》にどう思《おも》っているのか、探《さぐ》るように顔《かお》を見合《みあ》わせたまま立《た》ちました。

風《かぜ》はまだ止《や》まず、窓《まど》ガラスは雨《あめ》つぶのためにくもりながら、またガタガタ鳴《な》りました。

解説《かいせつ》

一九三四年《ねん》に発表《はっぴょう》された本作《ほんさく》は、東北《とうほく》をぶ台《たい》に、村《むら》の子《こ》どもたちと不思議《ふしぎ》な転校生《てんこうせい》の交流《こうりゅう》をえがいたものです。本作《ほんさく》で賢治《けんじ》が何《なに》を意図《いと》したかについて、今《いま》もなお、さまざまな解《かい》しゃくがあります。

オススメ図書《としょ》

『風《かぜ》の又三郎《またさぶろう》』（岩波少年文庫《いわなみしょうねんぶんこ》）

宮沢賢治《みやざわけんじ》

銀《ぎん》河《が》鉄《てつ》道《どう》の夜《よる》

「本当《ほんとう》の幸《しあわ》せ」ってなんだろう。
少年《しょうねん》たちを乗《の》せて
列車《れっしゃ》は星《ほし》の海《うみ》を行《ゆ》く——

宮沢賢治《みやざわけんじ》
1896年《ねん》-1933年《ねん》

128ページ参照《さんしょう》。

中学年

ジョバンニは、ラッコ猟《りょう》に出《で》たきり帰《かえ》ってこない父親《ちちおや》と病気《びょうき》の母親《ははおや》に代《か》わり、働《はたら》いています。

ある日《ひ》ジョバンニは、母親《ははおや》に今夜《こんや》行《おこな》われる銀河《ぎんが》のお祭《まつ》りを見《み》に行《い》くと告《つ》げて、家《いえ》を出《で》ました。町《まち》の灯《あかり》が見《み》える黒《くろ》い丘《おか》へ着《つ》くと、どこからか、「銀河《ぎんが》ステーション、銀河《ぎんが》ステーション」という不思議《ふしぎ》な声《こえ》が聞《き》こえてきました。気《き》がつくと、ジョバンニは、星々《ほしぼし》の間《あいだ》を走《はし》る列車《れっしゃ》に乗《の》っていました。そしてどういうわけか、目《め》の前《まえ》には親友《しんゆう》のカムパネルラが座《すわ》っていて、ジョバンニに話《はな》しかけてきます。

「おっかさんはぼくを許《ゆる》してくださるだろうか。だれだっていいことをしたら、幸《しあわ》せなんだよね」

いくつかの停車場《ていしゃば》に泊《と》まり、サウザンクロス*が近《ちか》づくと、にわかに黒服《くろふく》の青年《せいねん》に連《つ》れられた十二歳《じゅうにさい》と六歳《ろくさい》ぐらいの姉弟《してい》が現《あらわ》れました。彼《かれ》らの話《はなし》では、三人《さんにん》が乗《の》っていた客船《きゃくせん》が氷山《ひょうざん》にぶつかってしずみ、気《き》がつくとこの列車《れっしゃ》に乗《の》っていたと言《い》います。天《あま》の川《がわ》の岸辺《きしべ》に赤《あか》い光《ひかり》を放《はな》つさそり*の火《ひ》を見《み》ながら、姉《あね》はさそりの話《はなし》をしました。**さそりは死《し》ぬ際《きわ》に、自分《じぶん》の体《からだ》がみんなの本当《ほんとう》の幸《しあわ》せのために使《つか》われることを**

【語句説明《ごくせつめい》】サウザンクロス：南十字《みなみじゅうじ》（座《ざ》）。現代《げんだい》ではサザンクロスと呼《よ》ばれる。

読《よ》んだ日《ひ》	年《ねん》 月《がつ》 日《にち》

祈《いの》ったそうです。あのさそりの火《ひ》は、みんなの幸《しあわ》せを願《ねが》うさそりの姿《すがた》なのだ、と姉《あね》は語《かた》りました。

天国《てんごく》に近《ちか》いサウザンクロスに着《つ》くと、青年《せいねん》と姉弟《してい》は降《お》りていきました。列車《れっしゃ》に残《のこ》った二人《ふたり》が「本当《ほんとう》の幸《しあわ》せ」について話《はな》し合《あ》っていると、カムパネルラがいきなり窓《まど》の外《そと》に自分《じぶん》の母親《ははおや》の姿《すがた》を見《み》つけたと言《い》い出《だ》しました。ジョバンニが窓《まど》の外《そと》を見《み》ても何《なに》も見《み》つかりません。ジョバンニが振《ふ》り向《む》くと、カムパネルラの姿《すがた》は消《き》えていました。

泣《な》き出《だ》したジョバンニが目《め》を開《あ》けると、元《もと》の黒《くろ》い丘《おか》の上《うえ》にいました。川《かわ》へ向《む》かうと、人々《ひとびと》が「子《こ》どもが水《みず》へ落《お》ちた」とさわいでいます。おぼれたのはカムパネルラでした。川《かわ》に落《お》ちた友人《ゆうじん》を助《たす》けるために飛《と》びこんだのです。ジョバンニは、その場《ば》にいたカムパネルラの父親《ちちおや》に、カムパネルラの居場所《いばしょ》を伝《つた》えようと思《おも》いましたが、何《なに》も言《い》えません。カムパネルラの父親《ちちおや》から、自分《じぶん》の父親《ちちおや》の無事《ぶじ》を聞《き》かされると、ジョバンニはもう胸《むね》がいっぱいになり、母《はは》の元《もと》へ帰《かえ》るため、自分《じぶん》の家《いえ》へ走《はし》りました。

解説《かいせつ》

宮沢賢治《みやざわけんじ》の代表作《だいひょうさく》として有名《ゆうめい》な童話《どうわ》。自《みずか》ら命《いのち》をぎせいにしたカムパネルラはお母《かあ》さんに許《ゆる》されて天国《てんごく》にいるのでしょうか。それとも銀河《ぎんが》を旅《たび》しているのでしょうか。解《かい》しゃくは今《いま》も分《わ》かれています。

オススメ図書《としょ》

『銀河鉄道《ぎんがてつどう》の夜《よる》—宮沢賢治童話集《みやざわけんじどうわしゅう》3—（新装版《しんそうばん》）』（講談社《こうだんしゃ》 青《あお》い鳥文庫《とりぶんこ》）

【語句説明《ごくせつめい》】さそりの火《ひ》：さそり座《ざ》のアンタレス。夏《なつ》の夜《よる》に赤《あか》くかがやく一等星《いっとうせい》。

宮沢賢治《みやざわけんじ》

セロ弾《ひ》きのゴーシュ

セロが下手《へた》で
しかられてばかりのゴーシュが
動物《どうぶつ》たちとの練習《れんしゅう》でうでを上《あ》げていく

宮沢賢治《みやざわけんじ》
1896年《ねん》-1933年《ねん》

128ページ参照《さんしょう》。

読《よ》んだ日《ひ》　　年《ねん》　月《がつ》　日《にち》

中学年

ゴーシュは町《まち》の＊活動写真館《かつどうしゃしんかん》で＊セロをひく係《かかり》でした。けれども仲間《なかま》の楽手《がくしゅ》の中《なか》で、一番下手《いちばんへた》でした。ゴーシュが失敗《しっぱい》するたびに、楽団《がくだん》は同《おな》じ曲《きょく》をくり返《かえ》し、ゴーシュはいつもしかられていました。

演奏会《えんそうかい》が近《ちか》づくある日《ひ》の晩《ばん》、ゴーシュが自分《じぶん》の家《いえ》で練習《れんしゅう》をしていると、三毛《みけ》ねこがやってきました。

「セロをひいてごらんなさい。聞《き》いてあげます」

三毛《みけ》ねこの生意気《なまいき》な物言《ものい》いを聞《き》いて、腹《はら》を立《た》てたゴーシュは、三毛《みけ》ねこを追《お》い返《かえ》しました。

次《つぎ》の晩《ばん》にやってきたのは、かっこうでした。

「ドレミファを正確《せいかく》にやりたいのです」

ゴーシュはドレミファをひきました。

「ちがいます。そんなんではないんです」

かっこうは、ドレミファに合《あ》わせてかっこうと鳴《な》きました。どうもかっこうのほうが、音階《おんかい》が合《あ》っているような気《き》がします。ゴーシュはドレミファを何《なん》度《ど》もひき直《なお》すうちに腹《はら》が立《た》ってきました。かっこうを追《お》い返《かえ》そうとしましたが、そのときかっこうはガラス窓《まど》にぶつかり、ケガをしてしまいました。ゴーシュは窓《まど》を開《あ》けてやり、かっこうを見送《みおく》りました。

【語句説明《ごくせつめい》】活動写真館《かつどうしゃしんかん》：映画館《えいがかん》。セロ：チェロ。

その次《つぎ》の晩《ばん》に来《き》たのは、たぬきの子《こ》でした。

「ぼくの小《こ》だいこに合《あ》わせて曲《きょく》をひいてよ」

ゴーシュが曲《きょく》をひくと、たぬきの子《こ》が言います。

「二番目《にばんめ》の糸《いと》をひくとき、遅《おく》れるねえ」

ゴーシュは、はっとしました。確《たし》かにその糸《いと》をひくとき、音《おと》が少《すこ》しおくれていたのです。

次《つぎ》の晩《ばん》は野《の》ねずみの母子《ははこ》がやってきました。

「先生《せんせい》のセロで動物《どうぶつ》たちの病気《びょうき》が治《なお》っています。どうかうちの子《こ》も治《なお》してください」

ゴーシュは野《の》ねずみの子《こ》をセロの中《なか》に入《い》れて、曲《きょく》をひきました。すると、ねずみの子《こ》はセロの中《なか》から出《で》てきて元気《げんき》に走《はし》り出《だ》し、お礼《れい》を言《い》いました。

「ああ、よくなったんだ。ありがとう」

六日目《むいかめ》の晩《ばん》、ゴーシュと楽団《がくだん》は演奏会《えんそうかい》を開《ひら》きました。あらしのようなはく手《しゅ》でした。その晩《ばん》おそく帰《き》宅《たく》したゴーシュは窓《まど》を開《あ》けて、かっこうが飛《と》んでいった遠《とお》くの空《そら》をながめながら言《い》いました。

「ああ、かっこう。あのときはすまなかったなぁ。おれはおこったんじゃなかったんだ」

解説《かいせつ》

本作《ほんさく》は、賢治《けんじ》が亡《な》くなった翌年《よくとし》の一九三四年《ねん》に発《はっ》表《ぴょう》された童話《どうわ》です。動物《どうぶつ》たちとのやりとりで、ゴーシュの音程《おんてい》やリズムが修正《しゅうせい》されていったのですね。

オススメ図書《としょ》

『セロひきのゴーシュ—宮沢賢治童話集《みやざわけんじどうわしゅう》4—（新装版《しんそうばん》）』
（講談社青い鳥文庫《こうだんしゃあおいとりぶんこ》）

宮沢賢治《みやざわけんじ》

注文《ちゅうもん》の多《おお》い料理店《りょうりてん》

道《みち》に迷《まよ》った若者二人《わかものふたり》が
山中《さんちゅう》で見《み》つけた
世《よ》にもきみょうなレストラン

宮沢賢治《みやざわけんじ》
1896年《ねん》-1933年《ねん》
128ページ参照《さんしょう》。

二人《ふたり》の若《わか》い紳士《しんし》が、ぴかぴかする鉄《てっ》ぽうをかついで、白《しろ》くまのような犬《いぬ》を二《に》ひき連《つ》れて、山奥《やまおく》を歩《ある》いておりました。あんまり山《やま》がけわしいので、犬《いぬ》が二《に》ひきともあわをはいて死《し》んでしまいました。二人《ふたり》はがっかりしてりょうをやめて、帰《かえ》ろうとしましたが、道《みち》に迷《まよ》ってしまいました。お腹《なか》も空《す》いてきました。

ふと後《うし》ろを見《み》ると、立派《りっぱ》な一《いっ》けんの西洋造《せいようづく》りの家《いえ》がありました。げん関《かん》には『*西洋料理店《せいようりょうりてん》　山猫軒《やまねこけん》』という札《ふだ》が出《で》ています。二人《ふたり》がげん関《かん》に立《た》つと、

『ごえんりょなくどなたもどうかお入《はい》りください』

と書《か》いてあります。喜《よろこ》んで中《なか》に入《はい》ると、次々《つぎつぎ》ととびらが現《あらわ》れ、そのとびらには文字《もじ》が書《か》かれていました。

『肥《ふと》ったお方《かた》や若《わか》いお方《かた》は、大《だい》かんげい』

『当軒《とうけん》は注文《ちゅうもん》の多《おお》い料理店《りょうりてん》

中学年

読《よ》んだ日《ひ》　年《ねん》　月《がつ》　日《にち》

です』

そこから先《さき》も、ぼうしとくつをぬげだの、とがった金属類《きんぞくるい》を外《はず》せだの、つぼの中《なか》のクリームを顔《かお》や手《て》足《あし》にぬれだの、頭《あたま》にすのにおいのするこう水《すい》をふりかけろだの、おかしなことばかり書《か》いてあります。

二人《ふたり》はその通《とお》りにして進《すす》んでいき、そしていよいよ、とびらに大《おお》きくこう書《か》いた字《じ》を見《み》つけました。

『からだ中《じゅう》に、つぼの中《なか》の塩《しお》をたくさんよくもみこんでください』

「どうもおかしい。注文《ちゅうもん》が多《おお》いというのは、店側《みせがわ》が客《きゃく》に、たくさん注文《ちゅうもん》をつけているということだ」

「西洋料理《せいようりょうり》を食《た》べさせる店《みせ》ではなく、来《き》た人《ひと》を西洋《せいよう》料理《りょうり》にして食《た》べてやる店《みせ》だ、ということなんだ」

気《き》づいてみると、かぎ穴《あな》の向《む》こうから、きょろきょろ二《ふた》つの青《あお》い眼玉《めだま》がこっちをのぞいています。二人《ふたり》はあまりのおそろしさに、紙《かみ》くずのようにくしゃくしゃになった顔《かお》で、泣《な》いて泣《な》いて泣《な》きました。

そのときいきなり、あの白《しろ》くまのような犬《いぬ》が二《に》ひき、とびらをつきやぶって、部屋《へや》の中《なか》に飛《と》びこんできました。とびらの向《む》こうの暗《くら》やみの中《なか》で、「にゃあお、くわあ、ごろごろ」という声《こえ》がしました。

部屋《へや》はけむりのように消《き》え、二人《ふたり》は寒《さむ》さにぶるぶるふるえて草《くさ》の中《なか》に立《た》っていました。しばらくすると助《たす》けが来《き》て、二人《ふたり》は安心《あんしん》しました。しかし、紙《かみ》くずのようになった二人《ふたり》の顔《かお》だけは、東京《とうきょう》に帰《かえ》っても、お湯《ゆ》に入《はい》っても、もとの通《とお》りになりませんでした。

解説《かいせつ》

料理《りょうり》を食《た》べるつもりでいるぞく物《ぶつ》の紳士《しんし》たちが、実《じつ》は自分《じぶん》たちが食《た》べられる準備《じゅんび》を自分《じぶん》たち自身《じしん》でしているという、皮肉《ひにく》なユーモアが特《とく》ちょうです。

オススメ図書《としょ》

『注文《ちゅうもん》の多《おお》い料理店《りょうりてん》―宮沢賢治《みやざわけんじ》童話《どうわ》集《しゅう》1―（新装版《しんそうばん》）』（講《こう》談社《だんしゃ》青《あお》い鳥文庫《とりぶんこ》）

【語句説明《ごくせつめい》】西洋料理店《せいようりょうりてん》　山猫軒《やまねこけん》：原作《げんさく》では『RESTAURANT《レストラン》 西洋料理店《せいようりょうりてん》 WILDCAT HOUSE《ワイルドキャットハウス》 山猫軒《やまねこけん》』と、英語《えいご》と日本語《にほんご》の両方《りょうほう》が記《しる》されている。

コラム

神話《しんわ》を知《し》れば理解《りかい》が深《ふか》まる！

世界中《せかいちゅう》の文学作品《ぶんがくさくひん》にえいきょうをおよぼしているギリシア神話《しんわ》。
神様《かみさま》の名前《なまえ》やエピソードを知《し》っておくと、多《おお》くの作品《さくひん》がさらに楽《たの》しめます。

西洋《せいよう》の文学作品《ぶんがくさくひん》を読《よ》んでいると、「ゼウスのごとくおおしく」「アテナのようにちえ深《ぶか》い」などという比《ひ》ゆがたまにあります。例《たと》えば本書《ほんしょ》でしょうかいした『白鯨《モビー・ディック》』（164ページ）の一《いち》シーンでも、白鯨《モビー・ディック》の姿《すがた》のい大《だい》さがゼウスになぞらえられています。西洋《せいよう》ではギリシア神話《しんわ》が深《ふか》く根付《ねづ》いており、なんの説明《せつめい》もなく、ギリシア神話《しんわ》の登場神《とうじょうしん》を比《ひ》ゆに使《つか》うので、これを知《し》らない日本《にほん》の読者《どくしゃ》は面食《めんく》らいます。そこで主《おも》なギリシア神《しん》がなにを象《しょう》ちょうしているのか、簡単《かんたん》にしょうかいしましょう。

ゼウスは神々《かみがみ》のトップでかみなりを武器《ぶき》にする「最高神《さいこうしん》」。さらにとんでもないうわ気者《きもの》で、あちこちの女性《じょせい》をくどいては妻《つま》のヘラのいかりを買《か》っています。比《ひ》ゆの場合《ばあい》、「い大《だい》さの象《しょう》ちょう」または「うわ気者《きもの》」としてあつかわれます。ヘルメスはゼウスの伝令役《でんれいやく》で、弁舌《べんぜつ》の達人《たつじん》です。困《こま》ったことにうそつきやどろぼうの神《かみ》でもあるため、ずるがしこい人《ひと》や口達者《くちだっしゃ》な人《ひと》の例《たと》えに使《つか》われます。太陽《たいよう》と音楽《おんがく》の神《かみ》アポロンと月《つき》と狩《か》りの女神《めがみ》アルテミスは兄妹《きょうだい》（姉弟《していい》の説《せつ》もあり）神《しん》です。アポロンは太陽《たいよう》、または音楽《おんがく》の才能《さいのう》がある人《ひと》の象《しょう》ちょうとして、アルテミスは月《つき》の美《うつく》しさのたとえなどに使《つか》われます。海《うみ》の神《かみ》ポセイドンは海《うみ》があれたときに「ポセイドンのいかりを買《か》った」などの表現《ひょうげん》に、あの世《よ》の神《かみ》ハデスは、死《し》の比《ひ》ゆとしてあつかわれます。美《び》の女神《めがみ》アフロディーテはそのまま美女《びじょ》の例《たと》え、知《ち》えの女神《めがみ》アテナは、かしこい人《ひと》を表現《ひょうげん》するときに使《つか》われます。

ギリシア神話《しんわ》に登場《とうじょう》する神々《かみがみ》は、たいへん人間《にんげん》くさい神様《かみさま》たちです。まるで人間《にんげん》のようにそう動《どう》を巻《ま》き起《お》こしたり、失敗《しっぱい》したりする神様《かみさま》たちの物語《ものがたり》は、読《よ》み物《もの》としても面白《おもしろ》いので、ぜひ読《よ》んでみてください。

ギリシア神話《しんわ》と同《おな》じように、主神《しゅしん》オーディンで有名《ゆうめい》な北《ほく》おう神話《しんわ》や日《に》本《ほん》を作《つく》った神様《かみさま》イザナギ・イザナミを始《はじ》めとした日本神話《にほんしんわ》も物語《ものがたり》として楽《たの》しく読《よ》めます。古今東西《ここんとうざい》の名作《めいさく》の予備知識《よびちしき》としてもおすすめです。

第《だい》3章《しょう》

高《こう》学《がく》年《ねん》向《む》け

高学年《こうがくねん》のみなさんにおすすめの40作品《さくひん》は、原作《げんさく》のふん囲気《いき》を感《かん》じてもらうために、少《すこ》し難《むずか》しい表現《ひょうげん》や言葉《ことば》をそのまま使《つか》っている部分《ぶぶん》もあります。語句説明《ごくせつめい》や解説《かいせつ》を参考《さんこう》に読《よ》んでみてください。全作品読破《ぜんさくひんどくは》を目指《めざ》しましょう！

アレクサンドル・デュマ・ペール

三銃士《さんじゅうし》

一人《ひとり》はみんなのために、みんなは一人《ひとり》のために！
銃士《じゅうし》見習《みなら》いが三銃士《さんじゅうし》とくり広《ひろ》げる一大活劇《いちだいかつげき》

ときは一六二五年《ねん》ルイ十三世《じゅうさんせい》の治世《ちせい》、場所《ばしょ》はフランス・パリ。片田舎《かたいなか》ガスコーニュ出身《しゅっしん》のダルタニャンは、＊銃士《じゅうし》になることを夢見《ゆめみ》てパリにやってきた。ところが、ささいなことで「三銃士《さんじゅうし》」として有名《ゆうめい》なアトス、ポルトス、アラミスと決闘《けっとう》することになってしまった。約束《やくそく》の時間《じかん》は、アトスが正午《しょうご》、ポルトスが一時《いちじ》、アラミスが二時《にじ》である。ダルタニャンは三人《さんにん》と順番《じゅんばん》に戦《たたか》うつもりで、まずは正午《しょうご》にアトスと対面《たいめん》した。ところが、ポルトスとアラミスも見届《みとど》け人《にん》として、その場《ば》にいた。あきれる三銃士《さんじゅうし》を目《め》の前《まえ》にして、ダルタニャンはとう志満々《しまんまん》である。

だが、三銃士《さんじゅうし》を目《め》の敵《かたき》にしている＊枢機卿《すうききょう》リシュリューの護衛士《ごえいし》五人《ごにん》が、三銃士《さんじゅうし》にケンカをふっかけたことをきっかけに、ダルタニャンが三銃士《さんじゅうし》に味方《みかた》したため、大乱《だいらん》とうになってしまった。この事件後《じけんご》、ダルタニャンは三銃士《さんじゅうし》と大親友《だいしんゆう》になった。

ある日《ひ》、ダルタニャンと三銃士《さんじゅうし》は、リシュリューが王妃《おうひ》を追放《ついほう》しようとしていることを知《し》る。四人《よにん》は今後《こんご》、力《ちから》を合《あ》わせて戦《たたか》いぬくことをちかい合《あ》った。

「一人《ひとり》はみんなのために、みんなは一人《ひとり》のために！」

【語句説明《ごくせつめい》】銃士《じゅうし》：最新式《さいしんしき》の銃《じゅう》を持《も》った王直属《おうちょくぞく》の兵士《へいし》。当時《とうじ》の花形職業《はながたしょくぎょう》。

アレクサンドル・デュマ・ペール

1802年《ねん》-1870年《ねん》

フランスエーヌ県出身《けんしゅっしん》。同名《どうめい》の息子《むすこ》と区別《くべつ》するために、「大《おお》デュマ」とも呼《よ》ばれる。劇作家《げきさっか》としてデビューし、歴史小説家《れきししょうせつか》として大《だい》ベストセラー作家《さっか》になる。主《おも》な作品《さくひん》に『モンテ・クリスト伯《はく》』『王妃《おうひ》マルゴ』がある。本書《ほんしょ》で読《よ》める作品《さくひん》は他《ほか》に140ページ。

読《よ》んだ日《ひ》　　年《ねん》　月《がつ》　日《にち》

高学年

リシュリューのいんぼうを防《ふせ》ぐため、四人《よにん》は力《ちから》を合《あ》わせて王妃《おうひ》の手紙《てがみ》をイギリスに届《とど》けたが、その結果《けっか》、戦争《せんそう》が起《お》きた。＊ラ・ロシェル包囲戦《ほういせん》と呼《よ》ばれる英仏戦争《えいふつせんそう》だ。四人《よにん》は戦争《せんそう》に参加《さんか》することになった。

戦争《せんそう》のさなかでも、リシュリューの魔《ま》の手《て》はダルタニャンをおそう。以前《いぜん》から見《み》えかくれしていたリシュリューの手先《てさき》、妖女《ようじょ》ミレディーが何度《なんど》もダルタニャンに暗殺《あんさつ》を仕掛《しか》けてきたのだ。いく度《ど》も危機《きき》をのがれるダルタニャンをおとしいれるため、ミレディーはダルタニャンの恋人《こいびと》コンスタンスをゆうかいした。

必死《ひっし》にミレディーのあとを追《お》う四人《よにん》だったが、コンスタンスはミレディーに毒殺《どくさつ》されてしまう。悲《かな》しみといかりに燃《も》えたダルタニャンは、三銃士《さんじゅうし》とともにミレディーをさらに追《つい》せきし、ついに彼女《かのじょ》をとらえ、復《ふく》しゅうをはたした。

後日《ごじつ》、ダルタニャンはリシュリューに呼《よ》び出《だ》された。死《し》を覚《かく》ごしていたダルタニャンだったが、あたえられたのは銃士副隊長《じゅうしふくたいちょう》の職《しょく》だった。リシュリューはダルタニャンを役立《やくだ》つ男《おとこ》だと認《みと》めたのである。

解説《かいせつ》

一八四四年発表《ねんはっぴょう》。本作《ほんさく》は銃士隊長《じゅうしたいちょう》をはじめ、実在《じつざい》した歴史人物《れきしじんぶつ》も多数登場《たすうとうじょう》させた物語《ものがたり》ですが、ほぼ架空《かくう》のストーリーです。第一部《だいいちぶ》の本作《ほんさく》、第二部《だいにぶ》『二十年後《にじゅうねんご》』と第三部《だいさんぶ》『ブラジュロンヌ子爵《ししゃく》』と合《あ》わせて『ダルタニャン物語《ものがたり》』と呼《よ》ばれています。

オススメ図書《としょ》

『三銃士《さんじゅうし》（上下《じょうげ》）』（生島遼一《いくしまりょういち》（訳《やく》）、岩波少年文庫《いわなみしょうねんぶんこ》）

【語句説明《ごくせつめい》】枢機卿《すうききょう》リシュリュー：フランスの政治家《せいじか》（1585年《ねん》-1642年《ねん》）で実在《じつざい》の人物《じんぶつ》。近代《きんだい》フランスの基《き》そを築《きず》いた大政治家《だいせいじか》。ラ・ロシェル包囲戦《ほういせん》：フランスの ラ・ロシェルで起《お》きた宗教戦争《しゅうきょうせんそう》。

アレクサンドル・デュマ・ペール

モンテ・クリスト伯《はく》

恋人《こいびと》と将来《しょうらい》をうばわれたエドモンはろうごくからだつごくし三人《さんにん》の男《おとこ》に復《ふく》しゅうを図《はか》る

アレクサンドル・デュマ・ペール
1802年《ねん》-1870年《ねん》
138ページ参照《さんしょう》。

一八一五年《ねん》、ヨーロッパ動乱期《どうらんき》。フランスのマルセイユで平《へい》ぼんな船乗《ふなの》りをしていたエドモン・ダンテスは、無実《むじつ》の罪《つみ》で*無期《むき》ちょうえき刑《けい》になり、孤島《ことう》のろうごくに送《おく》られた。エドモンをおとしいれたのは、彼《かれ》のこん約者《やくしゃ》に*横《よこ》れんぼしていたフェルナン、彼《かれ》の出世《しゅっせ》をねたむダングラール、そして、エドモンを犯罪者《はんざいしゃ》に仕立《した》て上《あ》げることで自分《じぶん》の出世《しゅっせ》をもくろむ検事代理《けんじだいり》のヴィルフォールの三人《さんにん》である。

ろうごくでエドモンは、近《ちか》くのろうにいたファリア*司祭《しさい》と知《し》り合《あ》う。事情《じじょう》を聞《き》いた司祭《しさい》は、エドモンが三人《さんにん》にはめられたと推理《すいり》した。エドモンが司祭《しさい》から多《おお》くの知識《ちしき》を学《まな》ぶうち、長《なが》い年月《ねんげつ》が経《た》った。司祭《しさい》はモンテ・クリスト島《とう》にかくされた財宝《ざいほう》の在《あ》りかを告《つ》げて死《し》んだ。エドモンは司祭《しさい》の死体《したい》と入《い》れかわって海《うみ》に投《な》げこまれ、だつごくした。投《とう》ごくされてから十四年後《じゅうよねんご》、エドモンは三十三歳《さんじゅうさんさい》になっていた。

モンテ・クリスト島《とう》に行《い》き、ばく大《だい》な財宝《ざいほう》を手《て》に入《い》れたエドモンは、その後九年間《ごきゅうねんかん》にわたって独自《どくじ》の調査《ちょうさ》をし、司祭《しさい》の推理《すいり》が正《ただ》しかったことを確認《かくにん》した。**そしてついにエドモンは、モンテ・クリスト伯《はく》**

【語句説明《ごくせつめい》】無期《むき》ちょうえき刑《けい》：一生自由《いっしょうじゆう》をうばわれ続《つづ》ける刑《けい》。横《よこ》れんぼ：他人《たにん》の恋人《こいびと》を好《す》きになること。

高学年

読《よ》んだ日《ひ》　年《ねん》　月《がつ》　日《にち》

爵《しゃく》と名乗《なの》る復《ふく》しゅうのおにとなったのである。

フェルナンはダンテスの元《もと》こん約者《やくしゃ》メルセデスとけっこんし、*悪逆非道《あくぎゃくひどう》の限《かぎ》りをつくして出世《しゅっせ》をしていた。モンテ・クリスト伯爵《はくしゃく》は、彼《かれ》の悪行《あくぎょう》を報道《ほうどう》機関《きかん》にばらし、メルセデスと息子《むすこ》は、夫《おっと》を見捨《みす》てた。フェルナンは自殺《じさつ》した。

検事総長《けんじそうちょう》まで出世《しゅっせ》していたヴィルフォールは、え*い児殺《じごろ》し未遂《みすい》という過去《かこ》の罪《つみ》を暴《あば》かれた。さらにモンテ・クリスト伯爵《はくしゃく》の画策《かくさく》で、妻《つま》が連続殺人《れんぞくさつじん》を犯《おか》し、幼《おさな》い息子《むすこ》と心中《しんじゅう》した。すべてを失《うしな》った彼《かれ》は、モンテ・クリスト伯爵《はくしゃく》の目《め》の前《まえ》で発《はっ》きょうした。

フランス有数《ゆうすう》の銀行家《ぎんこうか》で、男爵《だんしゃく》になっていたダングラールは、モンテ・クリスト伯爵《はくしゃく》のたくらみで銀《ぎん》行《こう》を破産《はさん》させられた。その後《ご》、伯爵《はくしゃく》と仲《なか》のいい山《さん》ぞくにつかまり、法外《ほうがい》な値段《ねだん》の食事《しょくじ》と引《ひ》きかえに、最《さい》後《ご》に残《のこ》していた金《かね》までむしり取《と》られた。

復《ふく》しゅうをはたしたモンテ・クリスト伯爵《はくしゃく》は、若《わか》き友人《ゆうじん》に「待《ま》つこと、そして希望《きぼう》を持《も》つこと」という言葉《ことば》を残《のこ》してどこかへ去《さ》った。

解説《かいせつ》

一八四四年発表《ねんはっぴょう》。本作《ほんさく》は、復《ふく》しゅう物語《ものがたり》のイメージが強《つよ》い作品《さくひん》ですが、ダンテスは恩人《おんじん》たちには手《て》厚《あつ》い恩返《おんがえ》しをしています。恩《おん》しゅうのメリハリがしっかりしているところがみりょくです。

オススメ図書《としょ》

『モンテ・クリスト伯《はく》　上《じょう》・中《ちゅう》・下《げ》』（竹村猛《たけむらたけし》〔訳《やく》〕、岩波《いわなみ》少年文庫《しょうねんぶんこ》）

【語句説明《ごくせつめい》】司祭《しさい》：カトリックの聖職者《せいしょくしゃ》。神父《しんぷ》。悪逆非道《あくぎゃくひどう》：人《ひと》の道《みち》をふみ外《はず》した極悪《ごくあく》な行《おこな》い。えい児《じ》：生《う》まれたばかりの赤《あか》んぼう。

アントワーヌ・ド・サン=テグジュペリ

星《ほし》の王子《おうじ》さま

サハラ砂《さ》ばくに不時着《ふじちゃく》した
パイロットが出会《であ》った少年《しょうねん》は
どこかの星《ほし》の王子《おうじ》さまでした

飛行機《ひこうき》の操縦士《そうじゅうし》のぼくは、＊サハラ砂《さ》ばくに不時着《ふじちゃく》しました。たった一人《ひとり》で故障《こしょう》を直《なお》し終《お》えるまで、生《い》き延《の》びなくてはなりません。一晩《ひとばん》ねむって目《め》が覚《さ》めると、様子《ようす》の変《か》わった男《おとこ》の子《こ》がいました。話《はな》してみると、男《おとこ》の子《こ》はある星《ほし》からやってきた王子《おうじ》でした。

王子《おうじ》の星《ほし》はやっと家《いえ》ぐらいの大《おお》きさで、一輪《いちりん》の美《うつく》しいバラの花《はな》がさいていました。王子《おうじ》は毎日毎日《まいにちまいにち》、一生《いっしょう》けんめいに育《そだ》ててきたそのバラとケンカして、自分《じぶん》の星《ほし》を出《で》ていろんな星《ほし》を見《み》て回《まわ》ったのです。いばっているだけの王様《おうさま》や、星《ほし》が一分《いっぷん》に一回自転《いっかいじてん》するため一分《いっぷん》ごとにガス灯《とう》を点《つ》けたり消《け》したりしている人《ひと》など、変《へん》な人《ひと》ばかりに会《あ》ってきた挙句《あげく》、王子《おうじ》は地《ち》理学者《りがくしゃ》のすすめで、地球《ちきゅう》にやってきたのでした。

地球《ちきゅう》に着《つ》いた王子《おうじ》は地球《ちきゅう》にはバラがたくさんあると知《し》りおどろきました。だって、バラのことをたった一《ひと》つのめずらしい花《はな》だと思《おも》っていたのですから。

王子《おうじ》が悲《かな》しんでいると、キツネが現《あらわ》れました。王《おう》子《じ》がキツネに遊《あそ》ぼうと言《い》うと、キツネは、遊《あそ》ぶには仲良《なかよ》くなる必要《ひつよう》があり、仲良《なかよ》くなるには時間《じかん》が必要《ひつよう》だと言《い》いました。そして王子《おうじ》に、地球《ちきゅう》のバラの花《はな》

【語句説明《ごくせつめい》】サハラ砂《さ》ばく：アフリカ大陸北部《たいりくほくぶ》にある世界《せかい》最大《さいだい》の砂《さ》ばく。

アントワーヌ・ド・サン=テグジュペリ

1900年《ねん》-1944年《ねん》

フランス・リヨン生《う》まれ。パイロットとして従軍《じゅうぐん》した後《のち》、1926年《ねん》に作家《さっか》デビューする。パイロット体験《たいけん》を基《もと》にした作品《さくひん》で人気《にんき》を得《え》た。『星《ほし》の王子《おうじ》さま』はサハラ砂《さ》ばくに不時着《ふじちゃく》した経験《けいけん》も基《もと》になっている。作品《さくひん》に『夜間飛行《やかんひこう》』『人間《にんげん》の土地《とち》』など。

読《よ》んだ日《ひ》　年《ねん》　月《がつ》　日《にち》

をもう一度《いちど》見《み》に行《い》くように言《い》いました。バラを見《み》に行《い》った王子《おうじ》は、このとき、自分《じぶん》の星《ほし》のバラがやはりたった一《ひと》つの花《はな》だと知《し》りました。**自分《じぶん》の星《ほし》のバラはかけがえのない特別《とくべつ》な「友《とも》だち」だったからです。**

別《わか》れるとき、キツネは秘密《ひみつ》を教《おし》えてくれました。

「かんじんなことは、目《め》に見《み》えないんだ」

ぼくは王子《おうじ》の話《はなし》を聞《き》きながら飛行機《ひこうき》を修理《しゅうり》し、砂《さ》ばくで過《す》ごして九日目《ここのかめ》に飛行機《ひこうき》は直《なお》りました。そして、毒《どく》ヘビと話《はなし》をしていた王子《おうじ》にそのことを知《し》らせに行《い》くと、王子《おうじ》はぼくに別《わか》れを告《つ》げました。

「ぼくは自分《じぶん》の星《ほし》に帰《かえ》るよ。きみは、たくさんの星《ほし》のどれかをぼくの星《ほし》だと思《おも》って星空《ほしぞら》を見上《みあ》げてね。ぼくは自分《じぶん》の星《ほし》で笑《わら》うよ。きみはぼくの星《ほし》がどれかわからないから、星《ほし》のみんなが笑《わら》ってると思《おも》ってくれるだろ？　それは星《ほし》たちみんなときみが友《とも》だちになったということなんだ。さあ、ぼくはぼくの花《はな》に会《あ》いに行《い》く。そろそろ、ぼくを行《い》かせてね」

そう言《い》うと、王子《おうじ》は毒《どく》ヘビにかまれてたおれました。王子《おうじ》は自分《じぶん》の星《ほし》に帰《かえ》っていったのです。

解説《かいせつ》

一九四三年《ねん》にアメリカで発表《はっぴょう》。王子《おうじ》が「ぼく」や多《おお》くの人《ひと》と出会《であ》い、多《おお》くの会話《かいわ》をします。その会話《かいわ》の一《ひと》つ一《ひと》つがおく深《ぶか》く、「目《め》に見《み》えないかんじんなもの」がなんなのか、読者《どくしゃ》に語《かた》りかけられているような作品《さくひん》です。

オススメ図書《としょ》

『星《ほし》の王子《おうじ》さま』（内藤濯《ないとうあろう》〔訳《やく》〕、岩波少年文庫《いわなみしょうねんぶんこ》）

イワン・ツルゲーネフ

はつ恋《こい》

初《はじ》めて恋《こい》した相手《あいて》に好《す》きな人《ひと》がいた――。しょうげき的《てき》な事実《じじつ》に直面《ちょくめん》した主人公《しゅじんこう》のあまく苦《にが》い追《つい》おく

高学年

そのころ、私《わたし》は十六歳《じゅうろくさい》だった。一八三三年《ねん》の夏《なつ》のことだ。私《わたし》はモスクワに両親《りょうしん》と住《す》んでいた。父《ちち》は大変《たいへん》な美男子《びだんし》だったが、冷《つめ》たく厳《きび》しい男《おとこ》だった。五月《ごがつ》の終《お》わり、となりの家《いえ》にまるで天女《てんにょ》のような美《うつく》しいむすめが引《ひ》っこしてきた。彼女《かのじょ》は若《わか》い男《おとこ》たちに囲《かこ》まれて、笑顔《えがお》をふりまいていた。その笑顔《えがお》はみわく的《てき》で、*高飛車《たかびしゃ》で、あざ笑《わら》うようで、それでいてかわいらしいものだった。むすめの名前《なまえ》はジナイーダ。初《はじ》めて対面《たいめん》したとき、二十一歳《にじゅういっさい》の彼女《かのじょ》は、私《わたし》を子《こ》どもあつかいした。

それでも、私《わたし》はジナイーダの周《まわ》りにいる青年《せいねん》たちの仲間《なかま》になることができた。彼女《かのじょ》は取《と》り巻《ま》きの男《おとこ》たちをからかい、ばかにし、ときには笑《え》みをあたえることで彼《かれ》らをとりこにした。私《わたし》もその一人《ひとり》だ。母《はは》はジナイーダのことを高慢《こうまん》ちきなむすめだときらい、彼女《かのじょ》と私《わたし》が遊《あそ》ぶことにいい顔《かお》をしなかったが、父《ちち》は私《わたし》の自由《じゆう》を尊重《そんちょう》してくれた。私《わたし》は父《ちち》を愛《あい》し、敬《うやま》い、このときは男性《だんせい》の典型《てんけい》だと思《おも》っていた。

ジナイーダは、私《わたし》が彼女《かのじょ》に恋《こい》していることをすぐに見《み》ぬき、からかい、あまやかし、いじめた。それ

【語句説明《ごくせつめい》】高飛車《たかびしゃ》：高圧的《こうあつてき》な物言《ものい》い、態度《たいど》のこと。

イワン・ツルゲーネフ

1818年《ねん》-1883年《ねん》

ロシア中部《ちゅうぶ》オリョール生《う》まれ。1852年《ねん》に出版《しゅっぱん》された『猟人日記《りょうじんにっき》』で、農奴《のうど》制《せい》を批判《ひはん》したことで投《とう》ごくされ、社《しゃ》会《かい》に多大《ただい》なえいきょうをあたえた。1862年出版《ねんしゅっぱん》の『父《ちち》と子《こ》』は、19世《せい》紀《き》のロシア小説《しょうせつ》の最高傑作《さいこうけっさく》の一《ひと》つとされる。他《ほか》の代表作《だいひょうさく》に『貴族《きぞく》の家《いえ》』など。

読《よ》んだ日《ひ》　年《ねん》　月《がつ》　日《にち》

は私《わたし》には苦痛《くつう》ではなく、むしろ甘美《かんび》に満《み》ちた日々《ひび》をもたらしてくれた。彼女《かのじょ》はこう言《い》っていた。

「私《わたし》はね、私《わたし》を征服《せいふく》してくれる人《ひと》が欲《ほ》しいの！」

ある日《ひ》、私《わたし》がジナイーダに＊愛《あい》の詩《し》の朗読《ろうどく》をさせられていたとき、ふいに、彼女《かのじょ》の顔《かお》が赤《あか》らんだ。私《わたし》はしゅん時《じ》にさとった。**大変《たいへん》だ、彼女《かのじょ》は恋《こい》している！**

私《わたし》への責《せ》め苦《く》はそのしゅん間《かん》から始《はじ》まった。ジナイーダがだれに恋《こい》しているのか、知《し》りたかった。彼女《かのじょ》は、私《わたし》と話《はな》すのをつらそうにしているのだ。

そして彼女《かのじょ》の相手《あいて》がわかった。私《わたし》の父《ちち》だった。父《ちち》の不《ふ》りんが知《し》れわたり、私《わたし》たち家族《かぞく》はモスクワから引《ひ》っこした。私《わたし》はジナイーダに永遠《えいえん》の愛《あい》をちかって去《さ》った。二度《にど》と彼女《かのじょ》に会《あ》わないつもりだったが、後《のち》に彼女《かのじょ》を見《み》かけた。彼女《かのじょ》は父《ちち》と密会《みっかい》し、ケンカしていた。その半年後《はんとしご》、父《ちち》は病気《びょうき》で死《し》んだ。

『女《おんな》の愛《あい》をおそれよ。かの幸《さち》を、かの毒《どく》をおそれよ』

私《わたし》に遺《のこ》された父《ちち》の手紙《てがみ》にはそうあった。数年後《すうねんご》、彼女《かのじょ》が死《し》んだことを聞《き》き、私《わたし》は父《ちち》と彼女《かのじょ》と私《わたし》のためにいのりたくなった。

解説《かいせつ》

一八六〇年発表《ねんはっぴょう》の本作《ほんさく》は、主人公《しゅじんこう》が友人《ゆうじん》たちに向《む》けて、初恋《はつこい》の思《おも》い出《で》を回想《かいそう》して手記《しゅき》にまとめたという形式《けいしき》の小説《しょうせつ》です。初恋《はつこい》の美《うつく》しさと苦《にが》さをつづったツルゲーネフの半自伝的《はんじでんてき》な小説《しょうせつ》だといわれています。

オススメ図書《としょ》

『はつ恋《こい》』（神西清《じんざいきよし》（訳《やく》）、新潮文庫《しんちょうぶんこ》）

【語句説明《ごくせつめい》】愛《あい》の詩《し》：ロシアの詩人《しじん》、プーシキン（1799年《ねん》-1837年《ねん》）が遠《とお》くの地《ち》にいる恋人《こいびと》を思《おも》って作《つく》った『グルジャの丘《おか》の上《うえ》』。

ウィリアム・シェイクスピア

ロミオとジュリエット

仇敵同士《きゅうてきどうし》の家《いえ》に生《う》まれたために若者《わかもの》とむすめの一大《いちだい》ロマンスは悲劇《ひげき》へと変《か》わる

＊ヴェローナの町《まち》には、カピュレット家《け》とモンタギュー家《け》という金持《かねも》ちの家《いえ》がありました。両家《りょうけ》はたいへん仲《なか》が悪《わる》く、親《しん》せきや家来《けらい》たちまで巻《ま》きこんで、おたがいににくみ合《あ》い、血《ち》を流《なが》して争《あらそ》っていました。

ある日《ひ》、＊老《ろう》カピュレットが盛大《せいだい》なうたげをもよおしました。うたげにはだれでも参加《さんか》できるため、＊仇《きゅう》敵《てき》のモンタギュー家《け》の息子《むすこ》、ロミオも仮面《かめん》をかぶって参加《さんか》しました。そこでロミオは、たいへん美《うつく》しいむすめに出会《であ》いました。カピュレット家《け》のむすめジュリエットです。ロミオとジュリエットは敵同士《てきどうし》の相手《あいて》と知《し》りながら、たちまち恋《こい》に落《お》ちました。

「おお、ロミオ、あなたはなぜロミオなの？　あな

【語句説明《ごくせつめい》】ヴェローナ：イタリアのヴェネト州西部《しゅうせいぶ》にある都市《とし》。

ウィリアム・シェイクスピア
1564年《ねん》-1616年《ねん》
イングランド王国《おうこく》ストラトフォード・アポン・エイヴォン出身《しゅっしん》。イギリスを代表《だいひょう》する詩人《しじん》・劇作家《げきさっか》で、1592年《ねん》から1612年《ねん》ごろに引退《いんたい》するまで、四《よん》大悲劇《だいひげき》（『ハムレット』『マクベス』『オセロ』、『リア王《おう》』）などのけっ作《さく》を多《た》数残《すうのこ》した。

読《よ》んだ日《ひ》　年《ねん》　月《がつ》　日《にち》

高学年

たがモンタギュー家《け》の人《ひと》でなければいいのに」

うたげの後《あと》、ジュリエットは一人《ひとり》、二階《にかい》のバルコニーでこうなげきました。彼女《かのじょ》が忘《わす》れられずに、庭《にわ》にひそんでいたロミオは、この独《ひと》り言《ごと》を聞《き》いて思《おも》わず飛《と》び出《だ》し、二人《ふたり》はけっこんの約束《やくそく》をしました。

ところが翌日《よくじつ》、ロミオはジュリエットのいとこにケンカをしかけられ、誤《あやま》って殺《ころ》してしまいました。ロミオは教会《きょうかい》のロレンス*上人《しょうにん》の助言《じょげん》で、町《まち》をはなれることにしました。一方《いっぽう》ジュリエットは、他《ほか》の貴族《きぞく》とけっこんさせられそうになっていました。ジュリエットがロレンス上人《しょうにん》に助《たす》けを求《もと》めたところ、上人《しょうにん》は仮死状態《かしじょうたい》になる薬《くすり》をくれました。死《し》んだと見《み》せかけ、その後《ご》ロミオに会《あ》いに行《い》くという計画《けいかく》です。ジュリエットは薬《くすり》を飲《の》み、死《し》んだようにねむりました。

「ジュリエットの死《し》」は、手《て》ちがいでロレンス上人《しょうにん》の連《れん》らくより早《はや》く、ロミオに伝《つた》わりました。絶望《ぜつぼう》したロミオはジュリエットのそばで死《し》のうと、町《まち》にもどってきました。安《やす》らかにねむるジュリエットのそばで、ロミオは本物《ほんもの》の毒《どく》をあおいで死《し》にました。

やがて、目覚《めざ》めたジュリエットはかたわらにロミオが死《し》んでいることを知《し》ると、悲《かな》しみのあまり、持《も》っていた短剣《たんけん》で自殺《じさつ》しました。ヴェローナの町《まち》は大《おお》さわぎです。町《まち》を治《おさ》めるヴェローナ*公《こう》は、ロレンス上人《しょうにん》から事情《じじょう》を聞《き》くと、老《ろう》カピュレットと老《ろう》モンタギューに、二度《にど》と悲劇《ひげき》を招《まね》かないように、両家《りょうけ》の仲《なか》を改善《かいぜん》するように言《い》いました。両家《りょうけ》は和解《わかい》し、ロミオとジュリエットの黄金像《おうごんぞう》を建《た》てました。

解説《かいせつ》

本作《ほんさく》はシェイクスピアが書《か》いた四大悲劇《よんだいひげき》以外《いがい》の作《さく》品《ひん》として、もっとも有名《ゆうめい》な恋愛悲劇《れんあいひげき》です。原作《げんさく》は戯曲《ぎきょく》の台本《だいほん》として書《か》かれているので、イギリスのラム姉弟《してい》が小説仕立《しょうせつじた》てにしたことで有名《ゆうめい》な『シェイクスピア物語《ものがたり》』が読《よ》みやすく、おすすめです。

オススメ図書《としょ》

『シェイクスピア物語《ものがたり》』（ラム〔作《さく》〕、矢川澄子《やがわすみこ》〔訳《やく》〕、岩波《いわなみ》少年文庫《しょうねんぶんこ》）

【語句説明《ごくせつめい》】老《ろう》：老人《ろうじん》の意味《いみ》だが、この場合《ばあい》は「一家《いっか》の長《ちょう》」を意味《いみ》する敬称《けいしょう》でもある。仇敵《きゅうてき》：にくんでいる相手《あいて》。かたき。上人《しょうにん》：高《たか》い地位《ちい》にあるそうりょ。公《こう》：貴族《きぞく》の称号《しょうごう》「公爵《こうしゃく》」の略《りゃく》。

エドモンド・デ・アミーチス

母《はは》をたずねて

異国《いこく》の地《ち》で何度《なんど》も失望《しつぼう》と落《らく》たんを
くり返《かえ》す少年《しょうねん》は
それでも母《はは》を探《さが》し続《つづ》ける

もうずっと前《まえ》のことです。イタリアの少年《しょうねん》マルコが、たった一人《ひとり》で南《みなみ》アメリカのアルゼンチンまで、お母《かあ》さんを探《さが》しに行《い》ったお話《はなし》です。

マルコの家《いえ》は貧《びん》ぼうだったので、マルコのお母《かあ》さんは、アルゼンチンにいる親《しん》せきのところへ働《はたら》きに行《い》きました。最初《さいしょ》のうちは手紙《てがみ》が届《とど》きましたが、そのうち手紙《てがみ》は来《こ》なくなりました。最後《さいご》の手紙《てがみ》には、お母《かあ》さんは体《からだ》を悪《わる》くしたと書《か》いてありました。

家族《かぞく》は心配《しんぱい》しましたが、みんな働《はたら》いていて、アルゼンチンまで行《い》く余《よ》ゆうはありません。**そこで十三《じゅうさん》歳《さい》のマルコが、一人《ひとり》でお母《かあ》さんの様子《ようす》を見《み》に行《い》くことになりました。**マルコの住《す》むジェノバという港町《みなとまち》

エドモンド・デ・アミーチス
1846年《ねん》-1908年《ねん》
イタリア北西部《ほくせいぶ》オネッリア（現《げん》インペリア市《し》）で生《う》まれる。イタリア統《とう》一運動《いつうんどう》の時期《じき》に生《う》まれたエドモンは1886年《ねん》に子《こ》ども向《む》けに『クオーレ』を発表《はっぴょう》。『母《はは》をたずねて』は『クオーレ』に入《はい》っているお話《はなし》。

読《よ》んだ日《ひ》	年《ねん》　月《がつ》　日《にち》

高学年

の人々《ひとびと》はみんな親切《しんせつ》です。イタリアの人《ひと》は勇《ゆう》かんでほこり高《たか》く、団結《だんけつ》する力《ちから》がありました。マルコが一人《ひとり》でアルゼンチンまで行《い》くことを知《し》ると、ジェノバのみんなは応《おう》えんし、船長《せんちょう》さんはただできっぷをくれました。こうして、マルコは旅立《たびだ》ったのです。

＊ブエノスアイレスに着《つ》くと、マルコはお母《かあ》さんがいるという親《しん》せきの家《いえ》に行《い》きました。ところが、親《しん》せき一家《いっか》は引《ひ》っこしたといいます。マルコはがっかりしましたが、あきらめません。お母《かあ》さんがいるという町《まち》を聞《き》き出《だ》して、また旅立《たびだ》ちました。ところが、次《つぎ》の町《まち》にもお母《かあ》さんはいませんでした。別《べつ》の町《まち》に行《い》ったというのです。

すっかりお金《かね》がなくなったマルコは、働《はたら》きながら旅《たび》を続《つづ》ける決心《けっしん》をしますが、異国《いこく》の地《ち》で働《はたら》くあてはありません。困《こま》っていると、ブエノスアイレスまでの船旅《ふなたび》で知《し》り合《あ》ったおじいさんにぐうぜん出会《であ》い、イタリア人《じん》たちが集《あつ》まる店《みせ》に連《つ》れていってくれました。話《はなし》を聞《き》いたイタリア人《じん》たちは、マルコのためにお金《かね》を出《だ》し合《あ》い、汽車《きしゃ》に乗《の》せてくれました。

こうしてマルコは親切《しんせつ》な人《ひと》たちに助《たす》けてもらい、働《はたら》きながらお母《かあ》さんを探《さが》して旅《たび》を続《つづ》けました。

そのころ、お母《かあ》さんは重《おも》い病気《びょうき》で苦《くる》しんでいました。うわごとのようにマルコの名前《なまえ》を呼《よ》びながらも、お母《かあ》さんは生《い》きる気力《きりょく》を失《うしな》っていたのです。そこへほこりだらけになったマルコが現《あらわ》れました。

「ああ、マルコ！　これは夢《ゆめ》じゃないのかい？」

マルコに会《あ》えたお母《かあ》さんの病気《びょうき》は治《なお》りました。

【語句説明《ごくせつめい》】ブエノスアイレス：アルゼンチンの首都《しゅと》。

解説《かいせつ》

一八八六年《ねん》に発表《はっぴょう》された本作《ほんさく》は、日本《にほん》でも「愛《あい》の学《がっ》校《こう》」という副題《ふくだい》で有名《ゆうめい》な『クオーレ』の中《なか》にある話《はなし》で「アペニン山脈《さんみゃく》からアンデス山脈《さんみゃく》まで」というタイトルがついています。「クオーレ」はイタリア語《ご》で、優《やさ》しさ、思《おも》いやり、勇気《ゆうき》といった意味《いみ》があります。

オススメ図書《としょ》

『母《はは》をたずねて』（大久保昭男《おおくぼあきお》（文《ぶん》）、こども世界名作童話《せかいめいさくどうわ》17　ポプラ社《しゃ》）

エミリー・ジェーン・ブロンテ

嵐《あらし》が丘《おか》

**裏切《うらぎ》られた愛《あい》をにくしみに代《か》え
ヒースクリフは周《まわ》りの者《もの》を
容《よう》しゃない破《は》めつへと導《みちび》いていく**

高学年

一八〇一年《ねん》、ぼくロックウッドは「嵐《あらし》が丘《おか》」（ワザリング・ハイツ）という屋《や》しきに勤《つと》めていたネリーから、主《あるじ》のヒースクリフ氏《し》にまつわる話《はなし》を聞《き》いた。

孤児《こじ》のヒースクリフは少年《しょうねん》のころ、「嵐《あらし》が丘《おか》」の主《あるじ》、アーンショー氏《し》に拾《ひろ》われた。ヒースクリフとアーンショーのむすめキャサリンは仲良《なかよ》くなった。だが、アーンショーの死後《しご》、ヒースクリフはキャサリンの兄《あに》からいじめられた。成人後《せいじんご》、キャサリンは上流階級《じょうりゅうかいきゅう》のリントン家《け》のエドガーとけっこんした。

「ヒースクリフを愛《あい》するのは彼《かれ》と私《わたし》のたましいは同《おな》じだから。彼《かれ》は私以上《わたしいじょう》に私《わたし》なの」

と、ヒースクリフへの激《はげ》しい愛情《あいじょう》を語《かた》っていたキャサリンだったが、結局彼《けっきょくかれ》を裏切《うらぎ》ったのだ。ヒースクリフは傷《きず》つき、姿《すがた》を消《け》した。

三年後《さんねんご》、ヒースクリフは*大金持《おおがねも》ちになって「嵐《あらし》が丘《おか》」に帰《かえ》ってきた。邪悪《じゃあく》なたくらみを心《こころ》に秘《ひ》めて。

まず、ヒースクリフは主《あるじ》であるキャサリンの兄《あに》をかけごとで負《ま》かし、「嵐《あらし》が丘《おか》」と財産《ざいさん》をうばい取《と》った。次《つぎ》に、キャサリンの夫《おっと》エドガーの妹《いもうと》イザベラをゆうわくし、けっこんした。もちろんイザベラへの愛《あい》

【語句説明《ごくせつめい》】大金持《おおがねも》ち：どうやって財産《ざいさん》を作《つく》ったのか、原作内《げんさくない》でもネリーはわからないと話《はな》している。

エミリー・ジェーン・ブロンテ
1818年《ねん》-1848年《ねん》
イギリス・ヨークシャー生《う》まれ。筆名《ひつめい》が高《たか》い姉《あね》のシャーロット、妹《いもうと》のアンと合《あ》わせて、イギリスヴィクトリア時代《じだい》を代表《だいひょう》する「ブロンテ三姉妹《さんしまい》」としょう賛《さん》されている。姉妹《しまい》はいずれも短命《たんめい》で、エミリーは30歳《さい》で亡《な》くなっている。代表作《だいひょうさく》は『嵐《あらし》が丘《おか》』。

読《よ》んだ日《ひ》	年《ねん》　月《がつ》　日《にち》

などなく、けっこん後《ご》はすぐにイザベラをぎゃくたいし、追《お》い出《だ》した。イザベラは遠《とお》くの地《ち》でヒースクリフの息子《むすこ》を産《う》んだ。

その間《あいだ》、ヒースクリフはエドガーにかくれてキャサリンに会《あ》い、愛《あい》をささやき続《つづ》けた。愛《あい》に苦《くる》しんだキャサリンは発《はっ》きょうし、むすめキャシー*を産《う》んで死《し》んだ。ヒースクリフのキャサリンへの愛《あい》は、彼女《かのじょ》を破《は》めつさせるほど強《つよ》く、激《はげ》しすぎたのだ。

ヒースクリフの復《ふく》しゅうはまだ終《お》わらない。エドガーの財産《ざいさん》をすべてうばうため、イザベラが産《う》んだ病弱《びょうじゃく》の息子《むすこ》を引《ひ》き取《と》り、成人《せいじん》後《ご》無理《むり》やりキャシーとけっこんさせた。エドガーはすい弱《じゃく》して死《し》に、ヒースクリフの息子《むすこ》もキャシーとけっこん後《ご》死《し》んだ。

こうしてアーンショー家《け》とリントン家《け》に対《たい》するヒースクリフの復《ふく》しゅうは成功《せいこう》したかに見《み》えた。だが、キャサリンの兄《あに》の子《こ》であるヘアトンとキャシーが恋仲《こいなか》になっていることを知《し》り、**「つまらん結末《けつまつ》だ」**と感想《かんそう》をのべた後《あと》、ヒースクリフは物《もの》を食《た》べなくなり死《し》んだ。

話《はなし》を聞《き》き終《お》えたぼくは、キャサリン、エドガー、ヒースクリフの墓《はか》へ行《い》き、彼《かれ》らのことを思《おも》った。

解説《かいせつ》

一八四七年《ねん》に刊行《かんこう》された本作《ほんさく》は、『リア王《おう》』『白鯨《モビー・ディック》』とともに英文学《えいぶんがく》の「世界三大悲劇《せかいさんだいひげき》」の一《ひと》つ。ヒースクリフとキャサリンの個性《こせい》とあらあらしく背徳的《はいとくてき》な愛憎劇《あいぞうげき》に、世界《せかい》がしょうげきを受《う》けた作品《さくひん》です。

オススメ図書《としょ》

『嵐《あらし》が丘《おか》（上《じょう》・下《げ》）』（河島弘美《かわしまひろみ》〔訳《やく》〕、岩波文庫《いわなみぶんこ》）

【語句説明《ごくせつめい》】キャシー：キャサリンの愛《あい》しょう。つまり母親《ははおや》と同名《どうめい》。

呉承恩《ごしょうおん》

西遊記《さいゆうき》

お経《きょう》を求《もと》めて 西《にし》へ西《にし》へ、天竺《てんじく》へ——! 三蔵法師《さんぞうほうし》を守《まも》って孫悟空《そんごくう》が大活《だいかつ》やく

*唐《とう》の太宗《たいそう》からの命《めい》を受《う》け、玄奘三蔵《げんじょうさんぞう》という法師《ほうし》が、ありがたいお経《きょう》を手《て》に入《い》れるため、西《にし》の*天竺《てんじく》に旅立《たびだ》ちました。三蔵《さんぞう》が五行山《ごぎょうざん》のふもとに来《く》ると、山《やま》の下《した》じきになっているサルがいて、なんと、三蔵《さんぞう》に呼《よ》びかけてきます。

サルの名前《なまえ》は孫悟空《そんごくう》。孫悟空《そんごくう》は五百年以上《ごひゃくねんいじょう》も前《まえ》に、斉天大聖《せいてんたいせい》と名乗《なの》り、天界《てんかい》で大暴《おおあば》れしたので、ばつとして山《やま》の下《した》じきにされたのです。孫悟空《そんごくう》は三蔵《さんぞう》の弟子《でし》になり、ともに天竺《てんじく》に向《む》かうことで、罪《つみ》を許《ゆる》されることになっていました。

二人《ふたり》がさらに西《にし》へ向《む》かい、とある村《むら》にさしかかると、悪《わる》いブタのようかいに、むすめをうばわれて泣《な》いている人《ひと》がいました。孫悟空《そんごくう》がようかいを退治《たいじ》しようとすると、ようかいは三蔵《さんぞう》に会《あ》わせろと言《い》います。実《じつ》は、ようかいは観音菩薩《かんのんぼさつ》の言《い》いつけで、三蔵《さんぞう》のお供《とも》をするために一行《いっこう》を待《ま》っていた猪悟能《ちょごのう》でした。

「*八《やっ》つの戒《いまし》めを守《まも》って私《わたし》を待《ま》っていたのか。うん、それなら今後《こんご》、八戒《はっかい》と名乗《なの》りなさい」

猪八戒《ちょはっかい》を仲間《なかま》にした一行《いっこう》はさらに西《にし》へ向《む》かい、流沙河《りゅうさが》という大《おお》きな川《かわ》に差《さ》しかかりました。ふねがな

【語句説明《ごくせつめい》】唐《とう》の太宗《たいそう》：中国《ちゅうごく》の唐《とう》（618年《ねん》-907年《ねん》）の第《だい》2代皇帝《だいこうてい》。中国《ちゅうごく》の英《えい》ゆうで名君《めいくん》として名高《なだか》い李世民《りせいみん》。

呉承恩《ごしょうおん》
1506年《ねん》-1582年《ねん》ごろ
明代《みんだい》の官吏《かんり》・呉承恩《ごしょうおん》が作者《さくしゃ》だとされるが確証《かくしょう》はなく、作者不《さくしゃふ》しょうとされることも多《おお》い。西遊記《さいゆうき》の物語《ものがたり》は数多《かずおお》くの編者《へんじゃ》が関《かか》わり、数百年《すうひゃくねん》かけて完成《かんせい》された。呉承恩《ごしょうおん》は、その中《なか》の一人《ひとり》ではないかとも言《い》われる。

読《よ》んだ日《ひ》　年《ねん》　月《がつ》　日《にち》

いので困《こま》っていると、川《かわ》の中《なか》からざんばらがみの青《あお》黒《ぐろ》いようかいが三蔵《さんぞう》をさらおうとしました。悟空《ごくう》と八戒《はっかい》はようかいに立《た》ち向《む》かいましたが、なかなか手《て》ごわいので観音菩薩《かんのんぼさつ》に助《たす》けを求《もと》めたところ、青黒《あおぐろ》いようかいは、やはり三蔵《さんぞう》のお供《とも》をするために一行《いっこう》を待《ま》っていたのでした。

沙悟浄《さごじょう》と名乗《なの》った青黒《あおぐろ》いようかいを仲間《なかま》にした一行《いっこう》は、さらに西《にし》へ、天竺《てんじく》に向《む》かいました。一行《いっこう》はとても強《つよ》く、ようかい退治《たいじ》をしながら旅《たび》を続《つづ》けます。

一行《いっこう》が蓮華洞《れんげどう》という場所《ばしょ》に来《く》ると、相手《あいて》が返事《へんじ》をすると中《なか》に吸《す》いこみ、とかしてしまう赤《あか》いひょうたんを持《も》つ金角《きんかく》・銀角《ぎんかく》という、とても強《つよ》いようかいに出会《であ》いました。なかなか手《て》ごわい相手《あいて》でしたが、悟《ご》空《くう》が仙人《せんにん》に化《ば》けて金角《きんかく》・銀角《ぎんかく》の手下《てした》をだましてひょうたんをうばい取《と》り、ようかいを中《なか》に吸《す》いこむことで退治《たいじ》できました。

その後《ご》も一行《いっこう》は数々《かずかず》の苦難《くなん》をしのぎ、とうとう天《てん》竺《じく》にたどり着《つ》きました。そして、おしゃか様《さま》からありがたいお経《きょう》をいただくことができました。

解説《かいせつ》

実在《じつざい》の僧侶玄奘《そうりょげんじょう》が、仏典《ぶってん》を求《もと》め、十六年《じゅうろくねん》の歳月《さいげつ》をかけてインドとの間《あいだ》を往復《おうふく》した史実《しじつ》を下《した》じきにした中《ちゅう》国《ごく》の小説《しょうせつ》です。きんと雲《うん》や変化《へんげ》の術《じゅつ》、分身《ぶんしん》の術《じゅつ》など、悟空《ごくう》が術《じゅつ》を使《つか》って大暴《おおあば》れするのもみりょくの一《ひと》つです。

オススメ図書《としょ》

『西遊記《さいゆうき》（新装版《しんそうばん》）』（小沢章友《おざわあきとも》〈文《ぶん》〉、講談社青《こうだんしゃあお》い鳥文庫《とりぶんこ》）

【語句説明《ごくせつめい》】天竺《てんじく》：現在《げんざい》のインド。八つの戒《いまし》め：三厭《さんえん》（肉《にく》・鳥《とり》・魚《さかな》）、五葷《ごくん》（ネギ・にんにく・にら・らっきょう・あさつき）を食《た》べない菜食主義《さいしょくしゅぎ》のこと。

ジェローム・デイヴィッド・サリンジャー

ライ麦畑《むぎばたけ》でつかまえて

時代《じだい》をこえて
世界中《せかいじゅう》の若者《わかもの》から圧《あっ》とう的《てき》な共感《きょうかん》を
呼《よ》んでいる青春小説《せいしゅんしょうせつ》

ジェローム・デイヴィッド・サリンジャー

1919年《ねん》-2010年《ねん》

アメリカ・ニューヨーク生まれ。ゆう福《ふく》な家庭《かてい》に育《そだ》ち、大学《だいがく》を転々《てんてん》とした後《あと》、コロンビア聴講生時代《ちょうこうせいじだい》に書《か》いた『若者《わかもの》たち』で小説家《しょうせつか》デビュー。当《とう》時《じ》の若者《わかもの》たちから支持《しじ》を受《う》けた。作《さく》品《ひん》に『ナイン・ストーリーズ』『フラニーとゾーイー』など。

もしもきみが、ほんとにぼくの話《はなし》を聞《き》きたいなら、どこで生《う》まれたとか、子《こ》どものころは何《なに》してたのかとか、そんなくだらないこと聞《き》きたいのかもしれないけど、ぼくはそんなことはしゃべりたくないんだ。去年《きょねん》のイカレた経験《けいけん》を話《はな》そうと思《おも》う。

去年《きょねん》のクリスマスのころ、ぼくは*ペンシー高校《こうこう》を退学《たいがく》させられた。成績《せいせき》が悪《わる》かったんだ。先生《せんせい》の説教《せっきょう》を聞《き》かされうんざりしたところで、寮《りょう》のルームメイトとなぐり合《あ》いのケンカしてさ。やりきれなくなって寮《りょう》を飛《と》び出《だ》したんだ。退学《たいがく》になったという手紙《てがみ》が、親《おや》に届《とど》くのは何日《なんにち》も後《あと》のことさ。おこった親《おや》の頭《あたま》が冷《ひ》えたころに帰《かえ》ったほうがましだろ? 妹《いもうと》のフィービーには電話《でんわ》したかったけどやめといた。

ニューヨークに着《つ》いて、ホテルのバーで酒《さけ》を注文《ちゅうもん》したけど断《ことわ》られた。ぼくは未成年《みせいねん》だからね。年上《としうえ》の女《おんな》の子《こ》をナンパしたけど、うまくいかなくてさ。気《き》分《ぶん》は落《お》ちこみっぱなしだったよ。でも道《みち》ばたで『*ライ麦畑《むぎばたけ》でつかまえて』を歌《うた》っていたあの小《ちい》さなかわいい女《おんな》の子《こ》を見《み》たときは、ちょっとうれしかった。落《お》ちこんだ気分《きぶん》で家《いえ》に帰《かえ》ったら、両親《りょうしん》は留守《るす》で、

【語句説明《ごくせつめい》】ペンシー高校《こうこう》：原作《げんさく》の中《なか》で、ペンシルバニア州《しゅう》のエージャスタウンにある高校《こうこう》。主人公《しゅじんこう》の家《いえ》はニューヨークにある。

読《よ》んだ日《ひ》	年《ねん》　月《がつ》　日《にち》

フィービーだけが一人《ひとり》で家《いえ》にいた。フィービーは、ぼくが退学《たいがく》になったことを知《し》ると、おこったね。

「兄《にい》さんは、世《よ》の中《なか》のこと、みんなイヤなのよ」

そんなことはない。ぼくにだって好《す》きなもの、やりたいことはあるさ。だからこう言《い》った。

「たとえば、広《ひろ》いライ麦畑《むぎばたけ》なんかがあってさ。そこで子《こ》どもたちが遊《あそ》んでるんだ。でもそこは大人《おとな》がいなくて危《あぶ》ない。だからガケのふちにぼくは立《た》って、ガケから落《お》ちそうになる子《こ》どもを助《たす》ける、そんな『ライ麦畑《むぎばたけ》のつかまえ役《やく》』になりたいんだよ、ぼくは」

その晩《ばん》、ぼくは家《いえ》を出《で》て今後《こんご》一人《ひとり》で生《い》きていく決《けっ》心《しん》をした。その後《ご》、フィービーに会《あ》ってそのことを伝《つた》えると、ついてきちまった。しかって止《と》めたけど、言《い》うことを聞《き》かないんだ。だから二人《ふたり》で動物園《どうぶつえん》に行《い》った。バカみたいに降《ふ》る雨《あめ》の中《なか》で、回転木馬《かいてんもくば》に乗《の》って遊《あそ》ぶ彼女《かのじょ》を見《み》てるうちにさ、幸《しあわ》せな気持《きも》ちになったんだよ。結局《けっきょく》、ぼくたちは家《いえ》に帰《かえ》ることにしたんだ。

ぼくが話《はな》そうと思《おも》ったのはね、これだけなんだ。

解説《かいせつ》

一九五一年《ねん》に発表《はっぴょう》された本作《ほんさく》は、アメリカだけでなく、世界中《せかいじゅう》の若者《わかもの》に圧《あっ》とう的《てき》な共感《きょうかん》を呼《よ》んで人《にん》気《き》を得《え》た青春小説《せいしゅんしょうせつ》の代表的存在《だいひょうてきそんざい》です。全世界《ぜんせかい》で六千万部《ろくせんまんぶ》以上《いじょう》売《う》れ、日本《にほん》の作品《さくひん》にも非常《ひじょう》に大《おお》きな影響《えいきょう》を与《あた》えました。

オススメ図書《としょ》

『ライ麦畑《むぎばたけ》でつかまえて』（野崎孝《のざきたかし》〔訳《やく》〕、白水社《はくすいしゃ》ブックス）

【語句説明《ごくせつめい》】『ライ麦畑《むぎばたけ》でつかまえて』：スコットランドの詩人《しじん》ロバート・バーンズ作詞《さくし》の民謡《みんよう》のはずだったが、実《じつ》は主人公《しゅじんこう》はタイトルを間《ま》ちがえておぼえていた。正《ただ》しいタイトルは『ライ麦畑《むぎばたけ》で会《あ》うならば』。

シャーロット・ブロンテ

ジェイン・エア

孤児《こじ》に生《う》まれながらも
強《つよ》い意志《いし》で生《い》きる女性《じょせい》が
やがて至高《しこう》の愛《あい》とめぐり合《あ》う恋愛物語《れんあいものがたり》

シャーロット・ブロンテ
1816年《ねん》-1855年《ねん》
イギリス・ヨークシャー生《う》まれ。妹《いもうと》のエミリーとアンと合《あ》わせて、イギリスヴィクトリア時代《じだい》を代表《だいひょう》する「ブロンテ三姉妹《さんしまい》」としょう賛《さん》されている。姉妹《しまい》は短命《たんめい》で、もっとも長生《ながい》きしたシャーロットも38歳《さい》で亡《な》くなった。代表作《だいひょうさく》は『ジェイン・エア』。

孤児《こじ》だった私《わたし》はおばの家《いえ》でぎゃくたいされ、育《そだ》てられた。十歳《じっさい》のとき、家《いえ》を追《お》い出《だ》されるように寄宿《きしゅく》学校《がっこう》に入《い》れられた。学校《がっこう》の食事《しょくじ》はひどいもので量《りょう》も少《すく》なく、私《わたし》たちはいつも空腹《くうふく》だった。それが学校《がっこう》の経営者《けいえいしゃ》の方針《ほうしん》だった。しかも、経営者《けいえいしゃ》は私《わたし》への悪《わる》口《くち》をおばから聞《き》かされていたため、学校中《がっこうじゅう》に私《わたし》を仲間外《なかまはず》れにするよう指示《しじ》していた。

当初《とうしょ》、私《わたし》の味方《みかた》はやさしいテンプル先生《せんせい》と、読書《どくしょ》好《ず》きな少女《しょうじょ》のヘレンだけだった。しかし、テンプル先生《せんせい》の助《たす》けもあって、私《わたし》への誤解《ごかい》はすぐに解《と》けた。

私《わたし》は、このとき、今後《こんご》どんな困難《こんなん》にも負《ま》けないようにしようとちかい、勉強《べんきょう》にはげんだ。

幸《しあわ》せな時間《じかん》もつかの間《ま》、学校《がっこう》でチフス*が流行《りゅうこう》した。不衛生《ふえいせい》で栄養不足《えいようぶそく》のため、生徒《せいと》たちは次々《つぎつぎ》に病《びょう》気《き》でたおれた。ヘレンも肺病《はいびょう》でたおれ、天国《てんごく》に行《い》った。この悲劇《ひげき》のため、学校《がっこう》のかんきょうは劇的《げきてき》に改《かい》善《ぜん》した。私《わたし》はテンプル先生《せんせい》の元《もと》、生徒《せいと》として六年《ろくねん》、教師《きょうし》として二年《にねん》、この学校《がっこう》で過《す》ごした。

十八歳《じゅうはっさい》で私《わたし》は新《あたら》しいかんきょうを求《もと》め、家庭教《かていきょう》

【語句説明《ごくせつめい》】チフス：高熱《こうねつ》や発疹《はっしん》をともなう細菌感染症《さいきんかんせんしょう》の一種《いっしゅ》で、死《し》に至《いた》る可能性《かのうせい》が高《たか》い病気《びょうき》。

読《よ》んだ日《ひ》　年《ねん》　月《がつ》　日《にち》

師《し》になった。ロチェスター様《さま》のお屋《や》しきに住《す》みこみで勤《つと》めることになったのだ。ロチェスター様《さま》はへんくつな面《めん》もあるが、教養《きょうよう》がある誠実《せいじつ》な人《ひと》だった。私《わたし》たちはひかれ合《あ》い、ついにロチェスター様《さま》は私《わたし》に求《きゅう》こんした。しかし、彼《かれ》には発《はっ》きょうした妻《つま》がいた。私《わたし》はお屋《や》しきを出《で》て旅《たび》に出《で》た。

一文無《いちもんな》しでたおれた私《わたし》を助《たす》けてくれたのは、セント・ジョンと二人《ふたり》の妹《いもうと》だった。私《わたし》は彼《かれ》らの住《す》む地《ち》で教師《きょうし》になった。セント・ジョンは熱心《ねっしん》な宣教師《せんきょうし》で、私《わたし》にインドに同行《どうこう》することを求《もと》め、求《きゅう》こんしてきた。彼《かれ》に恋愛感情《れんあいかんじょう》はない。職務《しょくむ》をまっとうする助《じょ》手《しゅ》として私《わたし》を選《えら》んだのだ。

ある夜《よる》、なやんでいた私《わたし》はロチェスター様《さま》の呼《よ》び声《ごえ》を聞《き》いた。彼《かれ》の元《もと》にもどると、お屋《や》しきは火事《かじ》で焼《や》け、彼《かれ》の妻《つま》は死《し》に、彼自身《かれじしん》は片《かた》うでを失《うしな》って、もう目《もく》になっていた。彼《かれ》への愛《あい》を自覚《じかく》した私《わたし》は、ロチェスター様《さま》とけっこんした。

お屋《や》しきにいた使用人《しようにん》たちはこう言《い》っていた。

「あの人《ひと》でよかった。頭《あたま》も性格《せいかく》もいい。＊不器量《ぶきりょう》だけど、だんな様《さま》には美人《びじん》に見《み》えるに決《き》まっとる」

【語句説明《ごくせつめい》】不器量《ぶきりょう》：美人《びじん》ではないこと。

解説《かいせつ》

一八四七年出版《ねんしゅっぱん》。男女不平等《だんじょふびょうどう》、貧富《ひんぷ》の差《さ》が当然《とうぜん》だったイギリスヴィクトリア王朝時代《おうちょうじだい》に書《か》かれた「自由《じゆう》恋愛《れんあい》」小説《しょうせつ》で、世間《せけん》にセンセーションを巻《ま》き起《お》こしました。当時《とうじ》としては、美男美女《びなんびじょ》が主役《しゅやく》ではないという意味《いみ》でも画期的《かっきてき》な小説《しょうせつ》でした。

オススメ図書《としょ》

『ジェイン・エア（上・下）』（河島弘美《かわしまひろみ》（訳《やく》）、岩波文庫《いわなみぶんこ》）

ジュール・ヴェルヌ

海《かい》底《てい》二《に》万《まん》里《り》

なぞの潜水艦《せんすいかん》につかまった生物学者《せいぶつがくしゃ》が世界中《せかいじゅう》の海底《かいてい》をめぐり、歴史《れきし》にうもれた真実《しんじつ》を知《し》る物語《ものがたり》

高学年

ジュール・ヴェルヌ

1828年《ねん》-1905年《ねん》

フランス・ナント出身《しゅっしん》。1863年《ねん》に刊《かん》行《こう》された長編冒険小説《ちょうへんぼうけんしょうせつ》『気球《ききゅう》に乗《の》って五週間《ごしゅうかん》』で人気作家《にんきさっか》に。以後《いご》、科《か》学《がく》・冒険小説《ぼうけんしょうせつ》のけっ作《さく》を生《う》み出《だ》し、「SF《エスエフ》（サイエンス・フィクション）の父《ちち》」と呼《よ》ばれている。代表作《だいひょうさく》に『十五《じゅうご》少年漂流記《しょうねんひょうりゅうき》』『八十日間世界一周《はちじゅうにちかんせかいいっしゅう》』など。

読《よ》んだ日《ひ》	年《ねん》　月《がつ》　日《にち》

一八六六年《ねん》、*七《なな》つの海《うみ》をめぐる勇《ゆう》かんな船乗《ふなの》りたちをおどろかせる怪事件《かいじけん》が起《お》きた。正体不明《しょうたいふめい》の巨大《きょだい》なものが、海中《かいちゅう》に現《あらわ》れたのだ。なぞの物体《ぶったい》は全長《ぜんちょう》百《ひゃく》メートルほどで葉巻型《はまきがた》をしており、クジラをはるかにしのぐスピードで進《すす》む、という。世界中《せかいじゅう》の政府《せいふ》も関心《かんしん》をよせ、大規模《だいきぼ》な調査隊《ちょうさたい》が出《だ》された。

私《わたし》ピエール・アロナックスは、海洋生物学者《かいようせいぶつがくしゃ》として今回《こんかい》の事件《じけん》に興味《きょうみ》を覚《おぼ》え、助手《じょしゅ》のコンセイユ君《くん》とともにアメリカ軍艦《ぐんかん》に乗《の》りこみ調査《ちょうさ》をした。軍艦《ぐんかん》にはクジラもたおす猛者《もさ》、モリ打《う》ちのネッド・ランドがいた。私《わたし》は、今回《こんかい》の事件《じけん》の犯人《はんにん》は巨大生物《きょだいせいぶつ》だと思《おも》っていた。だが、私《わたし》の推論《すいろん》は外《はず》れた。

私《わたし》たちは目的《もくてき》の「怪物《かいぶつ》」からこうげきされ、私《わたし》と助手《じょしゅ》とネッドの三人《さんにん》は、海中《かいちゅう》に投《な》げ出《だ》された。ところが、私《わたし》たちはその「怪物《かいぶつ》」に救《すく》われたのだ。なんと怪物《かいぶつ》の正体《しょうたい》は、巨大潜水艦《きょだいせんすいかん》だった。

潜水艦《せんすいかん》ノーチラス号《ごう》の船長《せんちょう》はネモと名乗《なの》った。ネモとはラテン語《ご》で「名無《なな》し」という意味《いみ》だ。彼《かれ》は正《しょう》体《たい》を明《あ》かすつもりはないらしい。私《わたし》がネモ艦長《かんちょう》に、なぜ世界《せかい》をさわがせるのか問《と》うと、彼《かれ》はこうげきさ

【語句説明《ごくせつめい》】七《なな》つの海《うみ》：近現代《きんげんだい》では、北大西洋《きたたいせいよう》、南大西《みなみたいせい》洋《よう》、北太平洋《きたたいへいよう》、南太平洋《みなみたいへいよう》、インド洋《よう》、北極海《ほっきょくかい》、南極海《なんきょくかい》。

れているのはわれらのほうだと言《い》った。私《わたし》たちは彼《かれ》らの目的《もくてき》もわからないまま捕《ほ》りょとなり、一生艦内《いっしょうかんない》で過《す》ごすことになってしまった。

しかし、元《もと》の世界《せかい》にもどれないこと以外《いがい》は、ネモ船長《せんちょう》と船員《せんいん》は私《わたし》たちによくしてくれた。艦内《かんない》は散策《さんさく》できたし、許可《きょか》さえあれば上陸《じょうりく》して、狩《か》りもできた。何《なに》より、私《わたし》は海底《かいてい》にかくされたなぞや歴史《れきし》が解明《かいめい》されていくことにみりょうされていたのだ。

海底《かいてい》のサンゴしょうやちんぼつ船《せん》の宝《たから》の美《うつく》しさにも心《こころ》をうばわれたが、さらにおどろいたのは伝説《でんせつ》のアトランティス*大陸《たいりく》が実在《じつざい》したことだ。ノーチラス号《ごう》の能力《のうりょく》はすばらしく、まだ開通《かいつう》していないスエズ運河《うんが》の海底《かいてい》をとっ破《ぱ》し、南極大陸《なんきょくたいりく》にまで行《い》き着《つ》いた。

「艦長《かんちょう》、あなたは南極大陸《なんきょくたいりく》をふむ最初《さいしょ》の人《ひと》です」

「ありがとう、アロナックス教授《きょうじゅ》」

こうしてノーチラス号《ごう》は七《なな》つの海《うみ》をぼうけんしたが、ノルウェー近海《きんかい》でメイルストローム*に巻《ま》きこまれてしまった。私《わたし》たち三人《さんにん》はそのすきに潜水艦《せんすいかん》をにげ出《だ》した。その後《ご》、ネモ艦長《かんちょう》たちの行方《ゆくえ》は知《し》れない。

解説《かいせつ》

本作《ほんさく》が発表《はっぴょう》されたのは一八六九年《ねん》ですが、本作《ほんさく》と同性能《どうせいのう》に近《ちか》い原子力潜水艦《げんしりょくせんすいかん》が初《はじ》めて登場《とうじょう》したのは一九五四年《ねん》です。「SF《エスエフ》の父《ちち》」と呼《よ》ばれるヴェルヌの想像力《そうぞうりょく》におどろきながら読《よ》みましょう。

オススメ図書《としょ》

『海底《かいてい》2万《まん》マイル』（加藤《かとう》まさし〔訳《やく》〕、講談社青《こうだんしゃあお》い鳥文庫《とりぶんこ》）

【語句説明《ごくせつめい》】アトランティス：古代《こだい》ギリシアのプラトンが記《しる》した、しずんだとされる伝説《でんせつ》の大陸《たいりく》。メイルストローム：ノルウェーのモスケン島周辺海域《とうしゅうへんかいいき》に存在《そんざい》する大《だい》うずしお。

ジョゼフ・ラドヤード・キップリング

ジャングル・ブック

オオカミに育《そだ》てられた少年《しょうねん》が
ジャングル内《ない》で生《い》きるちえを身《み》につけ、
仲間《なかま》たちと力《ちから》を合《あ》わせて戦《たたか》う

ジョゼフ・ラドヤード・キップリング 1865年《ねん》-1936年《ねん》
イギリス領《りょう》インド帝国《ていこく》ボンベイ生《う》まれ。1888年《ねん》22歳《さい》で最初《さいしょ》の短編集《たんぺんしゅう》『高原平話集《こうげんへいわしゅう》』を出版《しゅっぱん》。1890年《ねん》発表《はっぴょう》の「兵舎《へいしゃ》のバラード」の連《れん》さいで絶賛《ぜっさん》され、当時《とうじ》イギリスでもっとも人気《にんき》のある作家《さっか》となった。他《ほか》に『少年《しょうねん》キム』『ゾウのはなはなぜ長《なが》い』など。

むし暑《あつ》い夜《よる》、オオカミの夫婦《ふうふ》はジャングルの中《なか》で人間《にんげん》の子《こ》を見《み》つけた。オオカミはほこり高《たか》く優《やさ》しい生《い》き物《もの》だ。彼《かれ》らが子《こ》どもを自分《じぶん》たちのすみかに運《はこ》んだところ、トラのシア・カーンがやってきた。

「その人間《にんげん》の子《こ》は私《わたし》のエモノだ。返《かえ》せ」

「われらオオカミは自由《じゆう》の民《たみ》。長《おさ》の命令《めいれい》には従《したが》うが、お前《まえ》の指図《さしず》は受《う》けぬ。帰《かえ》るがいい」

父《ちち》オオカミがそう言《い》うと、オオカミ一家《いっか》と戦《たたか》う不《ふ》利《り》をさとったシア・カーンは引《ひ》き返《かえ》した。

人間《にんげん》の子《こ》はモーグリと名付《なづ》けられ、四十《よんじっ》ぴき以《い》上《じょう》のオオカミたちの長《おさ》である灰色《はいいろ》の巨大《きょだい》なオオカミ、アケーラの許可《きょか》を得《え》てオオカミたちに育《そだ》てられた。最初《さいしょ》は反対《はんたい》する者《もの》もあったが、ちえ深《ぶか》きクマのバルーと、人間《にんげん》のかしこさを知《し》る黒《くろ》ヒョウのバギーラがモーグリの味方《みかた》になったため、結局《けっきょく》オオカミたちは全員《ぜんいん》、モーグリを認《みと》めたのだ。

およそ十年《じゅうねん》経《た》った。その間《あいだ》、バルーはモーグリにジャングルのおきてのすべてを教《おし》えた。

《なんじの狩《か》りに幸運《こううん》を》というあいさつは特《とく》に重《じゅう》要《よう》だ。ジャングル内《ない》で狩《か》りをするほとんどの種族《しゅぞく》を

読《よ》んだ日《ひ》　年《ねん》　月《がつ》　日《にち》

味方《みかた》にできるこのあいさつを、バルーはモーグリに厳《きび》しく教《おし》えこんだ。これを覚《おぼ》えれば、すべての鳥《とり》・ヘビ・ケモノからおそわれることはない。

モーグリは心強《こころづよ》い味方《みかた》に守《まも》られて育《そだ》ったが、シア・カーンはまだモーグリを食《た》べる気《き》でいた。仲間《なかま》からの忠告《ちゅうこく》でそれを知《し》ったモーグリは、シア・カーンを殺《ころ》し、皮《かわ》をはぎ取《と》って＊集会場《しゅうかいじょう》にかざった。

いく日《にち》も経《た》ったころ、オオカミ一族《いちぞく》最大《さいだい》の危機《きき》が訪《おとず》れた。二百《にひゃく》ぴきをこえる殺《ころ》し屋《や》集団《しゅうだん》の＊赤犬《あかいぬ》たちがジャングルに現《あらわ》れたのだ。四十数《よんじゅうすう》ひきのオオカミたちは戦《たたか》うことを決意《けつい》した。モーグリは一人《ひとり》、ニシキヘビのカーの力《ちから》を借《か》り、赤犬《あかいぬ》たちをハチの巣《す》におびき出《だ》してその大半《たいはん》を殺《ころ》すことに成功《せいこう》した。残《のこ》りの赤犬《あかいぬ》はオオカミたちがやっつけたが、この戦《たたか》いでアケーラが死《し》んだ。死《し》ぬとき、モーグリに人間《にんげん》たちのところへ帰《かえ》るように言《い》い残《のこ》して。

モーグリはその場《ば》ではいやがったが、やがて自分《じぶん》の内《うち》なる声《こえ》に導《みちび》かれ、ジャングルを後《あと》にした。

人間《にんげん》は人間《にんげん》のもとへ！

解説《かいせつ》

一八九四年《ねん》に出版《しゅっぱん》された本作《ほんさく》は連作短編小説《れんさくたんぺんしょうせつ》で、続編《ぞくへん》に『続《ぞく》ジャングル・ブック』があります。モーグリが主人公《しゅじんこう》の短編《たんぺん》が多《おお》いのですが、別《べつ》の動物《どうぶつ》が主人公《しゅじんこう》の場合《ばあい》もあります。

オススメ図書《としょ》

『ジャングル・ブック』（山田蘭《やまだらん》〔訳《やく》〕、角川《かどかわ》つばさ文庫《ぶんこ》）

【語句説明《ごくせつめい》】集会場《しゅうかいじょう》：オオカミたちが会議《かいぎ》を開《ひら》く場所《ばしょ》。赤犬《あかいぬ》：オオカミより一回《ひとまわ》り小《ちい》さいが、本作《ほんさく》ではオオカミたちより大《おお》きな集団《しゅうだん》を作《つく》り、ざんにんな狩《か》りをするという設定《せってい》。別名《べつめい》アカオオカミ。

クリスマス・キャロル

強欲《ごうよく》で冷《れい》こくな一人《ひとり》の男《おとこ》が改心《かいしん》する
世界《せかい》でもっとも有名《ゆうめい》な
クリスマスのきせきの物語《ものがたり》

チャールズ・ディケンズ
1812年《ねん》-1870年《ねん》
イングランド・ハンプシャー州出身《しゅうしゅっしん》。1833年《ねん》～1836年《ねん》の間《あいだ》に、新聞記者《しんぶんきしゃ》を務《つと》めるかたわらに発表《はっぴょう》した作品集《さくひんしゅう》『ボズのスケッチ集《しゅう》（英語版《えいごばん》）』から世《よ》に出《で》る。紙《し》へいのしょう像画《ぞうが》にまでなった英国《えいこく》の国民作家《こくみんさっか》。代表作《だいひょうさく》に『二都物語《にとものがたり》』『大《おお》いなる遺産《いさん》』など。

強欲《ごうよく》だったマーレイが死《し》んだ。ゆいいつの友《とも》だちだったスクルージも、冷《れい》こく無慈悲《むじひ》でエゴイスト*な初老《しょろう》の男《おとこ》である。その守銭奴《しゅせんど》*ぶりは町中《まちじゅう》に知《し》られ、きらわれていた。マーレイが死《し》んで七年目《ななねんめ》になるクリスマス・イブの日《ひ》、スクルージはおいっ子《こ》から、

「メリー・クリスマス、おじさん！」

と声《こえ》をかけられても気《き》にしない。おいっ子《こ》におくり物《もの》もせず、貧《まず》しい子《こ》のために教会《きょうかい》に寄付《きふ》もしない。

その晩《ばん》、スクルージが家《いえ》に帰《かえ》ると、くさりにがんじがらめにされたマーレイのゆうれいが現《あらわ》れた。マーレイは自分《じぶん》の姿《すがた》を見《み》せながら、こう言《い》った。

「お前《まえ》さんも欲望《よくぼう》に取《と》りつかれていると、わしのように、くさりまみれの死後《しご》を送《おく》るぞ。わしのようになりたくなければ、三人《さんにん》のゆうれいに会《あ》うがいい」

マーレイは、三人《さんにん》のゆうれいがスクルージの前《まえ》に現《あらわ》れることを予言《よげん》すると、消《き》えた。

第一《だいいち》のゆうれいが現《あらわ》れた。幼《おさな》いが老人《ろうじん》のような姿《すがた》をしていた。ゆうれいは、自分《じぶん》は過去《かこ》のれいだと名乗《なの》ると、スクルージの少年時代《しょうねんじだい》、青年時代《せいねんじだい》の光景《こうけい》を見《み》せた。昔《むかし》の夢《ゆめ》や恋《こい》を思《おも》い出《だ》したスクルージ

【語句説明《ごくせつめい》】エゴイスト：他人《たにん》の迷《めい》わくをかえりみず、自《じ》分《ぶん》の利益《りえき》だけを求《もと》める人《ひと》。

読《よ》んだ日《ひ》　年《ねん》　月《がつ》　日《にち》

は、感傷《かんしょう》にたえきれなくなり、第一《だいいち》のゆうれいを追《お》い払《はら》った。

次《つぎ》に第二《だいに》のゆうれいが現《あらわ》れた。長身《ちょうしん》のゆうれいは現在《げんざい》のれいだと名乗《なの》り、おいっ子《こ》の家族《かぞく》が愛情《あいじょう》に包《つつ》まれた食事《しょくじ》をしている光景《こうけい》と、自分《じぶん》の会社《かいしゃ》の部下《ぶか》のクラチットが家族《かぞく》と幸《しあわ》せに食事《しょくじ》している風景《ふうけい》を見《み》せた。クラチット家《け》の末《すえ》っ子《こ》が病気《びょうき》で長《なが》く生《い》きられないこともわかった。スクルージは寄付《きふ》を断《ことわ》る際《さい》、いつも「余分《よぶん》な人口《じんこう》が減《へ》るのはよいことだ」と言《い》っていたことを思《おも》い出《だ》し、後《こう》かいした。

第三《だいさん》のゆうれいは、真《ま》っ黒《くろ》な衣《ころも》に包《つつ》まれた未来《みらい》のれいだった。見《み》せられた光景《こうけい》ではスクルージは死《し》んでいた。スクルージの死《し》を知《し》った人々《ひとびと》は喜《よろこ》び、彼《かれ》の衣服《いふく》をはぎ取《と》り、家《いえ》から金品《きんぴん》をぬすんでいた。

自分《じぶん》の末路《まつろ》を知《し》って目《め》が覚《さ》めたスクルージは、おいっ子《こ》の家《いえ》に行《い》き、クリスマスを祝《いわ》った。その後《ご》クラチットに会《あ》いに行《い》き、「メリー・クリスマス」の言葉《ことば》とともに、給料《きゅうりょう》アップと末《すえ》っ子《こ》へのえん助《じょ》を申《もう》し出《で》た。スクルージは、その後《ご》ロンドンで、もっとも有名《ゆうめい》な善人《ぜんにん》になった。

【語句説明《ごくせつめい》】守銭奴《しゅせんど》：金銭《きんせん》に異常《いじょう》なしゅう着《ちゃく》を持《も》つ人《ひと》。

解説《かいせつ》

一八四三年《ねん》に刊行《かんこう》された本作《ほんさく》は、文《ぶん》ごうディケンズの作品《さくひん》の中《なか》で、もっとも有名《ゆうめい》な短編小説《たんぺんしょうせつ》です。強欲《ごうよく》な生《い》き方《かた》がどれだけみじめな姿《すがた》なのか、愛《あい》に包《つつ》まれた人生《じんせい》がいかにすばらしいかを、わからせてくれます。

オススメ図書《としょ》

『新訳《しんやく》　クリスマス・キャロル』（木村由利子《きむらゆりこ》〔訳《やく》〕、集英社《しゅうえいしゃ》みらい文庫《ぶんこ》）

ハーマン・メルヴィル

白鯨《モビー・ディック》

神《かみ》の化身《けしん》か大自然《だいしぜん》の象《しょう》ちょうか
大海原《おおうなばら》に生《い》きる白《しろ》き巨鯨《きょげい》に
狂気《きょうき》をはらんだ人間《にんげん》がいどむ！

さてここに、登場《とうじょう》したのは私《わたし》、＊風来坊《ふうらいぼう》のイシュタールだ。私《わたし》はアメリカ東部《とうぶ》のナンタケットの港《みなと》宿《やど》で銛打《もりう》ちのクィークェグと出会《であ》い、ともに捕鯨船《ほげいせん》ピークォド号《ごう》に乗《の》りこむことになった。私《わたし》にクジラ捕《と》りの経験《けいけん》はない。ただの水夫《すいふ》として捕鯨船《ほげいせん》に乗《の》りこんだのだ。

船《ふね》には冷静《れいせい》ちん着《ちゃく》な一等航海士《いっとうこうかいし》スターバック、勇《ゆう》かんなスタブをはじめ、優秀《ゆうしゅう》な船員《せんいん》がそろっていた。**そして、彼《かれ》らを率《ひき》いるのは、＊白鯨《モビー・ディック》に片足《かたあし》を食《く》いちぎられ、ふくしゅうの一念《いちねん》にこり固《かた》まった狂気《きょうき》の船長《せんちょう》エイハブである。**失《うしな》われた片足《かたあし》は、クジラの骨《ほね》で作《つく》られた義足《ぎそく》で補《おぎな》われ、彼《かれ》の異様《いよう》な風《ふう》ぼうをいやがおうにも増《ま》していた。

われらはクジラやサメを退治《たいじ》し、多《おお》くの他《ほか》の捕鯨《ほげい》船《せん》に出会《であ》いながら、白鯨《モビー・ディック》の情報《じょうほう》を探《さが》し続《つづ》けた。そしてついに、日本近海《にほんきんかい》でヤツを見《み》たという情報《じょうほう》を得《え》た。実《じつ》は私《わたし》は白鯨《モビー・ディック》とは、ただの船乗《ふなの》りのうわさではないかと半信半疑《はんしんはんぎ》だった。だが、ヤツは実在《じつざい》した。

＊最高神《さいこうしん》ジュピターが白《しろ》き雄牛《おうし》に姿《すがた》を変《か》え、美女《びじょ》のエウロペを気《き》づかいながら、波《なみ》をけ立《た》てて泳《およ》ぐさま

【語句説明《ごくせつめい》】風来坊《ふうらいぼう》：どこからともなくやってくる人《ひと》。
白鯨《モビー・ディック》：原題《げんだい》の「Moby-Dick; or, The Whale《モビー ディック オア ザ ホエール》」は「とても大《おお》きなヤツ、あるいはクジラ」という意味《いみ》。

ハーマン・メルヴィル
1819年《ねん》-1891年《ねん》
アメリカ・ニューヨーク出身《しゅっしん》。1840年《ねん》、捕鯨船《ほげいせん》アクシュネット号《ごう》の乗組員《のりくみいん》となった経験《けいけん》が、後《のち》の作品《さくひん》に影響《えいきょう》をあたえた。生活苦《せいかつく》の中《なか》、小説《しょうせつ》を次々《つぎつぎ》に発表《はっぴょう》するが、難解《なんかい》な作風《さくふう》はなかなか評価《ひょうか》を得《え》られず、死後再評価《しごさいひょうか》された。他《ほか》の作品《さくひん》に『ビリー・バッド』など。

読《よ》んだ日《ひ》　年《ねん》　月《がつ》　日《にち》

を想起《そうき》させる、圧《あっ》とう的《てき》なその威風《いふう》！
エイハブ船長《せんちょう》と船員《せんいん》たちは白鯨《モビー・ディック》におそいかかったが、なんなく撃退《げきたい》され、彼《かれ》らは重傷《じゅうしょう》を負《お》った。義《ぎ》足《そく》をもぎ取《と》られ、片足《かたあし》となってもまだあきらめないエイハブをスターバックはいさめた。

「船長《せんちょう》。これ以上《いじょう》、なにをお望《のぞ》みか！　みなを地《じ》ごくまで引《ひ》き連《つ》れゆくのか。あいつを狩《か》るのは、神《かみ》をもおそれぬ不敬《ふけい》の業《わざ》です、おやめください！」

「おれは、エイハブ、いつまでもエイハブだ！　おそれを知《し》らぬ火《ひ》のように、たましいがない機械《きかい》のように！　おれは命《いのち》のままに動《うご》く。なんじはおれの命《めい》に従《したが》え！」

狂気《きょうき》の船長《せんちょう》はますます白鯨《モビー・ディック》をたおそうと、しゅう念《ねん》を燃《も》やす。三度目《さんどめ》の追撃《ついげき》でエイハブが銛《もり》を白鯨《モビー・ディック》の巨体《きょたい》につき立《た》てたとき、＊一条《いちじょう》のロープが彼《かれ》の首《くび》に巻《ま》きつき、海中《かいちゅう》へと連《つ》れ去《さ》った。船《ふね》は白鯨《モビー・ディック》に破《は》かいされ、大《おお》いなる海《うみ》の死《し》の衣《ころも》に包《つつ》まれて、波《なみ》間《ま》に消《き》えた。
劇《げき》はこれで終《お》わりだ。もはや登場《とうじょう》できるのは、この私《わたし》ただ一人《ひとり》、生《い》き残《のこ》りのイシュタールだけだ。

解説《かいせつ》

一八五一年《ねん》に発表《はっぴょう》された本作《ほんさく》は、メルヴィルの体《たい》験談《けんだん》を基《もと》に創作《そうさく》されました。聖書《せいしょ》、神話《しんわ》、博物学《はくぶつがく》などが引用《いんよう》されていて難解《なんかい》ですが、大自然《だいしぜん》の象《しょう》ちょう「白鯨《モビー・ディック》」にいどむ人間《にんげん》のしゅう念《ねん》の物語《ものがたり》は、読《よ》み応《ごた》えがあります。

オススメ図書《としょ》
『白鯨《モビー・ディック》』（田中西二郎《たなかせいじろう》（訳《やく》）、新潮文庫《しんちょうぶんこ》）

【語句説明《ごくせつめい》】最高神《さいこうしん》ジュピター：ギリシャ神話《しんわ》のゼウス。美女《びじょ》のエウロペに恋《こい》したゼウスが雄牛《おうし》に姿《すがた》を変《か》えて、彼女《かのじょ》をさらい海《うみ》を渡《わた》った「おうし座《ざ》」の伝説《でんせつ》。一条《いちじょう》：細長《ほそなが》いものの一本《いっぽん》。ひとすじ。

ハインリヒ・シュリーマン

古代《こだい》への情熱《じょうねつ》

十数《じゅうすう》か国語《こくご》を学《まな》び、資金《しきん》を作《つく》って
幼《おさな》きころの夢《ゆめ》をはたした
シュリーマンの半生記《はんせいき》

ハインリヒ・シュリーマン
1822年《ねん》-1890年《ねん》
プロイセン王国《おうこく》（現在《げんざい》のドイツ）生《う》まれ。貧《まず》しい暮《く》らしで少年時代《しょうねんじだい》に働《はたら》きながら15か国語《こくご》をマスター。1847年《ねん》にロシア籍《せき》を取得後《しゅとくご》、商売《しょうばい》で成功《せいこう》。1873年《ねん》に少年《しょうねん》のころからの夢《ゆめ》だったトロイア発見《はっけん》を発表《はっぴょう》した。

高学年

私《わたし》が身《み》の上話《うえばなし》を始《はじ》めるのは、*虚栄心《きょえいしん》からではない。私《わたし》の後半生《こうはんせい》の活動《かつどう》はすべて、子《こ》どものころに受《う》けた感《かん》めいから来《き》たということをはっきりさせたいからだ。私《わたし》が前半生《ぜんはんせい》に財産《ざいさん》を貯《た》めてきたのは、すべて子《こ》どものころからの夢《ゆめ》のためだった。

私《わたし》の父《ちち》は古代《こだい》の歴史《れきし》が好《す》きだった。*ホメロスが歌《うた》う、英《えい》ゆうやトロイア戦争《せんそう》について、私《わたし》に熱心《ねっしん》に語《かた》ってくれたものだった。トロイアが破《は》かいされて地上《ちじょう》から跡形《あとかた》もなくなってしまったことを聞《き》いたときは悲《かな》しかったが、建物《たてもの》や城壁《じょうへき》がすべてなくなってしまったとはどうしても思《おも》えなかった。

「お父《とう》さん、壁《かべ》がなくなっているはずないよ。きっと、土《つち》の下《した》にうもれているんだ!」

私《わたし》は、いつかきっとトロイアを発《はっ》くつしてみせると、父《ちち》に約束《やくそく》した。

家《いえ》が貧《まず》しく、少年《しょうねん》のころから働《はたら》き始《はじ》めた私《わたし》は、働《はたら》きながら語学《ごがく》の勉強《べんきょう》をした。ラテン語《ご》については父《ちち》から教《おそ》わっていたので基《き》そはできていた。そのうち、**私《わたし》はどんな言語《げんご》でも簡単《かんたん》に習得《しゅうとく》できる方法《ほうほう》を編《あ》み出《だ》した。それは本《ほん》を大《おお》きな声《こえ》で音読《おんどく》し、暗唱《あんしょう》す**

【語句説明《ごくせつめい》】虚栄心《きょえいしん》：見栄《みえ》を張《は》りたがる心《こころ》。

読《よ》んだ日《ひ》　年《ねん》　月《がつ》　日《にち》

ることである。**何度《なんど》も反復《はんぷく》して暗唱《あんしょう》し、すっかり覚《おぼ》えたら次《つぎ》の本《ほん》に取《と》りかかる。**この方法《ほうほう》で、私《わたし》は半年《はんとし》間《かん》で英語《えいご》の基《き》そをマスターした。フランス語《ご》も同様《どうよう》の方法《ほうほう》で、半年間《はんとしかん》で学《まな》び終《お》えた。しんぼう強《づよ》く学《まな》んだおかげで、私《わたし》の記《き》おく力《りょく》は強化《きょうか》された。そのため、オランダ語《ご》、スペイン語《ご》、イタリア語《ご》、ポルトガル語《ご》を流《りゅう》ちょうに話《はな》したり書《か》いたりできるようになるまで、六週間《ろくしゅうかん》とかからなかった。

古典《こてん》ギリシア語《ご》を学《まな》び終《お》えるころには、私《わたし》の商《しょう》売《ばい》も順調《じゅんちょう》に行《い》き、トロイアを発《はっ》くつする資金《しきん》を得《え》ていた。四十六歳《よんじゅうろくさい》になっていた私《わたし》は感激《かんげき》のままに、ホメロスが歌《うた》ったギリシアの土地《とち》を歩《ある》き回《まわ》った。ホメロスの『イーリアス』と『オデュッセイア』を暗《あん》記《き》していた私《わたし》は、彼《かれ》の示《しめ》す地形《ちけい》を信《しん》じ、やとい入《い》れた労働者《ろうどうしゃ》とともにスコップをつかんだ。

空想《くうそう》だとされた『イーリアス』の記述《きじゅつ》は事実《じじつ》だった。一八七三年《ねん》、私《わたし》はトロイアの古代遺物《こだいいぶつ》をほり当《あ》てた。だが、**私《わたし》はこれらの人類《じんるい》の宝《たから》を私物化《しぶつか》する気《き》はない。この業績《ぎょうせき》の名《めい》よだけで十分《じゅうぶん》なのだ。**

解説《かいせつ》

本作《ほんさく》は1881年《ねん》にシュリーマン本人《ほんにん》が書《か》いた自《じ》伝《でん》『イーリアス』に友人《ゆうじん》のブリュックナー博士《はかせ》が加筆《かひつ》・補足《ほそく》したものです。幼《おさな》いころからの情熱《じょうねつ》を失《うしな》わず、努力《どりょく》を続《つづ》けるシュリーマンの姿《すがた》に感動《かんどう》します。

オススメ図書《としょ》

『古代《こだい》への情熱《じょうねつ》―シュリーマン自伝《じでん》』（関楠生《せきくすお》〔訳《やく》〕、新潮《しんちょう》文庫《ぶんこ》）

【語句説明《ごくせつめい》】ホメロス：紀元前《きげんぜん》8世紀末《せいきまつ》の古代《こだい》ギリシアの吟遊詩人《ぎんゆうしじん》とされるが、実在《じつざい》したかどうかは不明《ふめい》。

フョードル・ドストエフスキー

罪《つみ》と罰《ばつ》

自《みずか》らの思想《しそう》に基《もと》づいて
犯罪《はんざい》を行《おこな》い、
苦《くる》しみもがく若者《わかもの》の姿《すがた》をえがく

七月初《がつはじ》めの日暮《ひぐ》れ時《どき》、一人《ひとり》の青年《せいねん》が何事《なにごと》かを思《おも》いつめ、町《まち》を歩《ある》いていた。青年《せいねん》の名《な》はラスコーリニコフ。彼《かれ》は貧《びん》ぼうで、学費《がくひ》を期間内《きかんない》に納《おさ》められず、大学《だいがく》を退学《たいがく》させられていた。

ラスコーリニコフは、ある計画《けいかく》を立てて実行《じっこう》しようとしていた。それは、高利貸《こうりが》しの老婆《ろうば》を殺害《さつがい》することである。彼《かれ》は独特《どくとく》の思想《しそう》を持《も》ち、そのことについて論文《ろんぶん》を書《か》き、発表《はっぴょう》していた。そして、彼《かれ》は自分《じぶん》の持論《じろん》を実行《じっこう》した。高利貸《こうりが》しの老婆《ろうば》と、その場《ば》にぐうぜんいあわせた義妹《ぎまい》も殺《ころ》したのである。

ラスコーリニコフは確固《かっこ》たる決意《けつい》を持《も》って、殺人《さつじん》を実行《じっこう》したのだが、その良心《りょうしん》はたえきれなかった。常《つね》に罪《つみ》の意識《いしき》におびえ、げん覚《かく》を見《み》、自白《じはく》のしょう動《どう》にかられる日々《ひび》を送《おく》ることになったのである。

事件《じけん》をそう査《さ》していた*予審判事《よしんはんじ》ポルフィーリイは、ラスコーリニコフが発表《はっぴょう》した論文《ろんぶん》を読《よ》み、彼《かれ》が犯人《はんにん》ではないかと疑《うたが》いを持《も》っていた。ポルフィーリイはラスコーリニコフに会《あ》いに行《い》き、話《はな》しかけた。

「君《きみ》は論文《ろんぶん》に『選《えら》ばれた*非凡人《ひぼんじん》ならば、一般人《いっぱんじん》の道徳《どうとく》などふみこえてあらゆる犯罪《はんざい》が許《ゆる》される』と書《か》い

【語句説明《ごくせつめい》】予審判事《よしんはんじ》：裁判《さいばん》に値《あたい》するかどうかを調《しら》べる裁判官《さいばんかん》。当時《とうじ》のロシアではそう査権《さけん》もあった。

高学年

フョードル・ドストエフスキー
1821年《ねん》-1881年《ねん》
ロシア・モスクワ市出身《ししゅっしん》。1846年《ねん》、処女作《しょじょさく》『貧《まず》しき人々《ひとびと》』で作家《さっか》デビュー。以後多《いごおお》くの作品《さくひん》を発表《はっぴょう》して、世界《せかい》でも指折《ゆびお》りの作家《さっか》となり、日本文学《にほんぶんがく》にも多大《ただい》なえいきょうをあたえた。作品《さくひん》に『カラマーゾフの兄弟《きょうだい》』『白痴《はくち》』『悪霊《あくりょう》』『未成年《みせいねん》』など。

読《よ》んだ日《ひ》　年《ねん》　月《がつ》　日《にち》

ておられますな。ちがいましたかな？」

ラスコーリニコフは否定《ひてい》できなかった。事実《じじつ》、まったくその通《とお》りの思想《しそう》で老婆《ろうば》を殺《ころ》したのだ。老婆《ろうば》の金《かね》が世界《せかい》の役《やく》に立《た》つのならば、非凡人《ひぼんじん》である自分《じぶん》の罪《つみ》は許《ゆる》されるべきなのである。だが、彼《かれ》はポルフィーリイの問《と》いかけに動《どう》ようした。その場《ば》はポルフィーリイの追《つい》きゅうをのがれたラスコーリニコフだったが、その後《ご》も罪《つみ》の意識《いしき》にさいなまれ続《つづ》けた。

自殺《じさつ》を考《かんが》えるまで精神的《せいしんてき》に追《お》いつめられたラスコーリニコフは、心《こころ》の清《きよ》らかなむすめソーニャの愛《あい》に打《う》たれ、自分《じぶん》の罪《つみ》を彼女《かのじょ》に告白《こくはく》した。ソーニャの助《たす》けを受《う》けて、ラスコーリニコフは自首《じしゅ》したのである。彼《かれ》はまったく弁解《べんかい》せず、重《おも》い罰《ばつ》を受《う》けようとした。だが、ラスコーリニコフが貧《まず》しい身《み》の上《うえ》にもかかわらず、ぬすんだ金品《きんぴん》にまったく手《て》をつけておらず、精神的《せいしんてき》に追《お》いつめられていたことが知《し》られると、処分《しょぶん》はシベリア流刑《るけい》*八年《はちねん》の刑《けい》になった。ラスコーリニコフがシベリアに送《おく》られた後《あと》、ソーニャもまたシベリアに移住《いじゅう》し、彼《かれ》の出所《しゅっしょ》を待《ま》つことにした。

解説《かいせつ》

一八六六年《ねん》に発表《はっぴょう》された本作《ほんさく》は、世界《せかい》で最高《さいこう》けっ作小説《さくしょうせつ》の一《ひと》つと評価《ひょうか》されています。倫理《りんり》・思想《しそう》・宗教《しゅうきょう》といった哲学的《てつがくてき》な内容《ないよう》を含《ふく》みながら、推理小《すいりしょう》説的《せつてき》なエンターテインメント性《せい》も豊《ゆた》かな作品《さくひん》です。

オススメ図書《としょ》

『罪《つみ》と罰《ばつ》』（江川卓《えがわたく》〔訳《やく》〕、岩波文庫《いわなみぶんこ》）

【語句説明《ごくせつめい》】非凡人《ひぼんじん》：平凡《へいぼん》でない人《ひと》、つまりずばぬけた才能《さいのう》がある人《ひと》。特《とく》に優《すぐ》れた才能《さいのう》のある人。流刑《るけい》：犯《はん》罪者《さいしゃ》を遠《とお》くのあれた土地《とち》に追放《ついほう》する刑罰《けいばつ》。

マーガレット・ミッチェル

風《かぜ》と共《とも》に去《さ》りぬ

アメリカ南北戦争《なんぼくせんそう》のさなか、
よりよい明日《あした》を夢見《ゆめみ》て
たくましく生《い》きぬく女性《じょせい》の半生《はんせい》

マーガレット・ミッチェル
1900年《ねん》-1949年《ねん》
ジョージア州《しゅう》アトランタで生《う》まれた。1918年《ねん》にワシントン神学校《しんがっこう》を卒業《そつぎょう》後《ご》、アトランタへもどり『アトランタ・ジャーナル』に入社《にゅうしゃ》。1926年《ねん》、『風《かぜ》と共《とも》に去《さ》りぬ』を書《か》き始《はじ》め、1936年《ねん》に完成《かんせい》。生《しょう》がいで発表《はっぴょう》した作品《さくひん》は『風《かぜ》と共《とも》に去《さ》りぬ』のみとなった。

アメリカ・ジョージア州《しゅう》にあるタラ農園《のうえん》を経営《けいえい》する富《ふ》ごうのむすめに、スカーレット・オハラという少女《しょうじょ》がいた。スカーレットは美人《びじん》ではなかったが、そのふるまいは力強《ちからづよ》い意志《いし》とどん欲《よく》な生命力《せいめいりょく》をたたえ、男《おとこ》たちは、彼女《かのじょ》のみりょくのとりこになった。

ときは一八六一年《ねん》、*南北戦争《なんぼくせんそう》がぼっ発《ぱつ》した数日後《すうじつご》のこと。隣人《りんじん》のパーティに出席《しゅっせき》したスカーレットは、おとなしいむすめのメラニーが上流階級《じょうりゅうかいきゅう》のアシュリーとけっこんすることを知《し》ってショックを受《う》けた。スカーレットは、二年前《にねんまえ》からアシュリーのことが好《す》きだったからだ。スカーレットはすぐにアシュリーに告白《こくはく》したが、ふられた。くつじょくであれたスカーレットが手近《てぢか》にあった花《か》びんを暖《だん》ろに投《な》げつけ、暴《あば》れていると、からかうような声《こえ》が聞《き》こえてきた。

なんと、スカーレットがふられる一部始終《いちぶしじゅう》を、評《ひょう》判《ばん》の悪《わる》いレット・バトラーに見《み》られてしまっていたのだ。あなたはレディではないが、そこがみりょく的《てき》だとからかうレットに、彼女《かのじょ》は殺意《さつい》すら覚《おぼ》えた。

ふられた腹《はら》いせにメラニーの兄《あに》とけっこんしたス

【語句説明《ごくせつめい》】南北戦争《なんぼくせんそう》：1861年《ねん》-1865年《ねん》。アメリカ全《ぜん》土《ど》が、奴隷制《どれいせい》に反対《はんたい》する北部《ほくぶ》と奴隷制《どれいせい》を肯定《こうてい》する南部《なんぶ》に分《わ》かれた内戦《ないせん》。北部《ほくぶ》が勝《か》ち、奴隷《どれい》は解放《かいほう》された。

読《よ》んだ日《ひ》　　年《ねん》　月《がつ》　日《にち》

カーレットだったが、夫《おっと》はすぐに*戦病死《せんびょうし》した。彼女《かのじょ》は義妹《ぎまい》となったメラニーとともにアトランタに住《す》む。だが、スカーレットの友人知人《ゆうじんちじん》が参加《さんか》する南軍《なんぐん》が不利《ふり》になったため、レットの助《たす》けを受《う》けて、彼女《かのじょ》は故郷《こきょう》のタラに帰《かえ》った。無残《むざん》にあれ果《は》てた故郷《こきょう》を守《まも》るため、スカーレットは自分《じぶん》の妹《いもうと》のこん約者《やくしゃ》をうばい取《と》り、けっこんする。商才《しょうさい》がない夫《おっと》に代《か》わり、スカーレットは商売《しょうばい》を始《はじ》め、金《かね》もうけにいそしんだ。しかし夫《おっと》が死《し》に、彼女《かのじょ》は再《ふたた》び未亡人《みぼうじん》になった。

夫《おっと》の死後《しご》、レットと愛《あい》のないけっこんをしたスカーレットは大金持《おおがねも》ちになり、ぜいたくな暮《く》らしを始《はじ》めた。メラニーを除《のぞ》いて、昔《むかし》からの友人《ゆうじん》は去《さ》っていったが、スカーレットは気《き》にしなかった。

しかし、レットとの間《あいだ》に生《う》まれたむすめが事故《じこ》死《し》し、メラニーも病死《びょうし》すると、レットの心《こころ》もスカーレットからはなれていった。このとき、初《はじ》めてレットを愛《あい》していたことに気《き》づいたスカーレットは、去《さ》ってしまったレットとやり直《なお》すことを決意《けつい》した。

「明日考《あしたかんが》えよう。明日《あした》、レットを取《と》りもどす方法《ほうほう》を考《かんが》えるの。結局《けっきょく》、*明日《あした》はまた新《あたら》しい日《ひ》なのだから」

解説《かいせつ》

一九三六年《ねん》に発表《はっぴょう》された本作《ほんさく》は、出版《しゅっぱん》と同時《どうじ》に話題《わだい》になり、数年《すうねん》で全世界《ぜんせかい》に翻訳《ほんやく》された大《だい》ベストセラー作《さく》。したたかに生《い》きるスカーレットの強《きょう》れつな個性《こせい》がきょうたんされ、共感《きょうかん》を呼《よ》んだ作品《さくひん》です。

オススメ図書《としょ》
『風《かぜ》と共《とも》に去《さ》りぬ』全六巻《ぜんろっかん》（荒《あら》このみ〔訳《やく》〕、岩波文庫《いわなみぶんこ》）

【語句説明《ごくせつめい》】戦病死《せんびょうし》：戦地《せんち》で病死《びょうし》すること。明日《あした》はまた新《あたら》しい日《ひ》なのだから：Tomorrow《トゥモロー》 is《イズ》 another《アナザー》 day《デイ》. 本作《ほんさく》を象《しょう》ちょうする言葉《ことば》。「明日《あした》は明日《あした》の風《かぜ》が吹《ふ》く」という訳《やく》でも有名《ゆうめい》。

マーク・トウェイン

ハックルベリー・フィンの冒険《ぼうけん》

きゅうくつな生活《せいかつ》からにげたハックと自由《じゆう》を求《もと》めるどれいのジムが冒険《ぼうけん》をしながら友情《ゆうじょう》を深《ふか》めていく

マーク・トウェイン
1835年《ねん》-1910年《ねん》

32ページ参照《さんしょう》。

『トム・ソーヤーの冒険《ぼうけん》』を読《よ》んでない人《ひと》は、おれ、ハックのことは知《し》らないよな。あの本《ほん》は、ちょっと大《おお》げさだけど、だいたいほんとのことだ。金持《かねも》ちになったおれは*ダグラス夫人《ふじん》に引《ひ》き取《と》られた。そんで学校《がっこう》へ行《い》ったから、*九九《くく》で六《ろく》×七《しち》、三十五《さんじゅうご》までは言《い》えるぜ。でもすげえキュウクツな生活《せいかつ》だった。

困《こま》っていたら、父《とう》ちゃんにつかまえられて、夫人《ふじん》からはにげ出《だ》せた。でも父《とう》ちゃんは*アル中《ちゅう》だし、おれのことをなぐる。だから、すきを見《み》ておれは殺《ころ》されたように見《み》せかけて、にげ出《だ》したんだ。

そしたらダグラス夫人《ふじん》の姉《ねえ》さんのミス・ワトソンのとこの黒人《こくじん》どれいのジムに会《あ》った。ジムは自由《じゆう》に

【語句説明《ごくせつめい》】ダグラス夫人《ふじん》：乱暴《らんぼう》な父《ちち》の元《もと》をはなれて一人《ひとり》で生活《せいかつ》していたハックの保護者《ほごしゃ》になっていた未亡人《みぼうじん》。

読《よ》んだ日《ひ》　年《ねん》　月《がつ》　日《にち》

なりたくてにげてきたらしい。ジムを自由《じゆう》にするため、おれたちはミシシッピ川《がわ》をいかだで下《くだ》った。

とちゅう、ジムのために、にげたどれいがりをしている連中《れんちゅう》をだましたときはなやんだ。ジムはおれを親友《しんゆう》だと喜《よろこ》んだけど、他人《たにん》のどれいをにがすのは罪《つみ》だ。おれはきっと悪《わる》いことをしたんだ、と思《おも》う。

川《かわ》を下《くだ》ったある町《まち》で、公爵《こうしゃく》と王様《おうさま》に会《あ》った。もっとも二人《ふたり》がそう言《い》ってるだけで、ただのペテンしだ。二人《ふたり》は役者《やくしゃ》になり、『王家《おうけ》の絶品《ぜっぴん》』という大《だい》ひげきを演《えん》じると宣伝《せんでん》して人《ひと》を集《あつ》めた。でも、ひげきなんて大《おお》ウソで、人《ひと》を集《あつ》めて金《かね》をだましとったんだ。とんでもない悪党《あくとう》だ。同《おな》じ人間《にんげん》としてはずかしい。

だから、二人《ふたり》からにげ出《だ》したけど、ジムはどれいがりにつかまっちまった。ジムを助《たす》けることは悪《わる》いことだ。神様《かみさま》は、悪《わる》い人間《にんげん》は地《じ》ごくに落《お》とすだろう。でも、ジムはおれを親友《しんゆう》だと言《い》ってくれたんだ。

「よし、決《き》めた。おれは地《じ》ごくに行《い》ってやる！」

ジムを助《たす》ける方法《ほうほう》を考《かんが》えるうち、なんとトム・ソーヤーがぐう然《ぜん》やってきた。トムの計画《けいかく》でジムは助《たす》け出《だ》せたけど、トムはテッポウにうたれた。ジムはにげ出《だ》さず、トムをかいほうしているうちに、またつかまった。でも、それでよかったんだ。ミス・ワトソンは死《し》んでいて、ジムを自由《じゆう》にするよう言《い》い残《のこ》してた。実《じつ》はトムもそれを知《し》っていて、きゅうしゅつごっこで遊《あそ》んでただけだったんだ。

父《とう》ちゃんも死《し》んだらしく、またおれは養子《ようし》に出《だ》されるみたいだ。やなこった。また、にげ出《だ》すことにしよう。

解説《かいせつ》

一八八五年《ねん》に出版《しゅっぱん》された本作《ほんさく》は、アメリカ文学《ぶんがく》の最《さい》高《こう》ほうとまでしょう賛《さん》され、当時《とうじ》の人種差別《じんしゅさべつ》や社会《しゃかい》問題《もんだい》を浮《う》きぼりにする名作《めいさく》です。ハック本人《ほんにん》の言葉《ことば》づかいや知性《ちせい》レベルそのままの文章《ぶんしょう》なので、誤字《ごじ》だらけというユニークな小説《しょうせつ》でもあります。

オススメ図書《としょ》

『ハックルベリー・フィンの冒険《ぼうけん》』（千葉茂樹《ちばしげき》〔訳《やく》〕、岩波《いわなみ》少年文庫《しょうねんぶんこ》）

【語句説明《ごくせつめい》】九九《くく》で六《ろく》×七《しち》、三十五《さんじゅうご》：ハックがまじめに勉強《べんきょう》していないことがわかる一節《いっせつ》。アル中《ちゅう》：アルコール中毒《ちゅうどく》。酒《さけ》が手放《てばな》せない病気《びょうき》。

モーリス・メーテルリンク

青《あお》い鳥《とり》

幸《しあわ》せの青《あお》い鳥《とり》を探《さが》して
不思議《ふしぎ》な国々《くにぐに》を旅《たび》する
兄妹《きょうだい》の物語《ものがたり》

クリスマス・イブなのに、プレゼントもごちそうもない貧《まず》しい家《いえ》に、父《ちち》と母《はは》と暮《く》らす二人《ふたり》の兄妹《きょうだい》がいました。兄《あに》はチルチル、妹《いもうと》はミチルです。その二人《ふたり》の部屋《へや》に、不思議《ふしぎ》なおばあさんがやってきました。

「あたしの孫《まご》が病気《びょうき》でな。孫《まご》が幸《しあわ》せの青《あお》い鳥《とり》を欲《ほ》しがっておる。この不思議《ふしぎ》なぼうしを使《つか》って、青《あお》い鳥《とり》を見《み》つけてきておくれ」

こうして、チルチルとミチルは、鳥《とり》かごを持《も》って、青《あお》い鳥《とり》を探《さが》しに旅《たび》に出《で》ました。おばあさんがくれた不思議《ふしぎ》なぼうしを使《つか》うことで、すぐにいろいろな国《くに》に行《い》けるのです。チルチルとミチルが初《はじ》めに行《い》った国《くに》は、『記《き》おくの国《くに》』でした。二人《ふたり》はこの国《くに》で、死《し》んだはずのおじいさんとおばあさんに出会《であ》いました。

「人《ひと》は死《し》んでも、みんなが心《こころ》の中《なか》で思《おも》い出《だ》してくれたなら、いつでも会《あ》えるのさ」

おじいさんは二人《ふたり》にそう言《い》いました。『記《き》おくの国《くに》』に青《あお》い鳥《とり》はいましたが、国《くに》を出《で》たとたん、青《あお》い鳥《とり》は黒《くろ》い鳥《とり》に変《か》わってしまいました。

チルチルとミチルは次《つぎ》に、病気《びょうき》や戦争《せんそう》など、不《ふ》

モーリス・メーテルリンク
1862年《ねん》-1949年《ねん》
ベルギー・ヘント市《し》生《う》まれ。パリで生活《せいかつ》し、1889年《ねん》に最初《さいしょ》の戯曲《ぎきょく》『マレーヌ姫《ひめ》』で有名《ゆうめい》になる。1911年《ねん》にはば広《ひろ》い文学活動《ぶんがくかつどう》や戯曲《ぎきょく》を評価《ひょうか》され、『青《あお》い鳥《とり》』でノーベル文学賞《ぶんがくしょう》を受賞《じゅしょう》した。

読《よ》んだ日《ひ》　　年《ねん》　月《がつ》　日《にち》

吉《きっ》なものばかりが存在《そんざい》する『夜《よる》の城《しろ》』に行《い》きました。そこでつかまえた青《あお》い鳥《とり》は、二人《ふたり》が、『夜《よる》の城《しろ》』を出《で》たとたんに、死《し》んでしまいました。

それから二人《ふたり》は、『月夜《つきよ》の森《もり》』でおそろしい目《め》にあったり、『幸福《こうふく》の館《やかた》』では見《み》かけにだまされずに「*本当《ほんとう》の姿《すがた》」を見《み》ることを学《まな》んだり、これから生《う》まれてくる赤《あか》ちゃんがいる『未来《みらい》の王国《おうこく》』で、今度《こんど》生《う》まれてくる弟《おとうと》に会《あ》ったりしました。どこの国《くに》にも青《あお》い鳥《とり》はいましたが、その国《くに》を出《で》るとみんな色《いろ》が変《か》わってしまいました。二人《ふたり》ががっかりしていると、兄妹《きょうだい》を呼《よ》ぶ声《こえ》がします。

それは、お母《かあ》さんでした。目《め》を覚《さ》ますと、二人《ふたり》は自分《じぶん》たちの部屋《へや》のベッドの中《なか》にいたのです。二人《ふたり》が家《いえ》の中《なか》を見回《みまわ》していると、ふと自分《じぶん》たちが飼《か》っているハトが青《あお》くなっていることに気《き》づきました。

「青《あお》い鳥《とり》はこんなに近《ちか》くにいたんだ！」

幸《しあわ》せはいつだって自分《じぶん》のそばにあるのです。ハトは、はずみでにげてしまいましたが、兄妹《きょうだい》はもうがっかりしません。いつだって何度《なんど》でも、見《み》つけることができるのですから。

解説《かいせつ》

一九〇八年《ねん》に五幕十場《ごまくじゅうば》の童話劇《どうわげき》として発表《はっぴょう》されました。幸福《こうふく》はいつも身近《みぢか》にある、というテーマがよく語《かた》られますが、物事《ものごと》の本質《ほんしつ》を見《み》ようというテーマが、全編《ぜんぺん》を通《とお》して、強《つよ》く語《かた》られていることにも注目《ちゅうもく》したいですね。

オススメ図書《としょ》

『青《あお》い鳥《とり》（新装版《しんそうばん》）』（江國香織《えくにかおり》〔訳《やく》〕、講談社青い鳥文庫《こうだんしゃあおいとりぶんこ》）

【語句説明《ごくせつめい》】本当《ほんとう》の姿《すがた》：『幸福《こうふく》の館《やかた》』で兄妹《きょうだい》は、真《しん》のお母《かあ》さんの姿《すがた》を見《み》た。いつも貧《まず》しい姿《すがた》をしているお母《かあ》さんが、実《じつ》は比類《ひるい》のない愛《あい》に包《つつ》まれている、真《しん》に美《うつく》しい人《ひと》だった。

レフ・ニコラーエヴィッチ
トルストイ

少年時代《しょうねんじだい》

幸《しあわ》せな幼年時代《ようねんじだい》が終《お》わり
自分《じぶん》が変化《へんか》し始《はじ》めたことを
知《し》った少年《しょうねん》の日々《ひび》

ママの死《し》とともに、私《わたし》の幸《しあわ》せな幼年時代《ようねんじだい》は終《お》わり、少年時代《しょうねんじだい》が始《はじ》まった。はっきりとそう自覚《じかく》したのは、家族《かぞく》や、めし使《つか》いら同居人《どうきょにん》とともに、モスクワ*へ移転《いてん》する旅《たび》のとちゅうのことだった。

これまでの同居人《どうきょにん》で、かつて私《わたし》が好意《こうい》を持《も》っていた少女《しょうじょ》カーチェンカがこう言《い》った。

「私《わたし》たちはいつまでもいっしょに暮《く》らせるわけがない。あなたは金持《かねも》ちで私《わたし》は貧《びん》ぼうなのだから。同《おな》じままでいられるわけがないじゃない」

この世《よ》には私《わたし》の家族《かぞく》だけじゃない、私《わたし》たちと利害《りがい》が同《おな》じではない、何一《なにひと》つ共通点《きょうつうてん》を持《も》たない、私《わたし》たちの存在《そんざい》を知《し》らずに生《い》きている人々《ひとびと》がいるのだ、という考《かんが》えが、私《わたし》の頭《あたま》に初《はじ》めて現《あらわ》れた。このときの彼女《かのじょ》との会話《かいわ》で、その後《ご》の私《わたし》のものの見方《みかた》が、すっかり変《か》わっていったのだ。

モスクワに着《つ》くと同時《どうじ》に、事物《じぶつ》、人間《にんげん》、それらと自分《じぶん》の関係《かんけい》に対《たい》する私《わたし》の考《かんが》え方《かた》は、ますます変化《へんか》した。私《わたし》への教育方針《きょういくほうしん》をめぐって、おばあさんのいかりを買《か》った教育係《きょういくがかり》のカルル・イワーヌチがクビになったことは、きっかけの一《ひと》つだった。私《わたし》の

**レフ・ニコラーエヴィッチ
トルストイ**
1828年《ねん》-1910年《ねん》

36ページ参照《さんしょう》。

高学年

読《よ》んだ日《ひ》　年《ねん》　月《がつ》　日《にち》

幸《しあわ》せな幼年時代《ようねんじだい》をともに過《す》ごした「じいや」が去《さ》り、新《あたら》しい家庭教師《かていきょうし》サン・ジェロームがやってきた。

教育《きょういく》は厳《きび》しく、私《わたし》は彼《かれ》を激《はげ》しくきらった。サン・ジェロームはただ、彼《かれ》の義務《ぎむ》を果《は》たしているだけである。だが、私《わたし》は、こっけいで老《お》いた「じいや」のカルルのほうが好《す》きだったのだ。にくしみの目《め》を向《む》ける私《わたし》に対《たい》して、サン・ジェロームはばつをあたえ、やがて無視《むし》するようになった。

私《わたし》はだんだん孤独《こどく》を感《かん》じるようになり、思《し》さくと観察《かんさつ》をすることが私《わたし》の喜《よろこ》びとなった。パパへの愛《あい》情《じょう》、兄《あに》への尊敬《そんけい》とねたみ、おばあさんの死《し》に対《たい》する自分《じぶん》と家族《かぞく》の冷《つめ》たい感情《かんじょう》、使用人《しようにん》たちの恋愛模様《れんあいもよう》など、観察《かんさつ》した周囲《しゅうい》の人間《にんげん》への自分《じぶん》の感情《かんじょう》をときにはもてあまし、ときには冷静《れいせい》に判断《はんだん》を下《くだ》した。

数年後《すうねんご》、大学入学《だいがくにゅうがく》までもうわずかになり、私《わたし》はよく勉強《べんきょう》するようになった。兄《あに》の友人《ゆうじん》ネフリュードフと議論《ぎろん》をし、親交《しんこう》を深《ふか》め、たがいに尊敬《そんけい》しあった。私《わたし》は少年時代《しょうねんじだい》をぬけ出《だ》しつつあった。

解説《かいせつ》

一八五四年《ねん》に発表《はっぴょう》された本作《ほんさく》は、トルストイが書《か》いた自伝的小説《じでんてきしょうせつ》の第一部《だいいちぶ》『幼年時代《ようねんじだい》』に続《つづ》く第二《だいに》部《ぶ》にあたり、自作《じさく》の第三部《だいさんぶ》『青年時代《せいねんじだい》』で完結《かんけつ》します。『幼年時代《ようねんじだい》』から読《よ》むとわかりやすいでしょう。

オススメ図書《としょ》

『少年時代《しょうねんじだい》』（藤沼貴《ふじぬまたかし》〔訳《やく》〕、岩波文庫《いわなみぶんこ》）

【語句説明《ごくせつめい》】モスクワ：ロシアの首都《しゅと》。前作《ぜんさく》、『幼年時代《ようねんじだい》』までいなか暮《ぐ》らしをしていた「私《わたし》」と家族《かぞく》と同居《どうきょ》人《にん》たちは、ママの死《し》をきっかけに、おばあさんといっしょに暮《く》らすために引《ひ》っ越《こ》しをした。

善《ぜん》も悪《あく》も一人《ひとり》の人間《にんげん》の体《からだ》にひそむ。
不変《ふへん》の真理《しんり》をせんめいにえがいた
イギリス怪奇《かいき》小説《しょうせつ》のけっ作《さく》

ジキル博士《はかせ》とハイド氏《し》

ロバート・ルイス・スティーヴンソン
1850年《ねん》-1894年《ねん》
イギリス・スコットランド・エディンバラ生《う》まれ。1874年《ねん》に処女作《しょじょさく》『南欧《なんおう》に転地《てんち》を命《めい》ぜられて』を発表《はっぴょう》。1883年発表《ねんはっぴょう》の『宝島《たからじま》』は世界的《せかいてき》な人気作《にんきさく》になる。他《ほか》の主《おも》な作品《さくひん》に『新《しん》アラビア夜話《やわ》』など。

十九世紀《じゅうきゅうせいき》のロンドン。弁護士《べんごし》のアタスンは友人《ゆうじん》のエンフィールドと散歩《さんぽ》しているとき、おかしな話《はなし》を聞《き》いた。彼《かれ》によると、ある冬《ふゆ》の朝《あさ》、ハイドと名乗《なの》る醜悪《しゅうあく》な小男《こおとこ》が、ぶつかって転《ころ》んだ少女《しょうじょ》を平然《へいぜん》とふみつけて立《た》ち去《さ》ろうとした。周囲《しゅうい》の者《もの》から責《せ》められると、ハイドは多額《たがく》の*小切手《こぎって》を持《も》ってきた。その小切手《こぎって》の署名《しょめい》は「ジキル博士《はかせ》」だったという。

ジキルは温厚《おんこう》で大《おお》がらな男《おとこ》で、アタスンの友人《ゆうじん》である。ジキルがそんな凶悪《きょうあく》な男《おとこ》と知《し》り合《あ》いだったとは！　アタスンは以前《いぜん》ジキルから、いらいを受《う》けていた遺言状《ゆいごんじょう》を読《よ》んだ。すると、ジキルは死後《しご》、ハイドにすべての財産《ざいさん》をゆずる、と書《か》いてあった。ハイドからきょうはくを受《う》けているのではないかと考《かんが》えたアタスンは、ジキルと面会《めんかい》したが、彼《かれ》はそんな事実《じじつ》はないという。アタスンは仕方《しかた》なく納得《なっとく》した。

一年後《いちねんご》、ハイドが人《ひと》を殺《ころ》してにげた。アタスンがジキルに会《あ》いに行《い》くと、ジキルはハイドからの謝罪《しゃざい》の手紙《てがみ》をアタスンにわたした。後日《ごじつ》アタスンが*筆《ひっ》せきかん定《てい》にくわしい友人《ゆうじん》に手紙《てがみ》を見《み》せたところ、ジキルとハイドの筆《ひっ》せきには共通点《きょうつうてん》があるという。

【語句説明《ごくせつめい》】小切手《こぎって》：現金《げんきん》に代《か》わる支《し》はらい手段《しゅだん》。銀行《ぎんこう》に持《も》っていくと、金《かね》に換《か》えてもらえる。

読《よ》んだ日《ひ》　　年《ねん》　月《がつ》　日《にち》

高学年

ついにアタスンは立《た》ち上《あ》がり、真相《しんそう》を求《もと》めてジキルに会《あ》いに行《い》った。だが、使用人《しようにん》たちの話《はなし》によると、ジキルはだれにも会《あ》わないという。異様《いよう》な状《じょう》きょうにおびえる使用人《しようにん》たちを力《ちから》づけ、彼《かれ》らとともにアタスンは無理《むり》やり、ジキルの部屋《へや》におし入《い》った。

すると、部屋《へや》の中《なか》にはハイドの死体《したい》があった。死《し》体《たい》の衣服《いふく》はぶかぶかで、サイズが合《あ》っていなかった。アタスンは自分《じぶん》あてのジキルの手紙《てがみ》を読《よ》んだ。

真相《しんそう》は判明《はんめい》した。ジキルがハイドだったのだ！

ジキルは人間《にんげん》の持《も》つ善悪《ぜんあく》の二面性《にめんせい》を分離《ぶんり》させる薬《くすり》を発明《はつめい》していた。それは性格《せいかく》ばかりか、容姿《ようし》・体《たい》格《かく》まで変《か》える薬《くすり》だったのだ。**善人《ぜんにん》として知《し》られたジキルは、薬《くすり》の力《ちから》で悪《あく》の快楽《かいらく》を楽《たの》しんでいたのである。**だが、変身《へんしん》には激痛《げきつう》をともない、しかもハイドの姿《すがた》から元《もと》にもどることが難《むずか》しくなっていたようだった。ジキルは良心《りょうしん》が残《のこ》っているうちに、アタスンへの手紙《てがみ》を書《か》いたのだ。**アタスンが見《み》たハイドの死体《したい》は、ジキルの変《か》わり果《は》てた姿《すがた》だったのである。**

【語句説明】筆《ひっ》せき：手書《てが》きの文字《もじ》やその書《か》きぶり。

解説《かいせつ》

一八八六年発表《ねんはっぴょう》。「ジキルとハイド」は、現代《げんだい》では「二重人格《にじゅうじんかく》」（解離性同一性障害《かいりせいどういつせいしょうがい》）の代名詞《だいめいし》としても使《つか》われ、他作家《たさっか》の作品《さくひん》でも比《ひ》ゆとして挙《あ》げられるほど有名《ゆうめい》です。人間《にんげん》の持《も》つ善悪《ぜんあく》の二面性《にめんせい》を正面《しょうめん》から取《と》り上《あ》げた本作《ほんさく》は、世界《せかい》で高《たか》い評価《ひょうか》を受《う》けています。

オススメ図書《としょ》
『ジキル博士《はかせ》とハイド氏《し》』（田内志文《たうちしもん》〔訳《やく》〕、新潮文庫《しんちょうぶんこ》）

梶井基次郎《かじいもとじろう》

桜《さくら》の樹《き》の下《した》には

美《うつく》しくさきほこる
桜《さくら》の下《した》にあるものは――
しょうげき的《てき》な冒頭文《ぼうとうぶん》で有名《ゆうめい》

梶井基次郎《かじいもとじろう》
1901年《ねん》-1932年《ねん》
大阪府大阪市《おおさかふおおさかし》生《う》まれ。生《しょう》がいで20編余《へんあま》りの作品《さくひん》を残《のこ》し、文《ぶん》だんに認《みと》められたが、31歳《さい》の若《わか》さで亡《な》くなる。死後《しご》に評価《ひょうか》が高《たか》まった作家《さっか》で、主《おも》な作品《さくひん》に『城《しろ》のある町《まち》にて』『ある心《こころ》の風景《ふうけい》』など。本書《ほんしょ》で読《よ》める作品《さくひん》は他《ほか》に182ページ。

読《よ》んだ日《ひ》　年《ねん》　月《がつ》　日《にち》

高学年

桜《さくら》の樹《き》の下《した》には屍体《したい》がうまっている！

これは信《しん》じていいことなんだよ。なぜって、桜《さくら》の花《はな》があんなにも見事《みごと》にさくなんて信《しん》じられないことじゃないか。しかし今《いま》、やっとわかるときが来《き》た。

どんな樹《き》の花《はな》でも、いわゆる真《ま》っ盛《さか》りという状態《じょうたい》に達《たっ》すると、あたりへ一種《いっしゅ》、神秘《しんぴ》なふん囲気《いき》をまき散《ち》らすものだ。人《ひと》の心《こころ》を打《う》たずにはおかない、不思《ふし》議《ぎ》な、生《い》き生《い》きとした、美《うつく》しさだ。

しかし、おれの心《こころ》を陰気《いんき》にしたものもそれなのだ。おれにはその美《うつく》しさが信《しん》じられないような気《き》がした。おれは不安《ふあん》になり、ゆううつになり、空《くう》きょな気持《きも》ちになった。しかし、おれはやっとわかった。

お前《まえ》、このらんまん*とさき乱《みだ》れている桜《さくら》の樹《き》の下《した》へ、一《ひと》つ一《ひと》つ屍体《したい》がうまっていると想像《そうぞう》してみるがいい。何《なに》がおれをそんなに不安《ふあん》にしていたか、お前《まえ》には納得《なっとく》がいくだろう。馬《うま》、犬《いぬ》ねこ、そして人間《にんげん》のような屍体《したい》。屍体《したい》はみなくさってうじがわき、たまらなくくさい。桜《さくら》の根《ね》はどんらん*なタコのようにそれをだきかかえ、その液体《えきたい》を吸《す》っている。

二《に》、三日前《さんにちまえ》、おれは*薄羽《うすば》かげろうを谷川《たにがわ》で見《み》た。

【語句説明《ごくせつめい》】らんまん：花《はな》がさき乱《みだ》れる様子《ようす》。どんらん：ひどく欲《よく》が深《ふか》いこと。

彼《かれ》らはそこで美《うつく》しいけっこんをするのだ。だが、しばらく歩《ある》いていくと、おれは変《へん》なものに出《で》くわした。それは水辺《みずべ》にういた何万《なんまん》びきとも数《かず》の知《し》れない、薄《うす》羽《ば》かげろうの屍体《したい》だった。そこが、産卵《さんらん》を終《お》えた彼《かれ》らの墓場《はかば》だったのだ。おれはそれを見《み》たとき、墓場《はかば》を暴《あば》いて屍体《したい》を好《この》む変質者《へんしつしゃ》のようなざんにんな喜《よろこ》びを味《あじ》わった。谷川《たにがわ》の美《うつく》しい小鳥《ことり》や木《き》の若芽《わかめ》も、それだけではもうろうとした心象《しんしょう》に過《す》ぎない。おれには*さん劇《げき》が必要《ひつよう》なんだ。その*平《へい》こうがあって、初《はじ》めておれの心象《しんしょう》は明確《めいかく》になる。おれの心《こころ》は悪鬼《あっき》のようにゆううつにかわいている。心《こころ》にゆううつが完成《かんせい》するときにだけ、おれの心《こころ》は和《なご》んでくる。

お前《まえ》、冷《ひや》あせが出《で》るのか。それはおれも同《おな》じだ。

ああ、桜《さくら》の樹《き》の下《した》には屍体《したい》がうまっている！

どこからうかんできた空想《くうそう》か、見当《けんとう》のつかない屍《し》体《たい》が、今《いま》はまるで桜《さくら》の樹《き》と一《ひと》つになって、どんなに頭《あたま》をふってもはなれてゆこうとはしない。今《いま》こそおれは、あの桜《さくら》の樹《き》の下《した》で酒《しゅ》えんを開《ひら》いている村人《むらびと》たちと同《おな》じ権利《けんり》で、花見《はなみ》の酒《さけ》が飲《の》めそうな気《き》がする。

解説《かいせつ》

一九二八年発表《ねんはっぴょう》。本作《ほんさく》の美《うつく》しい「生《せい》」の裏《うら》にはみにくい「死《し》」がひそむとする基次郎《もとじろう》の感性《かんせい》は、のちの文学《ぶんがく》に多大《ただい》なえいきょうをあたえました。語《かた》り手《て》の「おれ」が、一言《ひとこと》も話《はな》さない聞《き》き手《て》の「お前《まえ》」に語《かた》りかける独特《どくとく》の構成《こうせい》にも本作《ほんさく》の面白味《おもしろみ》があります。

オススメ図書《としょ》

『梶井基次郎《かじいもとじろう》（ちくま日本文学《にほんぶんがく》28）』（ちくま文庫《ぶんこ》）

【語句説明《ごくせつめい》】薄羽《うすば》かげろう：ウスバカゲロウ。ひらひらと、まうように飛《と》ぶトンボに似《に》たこん虫《ちゅう》。さん劇《げき》：むごたらしい出来事《できごと》。その平《へい》こう：美《うつく》しい生《せい》と残《ざん》こくな死《し》の均《きん》こう。

梶井基次郎《かじいもとじろう》

檸檬《れもん》

積《つ》み上《あ》げた本《ほん》の上《うえ》に乗《の》せた「レモンばくだん」。それは私《わたし》の日《ひ》ごろの不安《ふあん》を吹《ふ》き飛《と》ばす解放《かいほう》の象《しょう》ちょう

得体《えたい》の知《し》れない不《ふ》きつなかたまりが、私《わたし》の心《こころ》を始終《しじゅう》おさえつけていた。以前《いぜん》私《わたし》を喜《よろこ》ばせた美《うつく》しい音楽《おんがく》も、美《うつく》しい詩《し》の一節《いっせつ》も辛抱《しんぼう》がならなくなった。私《わたし》は裏通《うらどお》りをさまよい歩《ある》きながら、ここが京都《きょうと》ではなく、どこか遠《とお》い市《し》へ来《き》ているのだとさっ覚《かく》を起《お》こすように努《つと》めた。京都《きょうと》からにげ出《だ》して、だれ一人《ひとり》知《し》らない市《し》へ行《い》ってしまいたかった。

生活《せいかつ》がまだむしばまれていなかった以前《いぜん》、私《わたし》の好《す》きであったところは、たとえば*丸善《まるぜん》であった。赤《あか》や黄《き》のオードコロンやオードキニン。しゃれた*切子《きりこ》細工《ざいく》や*琥珀色《こはくいろ》や翡翠色《ひすいいろ》のこう水《すい》びん。私《わたし》はそんなものを見《み》るのに小一時間《こいちじかん》も費《つい》やすことがあった。だが、今《いま》の私《わたし》には重苦《おもくる》しい場所《ばしょ》に過《す》ぎない。

私《わたし》は、ある朝《あさ》、二条《にじょう》の方《ほう》へ寺町《てらまち》を下《くだ》り、私《わたし》の好《す》きな果物屋《くだものや》で足《あし》を留《と》めた。その店《みせ》にはめずらしい檸《れ》檬《もん》が出《で》ていたからだ。私《わたし》は檸檬《れもん》が好《す》きだ。レモンイエロウの絵具《えのぐ》をチューブからしぼり出《だ》して固《かた》めたようなあの単純《たんじゅん》な色《いろ》も、あの丈《たけ》のつまった、ぼうすい形《けい》の格好《かっこう》も。

結局《けっきょく》、一《ひと》つだけ檸檬《れもん》を買《か》うことにした。私《わたし》をお

梶井基次郎《かじいもとじろう》
1901年《ねん》-1932年《ねん》
180ページ参照《さんしょう》。

【語句説明《ごくせつめい》】丸善《まるぜん》：書店《しょてん》。1907年《ねん》京都《きょうと》・三条通《さんじょうどおり》に開店《かいてん》。

読《よ》んだ日《ひ》　年《ねん》　月《がつ》　日《にち》

さえつけていた不《ふ》きつなかたまりが、檸檬《れもん》をにぎったしゅん間《かん》いくらかゆるんで、私《わたし》は幸福《こうふく》であった。

私《わたし》は久《ひさ》しぶりに丸善《まるぜん》に来《き》た。私《わたし》は画本《がほん》のたなの前《まえ》へ行《い》ってみた。画集《がしゅう》の重《おも》たいのを取《と》り出《だ》すのさえ常《つね》に増《ま》して力《ちから》が要《い》る。私《わたし》はゆううつになり、自分《じぶん》がぬいたまま積《つ》み重《かさ》ねた本《ほん》の群《ぐん》をながめていた。そのとき、たもとの中《なか》にある檸檬《れもん》を思《おも》い出《だ》した。心《こころ》が軽《かろ》やかになった私《わたし》は、本《ほん》を積《つ》み上《あ》げてその上《うえ》に檸檬《れもん》を置《お》いた。**その檸檬《れもん》の色《しき》さいはガチャガチャした色《いろ》の*階調《かいちょう》をひっそりとぼうすい形《けい》の身体《からだ》の中《なか》へ吸収《きゅうしゅう》してしまって、カーンとさえかえっていた。**

不意《ふい》に第二《だいに》のアイデアが起《お》こった。

――それをそのままにしておいて私《わたし》は、何《なに》くわぬ顔《かお》をして外《そと》へ出《で》る。――

そして私《わたし》は出《で》て行《い》った。丸善《まるぜん》のたなへ黄金色《おうごんいろ》にかがやくばくだんを仕《し》かけてきた悪漢《あっかん》が私《わたし》で、十分後《じっぷんご》には丸善《まるぜん》が大《だい》ばく発《はつ》をするのだったらどんなにおもしろいだろう。私はその想像を熱心に追きゅうした。そして私《わたし》は*活動写真《かつどうしゃしん》の看板画《かんばんが》が、*奇体《きたい》なおもむきで街《まち》をいろどっている京極《きょうごく》を下《くだ》って行《い》った。

解説《かいせつ》

一九二五年発表時《ねんはっぴょうじ》はほとんど評価《ひょうか》されず、基次郎《もとじろう》の死後《しご》に、本作《ほんさく》とともに彼《かれ》の真価《しんか》が広《ひろ》まりました。詩情《しじょう》と、とう明感《めいかん》のある文体《ぶんたい》で人気《にんき》が高《たか》い作品《さくひん》。二〇〇五年《ねん》、ぶ台《たい》となった丸善閉店時《まるぜんへいてんじ》には、ファンがレモンを置《お》き去《さ》る事象《じしょう》が続出《ぞくしゅつ》しました。

オススメ図書《としょ》

『檸檬《れもん》』（角川文庫《かどかわぶんこ》）

【語句説明《ごくせつめい》】切子《きりこ》：美《うつく》しくカッティングされたガラス。琥珀色《こはくいろ》や翡翠色《ひすいいろ》：黄色味《きいろみ》を帯《お》びた茶色《ちゃいろ》や深緑《ふかみどり》の色《いろ》。
階調《かいちょう》：色《しき》さいののうたんの変化《へんか》。活動写真《かつどうしゃしん》：映画《えいが》。奇体《きたい》：風変《ふうが》わりなこと。

南《なん》総《そう》里《さと》見《み》八《はっ》犬《けん》伝《でん》

八《やっ》つの玉《たま》を持《も》つ犬士《けんし》たちが
運命《うんめい》に導《みちび》かれ
里見家《さとみけ》を救《すく》い活《かつ》やくする物語《ものがたり》

室町時代《むろまちじだい》、*安房《あわ》の国《くに》を治《おさ》める里見義美《さとみよしざね》というとの様《さま》がいた。

義美《よしざね》はとなりの国《くに》との戦争《せんそう》に勝《か》った後《あと》、むすめの伏姫《ふせひめ》を飼《か》い犬《いぬ》の八房《やつふさ》の嫁《よめ》にした。敵大将《てきたいしょう》を殺《ころ》せば伏姫《ふせひめ》をやると、犬《いぬ》の八房《やつふさ》にじょうだんで約束《やくそく》してしまったためだ。伏姫《ふせひめ》は約束《やくそく》を守《まも》り、八房《やつふさ》と山《やま》にこもった。それを知《し》った伏姫《ふせひめ》の元《もと》こん約者《やくしゃ》は、伏姫《ふせひめ》を助《たす》けたい一心《いっしん》で八房《やつふさ》を殺《ころ》したが、その際《さい》、伏姫《ふせひめ》まで死《し》んでしまった。このとき、伏姫《ふせひめ》が持《も》っていたじゅずのうち、八《やっ》つの大《おお》きな玉《たま》がどこかへ飛《と》び散《ち》っていった。

八《やっ》つの玉《たま》にはそれぞれ仁《じん》・義《ぎ》・礼《れい》・智《ち》・忠《ちゅう》・信《しん》・孝《こう》・*悌《てい》の字《じ》がほられていた。元《もと》こん約者《やくしゃ》は、以後《いご》、***ゝ大法師《ちゅだいほうし》**と名乗《なの》り、八《やっ》つの玉《たま》を探《さが》し求《もと》めて旅立《たびだ》った。これが長《なが》い物語《ものがたり》の始《はじ》まりである。

十数年《じゅうすうねん》が経《た》った。**犬塚信乃《いぬづかしの》**は自分《じぶん》を助《たす》けてケガをした飼《か》い犬《いぬ》を死《し》なせたとき、「孝《こう》」の玉《たま》を手《て》に入《い》れた。信乃《しの》は「義《ぎ》」の玉《たま》を持《も》つ**犬川荘助《いぬかわそうすけ》**と出会《であ》い、義兄弟《ぎきょうだい》になる。信乃《しの》には父《ちち》からゆずられた宝刀村雨《ほうとうむらさめ》を元《もと》の持《も》ち主《ぬし》である足利家《あしかがけ》に届《とど》けなくてはならない義務《ぎむ》が

曲亭馬琴《きょくていばきん》
1767年《ねん》-1848年《ねん》
江戸深川《えどふかがわ》生まれ。旗本御用人滝沢興義《はたもとごようにんたきざわおきよし》の三男《さんなん》として育《そだ》つ。本名滝沢興邦《ほんみょうたきざわおきくに》。原稿料《げんこうりょう》だけで生計《せいけい》をたてる日本初《にほんはつ》のプロ作家《さっか》とされる。主《おも》な作品《さくひん》に『椿説弓張月《ちんせつゆみはりづき》』『南総里見八犬伝《なんそうさとみはっけんでん》』など。

読《よ》んだ日《ひ》　　年《ねん》　月《がつ》　日《にち》

【語句説明《ごくせつめい》】安房《あわ》：現在《げんざい》の千葉県《ちばけん》。悌《てい》：親《おや》、兄《あに》・姉《あね》といった目上《めうえ》を大切《たいせつ》にする心《こころ》。ゝ大《ちゅだい》：二文字《にもじ》を合体《がったい》すると「犬《いぬ》」の字《じ》になる。

あった。だが、村雨《むらさめ》は悪者《わるもの》にすりかえられていたため、届《とど》け先《さき》から犯罪者《はんざいしゃ》あつかいされてしまう。信乃《しの》の追手《おって》は、「信《しん》」の玉《たま》を持《も》つ**犬飼現八**《いぬかいげんぱち》であった。

＊芳流閣《ほうりゅうかく》の屋根《やね》の上《うえ》で激《はげ》しくたたかった末《すえ》、信乃《しの》は大《おお》ケガを負《お》ったが、「悌《てい》」の玉《たま》を持《も》つ**犬田小文吾**《いぬたこぶんご》に助《たす》けられた。旅宿《たびやど》・古那屋《こなや》に運《はこ》びこまれた信乃《しの》は、旅館《りょかん》の主人《しゅじん》たちの助《たす》けで生《い》き延《の》びた。このとき、小《こ》文吾《ぶんご》の甥《おい》である幼子《おさなご》の**犬江親兵衛**《いぬえしんべえ》が「仁《じん》」の玉《たま》の持《も》ち主《ぬし》であることが判明《はんめい》。直後《ちょくご》にぐう然《ぜん》、古那屋《こなや》にやってきた丶大法師《ちゅだいほうし》は、信乃《しの》たちが玉《たま》の持《も》ち主《ぬし》であることを知《し》ると感激《かんげき》し、これまでのいきさつを語《かた》った。以後《いご》、玉《たま》を持《も》つ者《もの》たちは八犬士《はっけんし》と呼《よ》ばれる。

その後《ご》、＊紆余曲折《うよきょくせつ》の末《すえ》、「忠《ちゅう》」の**犬山道節**《いぬやまどうせつ》、「智《ち》」の**犬坂毛野**《いぬさかけの》、「礼《れい》」の**犬村大角**《いぬむらだいかく》、行方不明《ゆくえふめい》だった幼《おさな》子《ご》で「仁《じん》」の犬江親兵衛《いぬえしんべえ》とも出会《であ》い、八犬士《はっけんし》はついにそろう。八犬士《はっけんし》は里見家《さとみけ》に危機《きき》が迫《せま》っていることを知《し》ると団結《だんけつ》し、関東大戦《かんとうたいせん》と呼《よ》ばれる合戦《かっせん》に勝利《しょうり》した。

解説《かいせつ》

『南総里見八犬伝《なんそうさとみはっけんでん》』は、中国《ちゅうごく》の『水滸伝《すいこでん》』をヒントに、馬琴《ばきん》が一八一四年《ねん》から書《か》き始《はじ》めた日本初《にほんはつ》の伝奇小説《でんきしょうせつ》と言《い》われています。選《えら》ばれた勇者《ゆうしゃ》たちが悪者《わるもの》をたおし、お家《いえ》を再興《さいこう》するというストーリーです。

オススメ図書《としょ》
『南総里見八犬伝《なんそうさとみはっけんでん》（一）（二）（三）』（講談社青い鳥文庫《こうだんしゃあおいとりぶんこ》）

【語句説明《ごくせつめい》】芳流閣《ほうりゅうかく》：架空《かくう》の建物《たてもの》。「芳流閣《ほうりゅうかく》の決《けっ》とう」のエピソードは有名《ゆうめい》。紆余曲折《うよきょくせつ》：多《おお》くのこみ入《い》った事情《じじょう》で、いろいろなことがあること。

渦巻《うずま》ける烏《からす》の群《むれ》

たった一人《ひとり》の上官《じょうかん》の命令変《めいれいへん》こうで
死地《しち》におもむく兵士《へいし》の
悲《ひ》さんな姿《すがた》をえがく戦争文学《せんそうぶんがく》

黒島伝治《くろしまでんじ》

1898年《ねん》-1943年《ねん》

香川県《かがわけん》・小豆郡苗羽村《しょうずぐんのうまそん》（現在《げんざい》の小豆島町《しょうどしまちょう》）に生《う》まれる。1919年《ねん》に兵役《へいえき》の召集《しょうしゅう》を受《う》け、シベリア出兵《しゅっぺい》に看護卒《かんごそつ》として従軍《じゅうぐん》した経験《けいけん》が、日本文学史上《にほんぶんがくしじょう》まれな戦争文学《せんそうぶんがく》『渦巻《うずま》ける烏《からす》の群《むれ》』として結実《けつじつ》した。主《おも》な作品《さくひん》に『豚群《とんぐん》』『橇《そり》』など。

　一九一八年《ねん》、大日本帝国《だいにほんていこく》はロシア革命《かくめい》の余波《よは》を受《う》ける*シベリアに出兵《しゅっぺい》した。その中《なか》に、兵卒《へいそつ》として、第一中隊《だいいちちゅうたい》から吉永《よしなが》、第二中隊《だいにちゅうたい》には松木《まつき》と武石《たけいし》の姿《すがた》があった。貧困《ひんこん》に苦《くる》しむロシアの国民《こくみん》であるシベリア住民《じゅうみん》は、日本《にほん》の野営地《やえいち》に現《あらわ》れ、残飯《ざんぱん》をねだった。すい事当番《じとうばん》をしていた吉永《よしなが》、松木《まつき》、武石《たけいし》は、彼《かれ》らにほどこしをし、やがて、パンくずのまじった白砂糖《しろざとう》を捨《す》てずに皿《さら》に取《と》っておくようになった。そして食《く》い残《のこ》したパンに、みそしるをかけないようにした。兵卒《へいそつ》たちの楽《たの》しみは、シベリア住民《じゅうみん》の家《いえ》を訪《おとず》れることだった。家々《いえいえ》には彼《かれ》らが思《おも》いを寄《よ》せるむすめがいたのだ。吉永《よしなが》はリーザ、松木《まつき》はガーリヤに恋《こい》していた。リーザは吉永《よしなが》を快《こころよ》く家《いえ》に招《まね》き入《い》れたが、ガーリヤは松木《まつき》をなかなか家《いえ》の中《なか》に入《い》れようとしない。どうやら、他《ほか》にもガーリヤをしたう軍人《ぐんじん》がいるようだ。一人《ひとり》の女《おんな》に複数《ふくすう》の男《おとこ》たちが言《い》い寄《よ》ることを、兵卒《へいそつ》は現地《げんち》の言葉《ことば》で「ソペールニク」（競争者《きょうそうしゃ》）と呼《よ》んで、笑《わら》い合《あ》っていた。

　ある日《ひ》、吉永《よしなが》の第一中隊《だいいちちゅうたい》は大隊《だいたい》から分《わ》かれて、イイシの地《ち》へ守備《しゅび》に行《い》くことになった。イイシはパ*ル

【語句説明《ごくせつめい》】パルチザン：非正規《ひせいき》の軍事活動《ぐんじかつどう》を行《おこな》う遊《ゆう》げき隊《たい》。ゲリラと同義語《どうぎご》。

読《よ》んだ日《ひ》　　年《ねん》　月《がつ》　日《にち》

チザンが横行《おうこう》する危険地域《きけんちいき》である。吉永《よしなが》は母《はは》が持《も》たせてくれたお守《まも》りを開《あ》けた。すると、日本円《にほんえん》がいくらか入《はい》っていた。吉永《よしなが》は松木《まつき》と武石《たけいし》に金《かね》を半分《はんぶん》、分《わ》けあたえた。吉永《よしなが》は明後日《みょうごにち》、イイシへ行《い》くのだ。金《かね》が何《なん》になる。またうち合《あ》いだ。生命《いのち》がどうなるか、だれが知《し》るもんか、と思《おも》ったのだ。

松木《まつき》と武石《たけいし》は吉永《よしなが》からもらった金《かね》で砂糖《さとう》やパイナップルなどの物資《ぶっし》を買《か》いこみ、ガーリヤの家《いえ》で酒《さけ》を飲《の》んだ。だが、それを見《み》ていた者《もの》がいた。松木《まつき》たちのソペールニクとなっていた上官《じょうかん》の少佐《しょうさ》だった。

おこった少佐《しょうさ》は、イイシ守備《しゅび》を吉永《よしなが》の第一中隊《だいいちちゅうたい》でなく、松木《まつき》と武石《たけいし》のいる第二中隊《だいにちゅうたい》に命《めい》じた。明《あき》らかに少佐《しょうさ》のしっとによる命令変《めいれいへん》こうである。第二《だいに》中隊《ちゅうたい》は命令《めいれい》を実行《じっこう》し、雪中《せっちゅう》にそう難《なん》して全《ぜん》めつした。

春《はる》が来《き》た。吉永《よしなが》は、自分《じぶん》がよくも今《いま》まで生《い》きてこられたものだ、とひそかに考《かんが》えていた。**上層部《じょうそうぶ》は松木《まつき》たちの行方《ゆくえ》を熱心《ねっしん》に探《さが》さなかった。心配《しんぱい》などしていない。彼《かれ》らの代《か》わりはいくらでもあるのだから。**

空《そら》には死体《したい》を漁《あさ》る烏《からす》の群《むれ》が渦巻《うずま》いていた。

解説《かいせつ》

一九二八年発表《ねんはっぴょう》。一九一八年《ねん》から二二年《ねん》までのシベリア出兵《しゅっぺい》がぶ台《たい》です。作者自身《さくしゃじしん》が経験《けいけん》したシベリア出兵《しゅっぺい》の悲《ひ》さんさをえがくことで、戦争《せんそう》を主導《しゅどう》する権力者《けんりょくしゃ》や上官《じょうかん》への痛《つう》れつな批判《ひはん》となっています。

オススメ図書《としょ》

『渦巻《うずま》ける烏《からす》の群《むれ》―他三編《ほかさんぺん》』（岩波文庫《いわなみぶんこ》）

【語句説明《ごくせつめい》】シベリアに出兵《しゅっぺい》：当時《とうじ》シベリアは、ロシアで起《お》こった内乱《ないらん》のため困《こん》きゅうの極《きわ》みにあった。日本《にほん》・アメリカ・イギリス・フランスは自国《じこく》の利益《りえき》を守《まも》るため、出兵《しゅっぺい》した。

耳《みみ》なし芳《ほう》一《いち》

日本《にほん》の怪談《かいだん》の金字塔《きんじとう》!
平家《へいけ》伝説《でんせつ》が伝《つた》わる地《ち》で起《お》きた怪奇体験《かいきたいけん》
びわ名人《めいじん》がそうぐうしたきょうふと災難《さいなん》

小泉八雲《こいずみやくも》
1850年《ねん》-1904年《ねん》
ギリシア・レフカダ島《とう》生《う》まれ。パトリック・ラフカディオ・ハーン。ジャーナリスト時代《じだい》、ニューヨークで読《よ》んだ『古事記《こじき》』のえいきょうで来日《らいにち》。英文《えいぶん》で欧米《おうべい》に日本文化《にほんぶんか》をしょうかいしつつ、『骨董《こっとう》』『怪談《かいだん》』などの著書《ちょしょ》を多数残《たすうのこ》した。

七百年《ななひゃくねん》以上《いじょう》も昔《むかし》、下ノ関海峡《しものせきかいきょう》の壇ノ浦《だんのうら》で、平家《へいけ》と源氏《げんじ》の最後《さいご》の戦《せん》とうが行《おこな》われた。この壇ノ浦《だんのうら》で、*安徳天皇《あんとくてんのう》をはじめ、平家《へいけ》は女子《おんなこ》どもを含《ふく》むすべての一族《いちぞく》がめつ亡《ぼう》した。

何世紀《なんせいき》か後《のち》、この*赤間ケ関《あかまがせき》の地《ち》に、芳一《ほういち》というもう目《もく》の*びわ法師《ほうし》が寺住《てらず》まいしていた。ある夏《なつ》の夜《よる》、芳一《ほういち》がえん側《がわ》ですずんでいると、自分《じぶん》の名《な》を呼《よ》ぶ声《こえ》がする。芳一《ほういち》がおどろいていると、

「おそれることはない。それがしは、さる高貴《こうき》な身《み》分《ぶん》の方《かた》からのつかいの者《もの》だ。そのお方《かた》が、お前《まえ》のびわをお聞《き》きになりたいとのことだ」

芳一《ほういち》がつかいの後《あと》について歩《ある》くと、*かっちゅうの音《おと》がする。目《め》の見《み》えぬ芳一《ほういち》は、(おさむらいか。ならば、高貴《こうき》な人《ひと》とは、お大名《だいみょう》なのか)と推測《すいそく》した。

連《つ》れて行《い》かれた場所《ばしょ》に座《すわ》ると、芳一《ほういち》は壇ノ浦《だんのうら》の戦《いくさ》の歌《うた》を所望《しょもう》された。芳一《ほういち》がひき語《がた》りを始《はじ》めると、

「なんとすばらしい演奏《えんそう》だ」

「芳一《ほういち》よりうまい歌《うた》い手《て》はあるまい」

と言《い》う声《こえ》があちこちから聞《き》こえてくる。

芳一《ほういち》は、演奏《えんそう》と歌《うた》を激賞《げきしょう》され、その日《ひ》は帰《かえ》された。

【語句説明《ごくせつめい》】安徳天皇《あんとくてんのう》:6歳《さい》の若《わか》さで平家一門《へいけいちもん》とともに壇《だん》ノ浦《うら》で入水《じゅすい》した(1178年《ねん》-1185年《ねん》)。

読《よ》んだ日《ひ》　　年《ねん》　月《がつ》　日《にち》

その日《ひ》から、芳一《ほういち》の様子《ようす》がおかしくなった。毎晩《まいばん》、どこかへ出《で》かけていき、翌朝帰《よくあさかえ》ってくるようになったのだ。芳一《ほういち》が住《す》む寺《てら》の住職《じゅうしょく》は心配《しんぱい》し、*寺男《てらおとこ》たちに芳一《ほういち》の後《あと》をつけさせた。**すると、なんと芳一《ほういち》は安《あん》徳天皇《とくてんのう》の墓前《ぼぜん》でびわをひいているではないか。芳一《ほういち》の周《まわ》りにはたくさんの*鬼火《おにび》がうかんでいる。**

寺男《てらおとこ》の話《はなし》を聞《き》いた住職《じゅうしょく》は、芳一《ほういち》の命《いのち》が危《あぶ》ないことを知《し》り、芳一《ほういち》の全身《ぜんしん》に経文《きょうもん》を書《か》いた。

「次《つぎ》にむかえが来《き》ても、声《こえ》を出《だ》すなよ」

住職《じゅうしょく》は厳命《げんめい》し、外出《がいしゅつ》した。はたして、その晩《ばん》もつかいの者《もの》が来《き》たが、芳一《ほういち》は返事《へんじ》をしない。

「芳一《ほういち》、なぜ返事《へんじ》をしない。ん？　ここにはびわがあるが、本人《ほんにん》はいない。**いや、耳《みみ》だけが二《ふた》つあるぞ。ならば、ここに来《き》た証《しょう》こに、この耳《みみ》を持《も》っていこう**」

むかえの声《こえ》はそう言《い》うと、芳一《ほういち》の両耳《りょうみみ》を引《ひ》きちぎって帰《かえ》っていった。後《あと》にはおそろしさと痛《いた》みにたえて座《すわ》る芳一《ほういち》が残《のこ》された。住職《じゅうしょく》は両耳《りょうみみ》に経文《きょうもん》を書《か》くのを忘《わす》れてしまっていたのだ。

この話《はなし》はすぐに広《ひろ》がり、芳一《ほういち》は以後《いご》「耳《みみ》なし芳《ほう》一《いち》」と呼《よ》ばれることになった。

解説《かいせつ》

『耳《みみ》なし芳一《ほういち》』（原題《げんだい》『THE《ザ》 STORY《ストーリー》 OF《オブ》 MIMI-NASHI《ミミナシ》-HOICHI《ホウイチ》』）は、安徳天皇《あんとくてんのう》や平家一門《へいけいちもん》をまつった阿《あ》弥陀寺《みだじ》（現在《げんざい》の赤間神宮《あかまじんぐう》、山口県下関市《やまぐちけんしものせきし》）をぶ台《たい》とした物語《ものがたり》です。八雲《やくも》は日本《にほん》に残《のこ》る伝説《でんせつ》に非常《ひじょう》な興味《きょうみ》を示《しめ》し、『怪談《かいだん》』を欧米《おうべい》に広《ひろ》めました。

オススメ図書《としょ》

『耳《みみ》なし芳一《ほういち》・雪女《ゆきおんな》　～八雲《やくも》怪談傑作集《かいだんけっさくしゅう》（新装版《しんそうばん》）』（保永貞夫《やすながさだお》（訳《やく》）、講談社青《こうだんしゃあお》い鳥文庫《とりぶんこ》）

【語句説明《ごくせつめい》】赤間《あかま》ヶ関《がせき》：現在《げんざい》の山口県下関市《やまぐちけんしものせきし》。びわ法師《ほうし》：びわ（げん楽器《がっき》）をひいて物語《ものがたり》を語《かた》り聞《き》かせる職業《しょくぎょう》。かっちゅう：よろいとかぶと。寺男《てらおとこ》：寺《てら》で雑用《ざつよう》をする人《ひと》たち。鬼火《おにび》：正体不明《しょうたいふめい》の火《ひ》の玉《たま》。

小《こ》林《ばやし》多《た》喜《き》二《じ》

蟹《かに》工《こう》船《せん》

蟹工船《かにこうせん》で人間《にんげん》あつかいされず、こく使《し》される労働者《ろうどうしゃ》たちが人間《にんげん》の尊厳《そんげん》を求《もと》めて立《た》ち上《あ》がる！

小林多喜二《こばやしたきじ》
1903年《ねん》-1933年《ねん》
秋田県北秋田郡下川沿村《あきたけんきたあきたぐんしもかわぞいむら》（現在《げんざい》の大館《おおだて》市《し》）生《う》まれ。小樽高等商業学校《おたるこうとうしょうぎょうがっこう》（現在《げんざい》の小樽商科大学《おたるしょうかだいがく》）在学中《ざいがくちゅう》から創作《そうさく》活動《かつどう》にはげんだ。1929年《ねん》に『蟹工船《かにこうせん》』を発表後《はっぴょうご》、プロレタリア文学《ぶんがく》の旗手《きしゅ》として注目《ちゅうもく》を集《あつ》めたが、特高警察《とっこうけいさつ》に目《め》をつけられ、1933年《ねん》にごうもん死《し》させられた。

「おい地《じ》ごくさ行《え》ぐんだで！」

労働者《ろうどうしゃ》たちが乗《の》りこむ蟹工船《かにこうせん》はボロ船《ぶね》だった。蟹《かに》工船《こうせん》はカニをとって船内《せんない》で加工《かこう》する「工場船《こうじょうせん》」であって、航船《こうせん》ではない。だから航海法《こうかいほう》は適用《てきよう》されず、安全《あんぜん》な設備《せつび》、衛生的《えいせいてき》な居住空間《きょじゅうくうかん》などないのだ。船《せん》内《ない》はつねに空気《くうき》がムンとして、何《なに》かくさったようなすっぱい臭気《しゅうき》がじゅうまんしていた。通路《つうろ》にはリンゴやバナナの皮《かわ》、グジョグジョした、たびやわらじが捨《す》ててある。まるで流《なが》れのとまったドブだった。

船《ふね》がオホーツク海《かい》に出《で》ると、細《こま》かい雪《ゆき》が労働者《ろうどうしゃ》の手《て》や顔《かお》につきささった。波《なみ》が甲板《かんぱん》を洗《あら》うと、すぐにこおるため、デッキにあみを張《は》り、ぶら下《さ》がって作《さ》

【語句説明《ごくせつめい》】老《ろう》きゅう船《せん》：使《つか》い古《ふる》して役《やく》に立《た》たない船《ふね》。プロレタリア：賃金労働者《ちんぎんろうどうしゃ》。資本力《しほんりょく》を持《も》たず、労働《ろうどう》のみを提供《ていきょう》して生活《せいかつ》する者《もの》。

読《よ》んだ日《ひ》	年《ねん》 月《がつ》 日《にち》

業《ぎょう》をしなくてはならなかった。命《いのち》がけの作業《さぎょう》である。かんとくはサケ殺《ごろ》しのこん棒《ぼう》を持《も》ってどなる。

「貴様《きさま》らの一人《ひとり》、二人《ふたり》がなんだ！」

労働者《ろうどうしゃ》の命《いのち》など、どうでもいい。*老《ろう》きゅう船一《せんいっ》そうで大金《たいきん》が手《て》に入《はい》ることのほうが大切《たいせつ》なのだ。

飯《めし》は出《で》るが毎日同《まいにちおな》じもの。それも働《はたら》きが悪《わる》ければたらふく食《く》えない。しけた日《ひ》には、しるすら出《で》ない。具合《ぐあい》が悪《わる》くなり薬《くすり》を要求《ようきゅう》しても、ぜいたくを言《い》うな、の一言《ひとこと》ですまされる。確《たし》かにここは地《じ》ごくだ。

だが、その地《じ》ごくに希望《きぼう》が生《う》まれた。別《べつ》の船《ふね》に乗《の》っていたロシア人《じん》と会話《かいわ》する機会《きかい》があったのだ。

「あなたたち貧《びん》ぼう人《にん》。だから*プロレタリア。働《はたら》かずお金《かね》もうける人《ひと》、プロレタリアの首《くび》しめる。それだめ。働《はたら》くプロレタリアいばる、正《ただ》しい。だからあなたたち、戦《たたか》う。働《はたら》かない人、にげる。やれる？」

「やるよ、きっと、やるよ！」

労働者《ろうどうしゃ》たちの中《なか》で働《はたら》けない者《もの》はなぐられ、焼《や》け火《ひ》ばしをおしつけられていた。もう何人《なんにん》も死《し》んでいる。

ロシア人《じん》の言葉《ことば》を理解《りかい》した労働者《ろうどうしゃ》たちは、ついに*ストライキを起《お》こした。仕事《しごと》をサボり、船長室《せんちょうしつ》になぐりこみをかけたのだ。だが、労働者《ろうどうしゃ》たちの不《ふ》おんな動《うご》きに気《き》づいていたかんとくたちによって、別《べつ》の船《ふね》から応《おう》えんを呼《よ》ばれ、ストライキは失敗《しっぱい》に終《お》わった。

だが、もう彼《かれ》らはあきらめなかった。

「おれたちには、おれたちしか味方《みかた》はいねえ。もう、死《し》ぬか、生《い》きるかしかねえんだ！」

そして、彼《かれ》らは立《た》ち上がった。*もう一度《いちど》！

解説《かいせつ》

一九二九年《ねん》に発表《はっぴょう》された本作《ほんさく》は、日本《にほん》のプロレタリア文学《ぶんがく》（労働者文学《ろうどうしゃぶんがく》）の代表《だいひょう》とされ、多《おお》くの国《くに》でほん訳《やく》された国際的《こくさいてき》にも有名《ゆうめい》な小説《しょうせつ》です。当時人間《とうじにんげん》あつかいされなかった労働者《ろうどうしゃ》の悲《ひ》あいといかりを文学《ぶんがく》にしょうかさせた多喜二《たきじ》は、高《たか》く評価《ひょうか》されています。

オススメ図書《としょ》

『蟹工船《かにこうせん》　一九二八・三・一五』（岩波文庫《いわなみぶんこ》）

【語句説明《ごくせつめい》】ストライキ：労働《ろうどう》を行《おこな》わないで、こう議《ぎ》すること。もう一度《いちど》！：「付記《ふき》」として二度目《にどめ》のストライキは成功《せいこう》したという記述《きじゅつ》が付《つ》け加《くわ》えられている。

十返舎一九《じっぺんしゃいっく》

東海道中膝栗毛《とうかいどうちゅうひざくりげ》

お調子者《ちょうしもの》の二人《ふたり》が
東海道五十三次《とうかいどうごじゅうさんつぎ》を歩《ある》いて旅《たび》する
おかしなおかしな珍道中《ちんどうちゅう》

昔《むかし》、花《はな》のお江戸《えど》の神田八丁堀《かんだはっちょうぼり》に弥次郎兵衛《やじろべえ》という男《おとこ》がいた。この弥次《やじ》といっしょに住《す》んでいるのが、喜多八《きたはち》である。二人《ふたり》は江戸《えど》っ子気質《こかたぎ》の似《に》た者同士《ものどうし》で、いつもそう動《どう》を引《ひ》き起《お》こしている。

このお調子者《ちょうしもの》の二人《ふたり》が＊東海道五十三次《とうかいどうごじゅうさんつぎ》を旅《たび》して、京《きょう》へ遊《あそ》びに行《い》くことになった。じょうだんを言《い》い合《あ》いながら楽《たの》しく旅《たび》を続《つづ》ける二人《ふたり》は、小田原《おだわら》で＊五右衛門風呂《ごえもんぶろ》が有名《ゆうめい》な宿《やど》に入《はい》った。だが、二人《ふたり》には五右衛門風呂《ごえもんぶろ》の知識《ちしき》はない。さっそく風呂《ふろ》に入《はい》ろうとした弥次《やじ》が風呂《ふろ》を見《み》ると、湯《ゆ》が張《は》られた鉄《てつ》のかまの底《そこ》に火《ひ》が燃《も》えており、お湯《ゆ》の上《うえ》に木《き》の板《いた》がういている。

「なんでえ、風呂《ふろ》のフタ、取《と》り忘《わす》れてやがる」

板《いた》を取《と》り除《の》けてドボンと湯《ゆ》に入《はい》ると、足裏《あしうら》が焼《や》けるように熱《あつ》く、弥次《やじ》は飛《と》び上《あ》がった。

「あちい～、なんだってんだ、この風呂《ふろ》は。おっ、あそこにゲタがありやがる。そういうことか」

弥次《やじ》は便所《べんじょ》のゲタをはいて、風呂《ふろ》に入《はい》った。入《い》れかわりに湯《ゆ》に来《き》た喜多八《きたはち》もゲタを見《み》つけて、風呂《ふろ》に入《はい》った。当然《とうぜん》なことに、風呂《ふろ》はゲタをはいて入《はい》るようにはできていない。入《はい》り心地《ごこち》の悪《わる》さに立《た》ったり

【語句説明《ごくせつめい》】東海道五十三次《とうかいどうごじゅうさんつぎ》：江戸日本橋《えどにほんばし》から京都三条《きょうとさんじょう》までの五十三《ごじゅうさん》の宿場《しゅくば》のこと。または、これらの宿場《しゅくば》を通《とお》る東海道旅行《とうかいどうりょこう》。

十返舎一九《じっぺんしゃいっく》
1765年《ねん》-1831年《ねん》
駿河国府中《するがのくにふちゅう》（駿府《すんぷ》：現在《げんざい》の静岡市葵区《しずおかしあおいく》）生《う》まれ。江戸《えど》で武家奉公後《ぶけほうこうご》、大坂《おおさか》へ行《い》き浪人《ろうにん》となり、浄瑠璃作者《じょうるりさくしゃ》となる。30歳《さい》で江戸《えど》にもどり黄表紙《きびょうし》（絵本《えほん》）、滑稽本《こっけいぼん》などを多作《たさく》した。曲亭馬琴《きょくていばきん》とともに日本《にほん》で最初期《さいしょき》の職業作家《しょくぎょうさっか》とされる。代表作《だいひょうさく》はこの『東海道中膝栗毛《とうかいどうちゅうひざくりげ》』。

読《よ》んだ日《ひ》　年《ねん》　月《がつ》　日《にち》

座《すわ》ったりしているうちに、かまの底《そこ》がぬけて風呂《ふろ》をこわしてしまった。カンカンにおこる宿屋《やどや》の主人《しゅじん》に平謝《ひらあやま》りして、二人《ふたり》は風呂《ふろ》の弁《べん》しょうをさせられた。
旅《たび》のとちゅう、スリにあったり、お化《ば》けさわぎに巻《ま》きこまれたりしたが、ようやく京《きょう》にたどり着《つ》いた。だが、相《あい》も変《か》わらずのおっちょこちょいな性格《せいかく》がわざわいして、二人《ふたり》は行《い》く先々《さきざき》でケンカさわぎや買《か》い物《もの》の失敗《しっぱい》をくり返《かえ》す。京《きょう》にこりた二人《ふたり》は、大坂《おおさか》まで足《あし》をのばすことにした。
天満宮《てんまんぐう》にお参《まい》りをしたところで、二人《ふたり》はイノシシの絵《え》の下《した》に八十八番《はちじゅうはちばん》と書《か》かれた富《とみ》くじを拾《ひろ》った。先《さき》に進《すす》むと、なんと八十八番《はちじゅうはちばん》が百両《ひゃくりょう》の大当《おおあ》たりだとわかった。大喜《おおよろこ》びした二人《ふたり》は、ツケでさんざんぜいたくをした後《あと》、富《とみ》くじを金《かね》にかえに行《い》った。ところが、当《あ》たりくじは「亥《い》*の八十八番《はちじゅうはちばん》」ではなく「子《ね》*の八十八番《はちじゅうはちばん》」だとわかり、二人《ふたり》はがっかり。借金《しゃっきん》を抱《かか》えて困《こま》っていたところを金持《かねも》ちに助《たす》けられた。目先《めさき》の問題《もんだい》が片《かた》づくと、さっぱりこりないこの二人《ふたり》は、またもでたらめな珍道中《ちんどうちゅう》の旅《たび》に出《で》た。

解説《かいせつ》

本作《ほんさく》は一八〇二年《ねん》から出版《しゅっぱん》され始《はじ》めた江戸時代《えどじだい》のベストセラー作品《さくひん》。「栗毛《くりげ》」は栗色《くりいろ》の馬《うま》のことで、「膝栗毛《ひざくりげ》」とは、自分《じぶん》の膝《ひざ》を馬《うま》の代《か》わりに使《つか》う徒歩《とほ》旅行《りょこう》のことです。

オススメ図書《としょ》
『東海道中膝栗毛《とうかいどうちゅうひざくりげ》　弥次《やじ》さん北《きた》さん、ずっこけお化《ば》け旅《たび》』
（越水利江子《こしみずりえこ》、岩崎書店《いわさきしょてん》）

【語句説明《ごくせつめい》】五右衛門風呂《ごえもんぶろ》：かまどの上《うえ》に鉄《てつ》がまを置《お》き、下《した》から火《ひ》をたいてわかす風呂《ふろ》。入浴《にゅうよく》のときは、ういている底板《そこいた》を足《あし》でふみしずめて入《はい》る。　亥《い》：十二支《じゅうにし》のイノシシ。子《ね》：十二支《じゅうにし》のネズミ。

島崎藤村《しまざきとうそん》

春《はる》

尊敬《そんけい》する友人《ゆうじん》に先立《さきだ》たれ
恋人《こいびと》に死《し》なれた青年《せいねん》は
絶望《ぜつぼう》を乗《の》りこえて生《い》きる

「*岸本君《きしもとくん》、旅費《りょひ》を送《おく》るから、会《あ》おう」

明治《めいじ》二六年夏《ねんなつ》、失恋《しつれん》のため旅《たび》に出《で》ていた岸本《きしもと》は、友人《ゆうじん》たちからの手紙《てがみ》を受《う》け取《と》ると、彼《かれ》らの待《ま》つ東海道《とうかいどう》の吉原《よしわら》へ向《む》かった。宿《やど》には、*青木《あおき》、市川《いちかわ》、菅《すげ》たち、なつかしい顔《かお》ぶれがいた。

雑談《ざつだん》になると、岸本《きしもと》たちは「盛岡《もりおか》」「西京《さいきょう》」などのうわさ話《ばなし》をした。盛岡《もりおか》、西京《さいきょう》というのは女《おんな》の生《う》まれ故郷《こきょう》を名前《なまえ》の代《か》わりに呼《よ》び合《あ》う仲間同士《なかまどうし》の*ふちょうだ。盛岡《もりおか》は、かつての岸本《きしもと》の教《おし》え子《ご》、勝子《かつこ》のことである。彼《かれ》らは共同《きょうどう》で雑誌《ざっし》を発行《はっこう》する相談《そうだん》をし、青木《あおき》は自作《じさく》の草《そう》こうを取《と》り出《だ》して朗読《ろうどく》した。岸本《きしもと》たちは文学《ぶんがく》を志《こころざ》す仲間《なかま》だった。再会後《さいかいご》、彼《かれ》らは再《ふた》び方々《ほうぼう》に別《わか》れた。

岸本《きしもと》は一人《ひとり》苦《く》のうしていた。教師時代《きょうしじだい》に愛《あい》した勝子《かつこ》のことが忘《わす》れられないのだ。苦《くる》しみのあまり、岸本《きしもと》は鎌倉《かまくら》で頭《あたま》を丸《まる》め、知《し》り合《あ》いの寺《てら》から法衣《ほうえ》をもらい受《う》けて、一文無《いちもんな》しで目的《もくてき》もなく歩《ある》き出《だ》した。

愛《あい》に苦《くる》しみ、貧《ひん》してうえ、かわき、岸本《きしもと》は自殺《じさつ》しようとした。だが、死《し》ぬことを思《おも》いとどまり、再《ふた》び歩《ある》き始《はじ》めると、そこは*国府津《こうづ》の青木宅《あおきたく》の近《ちか》くである

【語句説明《ごくせつめい》】岸本《きしもと》：モデルは作者自身《さくしゃじしん》。青木《あおき》：モデルは詩人《しじん》の北村透谷《きたむらとうこく》（1868年《ねん》-1894年《ねん》）。

島崎藤村《しまざきとうそん》
1872年《ねん》-1943年《ねん》
信州木曾《しんしゅうきそ》の中山道馬籠《なかせんどうまごめ》（現在《げんざい》の岐阜《ぎふ》県中津川市馬籠《けんなかつがわしまごめ》）生《う》まれ。『文学界《ぶんがくかい》』に参加《さんか》し、詩集《ししゅう》『若菜集《わかなしゅう》』を出版後《しゅっぱんご》、日本《にほん》を代表《だいひょう》する自然主義小説家《しぜんしゅぎしょうせつか》となる。代表作《だいひょうさく》に、『破戒《はかい》』『夜明《よあ》け前《まえ》』など。

読《よ》んだ日《ひ》　年《ねん》　月《がつ》　日《にち》

ことがわかった。岸本《きしもと》は青木《あおき》に会《あ》った。青木《あおき》は岸本《きしもと》をなぐさめ、元気《げんき》づけ、多《おお》くの世話《せわ》をしてくれた。

だが、青木《あおき》もまた苦《くる》しんでいた。若《わか》くして好《す》きな女《おんな》と所帯《しょたい》を持《も》ち、生活《せいかつ》に困《こま》っていた。文学《ぶんがく》においては目指《めざ》す高《たか》みははるか遠《とお》く、作家《さっか》として行《い》きづまっていたのだ。岸本《きしもと》が帰《かえ》った後《あと》しばらくして、青木《あおき》は庭《にわ》の青葉《あおば》のかげで首《くび》をつった。月《つき》の美《うつく》しい夜《よる》だった。

あのとき、助《たす》けられた自分《じぶん》が生《い》きて、助《たす》けた青木《あおき》は死《し》んだ。岸本《きしもと》は言《い》いようのないしょうげきを受《う》けた。このときの岸本《きしもと》の家《いえ》は極貧《ごくひん》で、財産《ざいさん》は差《さ》しおさえをくらって破産《はさん》し、母《はは》は乳《にゅう》がんをわずらっていた。苦難《くなん》の日々《ひび》を送《おく》る岸本《きしもと》に、さらにおそろしい打《だ》げきがあった。勝子《かつこ》の死《し》である。とつ然《ぜん》の病死《びょうし》だった。

岸本《きしもと》はさらに無口《むくち》になった。せめて文章《ぶんしょう》で己《おのれ》の意《い》を表《あらわ》そうと、いろいろな文体《ぶんたい》を試《こころ》みた。小説《しょうせつ》、戯《ぎ》曲《きょく》、論文《ろんぶん》、*新体詩《しんたいし》……。だが、どれ一《ひと》つとして自由《じゆう》に表《あらわ》せるものはなかった。青木《あおき》の死《し》以来《いらい》、共同《きょうどう》の雑誌《ざっし》を作《つく》ることに仲間《なかま》もつかれ果《は》てていた。死《し》ぬこともできず、岸本《きしもと》はまた旅《たび》に出《で》た。そしてこう思《おも》った。

「自分《じぶん》のようなものでも、どうかして生《い》きたい」

解説《かいせつ》

一九〇八年《ねん》に出版《しゅっぱん》された本作《ほんさく》は、若《わか》き日《ひ》の藤村《とうそん》をえがいた自《じ》じょ伝的《でんてき》小説《しょうせつ》。公私《こうし》ともに尊敬《そんけい》していた青木《あおき》（北村透谷《きたむらとうこく》）と愛《あい》した勝子《かつこ》の死《し》にしょうげきを受《う》けつつ、生《い》きて文学《ぶんがく》を志《こころざ》す藤村《とうそん》の姿《すがた》がえがかれています。

オススメ図書《としょ》
『春《はる》』（岩波文庫《いわなみぶんこ》）

【語句説明《ごくせつめい》】ふちょう：仲間内《なかまうち》だけの合言葉《あいことば》。国府津《こうづ》：神奈川県小田原市《かながわけんおだわらし》にある地名《ちめい》。新体詩《しんたいし》：詩《し》といえば漢《かん》詩《し》のことだった時代《じだい》、日本語《にほんご》で西洋詩風《せいようしふう》の表現《ひょうげん》を目指《めざ》した詩《し》。北村透谷《きたむらとうこく》や島崎藤村《しまざきとうそん》が発展《はってん》させた。

猿《さる》ケ《が》島《しま》

見《み》知《し》らぬ遠《とお》い異国《いこく》に流《なが》れ着《つ》いた末《すえ》、「私《わたし》」が知《し》った
あらがえない真相《しんそう》とは？

はるばると海《うみ》をこえて、この島《しま》に着《つ》いたときの私《わたし》の*ゆうしゅうを思《おも》いたまえ。夜《よる》なのか昼《ひる》なのか、島《しま》は深《ふか》いきりに包《つつ》まれてねむっていた。あやしい呼《よ》び声《ごえ》がときどき聞《き》こえる。おおかみか、くまか。長《なが》い旅路《たびじ》のつかれから、私《わたし》は大《だい》たんになり、島《しま》をめぐり歩《ある》いた。私《わたし》はこの島《しま》が小《ちい》さいのを知《し》った。

朝日《あさひ》がのぼったそのとき、一《いっ》ぴきの猿《さる》が私《わたし》のところに笑《わら》いながらやってきた。

「海《うみ》をわたってきたろう。おれと同《おな》じだ」

「ここはどこだろう」

「おれも知《し》らない。日本《にほん》ではないようだ」

彼《かれ》はそう言《い》うと、座《すわ》って話《はな》そうと言《い》った。

「ふるさとがなつかしい。おれはひとりなのだ」

私《わたし》と彼《かれ》が語《かた》り終《お》わるころ、きりが晴《は》れわたり、私《わたし》たちの目《め》の前《まえ》に異様《いよう》な風景《ふうけい》が現出《げんしゅつ》した。青葉《あおば》が目《め》にしみる。その青葉《あおば》の下《した》には、白《しろ》い砂利道《じゃりみち》がしかれていて、白《しろ》い装《よそお》いをしたひとみの青《あお》い人間《にんげん》たちが、ぞろぞろ歩《ある》いている。彼《かれ》は口早《くちばや》にささやいた。

「おどろくなよ。毎日《まいにち》こうなのだ。おれたちの見世《みせ》物《もの》だよ。だまって見《み》ていろ」

太宰治《だざいおさむ》
1909年《ねん》-1948年《ねん》

50ページ参照《さんしょう》。

【語句説明《ごくせつめい》】ゆうしゅう：気分《きぶん》が晴《は》れずしずむこと。

読《よ》んだ日《ひ》　　年《ねん》　月《がつ》　日《にち》

私《わたし》は歩《ある》いている人間《にんげん》たちについて話《はな》す彼《かれ》の言葉《ことば》を聞《き》きながら、別《べつ》のものを見《み》ていた。二人《ふたり》の子《こ》どもがこちらを見《み》て話《はな》しているのを。

「あの子《こ》どもたちは何《なに》を話《はな》している」

「いつ見《み》ても変《か》わらない、とほざいている」

変《か》わらない。見世物《みせもの》は私《わたし》たちなのだ。これは*批評《ひひょう》の言葉《ことば》だ。私《わたし》にはわかった。私《わたし》は泣《な》いた。おのれの無智《むち》に対《たい》する*しゅうちの念《ねん》がたまらなかった。

「にげる」

「よせ、よせ。ここはいいところだよ。それに、めしの心配《しんぱい》がいらないのだよ」

彼《かれ》のそう呼《よ》ぶ声《こえ》を遠《とお》くからのように聞《き》いた。

ああ。このゆうわくは真実《しんじつ》に似《に》ている。あるいは真実《しんじつ》かも知《し》れぬ。私《わたし》は心《こころ》の中《なか》で大《おお》きくよろめくものを覚《おぼ》えたのである。

けれども、けれども血《ち》は、山《やま》で育《そだ》った私《わたし》のばかな血《ち》は、やはりしつようにさけぶのだ。

――否《いな》！

一八九六年《ねん》六月《がつ》の半《なか》ば、ロンドン博物館《はくぶつかん》付属動物《ふぞくどうぶつ》園《えん》の事務所《じむしょ》に、日本猿《にほんざる》のとん走《そう》が報《ほう》ぜられた。しかも、一《いっ》ぴきでなかった。二《に》ひきである。

解説《かいせつ》

太宰《だざい》が一九三五年《ねん》に発表《はっぴょう》した初期《しょき》の短編小説《たんぺんしょうせつ》です。彼《かれ》と私《わたし》が猿《さる》であることは、前半《ぜんはん》で読者《どくしゃ》もうすうす感《かん》づきますが、後半《こうはん》の「青《あお》いひとみ＝西洋人《せいようじん》」で、「私《わたし》」がいる場所《ばしょ》がどこでどういう状《じょう》きょうだったのか、最後《さいご》に判明《はんめい》する構成《こうせい》が面白《おもしろ》い作品《さくひん》です。

オススメ図書《としょ》

『人間失格《にんげんしっかく》・走《はし》れメロス』所収《しょしゅう》（双葉社《ふたばしゃ》ジュニア文庫《ぶんこ》）

【語句説明《ごくせつめい》】批評《ひひょう》の言葉《ことば》：「変《か》わらない」という言葉《ことば》から、自分《じぶん》たちがいつも彼《かれ》らに見《み》られていること、彼《かれ》らが自分《じぶん》たちに対《たい》して自由《じゆう》に感想《かんそう》を言《い》い、批評《ひひょう》する立場《たちば》にあることを「私《わたし》」は理解《りかい》した。しゅうち：はずかしいこと。

太宰治《だざいおさむ》

人間失格《にんげんしっかく》

自分《じぶん》の心《こころ》の弱《よわ》さを自覚《じかく》しつつ
なお破《は》めつ的《てき》で不道徳《ふどうとく》な生活《せいかつ》を送《おく》る
主人公《しゅじんこう》の半生《はんせい》をえがいた名作《めいさく》

太宰治《だざいおさむ》
1909年《ねん》-1948年《ねん》
50ページ参照《さんしょう》。

高学年

私《わたし》は、その男《おとこ》の写真《しゃしん》を*三葉《さんよう》、見《み》たことがある。

一葉《いちよう》は、その男《おとこ》の十歳前後《じっさいぜんご》の幼年時代《ようねんじだい》。かわいらしく見《み》えなくもないが、その笑顔《えがお》はみにくく不快《ふかい》である。第二葉《だいによう》の写真《しゃしん》の顔《かお》は、おそろしく美《び》ぼうの学生《がくせい》である。やはり、笑《わら》っている。だが、人間《にんげん》の笑《わら》いと、どこやらちがう。一《いち》から十《じゅう》まで造《つく》り物《もの》の感《かん》じなのである。もう一葉《いちよう》の写真《しゃしん》は、もっとも奇怪《きかい》なものである。頭《あたま》はいくぶん白髪《しらが》のようである。今度《こんど》は笑《わら》っていない。どんな表情《ひょうじょう》もない。自然《しぜん》に死《し》んでいるような、まことにいまわしい、不吉《ふきつ》なにおいのする写真《しん》であった。

以下《いか》、この写真《しゃしん》の人物《じんぶつ》の手記《しゅき》である。

恥《はじ》の多《おお》い生《しょう》がいを送《おく》ってきました。

自分《じぶん》には、人間《にんげん》の生活《せいかつ》というものが、見当《けんとう》つかないのです。考《かんが》えれば考《かんが》えるほど、自分《じぶん》には、わからなくなり、自分《じぶん》ひとりまったく変《か》わっているような、不安《ふあん》ときょうふにおそわれるばかりなのです。

そこで考《かんが》え出《だ》したのは、*道化《どうけ》でした。自分《じぶん》は道化《どうけ》によって家族《かぞく》を笑《わら》わせ、また、家族《かぞく》よりも、もっと

【語句説明《ごくせつめい》】三葉《さんよう》：3枚《まい》。「葉《よう》」は写真《しゃしん》やハガキなどの紙《かみ》製《せい》のものを数《かぞ》えるときの単位《たんい》。

読《よ》んだ日《ひ》	年《ねん》 月《がつ》 日《にち》

不可解《ふかかい》でおそろしい他人《たにん》にまで、必死《ひっし》の道化《どうけ》のサービスをしたのです。これが、後年《こうねん》にいたり、いよいよ自分《じぶん》の「恥《はじ》の多《おお》い生《しょう》がい」の、重大《じゅうだい》な原因《げんいん》ともなる性《せい》へきの一《ひと》つだったように思《おも》われます。

中学《ちゅうがく》のころ、自分《じぶん》は主人《しゅじん》を持《も》つ女《おんな》と*鎌倉《かまくら》の海《うみ》に飛《と》びこみ、自分《じぶん》だけ助《たす》かりました。あさましくも生《い》き延《の》びた自分《じぶん》は、粗悪《そあく》な雑誌《ざっし》に下手《へた》なマンガをかきながら、子持《こも》ちの女《おんな》と関係《かんけい》を持《も》ちました。ですが、女《おんな》と酒《さけ》におぼれる自分《じぶん》を心配《しんぱい》した純真無垢《じゅんしんむく》なむすめヨシ子《こ》とけっこんしたとき、少《すこ》しだけ人間《にんげん》らしいものになることができたような気《き》がしました。

しかし、ヨシ子《こ》が出入《でい》りの商人《しょうにん》におそわれ、けがされるところを見《み》たときから、わたしは酒《さけ》とモルヒネにおぼれました。薬屋《くすりや》の妻《つま》をゆうわくして薬《くすり》を手《て》に入《い》れ、*喀血《かっけつ》をくり返《かえ》しながら一時《いっとき》の地《じ》ごくからのがれる生活《せいかつ》でした。自分《じぶん》は*脳病院《のうびょういん》に入《い》れられました。もはや人間《にんげん》として扱《あつか》われなくなったのです。**人間《にんげん》、失格《しっかく》。もはや、自分《じぶん》は、完全《かんぜん》に、人間《にんげん》でなくなりました。**自分《じぶん》は今年《ことし》、二十七《にじゅうしち》になります。白《しら》髪《が》がめっきりふえたので、四十以上《よんじゅういじょう》に見《み》られます。

解説《かいせつ》

一九四八年《ねん》に発表《はっぴょう》された本作《ほんさく》は、夏目漱石《なつめそうせき》の『こころ』とともに、日本純文学作品《にほんじゅんぶんがくさくひん》の中《なか》でもっとも売《う》れている作品《さくひん》です。「人間《にんげん》らしい」ということがどういうことなのか、深《ふか》く考《かんが》えさせられます。

オススメ図書《としょ》

『人間失格《にんげんしっかく》　グッド・バイ　他一篇《ほかいっぺん》』（岩波文庫《いわなみぶんこ》）

【語句説明《ごくせつめい》】道化《どうけ》：おかしな言動《げんどう》で周囲《しゅうい》を楽《たの》しませる行《おこな》い。鎌倉《かまくら》の海《うみ》に飛《と》びこみ：入水心中《じゅすいしんじゅう》をはかったが、相手《あいて》だけ死亡《しぼう》し、「自分《じぶん》」は生《い》き残《のこ》った。喀血《かっけつ》：血《ち》をはくこと。脳病院《のうびょういん》：精神科《せいしんか》のある病院《びょういん》。

壺井栄《つぼいさかえ》

二《に》十《じゅう》四《し》の瞳《ひとみ》

激動《げきどう》の時代《じだい》を生《い》きぬいた
女教師《おんなきょうし》と十二人《じゅうににん》の子《こ》どもの
ふれあいと戦争《せんそう》の悲劇《ひげき》をえがく

昭和《しょうわ》三年《ねん》四月《がつ》四日《か》、瀬戸内海《せとないかい》べりの一《いち》*寒村《かんそん》の分校《ぶんこう》へ、若《わか》い女《おんな》の先生《せんせい》がふにんしてきた。

「おなご先生《せんせい》」のうわさをしながら待《ま》っていた子《こ》どもたちは、いきなりどぎもをぬかれた。なんと、おなご先生《せんせい》は、洋服《ようふく》を着《き》て自転車《じてんしゃ》に乗《の》って現《あらわ》れたのだ。

しかもいきなり「おはよう!」だ。初《はじ》めての日《ひ》に洋服《ようふく》を着《き》てきた先生《せんせい》も初《はじ》めて、自転車《じてんしゃ》も初《はじ》めて、おはよう、とあいさつをした先生《せんせい》も初《はじ》めてだった。これが大石先生《おおいしせんせい》だった。

今日《きょう》初《はじ》めて教《きょう》だんに立《た》ち、出席《しゅっせき》を取《と》った大石先《おおいしせん》生《せい》は感動《かんどう》していた。今日《きょう》初《はじ》めて集団生活《しゅうだんせいかつ》につながった十二人《じゅうににん》の一年生《いちねんせい》の瞳《ひとみ》は、それぞれの個性《こせい》にかが

【語句説明《ごくせつめい》】寒村《かんそん》：貧《まず》しい村《むら》。

壺井栄《つぼいさかえ》

1899年《ねん》-1967年《ねん》

香川県小豆郡坂手村《かがわけんしょうずぐんさかてむら》（現在《げんざい》の小豆島《しょうどしま》町《ちょう》）出身《しゅっしん》。1938年《ねん》『大根《だいこん》の葉《は》』を発表《はっぴょう》しデビュー。後《のち》に数多《かずおお》くの作品《さくひん》を発表《はっぴょう》した。戦後反戦文学《せんごはんせんぶんがく》の名作《めいさく》として映画化《えいがか》された『二十四の瞳《にじゅうしひとみ》』の作者《さくしゃ》として有名《ゆうめい》。他《ほか》の作品《さくひん》に『母《はは》のない子《こ》と子《こ》のない母《はは》と』『坂道《さかみち》』など。

高学年

読《よ》んだ日《ひ》　年《ねん》　月《がつ》　日《にち》

やいて、ことさら印象深《いんしょうぶか》く映《うつ》ったのである。

この瞳《ひとみ》を、どうしてにごしてよいものか！

若《わか》く明《あか》るい大石先生《おおいしせんせい》に、子《こ》どもたちはすぐになついた。だが、自転車《じてんしゃ》に乗《の》り洋服姿《ようふくすがた》で登校《とうこう》する「ハイカラ」な先生《せんせい》は、保守的《ほしゅてき》な村《むら》の大人《おとな》たちにはきらわれた。子《こ》どもたちはいつも大石先生《おおいしせんせい》の味方《みかた》をし、やがて大石先生《おおいしせんせい》が大《おお》ケガしたことをきっかけに、大人《おとな》たちも大石先生《おおいしせんせい》に理解《りかい》を示《しめ》すようになった。だが、大石先生《おおいしせんせい》はケガが治《なお》った後《あと》、本校《ほんこう》へ転任《てんにん》した。

四年後《よねんご》、五年生《ごねんせい》になった十二人《じゅうににん》の子《こ》どもたちは、大石先生《おおいしせんせい》のいる本校《ほんこう》へ通《かよ》うことになった。折《おり》しも日《に》本《ほん》は不《ふ》きょうの真《ま》っただ中《なか》で、*満州事変《まんしゅうじへん》、*上海事変《シャンハイじへん》と、世界《せかい》は不安《ふあん》の様相《ようそう》をていしていた。

昭和《しょうわ》一六年《ねん》の春《はる》、大石先生《おおいしせんせい》は、立派《りっぱ》に成人《せいじん》した教《おし》え子《ご》の男子《だんし》たちと出会《であ》う。彼《かれ》らはちょう兵《へい》されて出《しゅっ》兵《ぺい》することになっていた。

「からだを大事《だいじ》にしてね。名《めい》よの戦死《せんし》など、しなさんな。生《い》きてもどってくるのよ」

大石先生《おおいしせんせい》は声《こえ》をひそめて教《おし》え子《ご》たちに話《はな》した。もう、反戦《はんせん》の声《こえ》をあげることは許《ゆる》されない時代《じだい》だった。

昭和《しょうわ》二一年《ねん》、大石先生《おおいしせんせい》は再《ふたた》び、あの村《むら》の学校《がっこう》へ帰《かえ》ってきた。教《おし》え子《ご》の十二人《じゅうににん》のうち消息《しょうそく》のわかる数《すう》人《にん》がかんげい会《かい》をしてくれた。戦争《せんそう》でもう目《もく》になった教《おし》え子《ご》が、見《み》えないはずの昔《むかし》の写真《しゃしん》に指《ゆび》さして、だれの顔《かお》なのか当《あ》てている。大石先生《おおいしせんせい》はそれに相《あい》づちを打《う》ちながらなみだし、教《おし》え子《ご》の歌声《うたごえ》を聞《き》いていた。

解説《かいせつ》

一九五二年《ねん》に発表《はっぴょう》され、ハイカラなおなご先生《せんせい》と十二人《じゅうににん》の生徒《せいと》たちのふれあい、第二次世界大戦《だいにじせかいたいせん》の悲劇《ひげき》を中心《ちゅうしん》にえがいた作品《さくひん》です。映画《えいが》が有名《ゆうめい》ですが、原作《げんさく》では、ぶ台《たい》は「小豆島《しょうどしま》」とは明記《めいき》されていません。

オススメ図書《としょ》

『二十四の瞳《にじゅうしひとみ》（新装版《しんそうばん》）』（講談社青い鳥文庫《こうだんしゃあおいとりぶんこ》）

【語句説明《ごくせつめい》】満州事変《まんしゅうじへん》：1931年《ねん》に満州《まんしゅう》（中国東北部《ちゅうごくとうほくぶ》）で起《お》こった日本《にほん》と中華民国《ちゅうかみんこく》との武力闘争《ぶりょくとうそう》。上海事変《シャンハイじへん》：1932年《ねん》に上海《シャンハイ》で起《お》こった日本《にほん》と中華民国《ちゅうかみんこく》との武力闘争《ぶりょくとうそう》。作品内《さくひんない》ではこの第一次《だいいちじ》を指《さ》す。第二次上海事変《だいにじシャンハイじへん》は1937年《ねん》。

中島《なかじま》敦《あつし》

山月記《さんげつき》

尊大《そんだい》なしゅうち心《しん》とおく病《びょう》な自尊心《じそんしん》が
己《おのれ》を虎《とら》に変《か》えた――
ここうの詩人《しじん》がたどった数奇《すうき》な運命《うんめい》

中島敦《なかじまあつし》
1909年《ねん》-1942年《ねん》
東京府《とうきょうふ》東京市《とうきょうし》四谷区《よつやく》（現在《げんざい》の東京都《とうきょうと》新宿区《しんじゅくく》三栄町《さんえいちょう》）生《う》まれ。東京帝国大《とうきょうていこくだい》学国文学科《がくこくぶんがっか》を卒業《そつぎょう》。中国文学《ちゅうごくぶんがく》に造《ぞう》けいが深《ふか》く、豊富《ほうふ》な知識《ちしき》を生《い》かした作品《さくひん》を次々《つぎつぎ》に発表《はっぴょう》した。代表作《だいひょうさく》に『李陵《りりょう》』『弟子《でし》』『悟浄出世《ごじょうしゅっせ》』など。本書《ほんしょ》で読《よ》める作品《さくひん》は他《ほか》に204ページ。

高学年

＊天宝《てんぽう》の末年《まつねん》、李徴《りちょう》はしゅう才《さい》で知《し》られ、若《わか》くして高級官僚《こうきゅうかんりょう》の一員《いちいん》に名《な》を連《つら》ねた。しかし性格《せいかく》は片意《かたい》地《じ》で尊大《そんだい》な自信家《じしんか》だったので、今《いま》の地位《ちい》では満足《まんぞく》できなかった。李徴《りちょう》は役人《やくにん》を辞《や》め、その後《ご》、他人《たにん》との交際《こうさい》を絶《た》ち、ひたすら詩作《しさく》にはげんだ。しかし、＊文《ぶん》名《めい》は上《あ》がらず、李徴《りちょう》の＊自尊心《じそんしん》を大《おお》きく傷《きず》つけた。

そしてついに、李徴《りちょう》は、ある夜半《やはん》に顔色《かおいろ》を変《か》えて飛《と》び起《お》きると、訳《わけ》のわからぬことをさけびながらやみの中《なか》にかけ出《だ》し、二度《にど》ともどってこなかった。

その翌年《よくとし》のこと。李徴《りちょう》の旧友《きゅうゆう》である袁傪《えんさん》が林《はやし》の中《なか》を通《とお》りかかったところ、一《いっ》ぴきの猛虎《もうこ》が草《くさ》むらからおどり出た。虎は袁傪におどりかかるかと見《み》えたが、たちまち身《み》をひるがえして、元《もと》の草《くさ》むらにかくれた。草《くさ》むらの中《なか》から人間《にんげん》の声《こえ》で、「危《あぶ》ないところだった」とつぶやくのが聞《き》こえた。

袁傪《えんさん》はその声《こえ》を聞《き》くと、思《おも》い当《あた》ってさけんだ。

「その声《こえ》は、わが友《とも》、李徴《りちょう》ではないか？」

「いかにも自分《じぶん》は李徴《りちょう》である」

袁傪《えんさん》は、草《くさ》むらから聞《き》こえてくる声《こえ》と対談《たいだん》した。

李徴《りちょう》によれば、昨年《さくねん》やみの中《なか》を走《はし》る最中《さなか》、次第《しだい》に

【語句説明《ごくせつめい》】天宝《てんぽう》の末年《まつねん》：唐《とう》（618年《ねん》-907年《ねん》）の玄宗《げんそう》皇帝治世《こうていちせい》のころ。玄宗《げんそう》は唐《とう》の最盛期《さいせいき》を築《きず》いた第《だい》9代皇帝《だいこうてい》。

読《よ》んだ日《ひ》　年《ねん》　月《がつ》　日《にち》

身体中《からだじゅう》に力《ちから》がみなぎるのを感《かん》じたという。気《き》がつけば全身《ぜんしん》に毛《け》が生《は》えており、虎《とら》になっていたのだ、と。今《いま》でこそ人《ひと》の心《こころ》があるが、そのうち身《み》も心《こころ》も虎《とら》となるだろう、その前《まえ》に自分《じぶん》の詩《し》を後代《こうだい》に伝《つた》えなくては死《し》んでも死《し》に切《き》れぬと言《い》う。

袁傪《えんさん》は草《くさ》むらの中《なか》から朗々《ろうろう》とひびく李徴《りちょう》がえいじる詩《し》を聞《き》き取《と》った。袁傪《えんさん》は李徴《りちょう》の素質《そしつ》は第一流《だいいちりゅう》であると確信《かくしん》しながらも、一流《いちりゅう》の作品《さくひん》となるには、どこか欠《か》けているものがあるのではないか、と感《かん》じた。

自分《じぶん》がなぜ虎《とら》になったのか、思《おも》い当《あ》たることがあると李徴《りちょう》は言《い》う。**尊大《そんだい》だと言《い》われた自分《じぶん》が人《ひと》との交《まじ》わりをさけたのは、*しゅうち心《しん》からであった。そして、確《たし》かに自分《じぶん》には自尊心《じそんしん》があった。だがそれはおく病《びょう》な自尊心《じそんしん》であった。この尊大《そんだい》なしゅうち心《しん》とおく病《びょう》な自尊心《じそんしん》が己《おのれ》を虎《とら》に変《か》えたのだ。**

そう言《い》うと李徴《りちょう》は袁傪《えんさん》に別《わか》れを告《つ》げた。袁傪《えんさん》はしばらく歩《ある》いて、先《さき》ほどの草《くさ》むらをふり返《かえ》ると、一《いっ》ぴきの虎《とら》が現《あらわ》れた。虎《とら》は白《しろ》く光《ひかり》を失《うしな》った月《つき》をあおいで二声三声《ふたこえみこえ》*ほうこうしたかと思《おも》うと、また、元《もと》の草《くさ》むらにおどり入《い》って、再《ふたた》びその姿《すがた》を見《み》なかった。

解説《かいせつ》

一九四二年発表《ねんはっぴょう》。唐《とう》の時代《じだい》に書《か》かれた『人虎伝《じんこでん》』を基《もと》にした小説《しょうせつ》。「尊大《そんだい》なしゅうち心《しん》」と「おく病《びょう》な自尊心《じそんしん》」は己《おのれ》の良心《りょうしん》を食《く》らう虎《とら》であり、大《おお》きくなりすぎると「人間《にんげん》として大切《たいせつ》なものを失《うしな》う」のかもしれません。

オススメ図書《としょ》

『李陵《りりょう》・山月記《さんげつき》』（新潮文庫《しんちょうぶんこ》）

【語句説明《ごくせつめい》】文名《ぶんめい》：詩文《しぶん》に優《すぐ》れているという評判《ひょうばん》。自尊心《じそんしん》：自分《じぶん》の言動《げんどう》や思想《しそう》に自信《じしん》を持《も》つ気持《きも》ち。しゅうち心《しん》：はずかしく感《かん》じる気持《きも》ち。ほうこう：けものなどがたけり、ほえること。

中島敦《なかじまあつし》

名人伝《めいじんでん》

弓矢《ゆみや》を一切《いっさい》使《つか》わない
「不射之射《ふしゃのしゃ》」の技《わざ》とは一体《いったい》——。
天下一《てんかいち》の弓矢《ゆみや》の名人《めいじん》がたどり着《つ》いた境地《きょうち》

高学年

中島敦《なかじまあつし》
1909年《ねん》-1942年《ねん》
202ページ参照《さんしょう》。

趙《ちょう》の邯鄲《かんたん》の都《みやこ》に住《す》む紀昌《きしょう》という男《おとこ》が、天下第一《てんかだいいち》の弓《ゆみ》の名人《めいじん》になろうと志《こころざし》を立《た》てた。紀昌《きしょう》は百歩《ひゃっぽ》をへだてて柳葉《りゅうよう》を射《い》るに百発百中《ひゃっぱつひゃくちゅう》するという弓《ゆみ》の達人《たつじん》、飛衛《ひえい》を訪《たず》ねてその門《もん》に入《はい》った。

紀昌《きしょう》はまず二年間《にねんかん》飛衛《ひえい》からまばたきせざることを学《まな》び、次《つぎ》に三年間視《さんねんかんみ》ることを学《まな》んだ。やがてしらみを視《み》れば、馬《うま》のような大《おお》きさに見《み》えるようになった。紀昌《きしょう》がこの域《いき》に至《いた》ると、飛衛《ひえい》は、射術《しゃじゅつ》のおうぎ秘伝《ひでん》を紀昌《きしょう》に授《さず》けた。おうぎを極《きわ》めた紀昌《きしょう》は、ある日《ひ》、ふと良《よ》からぬ考《かんが》えを起《お》こした。飛衛《ひえい》を殺《ころ》してしまえば、自分《じぶん》が天下第一《てんかだいいち》の名人《めいじん》である、と。だが、紀昌《きしょう》の試《こころ》みは失敗《しっぱい》した。後《こう》かいする紀昌《きしょう》を許《ゆる》した飛衛《ひえい》は、天下一《てんかいち》を目指《めざ》すなら、甘蠅老師《かんようろうし》の元《もと》へ行《い》くように、彼《かれ》にすすめた。紀昌《きしょう》はさっそく甘蠅《かんよう》を訪《たず》ねた。甘蠅《かんよう》は、紀昌《きしょう》のうで前《まえ》を見《み》ると、こう言《い》った。

「一通《ひととお》り出来《でき》るようだが、それはしょせん射之射《しゃのしゃ》というもの。なんじはいまだ不射之射《ふしゃのしゃ》を知《し》らぬと見《み》える。不射之射《ふしゃのしゃ》には、いかなる名弓《めいきゅう》もいらぬ」

老人《ろうじん》は紀昌《きしょう》の目前《もくぜん》で手《て》ぶらで立《た》ち、見《み》えざる矢《や》を無形《むけい》の弓《ゆみ》につがえ、満月《まんげつ》のごとくに引《ひ》きしぼって

【語句説明《ごくせつめい》】夫子《ふうし》:あなた。相手《あいて》に対《たい》する敬語《けいご》。しつ:琴《こと》に似《に》たげん楽器《がっき》。工《こう》しょう:工作《こうさく》を職業《しょくぎょう》とする人《ひと》。きく:コンパスとさしがね。

読《よ》んだ日《ひ》　年《ねん》　月《がつ》　日《にち》

ひょうと放《はな》つと、鳥《とり》が落《お》ちてきた。紀昌《きしょう》はおどろき、九年《きゅうねん》の間《あいだ》、紀昌《きしょう》はこの老名人《ろうめいじん》の許《もと》に留《とど》まった。

九年後《きゅうねんご》山《やま》を降《お》りてきたときの紀昌《きしょう》の顔《かお》つきを見《み》た飛衛《ひえい》は、感《かん》たんしてさけんだ。これでこそ天下《てんか》の名人《めいじん》だ。我《われ》らのごとき、足下《あしもと》にもおよぶものでないと。

紀昌《きしょう》は邯鄲《かんたん》の都《みやこ》にもどっても、弓《ゆみ》を手《て》に取《と》ろうとしない。そのわけをたずねた一人《ひとり》に答《こた》えて、紀昌《きしょう》はものうげに言《い》った。「*至為《しい》は為《な》す無《な》く、至言《しげん》は言《げん》を去《さ》り、至射《ししゃ》は射《い》ることなし」と。なるほどと、ものわかりのいい邯鄲《かんたん》の人々《ひとびと》はすぐに合点《がってん》した。弓《ゆみ》をとらざる弓《ゆみ》の名人《めいじん》は、彼《かれ》らのほこりとなった。

彼《かれ》の死《し》ぬ一《いち》、二年前《にねんまえ》のこと、紀昌《きしょう》は知人《ちじん》の家《いえ》で一《ひと》つの器具《きぐ》を見《み》た。その器具《きぐ》の名《な》も使《つか》い道《みち》も思《おも》い出《だ》せぬ紀昌《きしょう》は、この器具《きぐ》についてたずねた。最初《さいしょ》はじょうだんかと笑《わら》っていた主人《しゅじん》は、やがて真相《しんそう》を知《し》ると、きょうふに近《ちか》いろうばいを示《しめ》してさけんだ。

「ああ、*夫子《ふうし》が、――古今無双《ここんむそう》の射《しゃ》の名人《めいじん》たる夫子《ふうし》が、弓《ゆみ》を忘《わす》れはてられたとや？」

その後《ご》当分《とうぶん》の間《あいだ》、邯鄲《かんたん》の都《みやこ》では、画家《がか》は絵筆《えふで》をかくし、楽人《がくにん》は*しつのげんを断《た》ち、*工《こう》しょうは*きくを手《て》にするのをはじたということである。

解説《かいせつ》

一九四二年発表《はっぴょう》。中国《ちゅうごく》の春秋戦国時代《しゅんじゅうせんごくじだい》の書《しょ》『列子《れっし》』を主《おも》な素材《そざい》にした、弓《ゆみ》の名人《めいじん》になることを志《こころざ》した紀昌《きしょう》の生《しょう》がいをえがく短編小説《たんぺんしょうせつ》。紀昌《きしょう》は本当《ほんとう》に名人《めいじん》になったのか、今《いま》も解《かい》しゃくが分《わ》かれる作品《さくひん》です。

オススメ図書《としょ》
『李陵《りりょう》・山月記《さんげつき》』所収《しょしゅう》（新潮文庫《しんちょうぶんこ》）

【語句説明《ごくせつめい》】至為《しい》は為《な》す無《な》く、至言《しげん》は言《げん》を去《さ》り：物事《ものごと》を為《な》すということをつきつめれば物事《ものごと》を為《な》さないに等《ひと》しく、真《まこと》に物事《ものごと》を的確《てきかく》に言《い》い表《あらわ》すことは言葉《ことば》を使《つか》うことではない。

堀辰雄《ほりたつお》

風《かぜ》立《た》ちぬ

限《かぎ》られた生《せい》をおしみながら生《い》きる
若《わか》き恋人《こいびと》たちの姿《すがた》を
美《うつく》しい情景《じょうけい》とともにえがき出《だ》す名作《めいさく》

高学年

堀辰雄《ほりたつお》
1904年《ねん》-1953年《ねん》
東京市麹町区《とうきょうしこうじまちく》（現在《げんざい》の東京都千代田区《とうきょうとちよだく》）生まれ。東京大学国文学科卒業《とうきょうだいがくこくぶんがっかそつぎょう》後《ご》、フランス文学《ぶんがく》の心理主義《しんりしゅぎ》の手法《しゅほう》で作家《さっか》としての地位《ちい》を確立《かくりつ》した。代表作《だいひょうさく》に『風立《かぜた》ちぬ』『菜穂子《なほこ》』など。

＊Le《ル》 vent《ヴァン》 se《ス》 lve《レヴ》, il《イル》 faut《フォー》 tenter《タンテ》 de《ドウ》 vivre《ヴィーヴル》.
PAUL《ポール》 VALRY《ヴァレリー》

秋近《あきちか》い日だった。私《わたし》たちはお前《まえ》のかきかけの絵《え》を＊画架《がか》に立《た》てかけたまま、白樺《しらかば》の木《こ》かげにねそべって果物《くだもの》をかじっていた。そのとき不意《ふい》に、どこからともなく風《かぜ》が立《た》ち、置《お》きっぱなしにしてあった絵《え》が、画架《がか》とともにたおれた。すぐ立《た》ち上《あ》がって行《い》こうとするお前《まえ》を、私《わたし》は一《いっ》しゅんの何物《なにもの》をも失《うしな》うまいとするかのように引《ひ》き留《と》めて、私《わたし》のそばからはなさないでいた。お前《まえ》は私《わたし》のするがままにさせていた。

風《かぜ》立《た》ちぬ、いざ生《い》きめやも。
ふと口《くち》をついて出《で》た詩句《しく》を、私《わたし》はお前《まえ》のかたに手《て》

【語句説明《ごくせつめい》】冒頭《ぼうとう》：フランスの詩人《しじん》ポール・ヴァレリーの一節《いっせつ》。堀《ほり》は「風立《かぜた》ちぬ、いざ生《い》きめやも」と訳《やく》した。

読《よ》んだ日《ひ》　　年《ねん》　月《がつ》　日《にち》

をかけながら、口《くち》の内《うち》でくり返《かえ》していた。その数日《すうじつ》後《ご》、お前《まえ》は父親《ちちおや》とともに帰《かえ》っていった。

二年後《にねんご》の春《はる》、私《わたし》は実家《じっか》にいるこん約者《やくしゃ》の節子《せっこ》を訪《たず》ねた。節子《せっこ》の結核《けっかく》は重《おも》い。自分《じぶん》の病気《びょうき》を気《き》にし、生《い》きたいと願《ねが》う節子《せっこ》が、たまらなくいとおしい。私《わたし》は節子《せっこ》をサナトリウム*に送《おく》っていった。医師《いし》の話《はなし》では、サナトリウムかん者《じゃ》の中《なか》でもとくに重症《じゅうしょう》らしい。節子《せっこ》は入院《にゅういん》し、私《わたし》もつきそいとしてそこに残《のこ》った。

樹脂《じゅし》のにおいさえ、開《あ》け放《はな》した窓《まど》からただよってきた夏《なつ》もおとろえたころ、節子《せっこ》のことしか考《かんが》えられない私《わたし》は、彼女《かのじょ》のことを小説《しょうせつ》に書《か》きたくなった。

「**――みながもう行《い》き止《ど》まりだと思《おも》っているところから始《はじ》まっているようなこの生《せい》のたのしさ**――そういっただれも知《し》らないような、おれたちだけのものを、おれはもっと確実《かくじつ》なものに、もう少《すこ》し形《かたち》をなしたものに置《お》きかえたいのだ。わかるだろう？」

私《わたし》の問《と》いかけに、節子《せっこ》は笑《わら》って了承《りょうしょう》した。

秋《あき》、節子《せっこ》は言《い》った。かつての私《わたし》の言葉《ことば》を使《つか》いながら、――私《わたし》たちの今《いま》の生活《せいかつ》、ずっと後《あと》になって思《おも》い出《だ》したらどんなに美《うつく》しいだろう――と。

一年後《いちねんご》の冬《ふゆ》、リルケ*の『レクイエム』*を読《よ》みながら、今私《いまわたし》はお前《まえ》を思《おも》い出《だ》す。意気地《いくじ》なしのおれがたった一人《ひとり》で暮《く》らすことができていられるのは、みんなお前《まえ》のおかげだ。おれは、おれにはもったいないほどのお前《まえ》の愛《あい》に慣《な》れ切《き》ってしまっていたのだろうか？　それほど、お前《まえ》はおれにはなんにも求《もと》めずに、おれを愛《あい》していてくれたのだろうか？

解説《かいせつ》

一九三八年《ねん》に発表《はっぴょう》され、西洋詩《せいようし》を思《おも》わせる情景《じょうけい》びょう写《しゃ》のすばらしさで名高《なだか》い作品《さくひん》です。限《かぎ》られた日々《ひび》を「生《せい》」を強《つよ》く意識《いしき》しながら過《す》ごす恋人《こいびと》たちの姿《すがた》が、とう明感《めいかん》の高《たか》い文章《ぶんしょう》で、美《うつく》しい景色《けしき》とともに語《かた》られています。

オススメ図書《としょ》

『風立《かぜた》ちぬ／菜穂子《なおこ》』（小学館文庫《しょうがっかんぶんこ》）

【語句説明《ごくせつめい》】画架《がか》：カンバスなどを固定《こてい》するのに使《つか》う用具《ようぐ》。サナトリウム：結核《けっかく》の医《い》りょうし設兼《せつけん》りょう養所《ようじょ》。リルケ：オーストリアの詩人《しじん》。レクイエム：鎮魂歌《ちんこんか》（死者《ししゃ》のたましいの安息《あんそく》を願《ねが》う歌《うた》）と訳《やく》されるリルケの詩集《ししゅう》。

森鷗外《もりおうがい》

最後《さいご》の一句《いっく》

奉行所一同《ぶぎょうしょいちどう》の胸《むね》につきささる
命《いのち》をかけたむすめが言《い》い放《はな》った
最後《さいご》の言葉《ことば》——

＊元文《げんぶん》三年《ねん》一一月《がつ》二三日《にち》のことである。大阪《おおさか》で船乗業桂屋太郎兵衛《ふなのりぎょうかつらやたろべえ》というものを、三日間《みっかかん》＊さらした上《うえ》、首切《くびき》りに処《しょ》するという高札《たかふだ》が立《た》てられた。不正《ふせい》の金《かね》を受《う》け取《と》った罪《つみ》であった。

太郎兵衛《たろべえ》死罪《しざい》の知《し》らせを受《う》けた女《にょう》ぼうはただ泣《な》くばかりである。桂屋《かつらや》には十六歳《じゅうろくさい》になる長女《ちょうじょ》いちをはじめ、五人《ごにん》の子《こ》どもがいた。その晩《ばん》、いちは布団《ふとん》の中《なか》で父《ちち》の助命《じょめい》を願《ねが》おうと決心《けっしん》した。翌朝《よくあさ》、いちは自分《じぶん》たち子《こ》ども全員《ぜんいん》の命《いのち》と引《ひ》きかえにしてほしいという父《ちち》の助命《じょめい》たん願書《がんしょ》を書《か》き上《あ》げ、奉行所《ぶぎょうしょ》を訪《おとず》れた。何度《なんど》も追《お》いはらわれたが、いちは一歩《いっぽ》も引《ひ》かず、ついに奉行所《ぶぎょうしょ》は、たん願書《がんしょ》を受《う》け取《と》った。裁《さば》きの担当《たんとう》は佐佐又四郎成意《さざまたしろうなりむね》である。たん願書《がんしょ》を読《よ》んだ佐佐《ささ》は、条理《じょうり》が整《ととの》った内容《ないよう》に、大人《おとな》が書《か》かせたのではないかと疑《うたが》った。大人《おとな》であれば許《ゆる》されぬ。

一一月《がつ》二四日《か》の＊未《ひつじ》の下刻《げこく》、桂屋家族《かつらやかぞく》のぎん味《み》が始《はじ》まった。＊白州《しらす》の場《ば》にはあらゆるごう問道具《もんどうぐ》が並《なら》べられた。取締役《とりしまりやく》はいちに、じん問《もん》した。

「他《ほか》に相談《そうだん》した者《もの》はないのだな」

いちは、ないと言《い》った。自分《じぶん》たちの命《いのち》と引《ひ》きかえ

【語句説明《ごくせつめい》】元文三年《げんぶんねん》：1738年《ねん》。江戸時代《えどじだい》の徳川吉宗《とくがわよしむね》治世《ちせい》のころ。

森鷗外《もりおうがい》
1862年《ねん》-1922年《ねん》
石見国津和野《いわみくにつわの》（現在《げんざい》の島根県津和野《しまねけんつわの》町《ちょう》）出身《しゅっしん》。東京大学医学部《とうきょうだいがくいがくぶ》卒業後《そつぎょうご》、陸軍軍医《りくぐんぐんい》としてドイツ留学《りゅうがく》した。代表作《だいひょうさく》に『舞姫《まいひめ》』『ヰタ・セクスアリス』『雁《がん》』『阿部一族《あべいちぞく》』『高瀬舟《たかせぶね》』など。本書《ほんしょ》で読《よ》める作品《さくひん》は他《ほか》に210ページ。

読《よ》んだ日《ひ》　年《ねん》　月《がつ》　日《にち》

に父《ちち》の命《いのち》の助命《じょめい》も願《ねが》った。佐佐《ささ》がいちに話《はな》しかけた。

「お前《まえ》の申立《もうした》てにはうそはあるまいな。かくして申《もう》さぬと、そこに並《なら》べてある道具《どうぐ》で、責《せ》めさせるぞ」

いちは、ごう問道具《もんどうぐ》が指《さ》された方角《ほうがく》を見《み》たが少《すこ》しも動《どう》ようせず、まちがいはないと静《しず》かに言《い》った。

「今一《いまひと》つお前《まえ》に聞《き》くが、身代《みがわ》りをお上《かみ》がお聞《き》き届《とど》けとなると、お前《まえ》たちはすぐに殺《ころ》されるぞよ。父《ちち》の顔《かお》を見《み》ることはできぬが、それでもよいか」

それでいいと、いちは同《おな》じように冷《ひや》やかな調子《ちょうし》で答《こた》えたが、少《すこ》し間《あいだ》を置《お》いて、「お上《かみ》のことには、まちがいはございますまいから」と言《い》い足《た》した。

佐佐《ささ》の顔《かお》にきょうがくの色《いろ》がうかんだ。氷《こおり》のように冷《ひや》やかに、刃《やいば》のようにするどい、いちの最後《さいご》の一句《いっく》がつきささったのだ。佐佐《ささ》は「マルチリウム*」という西洋《せいよう》の言葉《ことば》は知《し》らない。この時代《じだい》にけん身《しん》という訳語《やくご》もない。だが、いちの言葉《ことば》にひそむ反《はん》こうのほこ先《さき》は、佐佐《ささ》と書院《しょいん》にいた役人一同《やくにんいちどう》の胸《むね》をさした。
元文《げんぶん》四年《ねん》三月《がつ》二日《か》、太郎兵衛《たろべえ》は、死罪《しざい》をまぬかれ、ただの追放刑《ついほうけい》になった。桂屋《かつらや》の家族《かぞく》は、再《ふたた》び奉行《ぶぎょう》所《しょ》に呼《よ》び出《だ》されて、父《ちち》に別《わか》れを告《つ》げることができた。

解説《かいせつ》

本作《ほんさく》は、太田蜀山人《おおたしょくさんじん》のずい筆《ひつ》「一話一言《いちわいちげん》」を基《もと》に、鷗外《おうがい》がアレンジした短編小説《たんぺんしょうせつ》。大人《おとな》の入《い》れぢえではない、いちの放《はな》った「最後《さいご》の一句《いっく》」こそが、鷗外《おうがい》のオリジナルで、この作品《さくひん》を名作《めいさく》にしました。

オススメ図書《としょ》
『山椒大夫《さんしょうだゆう》・高瀬舟《たかせぶね》』（新潮文庫《しんちょうぶんこ》）

【語句説明《ごくせつめい》】さらした：罪人《ざいにん》をしばり上《あ》げ路上《ろじょう》に放置《ほうち》する刑《けい》が執行《しっこう》された。未《ひつじ》の下刻《げこく》：午後《ごご》２時《じ》ごろ。白州《しらす》：江戸時代《えどじだい》の法《ほう》ていの場《ば》。マルチリウム：自己《じこ》ぎせいの精神《せいしん》、けん身《しん》。

森鷗外《もりおうがい》

山《さん》椒《しょう》大《だ》夫《ゆう》

『安寿《あんじゅ》と厨子王《ずしおう》』のタイトルで名高《なだか》い
運命《うんめい》にもてあそばれた
姉弟《してい》の悲劇《ひげき》の物語《ものがたり》

森鷗外《もりおうがい》
1862年《ねん》-1922年《ねん》
208ページ参照《さんしょう》。

高学年

＊越後《えちご》の春日《かすが》を経《へ》て＊今津《いまづ》へ出《で》る道《みち》を、旅人《たびびと》の一群《ひとむ》れが歩《ある》いている。母《はは》は三十歳《さんじっさい》を超《こ》えたばかりの女《おんな》で、二人《ふたり》の子《こ》どもを連《つ》れている。姉《あね》の安寿《あんじゅ》は十四《じゅうよん》、弟《おとうと》の厨子王《ずしおう》は十二《じゅうに》である。親子《おやこ》は＊筑紫《つくし》に行《い》って帰《かえ》らぬ夫《おっと》を探《さが》して旅《たび》するうち、一人《ひとり》の老人《ろうじん》に出会《であ》った。

母《はは》から話《はなし》を聞《き》いた老人《ろうじん》は、船《ふね》を手配《てはい》してくれた。ところが、これはわなだった。親子《おやこ》ははなればなれになり、姉弟《してい》は人買《ひとか》いに売《う》られて、丹後《たんご》の領主《りょうしゅ》山椒大夫《しょうだゆう》の下《もと》で、どれいにさせられた。

姉《あね》は潮《しお》をくみ、弟《おとうと》は柴《しば》をかって、一日一日《いちにちいちにち》と暮《く》らしていった。姉《あね》は浜《はま》で弟《おとうと》を思《おも》い、弟《おとうと》は山《やま》で姉《あね》を思《おも》い、日《ひ》の暮《く》れを待《ま》って小屋《こや》に帰《かえ》れば、二人《ふたり》は手《て》を取《と》り合《あ》って、父《ちち》がこいしい、母《はは》がこいしいと、泣《な》いた。

「二人《ふたり》いっしょににげ出《だ》してはだめなの。私《わたし》には構《かま》わず、お前一人《まえひとり》でにげて」

この姉《あね》の安寿《あんじゅ》の言葉《ことば》を二人《ふたり》がいる小屋《こや》の外《そと》で山椒大夫《さんしょうだゆう》の手下《てした》が聞《き》いていた。手下《てした》はおこり、姉弟《してい》の額《ひたい》に焼《や》け火《ひ》ばしを当《あ》てて、ごう問《もん》した。

水《みず》が温《ぬく》み、草《くさ》がもえるころになった。決意《けつい》を秘《ひ》めた顔《かお》をして、安寿《あんじゅ》は手下《てした》に申《もう》し出《で》た。

【語句説明《ごくせつめい》】越後《えちご》の春日《かすが》：現在《げんざい》の新潟県上越市《にいがたけんじょうえつし》。今津《いまづ》：元《もと》の新潟県直江津市《にいがたけんなおえつし》。現在《げんざい》の上越市《じょうえつし》。筑紫《つくし》：現在《げんざい》の福岡県《ふくおかけん》。

読《よ》んだ日《ひ》	年《ねん》　月《がつ》　日《にち》

「私《わたし》に弟《おとうと》と同《おな》じ仕事《しごと》をさせてください」

手下《てした》が許可《きょか》を出《だ》したとき、安寿《あんじゅ》は喜《よろこ》んだ。安寿《あんじゅ》は厨子王《ずしおう》を連《つ》れて山《やま》へ行《い》くと、こう言《い》った。

「厨子王《ずしおう》、お前《まえ》だけおにげなさい」

安寿《あんじゅ》はいやがる弟《おとうと》を説得《せっとく》してにがし、自分《じぶん》は近《ちか》くのぬまに*入水《じゅすい》した。

無事《ぶじ》ににげ出《だ》した厨子王《ずしおう》は、成長《せいちょう》して出世《しゅっせ》し、丹《たん》後《ご》の国主《こくしゅ》になった。そして、姉《あね》をねんごろ*にとむらい、母《はは》がいると思《おも》われる*佐渡《さど》の土地《とち》を探《さが》し歩《ある》いた。

ある日《ひ》、厨子王《ずしおう》が市中《しちゅう》を歩《ある》いていると、

「安寿《あんじゅ》こいしや、厨子王《ずしおう》こいしや、ほうやれほ」

と、歌《うた》うようにつぶやく、もう目《もく》の老女《ろうじょ》を見《み》つけた。この詞《し》を聞《き》くうち、何《なに》かに気《き》づいた厨子王《ずしおう》は、女《おんな》の前《まえ》に頭《あたま》を下《さ》げてうつむいた。女《おんな》は詞《し》を唱《とな》えるのをやめて、見《み》えぬ目《め》でじっと前《まえ》を見《み》た。**そのとき、女《おんな》の目《め》からなみだがあふれ、見《み》えぬはずの目《め》が開《ひら》いた。「厨子王《ずしおう》」というさけびが女《おんな》の口《くち》から出《で》た。二人《ふたり》はぴったりだき合《あ》った。**

解説《かいせつ》

江戸《えど》時代《じだい》の説経節《せっきょうぶし》「さんせう太夫《だゆう》」を素材《そざい》にした物《もの》語《がたり》。鷗外《おうがい》は「さんせう太夫《だゆう》」にあったざんぎゃくな部分《ぶぶん》を除《のぞ》き、情念《じょうねん》あふれる物語《ものがたり》にえがきました。

オススメ図書《としょ》

『舞姫《まいひめ》―森鷗外珠玉選《もりおうがいしゅぎょくせん》―』（森《もり》まゆみ〔訳《やく》〕、講談社青い鳥文庫《こうだんしゃあおいとりぶんこ》）

【語句説明《ごくせつめい》】入水《じゅすい》：水中《すいちゅう》に飛《と》びこみ自殺《じさつ》すること。ねんごろ：心《こころ》のこもっているさま。佐渡《さど》：新潟県西部《にいがたけんせいぶ》に位置《いち》する島《しま》。佐渡島《さどがしま》。

夢野久作《ゆめのきゅうさく》

虫《むし》の生命《いのち》

小《ちい》さな虫《むし》でも命《いのち》の尊《とうと》さに変《か》わりはない。
虫《むし》の生命《いのち》の救出《きゅうしゅつ》で分《わ》かれる男《おとこ》の二《ふた》つの人生《じんせい》

炭焼《すみや》きの勘太郎《かんたろう》は妻《つま》も子《こ》もない独身者《ひとりもの》で、毎日毎《まいにちまい》日《にち》奥山《おくやま》で炭焼《すみやき》がまの前《まえ》に立《た》ってけむりの立《た》つのをながめては、さみしいなあと思《おも》っておりました。

正月《しょうがつ》をむかえ、勘太郎《かんたろう》は不思議《ふしぎ》な初夢《はつゆめ》を見《み》ました。それは「小《ちい》さい小《ちい》さい虫一《むしひと》つ　たれがあわれと思《おも》おうか」という節《ふし》で終《お》わる、とても悲《かな》しい小《ちい》さな歌声《うたごえ》が聞《き》こえる夢《ゆめ》でした。

夢《ゆめ》が気《き》になった勘太郎《かんたろう》は、炭焼《すみや》き用《よう》のかしの木《き》を調《しら》べました。木《き》には虫《むし》がいるはずだからです。一本《いっぽん》だけ虫穴《むしあな》の開《あ》いた木《き》を見《み》つけた勘太郎《かんたろう》は、それを山《やま》の中《なか》へ運《はこ》び、置《お》いていきました。これで虫穴《むしあな》にいる虫《むし》の生命《いのち》は、かまで焼《や》かれることなく助《たす》かります。

高学年

夢野久作《ゆめのきゅうさく》
1889年《ねん》-1936年《ねん》
福岡県福岡市出身《ふくおかけんふくおかししゅっしん》。福岡県立中学修猷《ふくおかけんりつちゅうがくしゅうゆう》館卒業後《かんそつぎょうご》、志願兵《しがんへい》として近衛師団《このえしだん》に入《にゅう》隊《たい》。除隊後《じょたいご》、1926年《ねん》探《たん》てい小説《しょうせつ》『あやかしの鼓《つづみ》』で作家《さっか》デビュー。『ドグラ・マグラ』をはじめ、怪奇色《かいきしょく》と幻想《げんそう》性《せい》の色《いろ》こい作風《さくふう》で評価《ひょうか》が高《たか》い。

読《よ》んだ日《ひ》　　年《ねん》　月《がつ》　日《にち》

ところが、その帰《かえ》り道《みち》、勘太郎《かんたろう》は山《やま》の中《なか》で道《みち》に迷《まよ》ってしまいました。どうしても家《いえ》に帰《かえ》りつけなかった勘太郎《かんたろう》は、何日《なんにち》も山中《さんちゅう》で過《す》ごして春《はる》をむかえたところで行《い》きだおれました。

「小《ちい》さな虫《むし》を救《すく》うても　救《すく》うた生命《いのち》はただ一《ひと》つ　象《ぞう》の生命《いのち》を助《たす》けても　助《たす》けた生命《いのち》はただ一《ひと》つ　虫《むし》でも象《ぞう》でも救《すく》われた　そのありがたさは変《か》わらない　虫《むし》の生命《いのち》を助《たす》くるは　神《かみ》の心《こころ》を持《も》った人《ひと》　みんな仕《つか》えよ神様《かみさま》に　お礼申《れいもう》せよ神様《かみさま》に」

不思議《ふしぎ》な歌声《うたごえ》で目《め》を覚《さ》ました勘太郎《かんたろう》は、自分《じぶん》が見《み》事《ごと》な*しん台《だい》にねていることに気《き》づきました。周《まわ》りには美《うつく》しい天女《てんにょ》が大勢《おおぜい》います。おどろいてはね起《お》きると、自分《じぶん》はいつの間《ま》にか、かみもひげも白《しろ》くなり、神様《かみさま》のような白《しろ》い着物《きもの》を着《き》ています。勘太郎《かんたろう》は神様《かみさま》の気持《きも》ちになって、そこに住《す》むようになりました。

ある日《ひ》、勘太郎《かんたろう》が住処《すみか》を出《で》ると、その住処《すみか》は、かつて自分《じぶん》が山中《さんちゅう》に置《お》き捨《す》てた、虫穴《むしあな》の開《あ》いた木《き》でした。そのまま勘太郎《かんたろう》が昔《むかし》の自分《じぶん》の家《いえ》を見《み》に行《い》くと、なんと昔《むかし》の勘太郎《かんたろう》そっくりの男《おとこ》がいます。その男《おとこ》は神様《かみさま》の勘太郎《かんたろう》の姿《すがた》を見《み》て、こう言《い》いました。

「ああ、ちょうがたくさん飛《と》んできたな。今年《ことし》の正《しょう》月《がつ》、あの夢《ゆめ》を本当《ほんとう》にして、あのかしの木《き》の虫《むし》を助《たす》けておりゃあ、今《いま》ごろはあんなちょうになって飛《と》びまわっているかも知《し》れない。その代《か》わりおれのほうは、日干《ひぼ》しになって死《し》んでいるだろう」

この言葉《ことば》を聞《き》いて、神様《かみさま》の勘太郎《かんたろう》は、まだ夢《ゆめ》を見《み》ているのか、それとも本当《ほんとう》のことなのか、さっぱりわけがわからなくなりました。

【語句説明《ごくせつめい》】しん台《だい》：ベッド。

解説《かいせつ》

本作《ほんさく》は詩《し》、SF《エスエフ》小説《しょうせつ》、幻想小説《げんそうしょうせつ》、探《たん》てい小説《しょうせつ》など、はば広《ひろ》く活《かつ》やくした久作《きゅうさく》が書《か》いた童話《どうわ》、短編小説《たんぺんしょうせつ》。虫《むし》を助《たす》けた場合《ばあい》と助《たす》けなかった場合《ばあい》の二《ふた》つの結末《けつまつ》が、現実世界《げんじつせかい》に同時《どうじ》に存在《そんざい》する不思議《ふしぎ》な作品《さくひん》です。

オススメ図書《としょ》

『夢《む》Q夢魔物語《きゅうむまものがたり》　夢野久作怪異小品集《ゆめのきゅうさくかいいしょうひんしゅう》』所収《しょしゅう》（東雅夫《ひがしまさお》〔編《へん》〕、平《へい》凡社《ぼんしゃ》ライブラリー）

吉川英治《よしかわえいじ》

三国志《さんごくし》

桃園《とうえん》でちかい合《あ》った劉備《りゅうび》ら三兄弟《さんきょうだい》が
苦難《くなん》の末《すえ》に一国《いっこく》を立《た》ち上《あ》げる
そう大《だい》な中国《ちゅうごく》の歴史物語《れきしものがたり》

後漢《ごかん》の*建寧元年《けんねいがんねん》のころ。涿県楼桑村《たくけんろうそうむら》に、名《な》を劉備《りゅうび》、字《あざな》を玄徳《げんとく》という若者《わかもの》がいた。帝室《ていしつ》の血《ち》を引《ひ》く劉備《りゅうび》は、戦乱《せんらん》に苦《くる》しむ民《たみ》を救《すく》いたいという大望《たいぼう》を持《も》っていた。この時代《じだい》の政治《せいじ》はふはいし、世《よ》には頭《あたま》に黄《き》色《いろ》い布《ぬの》をつけることを目印《めじるし》にした「黄巾賊《こうきんぞく》」という、とうぞく集団《しゅうだん》が民《たみ》を苦《くる》しめていたのだ。

ある日《ひ》、劉備《りゅうび》は二人《ふたり》のごうけつ、関羽《かんう》、張飛《ちょうひ》と出会《であ》い、義兄弟《ぎきょうだい》のちぎりを結《むす》ぶ。劉備《りゅうび》が長兄《ちょうけい》、関《かん》羽《う》が次兄《じけい》、張飛《ちょうひ》が末弟《まってい》だ。彼《かれ》らは桃園《とうえん》でちかいの言《こと》葉《ば》を交《か》わした。

「我《われ》ら三人《さんにん》、同年《どうねん》、同月《どうげつ》、同日《どうじつ》に生《う》まれることを得《え》ずとも、同年《どうねん》、同月《どうげつ》、同日《どうじつ》に死《し》せんことを願《ねが》わん！」

劉備《りゅうび》ら三兄弟《さんきょうだい》は民《たみ》を救《すく》うため、黄巾賊退治《こうきんぞくたいじ》に立《た》ち上《あ》がった。正義《せいぎ》のために戦《たたか》い続《つづ》ける三兄弟《さんきょうだい》だったが、運《うん》がなく、るろうの日々《ひび》を送《おく》った。

同《おな》じころ、急速《きゅうそく》に台頭《たいとう》してきた勢力《せいりょく》があった。後《のち》に魏《ぎ》の国《くに》を作《つく》り上《あ》げた英《えい》ゆう・曹操《そうそう》の勢力《せいりょく》だ。「***治《ち》世《せい》の能臣《のうしん》、乱世《らんせ》の姦雄《かんゆう》**」と評《ひょう》された曹操《そうそう》の元《もと》には、優《すぐ》れた武将《ぶしょう》たちが集《あつ》まり、黄巾賊《こうきんぞく》を降参《こうさん》させ、他《ほか》の勢力《せいりょく》をたおし始《はじ》めた。最大《さいだい》の勢力《せいりょく》だった袁紹《えんしょう》をほ

【語句説明《ごくせつめい》】建寧元年《けんねいがんねん》：168年《ねん》。治世《ちせい》の能臣《のうしん》、乱世《らんせ》の姦《かん》雄《ゆう》：治世《ちせい》では有能《ゆうのう》な役人《やくにん》、乱世《らんせ》では大悪党《だいあくとう》。

吉川英治《よしかわえいじ》
1892年《ねん》-1962年《ねん》
神奈川県《かながわけん》生《う》まれ。『鳴門秘帖《なるとひちょう》』で人気《にんき》作家《さっか》となり、1935年《ねん》から連《れん》さいが始《はじ》まった『宮本武蔵《みやもとむさし》』で絶大《ぜつだい》な人気《にんき》を得《え》る。その他《た》の代表作《だいひょうさく》に『新《しん》・平家物語《へいけものがたり》』『私本太平記《しほんたいへいき》』など。

読《よ》んだ日《ひ》　　年《ねん》　月《がつ》　日《にち》

高学年

ろぼしてからは、曹操《そうそう》は一大勢力《いちだいせいりょく》となった。

最初《さいしょ》は曹操《そうそう》の活《かつ》やくに感心《かんしん》していた劉備《りゅうび》だったが、曹操《そうそう》がおごり、帝《みかど》をないがしろにし始《はじ》めたことを知《し》っていかり、曹操打《そうそうだ》とうを決意《けつい》する。だが、自分《じぶん》の味方《みかた》には*万夫不当《ばんぷふとう》の勇士《ゆうし》である関羽《かんう》、張飛《ちょうひ》はいるが、彼《かれ》らを活《い》かすことができる軍師《ぐんし》がいない。

ある日《ひ》、劉備《りゅうび》は名《な》を諸葛亮《しょかつりょう》、字《あざな》を孔明《こうめい》という人物《じんぶつ》のうわさを聞《き》いた。劉備《りゅうび》は諸葛亮《しょかつりょう》の庵《あん》を三度《さんど》訪《おとず》れる**「三顧《さんこ》の礼《れい》」**で、天才軍師《てんさいぐんし》・諸葛亮《しょかつりょう》を味方《みかた》にした。

曹操《そうそう》に対《たい》こうするために、諸葛亮《しょかつりょう》の計略《けいりゃく》で、もう一《ひと》つの一大勢力《いちだいせいりょく》である呉《ご》の孫権《そんけん》と同盟《どうめい》を結《むす》び、劉備《りゅうび》は*赤壁《せきへき》の戦《たたか》いで曹操《そうそう》に大勝利《だいしょうり》した。そして自分《じぶん》の国《くに》である蜀《しょく》の国《くに》を建国《けんこく》し、ここに曹操《そうそう》の魏《ぎ》、孫権《そんけん》の呉《ご》、劉備《りゅうび》の蜀《しょく》の三国時代《さんごくじだい》が幕《まく》を開《あ》けたのである。
だが、二国《にこく》とのこう争中《そうちゅう》、関羽《かんう》、張飛《ちょうひ》が死《し》に、桃園《とうえん》のちかいは破《やぶ》れた。悲《かな》しむ劉備《りゅうび》にも死《し》が訪《おとず》れる。劉備《りゅうび》は諸葛亮《しょかつりょう》に*後事《こうじ》をたくす。諸葛亮《しょかつりょう》は劉備《りゅうび》の子《こ》、劉禅《りゅうぜん》のために力《ちから》をつくしたが、やがてじゅ命《みょう》をむかえた。かくして蜀《しょく》の国《くに》はほろび三国《さんごく》の一角《いっかく》が消《き》え、三国時代《さんごくじだい》は終《お》わりを告《つ》げた。

解説《かいせつ》

『三国志演義《さんごくしえんぎ》』を原作《げんさく》にした大衆歴史小説《たいしゅうれきししょうせつ》。史実《しじつ》と異《こと》なる点《てん》がありますが、小説《しょうせつ》としてのおもしろさはばつぐん。故事成句《こじせいく》のエピソードも多《おお》くあります。

オススメ図書《としょ》

『三国志《さんごくし》』（吉川英治歴史時代文庫《よしかわえいじれきしじだいぶんこ》　講談社《こうだんしゃ》）

【語句説明《ごくせつめい》】万夫不当《ばんぷふとう》：大勢《おおぜい》でも敵《かな》わない強者《つわもの》。赤壁《せきへき》の戦《たたか》い：208年《ねん》、長江《ちょうこう》の赤壁《せきへき》（現在《げんざい》の湖北省《こほくしょう》）で行《おこな》われた（諸説《しょせつ》あり）劉備《りゅうび》・孫権連合軍《そんけんれんごうぐん》と曹操《そうそう》との戦《たたか》い。後事《こうじ》をたくす：自分《じぶん》の死後《しご》の将来《しょうらい》をたのむこと。

作者不詳《さくしゃふしょう》

竹取物語《たけとりものがたり》

不思議《ふしぎ》な出生《しゅっせい》をした美女《びじょ》は
やがて天《てん》に帰《かえ》る。
仮名《かな》で書《か》かれた日本最古《にほんさいこ》の物語《ものがたり》

昔《むかし》、竹取《たけとり》の*おきなという人《ひと》がいた。ある日《ひ》、おきなが竹《たけ》を取《と》っていると、一本《いっぽん》の光《ひか》る竹《たけ》がある。切《き》ってみると、竹《たけ》づつの中《なか》に小《ちい》さなかわいらしい女《おんな》の子《こ》がいた。おきなは女《おんな》の子《こ》を連《つ》れ帰《かえ》り、*おうなにわけを話《はな》して、自分《じぶん》たちの子《こ》どもとして育《そだ》てることにした。女《おんな》の子《こ》はすくすくと大《おお》きくなり、三《さん》か月《げつ》ほどで一人前《いちにんまえ》の女《おんな》の子《こ》になった。女《おんな》の子《こ》はかぐやひめと名《な》づけられ、その美《うつく》しさは都《みやこ》でうわさされた。

美《うつく》しいかぐやひめには求《きゅう》こんがさっとうしたが、かぐやひめは断《ことわ》り続《つづ》け、最後《さいご》に五人《ごにん》の貴族《きぞく》が残《のこ》った。ひめは五人《ごにん》にそれぞれ一《ひと》つずつ難題《なんだい》を出《だ》し、解決《かいけつ》した者《もの》とけっこんすると言《い》った。その難題《なんだい》とは、*仏《ほとけ》の御石《みいし》のはち、*蓬莱《ほうらい》の玉《たま》の枝《え》、*火《ひ》ねずみの皮衣《かわぎぬ》、りゅうの首《くび》のたま、つばめの*子安貝《こやすがい》というお宝《たから》を手《て》に入《い》れることである。

かぐやひめの提案《ていあん》を受《う》け入《い》れた五人《ごにん》は、それぞれ旅立《たびだ》った。仏《ほとけ》の御石《みいし》のはちを探《さが》す貴族《きぞく》は中古《ちゅうこ》のはちをお宝《たから》といつわって持《も》ち帰《かえ》り、失敗《しっぱい》した。蓬莱《ほうらい》の玉《たま》の枝《え》を探《さが》す貴族《きぞく》は職人《しょくにん》に作《つく》らせて、ばれた。火《ひ》ねずみの皮衣《かわぎぬ》を探《さが》す貴族《きぞく》はにせ物《もの》をつかまされ、ひめ

【語句説明《ごくせつめい》】おきな:おじいさん。男性年長者《だんせいねんちょうしゃ》への敬《けい》しょう。
おうな：おばあさん。女性年長者《じょせいねんちょうしゃ》への敬《けい》しょう。

作者不詳《さくしゃふしょう》
作者《さくしゃ》・成立年《せいりつねん》ともに不明《ふめい》。『源氏物語《げんじものがたり》』に、「物語《ものがたり》の出《い》で来《き》はじめの祖《おや》なる竹取《たけとり》のおきな」とあり、9世紀後半《せいきこうはん》から10世紀前半《せいきぜんはん》に作《つく》られた日本《にほん》最古《さいこ》の仮名物語《かなものがたり》とされる。

読《よ》んだ日《ひ》　年《ねん》　月《がつ》　日《にち》

に燃《も》やされた。りゅうの首《くび》のたまを探《さが》す若者《わかもの》はりゅうをつかまえに海《うみ》に出《で》たが、あらしにあってあきらめた。つばめの子安貝《こやすがい》を探《さが》す貴族《きぞく》はつばめの巣《す》をつかんだところで、高所《こうしょ》から落《お》ちて死《し》んだ。

五人《ごにん》の貴族《きぞく》の失敗《しっぱい》は、みかどの耳《みみ》にまで届《とど》いた。みかどはかぐやひめを宮仕《みやづか》えさせようとしたが、ひめは断《ことわ》り続《つづ》けた。ある日《ひ》から、かぐやひめは月《つき》をながめては泣《な》くようになった。おきながわけをたずねると、かぐやひめはこう言《い》った。

「実《じつ》は私《わたし》は月《つき》の向《む》こうから来《き》たのです。次《つぎ》の十五《じゅうご》夜《や》には天界《てんかい》に帰《かえ》らなくてはなりません」

おどろいたおきなが、みかどに相談《そうだん》すると、みかどはかぐやひめを守《まも》るために大勢《おおぜい》の武士《ぶし》をおきなの家《いえ》に派《は》けんした。

十五夜《じゅうごや》、満月《まんげつ》の光《ひかり》の中《なか》から天人《てんにん》たちがやってきた。不思議《ふしぎ》なことに、武士《ぶし》たちの力《ちから》はぬけ、刀《かたな》も弓《ゆみ》矢《や》も使《つか》えない。天人《てんにん》はかぐやひめをむかえると、天《てん》へ帰《かえ》った。ひめはおきなとおうなのために、不死《ふし》の薬《くすり》を残《のこ》していった。おきなから薬《くすり》をけん上《じょう》されたみかどは、日本《にほん》で一番天《いちばんてん》に近《ちか》い山《やま》でその薬《くすり》を焼《や》いた。以後《いご》その山《やま》は不死《ふし》（富士《ふじ》）の山《やま》と呼《よ》ばれた。

解説《かいせつ》

異常出生《いじょうしゅっせい》たん（もも太郎《たろう》など）、しょう天説話《てんせつわ》（羽《は》衣《ごろも》伝説《でんせつ》）、地名由来《ちめいゆらい》たんなど、後《のち》に生《う》まれる物語《ものがたり》の大本《おおもと》といわれるほど多《おお》くの要素《ようそ》が含《ふく》まれています。

オススメ図書《としょ》

『竹取物語《たけとりものがたり》　かぐや姫《ひめ》のおはなし』（星新一《ほししんいち》（訳《やく》）、角川《かどかわ》つばさ文庫《ぶんこ》）

【語句説明《ごくせつめい》】仏《ほとけ》の御石《みいし》のはち：しゃかが用《もち》いたというはち。蓬莱《ほうらい》：東海《とうかい》にあるとされた仙境《せんきょう》。火《ひ》ねずみの皮《かわ》衣《きぬ》：火中《かちゅう》に生《う》まれるとされるねずみの毛皮《けがわ》。子安貝《こやすがい》：安産《あんざん》のお守《まも》りになる宝貝《たからがい》。

コラム

落語《らくご》で学《まな》べる？　文章《ぶんしょう》のテンポ

江戸時代《えどじだい》から伝承《でんしょう》されている「話芸《わげい》」の落語《らくご》には、文章《ぶんしょう》で読《よ》んでも面白《おもしろ》い作品《さくひん》がたくさん！　笑《わら》いながら文章力《ぶんしょうりょく》まで身《み》につくかも？

本書《ほんしょ》でしょうかいしている『坊《ぼっ》ちゃん』（122 ページ）や『吾輩《わがはい》は猫《ねこ》である』（124 ページ）の作者《さくしゃ》、夏目漱石《なつめそうせき》は落語《らくご》が大好《だいす》きだったことで有名《ゆうめい》です。俳人《はいじん》・正岡子規《まさおかしき》と仲良《なかよ》くなったのも、寄席《よせ》（落語《らくご》やまん才《ざい》などの演芸《えんげい》を見《み》せる場所《ばしょ》）の話《はなし》がきっかけだった、と漱石自身《そうせきじしん》が語《かた》っています。落語《らくご》は語《かた》り口調《くちょう》がみ力《りょく》の「話芸《わげい》」で、そのリズミカルな口調《くちょう》で内容《ないよう》をとてもわかりやすくしてくれています。漱石《そうせき》の文章《ぶんしょう》のテンポのよさやセンスのよい言葉選《ことばえら》びの秘密《ひみつ》は、寄席通《よせがよ》いにあったのかもしれませんね。

さて、マクラ（落語《らくご》で演題《えんだい》に入《はい》る前《まえ》に、演題《えんだい》に関連《かんれん》する短《みじか》い世間話《せけんばなし》をして、話《はなし》の雰囲気作《ふんいきづく》りをすること）は、ここまでにして本題《ほんだい》です。

本《ほん》を読《よ》むということと、落語《らくご》をおすすめすることに関係《かんけい》があるのだろうかと思《おも》う読者《どくしゃ》もいることでしょう。ところが、実《じつ》は、関係《かんけい》はあるのです。例《たと》えば、学校《がっこう》の授業《じゅぎょう》で詩《し》の朗読《ろうどく》をしたことはありませんか？　よい文章《ぶんしょう》や物語《ものがたり》は耳《みみ》で聞《き》くことも重要《じゅうよう》です。名文《めいぶん》というものは、基本的《きほんてき》にリズミカルでテンポもよく、耳《みみ》で聞《き》くことで、なお印象《いんしょう》が強《つよ》くなり、記《き》おくも残《のこ》ります。上手《じょうず》な落語家《らくごか》は、このリズム感《かん》とテンポのよさを身《み》につけているため、たいへん聞《き》きやすく面白《おもしろ》いのです。つまり、面白《おもしろ》い落語《らくご》を聞《き》けば、よい文章《ぶんしょう》のリズムやテンポを養《やしな》うことができ、本《ほん》を読《よ》む力《ちから》も文章《ぶんしょう》を作《つく》る力《ちから》もアップ「できるかもしれない」というわけです。

さらに、落語《らくご》は話全体《はなしぜんたい》の構成《こうせい》がとてもよくできています。練《ね》りこまれた会話《かいわ》や目《め》にうかぶような情景《じょうけい》びょう写《しゃ》もすばらしいものです。よくできた落語《らくご》は、そのまま文章《ぶんしょう》にしても、すぐれた短編小説《たんぺんしょうせつ》になるともいえます。短編小説《たんぺんしょうせつ》にはいわゆる「オチ」がある場合《ばあい》がありますが、落語《らくご》にも必《かなら》ずオチがあります。会話《かいわ》や情景《じょうけい》びょう写《しゃ》が生《い》き生《い》きとえがかれ、オチも面白《おもしろ》い落語《らくご》としては、『死神《しにがみ》』や『初天神《はつてんじん》』、『元犬《もといぬ》』などがあるので、ぜひ一度《いちど》、寄席《よせ》に行《い》ったり、ＤＶＤ《ディーブイディー》をかん賞《しょう》したりしてみてください。

第《だい》2部《ぶ》

もっと読《よ》みたい！

ブックリスト305

古典《こてん》、伝記《でんき》、絵本《えほん》、詩《し》、ノンフィクション、自然科学《しぜんかがく》など、
さまざまなジャンルからみなさんにおすすめしたい本《ほん》を選《えら》びました。
学年《がくねん》にはあまりとらわれずに、お気《き》に入りの1冊《さつ》を見《み》つけ、
読書《どくしょ》の楽《たの》しさを感《かん》じてもらえるとうれしいです。

※ 現在《げんざい》、本屋《ほんや》さんでは売《う》ってないものもありますが、
良《よ》い本《ほん》なので図書館《としょかん》などで見《み》かけたらぜひ読《よ》んでみてね！

定番童話《ていばんどうわ》に名作絵本《めいさくえほん》 低《てい》学《がく》年《ねん》向《む》け

◎芥川龍之介《あくたがわりゅうのすけ》

蜘蛛《くも》の糸《いと》

44ページ参照《さんしょう》

杜子春《とししゅん》

46ページ参照《さんしょう》

◎あさのあつこ

いえでででんしゃ

「ムジツのツミ」で、ママからしかられたさくら子《こ》は家出《いえで》しました。家出《いえで》した子《こ》はただで乗《の》れるという「いえでででんしゃ」に、となりのクラスのけいすけくんといっしょに乗《の》ったところ、電車《でんしゃ》は空《そら》を飛《と》んでいました！

【オススメ図書《としょ》】
『いえでででんしゃ』（新日本《しんにほん》おはなしの本《ほん》だな　新日本出版社《しんにほんしゅっぱんしゃ》）

◎アルフ・プリョイセン

小《ちい》さなスプーンおばさん

いなかに住《す》む、まったくふつうのおばさんが、なんの理由《りゆう》もなく、とつ然《ぜん》ティースプーンぐらいに小《ちい》さくなったり、またもとの大《おお》きさにもどったりするところから巻《ま》き起《お》こる、ゆかいな物語《ものがたり》。小《ちい》さくなると動物《どうぶつ》と会話《かいわ》ができるようになるおばさんが、日常生活《にちじょうせいかつ》に起《お》こるいろいろな問題《もんだい》を解決《かいけつ》します。

【オススメ図書《としょ》】
『小《ちい》さなスプーンおばさん』（大塚勇三《おおつかゆうぞう》〈訳《やく》〉、新《あたら》しい世界《せかい》の童話《どうわ》シリーズ　学研《がっけん》プラス）

◎いとうひろし

だいじょうぶ　だいじょうぶ

心配《しんぱい》しなくても「だいじょうぶ」。無理《むり》しなくても「だいじょうぶ」。どんなときでも、いつもおじいちゃんは優《やさ》しい声《こえ》をかけてくれる。小《ちい》さかったぼくをいつも助《たす》けてくれたのは、おじいちゃんの言葉《ことば》でした。ちょっぴり不安《ふあん》になっている子《こ》どもと大人《おとな》に安心感《あんしんかん》と勇気《ゆうき》をあたえてくれる絵本《えほん》。

【オススメ図書《としょ》】

『だいじょうぶ　だいじょうぶ』（講談社《こうだんしゃ》の創作絵本《そうさくえほん》）

◎エリック・カール

こんにちはあかぎつね！

カエルのぼうやの誕生日《たんじょうび》を色々《いろいろ》な動物《どうぶつ》たちが祝《いわ》いにやってきました。最初《さいしょ》に現《あらわ》れたのは緑色《みどりいろ》のきつねでした。ところが「こんにちは、あかぎつね」と、ぼうやはあいさつをしました。補色《ほしょく》の原理《げんり》（緑《みどり》と赤《あか》、青《あお》とオレンジなど反対《はんたい》の色《いろ》が見《み》えるしくみ）を、物語《ものがたり》で学《まな》ぶことができる体験型絵本《たいけんがたえほん》。

【オススメ図書《としょ》】

『こんにちはあかぎつね！』（佐野洋子《さのようこ》〔訳《やく》〕、偕成社《かいせいしゃ》）

◎エリック・ナイト

名犬《めいけん》ラッシー

14ページ参照《さんしょう》

◎太田大八《おおただいはち》

かさ

雨《あめ》の中《なか》、父親《ちちおや》のかさを持《も》って女《おんな》の子《こ》が歩《ある》いて駅《えき》までおむかえに行《い》く、文章《ぶんしょう》がない絵《え》だけの絵本《えほん》。白黒《しろくろ》でえがかれた絵《え》の中《なか》に、赤《あか》くぬられた女《おんな》の子《こ》のかさが、ひときわ目立《めだ》ち、読者《どくしゃ》に強烈《きょうれつ》な印象《いんしょう》をあたえます。文章《ぶんしょう》がないのに、多《おお》くの言葉《ことば》が頭《あたま》の中《なか》にうかび上《あ》がるすてきな絵本《えほん》です。

【オススメ図書《としょ》】

『かさ』（ジョイフルえほん傑作集《けっさくしゅう》10　文研出版《ぶんけんしゅっぱん》）

◎オー・ヘンリー

賢者《けんじゃ》のおくり物《もの》

16ページ参照《さんしょう》

◎小川未明《おがわみめい》

野《の》ばら

48ページ参照《さんしょう》

◎オスカー・ワイルド

幸《しあわ》せな王子《おうじ》

18ページ参照《さんしょう》

ナイチンゲールとバラの花《はな》

20ページ参照《さんしょう》

わがままな巨人《きょじん》

22ページ参照《さんしょう》

よわいかみつよいかたち

◎かこさとし

弱《よわ》い紙《かみ》でも形《かたち》を工夫《くふう》すると強《つよ》くなる？　一枚《いちまい》のはがきを切《き》ったり、折《お》ったりして、力学《りきがく》の原理《げんり》を教《おし》えてくれる絵本《えほん》。材質《ざいしつ》が同《おな》じ紙《かみ》でも、折《お》り曲《ま》げた形《かたち》や組《く》み合《あ》わせで強《つよ》さが変《か》わるという実験《じっけん》を、わかりやすい絵《え》と文《ぶん》でしょうかいしています。

【オススメ図書《としょ》】

『よわいかみつよいかたち』（かこさとし　かがくの本《ほん》　童心社《どうしんしゃ》）

たったひとつのたからもの

◎加藤浩美《かとうひろみ》

今《いま》を楽《たの》しく元気《げんき》に過《す》ごせることが、一番大切《いちばんたいせつ》で喜《よろこ》ぶべきこと。幸《しあわ》せは、命《いのち》の長《なが》さではないのです。重度《じゅうど》のダウン症《しょう》で六年《ろくねん》三《さん》か月《げつ》の命《いのち》を閉《と》じた息子《むすこ》の百五枚《ひゃくごまい》の写真《しゃしん》とお母《かあ》さんの浩美《ひろみ》さんの文章《ぶんしょう》による、加藤秋雪《かとうあきゆき》くんの六年間《ろくねんかん》の記録《きろく》です。

【オススメ図書《としょ》】

『たったひとつのたからもの』（文藝春秋《ぶんげいしゅんじゅう》）

アイヌ　ネノアン　アイヌ

◎萱野茂《かやのしげる》

北海道《ほっかいどう》には、ずっと昔《むかし》から暮《く》らしていたアイヌという民族《みんぞく》がいました。アイヌの言葉《ことば》で話《はな》し、アイヌの神様《かみさま》を信《しん》じてきたアイヌの人《ひと》たちの歴史《れきし》や生活《せいかつ》が、二編《にへん》の楽《たの》しい昔話《むかしばなし》とともにえがかれています。

【オススメ図書《としょ》】

『アイヌ ネノアン アイヌ』（たくさんのふしぎ傑作集《けっさくしゅう》　福音館書店《ふくいんかんしょてん》）

ピノッキオの冒険《ぼうけん》

◎カルロ・コッローディ

24ページ参照《さんしょう》

どろんころんど

◎北野勇作《きたのゆうさく》

アンドロイドの少女《しょうじょ》アリスが、長《なが》い休止状態《きゅうしじょうたい》から目覚《めざ》めると、大勢《おおぜい》いたはずのヒトは姿《すがた》を消《け》していました。泥人形《どろにんぎょう》が作《つく》り上《あ》げたニセモノの世界《せかい》の中《なか》で、アリスは消《き》えてしまったヒトを探《さが》します。ホンモノとニセモノのちがいとは？　ヒトとはいったいなんなのか？　深《ふか》く考《かんが》えさせられる作品《さくひん》です。

【オススメ図書《としょ》】
『どろんころんど』（ボクラノSF《エスエフ》シリーズ　福音館書店《ふくいんかんしょてん》）

いるの　いないの

◎京極夏彦《きょうごくなつひこ》

おばあさんの古《ふる》い家《いえ》に住《す》むぼくは、その家《いえ》の暗《くら》がりに、だれかがいるような気《き》がしてなりません……。小説家《しょうせつか》の京極夏彦《きょうごくなつひこ》と絵本作家《えほんさっか》の町田尚子《まちだなおこ》という、妖怪《ようかい》を題材《だいざい》にした作品《さくひん》で有名《ゆうめい》な二人《ふたり》が、「本物《ほんもの》の怪談《かいだん》」をえがいた子《こ》どもも大人《おとな》も楽《たの》しめる作品《さくひん》です。

【オススメ図書《としょ》】
『いるの　いないの』（怪談《かいだん》えほん3　岩崎書店《いわさきしょてん》）

いのちのまつり「ヌチヌグスージ」

◎草場一寿《くさばかずひさ》

「ぼうやにいのちをくれた人《ひと》はだれね?」「それは……お父《とう》さんとお母《かあ》さん?」「いのちをくれた人《ひと》をご先祖様《せんぞさま》と言《い》うんだよ」。コウちゃんは、ご先祖様《せんぞさま》の数《かず》を指《ゆび》を折《お》って数《かぞ》えてみることにしました。私《わたし》たちは無数《むすう》の「いのち」のつながりで、今《いま》を生《い》きています。「いのち」の大切《たいせつ》さを味《あじ》わう絵本《えほん》。

【オススメ図書《としょ》】
『いのちのまつり「ヌチヌグスージ」』（サンマーク出版《しゅっぱん》）

窓《まど》ぎわのトットちゃん

◎黒柳徹子《くろやなぎてつこ》

「君《きみ》は、本当《ほんとう》は、いい子《こ》なんだよ」。小林先生《こばやしせんせい》のこの言葉《ことば》は、トットちゃんの心《こころ》の中《なか》に、大《おお》いなる自信《じしん》をあたえてくれました。かつて実在《じつざい》し、著者《ちょしゃ》が通学《つうがく》したトモエ学園《がくえん》をぶ台《たい》に、子《こ》どもたちの心《こころ》をつかんだユニークな教育《きょういく》の実際《じっさい》と、そこに学《まな》ぶ子《こ》どもたちの姿《すがた》をえがいた感動《かんどう》の名作《めいさく》です。

【オススメ図書《としょ》】
『窓《まど》ぎわのトットちゃん』（講談社青《こうだんしゃあお》い鳥文庫《とりぶんこ》）

アリから　みると

◎桑原隆一《くわばらりゅういち》

トノサマバッタ、マイマイカブリ、ツチイナゴなど、外《そと》にはいろんな虫《むし》がいっぱい！　今《いま》までだれも見《み》ることのできなかった虫《むし》の世界《せかい》をとる写真家《しゃしんか》・栗林慧《くりばやしけい》の驚異《きょうい》の写真《しゃしん》を基《もと》にアリの目《め》から見《み》た虫《むし》たちの生態《せいたい》をしょうかいする絵本《えほん》です。

【オススメ図書《としょ》】
『アリから　みると』（かがくのとも絵本《えほん》　福音館書店《ふくいんかんしょてん》）

◎薫《くん》くみこ

ないしょでんしゃ

明日《あした》から「もりのでんしゃ」は雪《ゆき》が解《と》けるまでお休《やす》みです。ところが電車《でんしゃ》の中《なか》で居《い》ねむりする駅長《えきちょう》さんを乗《の》せて、電車《でんしゃ》がゆっくり動《うご》き出《だ》しました。びっくりした駅長《えきちょう》さんが運転席《うんてんせき》に行《い》くと、そこにいたのはなんと雪《ゆき》だるまでした。仕《し》かけページも楽《たの》しい、冬《ふゆ》の乗《の》り物《もの》絵本《えほん》です。

【オススメ図書《としょ》】
『ないしょでんしゃ』（ひさかたチャイルド）

◎斎藤《さいとう》隆介《りゅうすけ》

花《はな》さき山《やま》

女《おんな》の子《こ》のあやが山菜《さんさい》をとりに山《やま》にいくと、山《やま》ンばに出会《であ》いました。優《やさ》しいことをすると美《うつく》しい花《はな》が一《ひと》つさき、命《いのち》をかけると山《やま》ができるという花《はな》さき山《やま》の感動《かんどう》の物語《ものがたり》をえがいた絵本《えほん》。滝平二郎《たきへいじろう》の幻想的《げんそうてき》で美《うつく》しい切《き》り絵《え》が強《つよ》い印象《いんしょう》を残《のこ》す不朽《ふきゅう》の名作《めいさく》です。

【オススメ図書《としょ》】
『花《はな》さき山《やま》』（ものがたり絵本《えほん》20　岩崎書店《いわさきしょてん》）

◎佐野洋子《さのようこ》

100万回生《まんかいい》きたねこ

主人公《しゅじんこう》のねこは、百万回生《ひゃくまんかいう》まれかわっては、様々《さまざま》な飼《か》い主《ぬし》のもとで死《し》んでゆきます。百万回生《ひゃくまんかいい》きたことを自《じ》まんし野良猫《のらねこ》となっていたねこは、一《いっ》ぴきの白《しろ》ねこと出会《であ》いました。好《す》きになった白《しろ》ねこに死《し》なれたねこは、初《はじ》めて悲《かな》しみを知《し》りました。子《こ》どもも大人《おとな》も楽《たの》しめる感動《かんどう》の絵本《えほん》。

【オススメ図書《としょ》】
『100万回生《まんかいい》きたねこ』（講談社《こうだんしゃ》の創作絵本《そうさくえほん》）

◎ジェイソン・チン

セコイア　世界《せかい》で　いちばん　高《たか》い木《き》のはなし

「セコイア」について書《か》かれた本《ほん》を少年《しょうねん》が読《よ》み進《すす》めると、不《ふ》思議《しぎ》な事《こと》が起《お》こります。少年《しょうねん》が、セコイアが芽生《めば》えたのはローマ時代《じだい》だと知《し》ると、ローマ人《じん》がとなりに座《すわ》っていたりするのです。日本《にほん》では街路樹《がいろじゅ》にもされるセコイアの歴史《れきし》や生態情報《せいたいじょうほう》などをえがき出《だ》す新《あたら》しい視点《してん》の科学絵本《かがくえほん》。

【オススメ図書《としょ》】
『セコイア　世界《せかい》で　いちばん　高《たか》い木《き》のはなし』（萩原信介《はぎわらしんすけ》〔訳《やく》〕、福《ふく》音館《いんかん》の科学《かがく》シリーズ）

◎ジェームズ・マシュー・バリー

ピーター・パン

26ページ参照《さんしょう》

◎シャルル・ペロー

おろかな願《ねが》い

28ページ参照《さんしょう》

長《なが》ぐつをはいた猫《ねこ》

30ページ参照《さんしょう》

◎シルヴァーナ・ガンドルフィ

ネコの目《め》からのぞいたら

ぼくの大切《たいせつ》な子《こ》ネコのウェルギリウスがいなくなっちゃった。少年《しょうねん》ダンテが目《め》を閉《と》じると、子《こ》ネコの見《み》ている景色《けしき》が見《み》える「テレパシー」で子《こ》ネコを探《さが》すうち、ダンテは子《こ》ネコの目《め》を通《とお》して大事件《だいじけん》を目《もく》げきします。水《みず》の都《みやこ》ヴェネツィアをぶ台《たい》にくり広《ひろ》げられる、少年《しょうねん》ダンテと、子《こ》ネコの大冒険物語《だいぼうけんものがたり》。

【オススメ図書《としょ》】

『ネコの目《め》からのぞいたら』（関口英子《せきぐちえいこ》〔訳《やく》〕、岩波書店《いわなみしょてん》）

◎ジル・ボム

そらいろ男爵《だんしゃく》

空《そら》を愛《あい》する「そらいろ男爵《だんしゃく》」は、戦争《せんそう》に参加《さんか》しなければならなくなりました。男爵《だんしゃく》は飛行機《ひこうき》からばくだんの代《か》わりに重《おも》たい事典《じてん》を落《お》として敵《てき》を撃破《げきは》。その後《ご》、男爵《だんしゃく》は旅行記《りょこうき》や歴史書《れきししょ》などを投下《とうか》し続《つづ》けて、敵《てき》を本好《ほんず》きにしてしまいます。そして、男爵《だんしゃく》が最後《さいご》に投下《とうか》したもので戦争《せんそう》は終結《しゅうけつ》しました。「本《ほん》」や「言葉《ことば》」の力《ちから》が、平和《へいわ》をもたらすことを伝《つた》える絵本《えほん》。

【オススメ図書《としょ》】

『そらいろ男爵《だんしゃく》』（中島《なかじま》さおり〔訳《やく》〕、主婦《しゅふ》の友社《ともしゃ》）

◎たかどのほうこ

おともださにナリマ小《しょう》

「おともださにナリマ小《しょう》」。学校《がっこう》に届《とど》いたへんてこな手紙《てがみ》はどんな意味《いみ》？　だれが書《か》いたの？　一年生《いちねんせい》になったばかりのハルオと、ハルオに化《ば》けようとするキツネ、そして小学校《しょうがっこう》のみんなとキツネ小学校《しょうがっこう》のみんなの不思議《ふしぎ》で温《あたた》かい物語《ものがたり》です。

【オススメ図書《としょ》】

『おともださにナリマ小《しょう》』（フレーベル館《かん》）

◎太宰治《だざいおさむ》

走《はし》れメロス

50ページ参照《さんしょう》

◎谷川俊太郎《たにかわしゅんたろう》

よるのようちえん

だれもいない夜《よる》の幼《よう》ち園《えん》に、どこからか、夢《ゆめ》の子《こ》どもが現《あらわ》れて遊《あそ》び始《はじ》めます。「そっとさんはきょろきょろりん」「すっとさんはすっとんとん」「さっとさんはさっさかせ」——。ゆかいな言葉《ことば》のリズムに乗《の》って、楽《たの》しくページをめくりましょう。一冊《いっさつ》で何倍《なんばい》も楽《たの》しめるけっ作《さく》絵本《えほん》です。

【オススメ図書《としょ》】
『よるのようちえん』（日本傑作絵本《にほんけっさくえほん》シリーズ　福音館書店《ふくいんかんしょてん》）

◎デイビッド・マクフェイル

やめて！

一通《いっつう》の手紙《てがみ》を書《か》きおえた男《おとこ》の子《こ》が外《そと》に出《で》ると、そこは戦《せん》とう機《き》が飛《と》び、戦車《せんしゃ》が走《はし》り、兵士《へいし》が行進《こうしん》する世界《せかい》。暴力《ぼうりょく》をふるう不良《ふりょう》を見《み》たとき、男《おとこ》の子《こ》がさけんだ一言《ひとこと》とは？　すべての暴力《ぼうりょく》に対《たい》して「やめて！」とうったえる絵本《えほん》。

【オススメ図書《としょ》】
『やめて！』（柳田邦男《やなぎだくにお》〔訳《やく》〕、徳間書店《とくましょてん》）

◎桃月庵白酒《とうげつあんはくしゅ》

ぬけすずめ

一文無《いちもんな》しの絵《え》かきが、宿代《やどだい》のかわりにびょうぶにえがいていったのは五羽《ごわ》のすずめでした。がっかりする宿屋《やどや》の主人《しゅじん》でしたが、翌朝《よくあさ》なんと、すずめがびょうぶから抜《ぬ》け出《だ》して飛《と》び立《た》っていったのです。絵本《えほん》で読《よ》める古典落語《こてんらくご》の名作《めいさく》です。

【オススメ図書《としょ》】
『ぬけすずめ』（古典《こてん》と新作《しんさく》らくご絵本《えほん》　あかね書房《しょぼう》）

◎トミー・アンゲラー

すてきな三《さん》にんぐみ

黒《くろ》マントに黒《くろ》ぼうしの三人組《さんにんぐみ》は次々《つぎつぎ》と馬車《ばしゃ》をおそい、うばった財宝《ざいほう》をかくれがにためこむ大《だい》とうぞく。ある夜《よる》、三人組《さんにんぐみ》がおそった馬車《ばしゃ》に乗《の》っていたのは、みなしごのティファニーちゃんだけでした。連《つ》れ去《さ》られたティファニーちゃんは宝《たから》の山《やま》を見《み》て言《い》いました。「これ、どうするの？」最初《さいしょ》はこわくて、最後《さいご》はすてきなハッピーエンドストーリーが味《あじ》わえる絵本《えほん》。

【オススメ図書《としょ》】

『すてきな三《さん》にんぐみ』（今江祥智《いまえよしとも》（訳《やく》）、偕成社《かいせいしゃ》）

◎中川李枝子《なかがわりえこ》

ぐりとぐら

料理《りょうり》をすることと食《た》べることが何《なに》より好《す》きな野《の》ねずみのぐりとぐらは、森《もり》で大《おお》きな卵《たまご》を見《み》つけました。その場《ば》で二《に》ひきが作《つく》り始《はじ》めたカステラのにおいにつられて、森《もり》じゅうの動物《どうぶつ》たちも集《あつ》まってきます。日本《にほん》だけでなく、世界中《せかいじゅう》で愛《あい》されている「ぐりとぐら」の絵本《えほん》シリーズ第一作《だいいっさく》。

【オススメ図書《としょ》】
『ぐりとぐら［ぐりとぐらの絵本《えほん》］』（こどものとも傑作集《けっさくしゅう》　福音館書店《ふくいんかんしょてん》）

◎なりゆきわかこ

かわいいこねこをもらってください

ちいちゃんはカラスにおそわれている子《こ》ねこを拾《ひろ》いました。もらってくれる人《ひと》もなかなか見《み》つからず、ちいちゃんは、小《ちい》さな命《いのち》を守《まも》ろうとがんばります。ねこの絵本《えほん》やマンガを多数《たすう》えがいている作者《さくしゃ》がおくる感動《かんどう》の絵本《えほん》。

【オススメ図書《としょ》】
『かわいいこねこをもらってください』（ポプラちいさなおはなし）

◎新美南吉《にいみなんきち》

手袋《てぶくろ》を買《か》いに

52ページ参照《さんしょう》

花《はな》のき村《むら》と盗人《ぬすっと》たち

54ページ参照《さんしょう》

◎バージニア・リー・バートン

せいめいのれきし　改訂版《かいていばん》

地球上《ちきゅうじょう》に生命《せいめい》が生《う》まれたときから、私《わたし》たち人間《にんげん》の時代《じだい》になるまでの生命《せいめい》の発展《はってん》の歴史《れきし》が絵本《えほん》で物語《ものがた》られます。地質時《ちしつじ》代《だい》の区分《くぶん》、進化《しんか》の歴史《れきし》や気候変動《きこうへんどう》についての説《せつ》、生物《せいぶつ》の名前《なまえ》（学名《がくめい》）などをしょうかい。日本語版独自《にほんごばんどくじ》の改訂《かいてい》が加《くわ》えられ、詩情《しじょう》あふれる文章《ぶんしょう》とユニークなさし絵《え》からなる絵本《えほん》です。

【オススメ図書《としょ》】
『せいめいのれきし　改訂版《かいていばん》』（石井桃子《いしいももこ》（訳《やく》）、岩波書店《いわなみしょてん》）

◎はたこうしろう

なつのいちにち

暑《あつ》い暑《あつ》い夏《なつ》の日《ひ》。クワガタのいる山《やま》を目指《めざ》してぼくは走《はし》った。まっ白《しろ》な日《ひ》ざし、青《あお》い草《くさ》のにおい……。少《すく》なく書《か》かれた文《ぶん》章《しょう》の間《あいだ》からあふれ出《だ》す「夏《なつ》の音《おと》」や「夏《なつ》のにおい」、「夏《なつ》の空気《くうき》」。「夏《なつ》のロマンチシズム」を感《かん》じさせてくれる絵本《えほん》です。

【オススメ図書《としょ》】
『なつのいちにち』（偕成社《かいせいしゃ》）

◎浜田廣介《はまだひろすけ》

ないた　あかおに

心優《こころやさ》しい赤《あか》おには人間《にんげん》と友《とも》だちになりたいのに、なかなかうまくいきません。すると、仲間《なかま》の青《あお》おにがやってきて、ある提案《ていあん》をします……。友情《ゆうじょう》のためにみずからをぎせいにする青《あお》おにの行動《こうどう》に心《こころ》を打《う》たれる感動《かんどう》の名作《めいさく》絵本《えほん》。

【オススメ図書《としょ》】
『ないた　あかおに』（絵本《えほん》・日本《にほん》むかし話《ばなし》　偕成社《かいせいしゃ》）

◎P・L・トラヴァース

風《かぜ》にのってきたメアリー・ポピンズ

子《こ》どもの世話係《せわがかり》が必要《ひつよう》になったバンクス家《け》が求人《きゅうじん》ぼしゅうの新聞広告《しんぶんこうこく》を出《だ》しました。すると、東風《ひがしかぜ》のふく日《ひ》に、こうもりがさにつかまって空《そら》からメアリー・ポピンズがやってきたのです。ちょっと風変《ふうが》わりな彼女《かのじょ》が、子《こ》どもたちを不思議《ふしぎ》な冒険《ぼうけん》の世界《せかい》へと導《みちび》くユーモアあふれる空想物語《くうそうものがたり》。

【オススメ図書《としょ》】
『風《かぜ》にのってきたメアリー・ポピンズ』（岩波少年文庫《いわなみしょうねんぶんこ》）

◎ビアトリクス・ポター

ピーターラビットのおはなし

いたずら好《ず》きのうさぎのピーターは、お母《かあ》さんのいいつけを守《まも》らずに、マグレガーさんの畑《はたけ》にしのびこみ、野菜《やさい》を食《た》べます。でもそのとき、マグレガーさんに見《み》つかって……。百《ひゃく》年以上前《ねんいじょうまえ》から世界中《せかいじゅう》の子《こ》どもたちに愛《あい》され続《つづ》けているピーターラビットの絵本《えほん》シリーズ第一作《だいいっさく》です。

【オススメ図書《としょ》】
『ピーターラビットのおはなし』（石井桃子《いしいももこ》〔訳《やく》〕、ピーターラビットの絵本《えほん》1　福音館書店《ふくいんかんしょてん》）

◎ピーター・スピアー

雨《あめ》、あめ

雨《あめ》の日《ひ》の楽《たの》しさをページいっぱいにえがいた「字《じ》のない絵《え》本《ほん》」。雨《あめ》のふる庭《にわ》へレインコートを着《き》て飛《と》び出《だ》す喜《よろこ》び、クモの巣《す》にかがやく雨《あめ》のしずく、水《みず》たまりに広《ひろ》がる波《は》もん、雨上《あめあ》がりの庭《にわ》のすんだ空気《くうき》など、雨《あめ》にまつわる美《うつく》しい世界《せかい》が広《ひろ》がります。

【オススメ図書《としょ》】

『雨《あめ》、あめ』（児童図書館《じどうとしょかん》・絵本《えほん》の部屋《へや》　評論社《ひょうろんしゃ》）

山《やま》のとしょかん

◎肥田美代子《ひだみよこ》

山里《やまざと》に一人《ひとり》で住《す》んでいるおばあさんは、昔《むかし》、自分《じぶん》の子《こ》どもに読《よ》んであげていた絵本《えほん》を見《み》つけます。以来《いらい》、おばあさんは絵《え》本《ほん》を声《こえ》を出《だ》して読《よ》むようになりました。するとある日《ひ》から、どこからか男《おとこ》の子《こ》が現《あらわ》れて、おばあさんが絵本《えほん》を読《よ》む声《こえ》を聞《き》くようになりました。絵本《えほん》が大好《だいす》きになる心温《こころあたた》まるお話《はなし》。

【オススメ図書《としょ》】

『山《やま》のとしょかん』（えほんのもり　文研出版《ぶんけんしゅっぱん》）

夏《なつ》のわすれもの

◎福田岩緒《ふくだいわお》

大好《だいす》きだったおじいちゃんが死《し》んだとき、悲《かな》しいのになみだが出《で》ないぼく。一週間《いっしゅうかん》が過《す》ぎ、川《かわ》へ遊《あそ》びに行《い》くぼくにおばあちゃんがおじいちゃんの麦《むぎ》わらぼうしをわたしながら言《い》いました。「じいちゃんの忘《わす》れ物《もの》だよ」……。身近《みぢか》な人《ひと》の死《し》の実《じっ》感《かん》がひしひしと伝《つた》わる感動《かんどう》の絵本《えほん》。

【オススメ図書《としょ》】

『夏《なつ》のわすれもの』（文研《ぶんけん》の創作《そうさく》えどうわ）

大《おお》きい1年生《ねんせい》と小《ちい》さな2年生《ねんせい》

◎古田足日《ふるたたるひ》

体《からだ》は大《おお》きいのに泣《な》き虫《むし》の一年生《ねんせい》のまさやと、体《からだ》は小《ちい》さくてもしっかりしている二年生《ねんせい》のあきよ。ところがある日《ひ》、まさやはあきよが泣《な》いている姿《すがた》を見《み》てしまい、ある決心《けっしん》をします。二人《ふたり》の友情《ゆうじょう》と自立《じりつ》の物語《ものがたり》です。

【オススメ図書《としょ》】

『大《おお》きい1年生《ねんせい》と小《ちい》さな2年生《ねんせい》』（創作《そうさく》どうわ傑作選《けっさくせん》1　偕成社《かいせいしゃ》）

かあさんのいす

◎ベラ・B・ウィリアムズ

かあさんのお手伝《てつだ》いをして、もらったお金《かね》はかならず半分《はんぶん》、貯金《ちょきん》する少女《しょうじょ》。そのお金《かね》で世界中《せかいじゅう》で一番《いちばん》すてきないすを買《か》うのです。火事《かじ》ですべてを失《うしな》うという苦境《くきょう》の中《なか》、明《あか》るく前《まえ》向《む》きに日々《ひび》を送《おく》る少女《しょうじょ》が世界一《せかいいち》のいすを買《か》おうと、家族《かぞく》みんなで助《たす》け合《あ》いながら奮《ふん》とうする、あざやかな水《すい》さい画《が》の絵本《えほん》。

【オススメ図書《としょ》】

『かあさんのいす』（佐野洋子《さのようこ》〔訳《やく》〕、あかねせかいの本《ほん》8）

◎ヘレン・バンナーマン

ちびくろ・さんぼ

さんぼが新品《しんぴん》の服《ふく》を着《き》て森《もり》を歩《ある》いているとトラが次々《つぎつぎ》現《あらわ》れ、さんぼの服《ふく》はトラにうばわれてしまいました。トラたちは争《あらそ》って木《き》の周《まわ》りをグルグルと回《まわ》り始《はじ》めると……。長《なが》らく絶版《ぜっぱん》になっていた有名《ゆうめい》な絵本《えほん》が復刊《ふっかん》されました。

【オススメ図書《としょ》】

『ちびくろ・さんぼ』（光吉夏弥《みつよしなつや》〔訳《やく》〕、瑞雲舎《ずいうんしゃ》）

◎ホープ・ニューウェル

あたまをつかった小《ちい》さなおばあさん

小《ちい》さな黄色《きいろ》い家《いえ》に住《す》む小《ちい》さなおばあさんは、頭《あたま》を使《つか》って問題《もんだい》をなんでも解決《かいけつ》してしまいます。確《たし》かに頭《あたま》を使《つか》って「解決《かいけつ》」するのですが、あれれ、それって本当《ほんとう》にかしこいこと？　とてもゆかいで楽《たの》しく、笑顔《えがお》が止《と》まらなくなる物語《ものがたり》です。

【オススメ図書《としょ》】

『あたまをつかった小《ちい》さなおばあさん』（松岡享子《まつおかきょうこ》〔訳《やく》〕、世界傑作童話《せかいけっさくどうわ》シリーズ　福音館書店《ふくいんかんしょてん》）

◎堀内誠一《ほりうちせいいち》

ほね

からだに骨《ほね》がなかったら、立《た》つことすらできません。人間以《にんげんい》外《がい》の動物《どうぶつ》も骨《ほね》がないと困《こま》るのです。動物《どうぶつ》の骨格《こっかく》だけの絵《え》をしょうかいし、その後《ご》に答《こた》え合《あ》わせの本来《ほんらい》の動物《どうぶつ》の姿《すがた》がえがかれる、「骨《ほね》の働《はたら》き」がよくわかる絵本《えほん》。文字《もじ》がまだよくわからない幼児《ようじ》も、生物《せいぶつ》の科学《かがく》に目覚《めざ》める小学生《しょうがくせい》も楽《たの》しめます。

【オススメ図書《としょ》】

『ほね』（かがくのとも絵本《えほん》　福音館書店《ふくいんかんしょてん》）

◎マーク・トウェイン

王子《おうじ》とこじき

32ページ参照《さんしょう》

◎マーシャ・ブラウン

三《さん》びきのやぎのがらがらどん

橋《はし》の向《む》こう側《がわ》の山《やま》で、たくさん草《くさ》を食《た》べようと考《かんが》えた「がらがらどん」という、みんな同《おな》じ名前《なまえ》の大《おお》きなヤギと中《ちゅう》ぐらいのヤギと小《ちい》さなヤギ。ところが、橋《はし》のとちゅうでトロル（おに）にでくわしてしまいます。さて、三《さん》びきのヤギは無事《ぶじ》に橋《はし》をわたることができるのでしょうか？

【オススメ図書《としょ》】

『三《さん》びきのやぎのがらがらどん』（瀬田貞二《せたていじ》（訳《やく》）、世界傑作絵本《せかいけっさくえほん》シリーズ　福音館書店《ふくいんかんしょてん》）

◎松谷《まつたに》みよ子《こ》

龍《たつ》の子太郎《こたろう》

力持《ちからも》ちの太郎《たろう》はおばあさんから母《はは》が龍《りゅう》になったと聞《き》かされ、旅《たび》に出《で》ます。旅《たび》を続《つづ》けながら多《おお》くの人《ひと》に出会《であ》い、優《やさ》しい心《こころ》や米作《こめづく》りなどを学《まな》んだ太郎《たろう》は、九《ここの》つの山《やま》をこえて、ついに龍《りゅう》に出会《であ》います。日本各地《にほんかくち》につたわる昔話《むかしばなし》と伝説《でんせつ》をもとに創《そう》作《さく》された現代児童文学《げんだいじどうぶんがく》のけっ作《さく》です。

【オススメ図書《としょ》】

『龍《たつ》の子太郎《こたろう》』（講談社青《こうだんしゃあお》い鳥文庫《とりぶんこ》）

◎松成真理子《まつなりまりこ》

まいごのどんぐり

ぼくはコウくんのどんぐりです。ぼくは、コウくんが大好《だいす》きです。ところがある日《ひ》、ぼくはコウくんのカバンから、落《お》っこちてしまいました。コウくんは、一生《いっしょう》けんめいぼくを探《さが》してくれたのですが……。男《おとこ》の子《こ》とどんぐりの心《こころ》の交流《こうりゅう》を、美《うつく》しい絵《え》と情《じょう》ちょあふれる言葉《ことば》でいきいきとえがいた絵本《えほん》。

【オススメ図書《としょ》】

『まいごのどんぐり』（絵本《えほん》・こどものひろば　童心社《どうしんしゃ》）

◎まど・みちお

まど・みちお全詩集《ぜんししゅう》

「ぞうさん」や「やぎさんゆうびん」などの童《どう》ようが親《した》しまれている、まど・みちおの全詩《ぜんし》を収録《しゅうろく》。少年詩《しょうねんし》、童《どう》よう、散文詩《さんぶんし》など、六十年《ろくじゅうねん》にわたる千二百編《せんにひゃくへん》がおさめられています。おおらかでユーモラスな作品《さくひん》を楽《たの》しんでください。

【オススメ図書《としょ》】

『まど・みちお全詩集《ぜんししゅう》』（理論社《りろんしゃ》）

◎三浦哲郎《みうらてつお》

ユタとふしぎな仲間《なかま》たち

父《ちち》を事故《じこ》で亡《な》くした少年《しょうねん》・勇太《ゆうた》は、母《はは》に連《つ》れられ東北《とうほく》の山《やま》あいにある湯《ゆ》ノ花村《はなむら》にやってきます。退《たい》くつな毎日《まいにち》を送《おく》る勇太《ゆうた》の前《まえ》に、不思議《ふしぎ》な座《ざ》しきわらしたちが現《あらわ》れたことをきっかけに、いつしか勇太《ゆうた》はたくましい少年《しょうねん》へと成長《せいちょう》していくのでした。ユーモアに包《つつ》まれた名文《めいぶん》でつづられるメルヘン。

【オススメ図書《としょ》】

『ユタとふしぎな仲間《なかま》たち』（新潮文庫《しんちょうぶんこ》）

◎村上《むらかみ》しいこ

れいぞうこのなつやすみ

夏《なつ》のある日曜日《にちようび》、冷蔵庫《れいぞうこ》がこわれました。点検《てんけん》していると、とつ然冷蔵庫《ぜんれいぞうこ》がしゃべり出《だ》し、夏休《なつやす》みをもらってプールに行《い》きたいと言《い》うからさあ大変《たいへん》。ユーモラスな関西弁《かんさいべん》の文章《ぶんしょう》とゆかいな絵《え》で笑《わら》える幼年童話《ようねんどうわ》です。

【オススメ図書《としょ》】
『れいぞうこのなつやすみ』（とっておきのどうわ　PHP研究所《けんきゅうじょ》）

◎茂市久美子《もいちくみこ》

またたびトラベル

迷路《めいろ》のように続《つづ》く、細《ほそ》い路地《ろじ》のつきあたりに、またたびトラベルという小《ちい》さな旅行会社《りょこうがいしゃ》がありました。なやみを持《も》つ多《おお》くの人《ひと》が訪《おとず》れるまたたびトラベルでは、旅行代金《りょこうだいきん》はお金《かね》ではありません。心《こころ》に一生残《いっしょうのこ》る旅《たび》を演出《えんしゅつ》してくれる夢《ゆめ》のような旅《りょ》行会社《こうがいしゃ》をえがいた連作短編《れんさくたんぺん》ファンタジー。

【オススメ図書《としょ》】
『またたびトラベル』（学研《がっけん》の新《しん》・創作《そうさく》シリーズ）

◎矢玉四郎《やだましろう》

やかんねこ

アキラが草《くさ》むらで見《み》つけたやかんは、ねこのクニャンコ博士《はかせ》の宇宙船《うちゅうせん》でした。そのままいっしょに宇宙《うちゅう》へ飛《と》び立《た》つと、ヘンな星《ほし》がいっぱいです。ヨコッチョ星《せい》、ジオーキ星《せい》、デタラメ星《せい》、広《ひろ》い宇宙《うちゅう》にはたくさんの星《ほし》があって、おかしなできごとがたくさんありました。夢《ゆめ》が広《ひろ》がる楽《たの》しい冒険物語《ぼうけんものがたり》。

【オススメ図書《としょ》】
『やかんねこ』（はれぶたぶんこ　岩崎書店《いわさきしょてん》）

◎山口《やまぐち》タオ

のらねこソクラテス

「ソクラテスってよんでいいぜ」。大《おお》きな灰色《はいいろ》の野良《のら》ねこが、ぼくに話《はな》しかけてきました。人間《にんげん》の言葉《ことば》が話《はな》せて、悪《わる》ぶってかっこつけているくせに、みょうに人情《にんじょう》に厚《あつ》くて絵本《えほん》が大好《だいす》きな野良《のら》ねことぼくのゆかいで楽《たの》しい友情物語《ゆうじょうものがたり》。

【オススメ図書《としょ》】
『のらねこソクラテス』（おはなしの部屋《へや》　岩崎書店《いわさきしょてん》）

◎山本悦子《やまもとえつこ》

先生《せんせい》、しゅくだいわすれました

宿題《しゅくだい》を忘《わす》れたゆうすけが、口《くち》からでまかせのウソで言《い》い訳《わけ》をすると、えりこ先生《せんせい》の言葉《ことば》は「ウソをつくならもっと上手《じょうず》につかなくちゃ」。次《つぎ》の日《ひ》から、子《こ》どもたちは宿題《しゅくだい》ができなかった笑《わら》える言《い》い訳《わけ》を考《かんが》えてきて発表《はっぴょう》することになりました。先生《せんせい》と子《こ》どもたちのさわやかな交流《こうりゅう》をえがいた物語《ものがたり》。

【オススメ図書《としょ》】
『先生《せんせい》、しゅくだいわすれました』（童心社《どうしんしゃ》）

◎ゆもとかずみ

くまって、いいにおい

なやみのある森《もり》の動物《どうぶつ》たちは、くまのいいにおいをかぐと、不思議《ふしぎ》と気持《きも》ちが落《お》ち着《つ》きます。でもくまは、なやみを聞《き》いてばかりでつかれてきました。するときつねが「においを消《け》す薬《くすり》」をくれたのです。動物《どうぶつ》たちの友情物語《ゆうじょうものがたり》。

【オススメ図書《としょ》】
『くまって、いいにおい』（徳間書店《とくましょてん》）

◎ユリー・シュルヴィッツ

よあけ

暗《くら》く静《しず》かな夜明《よあ》け前《まえ》、おじいさんと孫《まご》がねむる山《やま》に囲《かこ》まれた湖《みずうみ》のほとりにカエルの飛《と》びこむ音《おと》や鳥《とり》の声《こえ》が聞《き》こえてくると、おじいさんは孫《まご》を起《お》こします。刻々《こくこく》と変《か》わっていく、息《いき》をのむような夜明《よあ》けのしゅん間《かん》がみごとにえがかれています。

【オススメ図書《としょ》】
『よあけ』（瀬田貞二《せたていじ》〔訳《やく》〕、世界傑作絵本《せかいけっさくえほん》シリーズ　福音館書店《ふくいんかんしょてん》）

◎ヨハンナ・シュピリ

ハイジ

34ページ参照《さんしょう》

◎レフ・ニコラーエヴィッチ・トルストイ

イワンのばか

36ページ参照《さんしょう》

大熊座《おおぐまざ》

38ページ参照《さんしょう》

◎ワルデマル・ボンゼルス

みつばちマーヤの冒険《ぼうけん》

40ページ参照《さんしょう》

◎モンゴルの民話《みんわ》

スーホの白《しろ》い馬《うま》

42ページ参照《さんしょう》

伝記《でんき》やノンフィクションも 中学年《ちゅうがくねん》向《む》け

◎アーサー・コナン・ドイル

シャーロック・ホームズの冒険《ぼうけん》

ミステリー史上最高《しじょうさいこう》の名探偵《めいたんてい》シャーロック・ホームズの活《かつ》やくを、助手役《じょしゅやく》の医師《いし》ワトスンが書《か》きつづる短編《たんぺん》シリーズ第一弾《だいいちだん》。赤毛《あかげ》の男《おとこ》を求《もと》めるきみょうな団体《だんたい》のなぞが明《あ》かされる「赤毛組合《あかげくみあい》」、閉《と》ざされた部屋《へや》での怪死事件《かいしじけん》の真相《しんそう》がわかる「まだらの紐《ひも》」など、十二《じゅうに》の短編《たんぺん》が楽《たの》しめます。

【オススメ図書《としょ》】

『シャーロック・ホームズの冒険《ぼうけん》 新訳版《しんやくばん》』(深町眞理子《ふかまちまりこ》〔訳《やく》〕、シャーロック・ホームズ・シリーズ 創元推理文庫《そうげんすいりぶんこ》)

◎アーネスト・トンプソン・シートン

おおかみ王《おう》ロボ

58ページ参照《さんしょう》

◎アクセル・ハッケ

ちいさなちいさな王様《おうさま》

ある日《ひ》とつ然《ぜん》、ぼくの部屋《へや》にふらりと現《あらわ》れた人差《ひとさ》し指《ゆび》サイズの小《ちい》さな王様《おうさま》。王様《おうさま》の世界《せかい》では生《う》まれたときが一番大《いちばんおお》きく、小《ちい》さくなるにつれ、えらくなるのだといいます。王様《おうさま》はぼくの世界《せかい》のことを話《はな》してほしいと言《い》いました。さし絵《え》もすばらしいドイツのベストセラー小説《しょうせつ》です。

【オススメ図書《としょ》】

『ちいさなちいさな王様《おうさま》』(那須田淳《なすだじゅん》、木本栄《きもとさかえ》〔訳《やく》〕、講談社《こうだんしゃ》)

◎芥川龍之介《あくたがわりゅうのすけ》

鼻《はな》

108ページ参照《さんしょう》

◎アストリッド・リンドグレーン

長《なが》くつ下《した》のピッピ

とんでもない怪力《かいりき》とほらふきがみりょくの九歳《きゅうさい》の少女《しょうじょ》ピッピが、ある日《ひ》、「ごたごた荘《そう》」にやってきました。退《たい》くつな毎日《まいにち》にあきていたトミーとアンニカの兄妹《きょうだい》は、自由気《じゆうき》ままなピッピとの出会《であ》いに大喜《おおよろこ》び。「世界一強《せかいいちつよ》い女《おんな》の子《こ》」がまき起《お》こすそう動《どう》をえがく、とびきりゆかいな物語《ものがたり》です。

【オススメ図書《としょ》】
『長《なが》くつ下《した》のピッピ』（大塚勇三《おおつかゆうぞう》〔訳《やく》〕、岩波少年文庫《いわなみしょうねんぶんこ》）

◎アストリッド・リンドグレーン

やかまし村《むら》の子《こ》どもたち

家《いえ》が三《さん》けん、子《こ》どもは男《おとこ》の子《こ》と女《おんな》の子《こ》が三人《さんにん》ずつ、全部《ぜんぶ》で子《こ》どもが六人《ろくにん》しかいないやかまし村《むら》。でも、子《こ》どもたちは退《たい》くつすることはありません。スウェーデンの片田舎《かたいなか》をぶ台《たい》に、そこに暮《く》らす三家族《さんかぞく》の暮《く》らしをえがいた物語《ものがたり》です。

【オススメ図書《としょ》】
『やかまし村《むら》の子《こ》どもたち』（大塚勇三《おおつかゆうぞう》〔訳《やく》〕、岩波少年文庫《いわなみしょうねんぶんこ》）

◎有島武郎《ありしまたけお》

一房《ひとふさ》の葡萄《ぶどう》

110ページ参照《さんしょう》

◎安東《あんどう》みきえ

ゆめみの駅《えき》　遺失物係《いしつぶつがかり》

あたしが失《な》くしたのは、「おはなし」でした――。世界中《せかいじゅう》から忘《わす》れられた物語《ものがたり》が届《とど》く遺失物係《いしつぶつがかり》で、中学校《ちゅうがっこう》になじめずにいた少女《しょうじょ》は、自分《じぶん》が失《な》くしてしまった物語《ものがたり》を探《さが》します。痛《いた》みをかかえる人《ひと》に優《やさ》しい、心《こころ》にしみるお話《はなし》です。

【オススメ図書《としょ》】
『ゆめみの駅《えき》　遺失物係《いしつぶつがかり》』（ポプラ文庫《ぶんこ》ピュアフル）

◎アンドレ・モロア

デブの国《くに》ノッポの国《くに》

おかしな名前《なまえ》の人《ひと》たちが住《す》んでいる地下《ちか》の国《くに》に、デブの兄《にい》さんとやせっぽちの弟《おとうと》が迷《まよ》いこみました。なんとこの世界《せかい》はデブ人《じん》とノッポ人《じん》に分《わ》かれていて、おたがいにいがみあって戦争《せんそう》を始《はじ》めてしまったからさあ大変《たいへん》。はなればなれになってしまった兄弟《きょうだい》の運命《うんめい》は？　ハッピーエンドがうれしいお話《はなし》。

【オススメ図書《としょ》】
『デブの国《くに》ノッポの国《くに》』（辻昶《つじとおる》〔訳《やく》〕、子《こ》どものための世界文学《せかいぶんがく》の森《もり》18　集英社《しゅうえいしゃ》）

◎泉鏡花《いずみきょうか》

歌行灯《うたあんどん》

112ページ参照《さんしょう》

高《こう》野《や》聖《ひじり》

114ページ参照《さんしょう》

◎伊藤左千夫《いとうさちお》

野菊《のぎく》の墓《はか》

116ページ参照《さんしょう》

◎ウィリアム・シェークスピア

リア王物語《おうものがたり》

リア王《おう》は三人《さんにん》のむすめに財産《ざいさん》を分《わ》け、引退《いんたい》することにします。優《やさ》しい末《すえ》むすめは、姉《あね》たちのようにお世辞《せじ》が言《い》えず、リア王《おう》のいかりを買《か》いました。これがこの悲《かな》しい物語《ものがたり》の始《はじ》まりでした。イギリスの劇作家《げきさっか》シェークスピアの四大悲劇《よんだいひげき》の一《ひと》つとして有名《ゆうめい》な「リア王《おう》」をやさしい文章《ぶんしょう》でしょうかい。

【オススメ図書《としょ》】

『リア王物語《おうものがたり》』（**越智道雄《おちみちお》（文《ぶん》）、こども世界名作童話《せかいめいさくどうわ》　ポプラ社《しゃ》**）

◎エーリヒ・ケストナー

エーミールと探偵《たんてい》たち

エーミールは、おばあちゃんをたずねるとちゅうの列車《れっしゃ》で、大切《たいせつ》なお金《かね》をとられてしまいました。とほうに暮《く》れるエーミールにベルリン中《じゅう》の少年《しょうねん》たちが協力《きょうりょく》し、犯人《はんにん》をつかまえるために大《おお》そう動《どう》をくり広《ひろ》げます。ドイツの都会《とかい》をぶ台《たい》にした、愛《あい》と友情《ゆうじょう》と興奮《こうふん》の物語《ものがたり》。

【オススメ図書《としょ》】

『エーミールと探偵《たんてい》たち』（**池田香代子《いけだかよこ》（訳《やく》）、岩波少年文庫《いわなみしょうねんぶんこ》**）

◎エーリヒ・ケストナー

ふたりのロッテ

おてんばなルイーゼと優《やさ》しいロッテは、おたがいを知《し》らずに別々《べつべつ》の町《まち》で育《そだ》ったふたごの姉妹《しまい》。ぐう然《ぜん》知《し》り合《あ》った二人《ふたり》は、両親《りょうしん》がりこん後《ご》にそれぞれを引《ひ》き取《と》ったことを知《し》り、入《い》れかわって生活《せいかつ》をするという計画《けいかく》を立《た》てます。世界中《せかいじゅう》で映画《えいが》・演劇《えんげき》などになっている児童小説《じどうしょうせつ》のけっ作《さく》！

【オススメ図書《としょ》】

『ふたりのロッテ』（**池田香代子《いけだかよこ》（訳《やく》）、岩波少年文庫《いわなみしょうねんぶんこ》**）

◎エクトール・アンリ・マロ

家《いえ》なき子《こ》

60ページ参照《さんしょう》

◎江戸川乱歩《えどがわらんぽ》

怪人二十面相《かいじんにじゅうめんそう》

世間《せけん》をさわがせている変装《へんそう》の名人《めいじん》、とうぞく「怪人二十面相《かいじんにじゅうめんそう》」から、犯罪《はんざい》の予告状《よこくじょう》が届《とど》きました。ところが名探偵《めいたんてい》・明智小五郎《あけちこごろう》は留守《るす》！　助手《じょしゅ》の小林少年《こばやししょうねん》が、明智探偵《あけちたんてい》の代《か》わりに立《た》ち上《あ》がります。日本一有名《にほんいちゆうめい》な探偵《たんてい》と怪人《かいじん》の初対決《はったいけつ》！

【オススメ図書《としょ》】
『怪人二十面相《かいじんにじゅうめんそう》　江戸川乱歩《えどがわらんぽ》・少年探偵《しょうねんたんてい》1』（ポプラ文庫《ぶんこ》クラシック）

◎E・B・ホワイト

シャーロットのおくりもの

生《う》まれてすぐに殺《ころ》されそうになった子《こ》ぶたのウィルバーを助《たす》けたクモのシャーロット。クリスマスの日《ひ》にはハムにされるウィルバーを救《すく》うため、シャーロットは命《いのち》をかけてがんばります。シャーロットが起《お》こした「きせき」とは？　命《いのち》の美《うつく》しさ、尊《とうと》さをうったえる感動《かんどう》の名作《めいさく》です。

【オススメ図書《としょ》】
『シャーロットのおくりもの』（さくまゆみこ（訳《やく》）、あすなろ書房《しょぼう》）

◎エルンスト・テオドール・アマデウス・ホフマン

クルミわりとネズミの王様《おうさま》

62ページ参照《さんしょう》

◎エレナ・ポーター

少女《しょうじょ》ポリアンナ

64ページ参照《さんしょう》

◎オー・ヘンリー

最後《さいご》のひと葉《は》

重《おも》い肺炎《はいえん》で気力《きりょく》を失《うしな》ってしまった画家《がか》のジョンジー。窓《まど》の外《そと》に見《み》えるかれかけたツタの葉《は》を見《み》ながら「あの葉《は》がすべて落《お》ちたら、自分《じぶん》も死《し》ぬ」という彼女《かのじょ》の言葉《ことば》を聞《き》き、老画家《ろうがか》のベアマンはおこります。その夜《よる》、あらしがきましたが、翌朝《よくあさ》も葉《は》は落《お》ちていませんでした。短編《たんぺん》の名手《めいしゅ》がえがいた名作《めいさく》。

【オススメ図書《としょ》】
『最後《さいご》のひと葉《は》』（金原瑞人《かねはらみずひと》（訳《やく》）、岩波少年文庫《いわなみしょうねんぶんこ》）

◎岡田《おかだ》 淳《じゅん》

二分間《にふんかん》の冒険《ぼうけん》

不思議《ふしぎ》な黒《くろ》ねこ「ダレカ」に出会《であ》った六年生《ろくねんせい》の悟《さとる》は、異世界《いせかい》に連《つ》れこまれてしまいます。時間内《じかんない》に黒《くろ》ねこをつかまえればもとにもどれるというけれど？　悟《さとる》に起《お》こった「たった二分《にふん》間《かん》」の長《なが》い長《なが》い大冒険《だいぼうけん》。「この世界《せかい》で一番確《いちばんたし》かなもの」を探《さが》す、哲学的《てつがくてき》なテーマをふくんだ冒険《ぼうけん》ストーリーです。

【オススメ図書《としょ》】

『二分間《にふんかん》の冒険《ぼうけん》』（偕成社文庫《かいせいしゃぶんこ》）

夜《よる》の小学校《しょうがっこう》で

◎岡田《おかだ》　淳《じゅん》

いろいろな仕事《しごと》をしてきたぼくは、ある日《ひ》、桜若葉小学校《さくらわかばしょうがっこう》で夜警《やけい》の仕事《しごと》をすることになりました。ところが、仕事《しごと》を始《はじ》めると、夜《よる》の小学校《しょうがっこう》できみょうなできごとばかりに出会《であ》うのです。ほのぼのと楽《たの》しく美《うつく》しいファンタジー。

【オススメ図書《としょ》】

『夜《よる》の小学校《しょうがっこう》で』（偕成社《かいせいしゃ》）

赤《あか》い蝋燭《ろうそく》と人魚《にんぎょ》

◎小川未明《おがわみめい》

118ページ参照《さんしょう》

かたあしだちょうのエルフ

◎おのきがく

アフリカ動物《どうぶつ》の子《こ》どもたちに人気《にんき》がある強《つよ》くて優《やさ》しいオスだちょうのエルフ。ところがある日《ひ》、ライオンにおそわれ、エルフは子《こ》どもたちを守《まも》るためライオンと戦《たたか》います。エルフは子《こ》どもたちを守《まも》りぬいたものの、片足《かたあし》を失《うしな》いました……。版《はん》画家《がか》の作者《さくしゃ》が力強《ちからづよ》い文章《ぶんしょう》と木版画《もくはんが》でえがく感動物語《かんどうものがたり》。

【オススメ図書《としょ》】

『かたあしだちょうのエルフ』（おはなし名作絵本《めいさくえほん》9　ポプラ社《しゃ》）

霧《きり》のむこうのふしぎな町《まち》

◎柏葉幸子《かしわばさちこ》

六年生《ろくねんせい》のリナは夏休《なつやす》みに一人《ひとり》で旅《たび》に出《で》ます。リナが霧《きり》の谷《たに》の森《もり》をぬけたところ、霧《きり》が晴《は》れ、赤《あか》やクリーム色《いろ》の洋館《ようかん》が立《た》ち並《なら》ぶ風変《ふうが》わりな町《まち》が現《あらわ》れました。その町《まち》に住《す》む人《ひと》たちはみんなへんてこりん！　アニメ映画《えいが》『千《せん》と千尋《ちひろ》の神隠《かみかく》し』にえいきょうをあたえた、永遠《えいえん》の名作《めいさく》ファンタジー。

【オススメ図書《としょ》】

『霧《きり》のむこうのふしぎな町《まち》』（講談社青《こうだんしゃあお》い鳥文庫《とりぶんこ》）

きみ江《え》さん　ハンセン病《びょう》を生《い》きて

◎片野田《かたのだ》　斉《ひとし》

かつてハンセン病《びょう》かん者《じゃ》は「差別《さべつ》」と「へんけん」を受《う》け、

いじめられる人《ひと》が多《おお》くいました。元《もと》ハンセン病《びょう》かん者《じゃ》の山内《やまうち》きみ江《え》さんの生《お》い立《た》ちから現在《げんざい》までを、報道《ほうどう》カメラマンである著者《ちょしゃ》がその姿《すがた》を追《お》ってえがくノンフィクション。

【オススメ図書《としょ》】
『きみ江《え》さん　ハンセン病《びょう》を生《い》きて』（偕成社《かいせいしゃ》）

◎角野栄子《かどのえいこ》

魔女《まじょ》の宅急便《たっきゅうびん》

独《ひと》り立《だ》ちするためにコリコの町《まち》で「宅急便屋《たっきゅうびんや》さん」を始《はじ》めた魔女《まじょ》の少女《しょうじょ》キキ。相棒《あいぼう》の黒《くろ》ねこジジと喜《よろこ》びと悲《かな》しみを共《とも》にしながら、魔女《まじょ》として一人前《いちにんまえ》になり、町《まち》の人《ひと》たちに受《う》け入《い》れられるようになるまでの一年《いちねん》をえがいた物語《ものがたり》。

【オススメ図書《としょ》】
『魔女《まじょ》の宅急便《たっきゅうびん》』（福音館文庫《ふくいんかんぶんこ》）

◎北杜夫《きたもりお》

船乗《ふなの》りクプクプの冒険《ぼうけん》

キタモリオという作家《さっか》が書《か》いたあんまり面白《おもしろ》くないへんな本《ほん》『船乗《ふなの》りクプクプの冒険《ぼうけん》』を読《よ》んだ少年《しょうねん》が、本《ほん》の中《なか》の世界《せかい》へ引《ひ》きこまれて、なぜかクプクプと呼《よ》ばれて船乗《ふなの》りになってしまいました。ユーモア作家《さっか》としても名高《なだか》い北杜夫《きたもりお》のきみょうでハチャメチャでデタラメな別世界《べっせかい》ファンタジー！

【オススメ図書《としょ》】
『船乗《ふなの》りクプクプの冒険《ぼうけん》』（集英社文庫《しゅうえいしゃぶんこ》）

◎国松俊英《くにまつとしひで》

手塚治虫《てづかおさむ》

「鉄腕《てつわん》アトム」「ジャングル大帝《たいてい》」「火《ひ》の鳥《とり》」など七百《ななひゃく》あまりのマンガを生《う》み出《だ》した「マンガの神様《かみさま》」、手塚治虫《てづかおさむ》。マンガとアニメーションの新《あたら》しい手法《しゅほう》を切《き》り開《ひら》き、世界《せかい》の人《ひと》びとに夢《ゆめ》と希望《きぼう》をあたえつづけた天才《てんさい》の生《しょう》がいをえがいた伝記《でんき》。

【オススメ図書《としょ》】
『手塚治虫《てづかおさむ》』（ポプラポケット文庫《ぶんこ》 子《こ》どもの伝記《でんき》16）

◎久米絵美里《くめえみり》

言葉屋《ことばや》　言箱《ことばこ》と言珠《ことだま》のひみつ

小学五年生《しょうがくごねんせい》の詠子《えいこ》のおばあちゃんの仕事《しごと》は、町《まち》の小《ちい》さな雑貨屋《ざっかや》さん。……ではなく、おばあちゃんの本当《ほんとう》の仕事《しごと》は、「言葉《ことば》を口《くち》にする勇気《ゆうき》」と「言葉《ことば》を口《くち》にしない勇気《ゆうき》を提供《ていきょう》するお店《みせ》」言葉屋《ことばや》でした。言葉屋《ことばや》の使命《しめい》を知《し》った詠子《えいこ》は、見習《みなら》いとして、おばあちゃんの工房《こうぼう》に入門《にゅうもん》します。「言葉《ことば》」がはんらんする現代《げんだい》で、言葉《ことば》の使《つか》い方《かた》の大切《たいせつ》さがわかる物語《ものがたり》です。

【オススメ図書《としょ》】
『言葉屋《ことばや》　言箱《ことばこ》と言珠《ことだま》のひみつ』（朝日学生新聞社《あさひがくせいしんぶんしゃ》）

◎栗山《くりやま》さやか

なんにもないけどやってみた　プラ子《こ》のアフリカボランティア日記《にっき》

元《もと》ショップ店員《てんいん》のふつうのむすめさんが、世界放《せかいほう》ろうの旅《たび》へ出《で》ます。ところがアフリカの医《い》りょうし設《せつ》で出会《であ》ったのは、ＨＩＶ《エイチアイブイ》や末期《まっき》ガン、風土病《ふうどびょう》に苦《くる》しむ若《わか》い女性《じょせい》たちでした。知識《ちしき》も経験《けいけん》もないプラ子《こ》さんが、ただひたすらに「目《め》の前《まえ》にいる友《とも》だち」を助《たす》けるために活動《かつどう》を続《つづ》ける感動《かんどう》の記録《きろく》。

【オススメ図書《としょ》】
『なんにもないけどやってみた　プラ子《こ》のアフリカボランティア日記《にっき》』（岩波《いわなみ》ジュニア新書《しんしょ》）

◎ケネス・グレーアム

たのしい川《かわ》べ

川《かわ》を見《み》たことがなかったモグラが、川《かわ》べに住《す》むネズミやアナグマ、そしてわがままで問題児《もんだいじ》のヒキガエルに出会《であ》い、川《かわ》べでの素《そ》ぼくな生活《せいかつ》を楽《たの》しみ始《はじ》めました。川《かわ》を愛《あい》するイギリス人《じん》を動物《どうぶつ》たちに置《お》きかえたといわれる、ユーモアたっぷりで、詩情豊《しじょうゆた》かなほのぼのの田園《でんえん》ファンタジーです。

【オススメ図書《としょ》】
『たのしい川《かわ》べ』（石井桃子《いしいももこ》〔訳《やく》〕、岩波少年文庫《いわなみしょうねんぶんこ》）

◎幸田露伴《こうだろはん》

五重塔《ごじゅうのとう》

120ページ参照《さんしょう》

◎斎藤惇夫《さいとうあつお》

冒険者《ぼうけんしゃ》たち　ガンバと15ひきの仲間《なかま》

港《みなと》でネズミの集会《しゅうかい》に参加《さんか》した町《まち》ネズミのガンバは、夢見《ゆめみ》が島《しま》でイタチのノロイ一族《いちぞく》がネズミたちを殺《ころ》し回《まわ》っていると知《し》り、十五《じゅうご》ひきの仲間《なかま》と共《とも》に冒険《ぼうけん》に旅立《たびだ》ちます。きょう悪《あく》なイタチと小《ちい》さなネズミたちのそう絶《ぜつ》な戦《たたか》いをえがいた児童文学《じどうぶんがく》のけっ作《さく》。アニメ『ガンバの冒険《ぼうけん》』でも名高《なだか》い作品《さくひん》です。

【オススメ図書《としょ》】
『冒険者《ぼうけんしゃ》たち　ガンバと15ひきの仲間《なかま》』（岩波少年文庫《いわなみしょうねんぶんこ》）

◎斉藤洋《さいとうひろし》

ひとりでいらっしゃい　七《なな》つの怪談《かいだん》

怪談《かいだん》が大好《だいす》きな隆司《りゅうじ》は、ぐう然訪《ぜんたず》ねた大学《だいがく》で西戸《にしと》助教授《じょきょうじゅ》の

「怪談《かいだん》クラブ」にまねかれます。「怪談《かいだん》クラブ」入会《にゅうかい》の条件《じょうけん》は二《ふた》つ。その月《つき》のテーマになる怪談《かいだん》を一《ひと》つ用意《ようい》してくること、そして必《かなら》ず一人《ひとり》でくること……。怪談《かいだん》クラブで語《かた》られるおそろしくて不気味《ぶきみ》な七《なな》つの話《はなし》。

【オススメ図書《としょ》】
『ひとりでいらっしゃい　七《なな》つの怪談《かいだん》』（偕成社《かいせいしゃ》）

◎佐藤《さとう》さとる

だれも知《し》らない小《ちい》さな国《くに》 コロボックル物語《ものがたり》1

地元《じもと》の人《ひと》が近《ちか》づこうとしない、とある小山《こやま》は、小学三年生《しょうがくさんねんせい》のぼくの大切《たいせつ》な秘密《ひみつ》の場所《ばしょ》だった。ある夏《なつ》の日《ひ》、小山《こやま》でぼくは見《み》てしまった。小指《こゆび》ほどしかない小《ちい》さな人《ひと》たちがいるのを！　本格的《ほんかくてき》ファンタジーのけっ作《さく》です。

【オススメ図書《としょ》】
『だれも知《し》らない小《ちい》さな国《くに》　コロボックル物語《ものがたり》1』（講談社青い鳥文庫《こうだんしゃあおいとりぶんこ》）

◎ジーン・ウェブスター

あしながおじさん

66ページ参照《さんしょう》

◎ジェイムズ・ランフォード

グーテンベルクのふしぎな機械《きかい》

らしんばん、火薬《かやく》と並《なら》んで「ルネサンスの三大発明《さんだいはつめい》」の一《ひと》つといわれる活版印刷《かっぱんいんさつ》を発明《はつめい》したのは、ドイツの職人《しょくにん》ヨハネス・グーテンベルク。現在《げんざい》私《わたし》たちが気軽《きがる》に本《ほん》が楽《たの》しめるのは、グーテンベルクのおかげなのです。世界初《せかいはつ》の活版印刷機《かっぱんいんさつき》で本《ほん》ができるまでをえがいたユニークな知識絵本《ちしきえほん》。

【オススメ図書《としょ》】
『グーテンベルクのふしぎな機械《きかい》』（千葉茂樹《ちばしげき》（訳《やく》）、あすなろ書房《しょぼう》）

◎シャルル・ペロー

眠《ねむ》れる森《もり》の美女《びじょ》

むかしむかし、森《もり》に囲《かこ》まれた美《うつく》しいお城《しろ》に、お姫様《ひめさま》が生《う》まれました。王様《おうさま》はお祝《いわ》いのうたげを開《ひら》きましたが、仙女一人《せんにょひとり》だけ呼《よ》ばれませんでした。おこった仙女《せんにょ》は、お姫様《ひめさま》に百年《ひゃくねん》のねむりにつくのろいをかけました。ちょっぴり残《ざん》こくだけど、不思議《ふしぎ》で楽《たの》しいシャルル・ペローの童話集《どうわしゅう》です。

【オススメ図書《としょ》】
『ペロー童話集《どうわしゅう》』（天沢退二郎《あまざわたいじろう》（訳《やく》）、岩波少年文庫《いわなみしょうねんぶんこ》）

◎ジャン・アンリ・ファーブル

ファーブル昆虫記《こんちゅうき》より「アリとセミ」

68ページ参照《さんしょう》

◎ジュール・ヴェルヌ

十五少年漂流記《じゅうごしょうねんひょうりゅうき》

あらしに見《み》まわれ見知《みし》らぬ岸辺《きしべ》に漂着《ひょうちゃく》した十五人《じゅうごにん》の少年《しょうねん》たち。大人《おとな》が一人《ひとり》もいない中《なか》、島《しま》か大陸《たいりく》の一部《いちぶ》かもわからない土地《とち》で、少年《しょうねん》たちはスリルに満《み》ちた生活《せいかつ》を始《はじ》めます。「SF《エスエフ》の祖《そ》」ジュール・ヴェルヌによる冒険小説《ぼうけんしょうせつ》！

【オススメ図書《としょ》】
『十五少年漂流記《じゅうごしょうねんひょうりゅうき》』（椎名誠《しいなまこと》、渡辺葉《わたなべよう》〔訳《やく》〕、新潮《しんちょう》モダン・クラシックス）

◎ジュール・ルナール

にんじん

70ページ参照《さんしょう》

◎ジョナサン・スウィフト

ガリバー旅行記《りょこうき》

72ページ参照《さんしょう》

◎J・R・R・トールキン

指輪物語《ゆびわものがたり》

妖精族《ようせいぞく》や小人族《こびとぞく》の住《す》む太古《たいこ》の世界《せかい》の「中《なか》つ国《くに》」ミドルアースに住《す》む勇《ゆう》かんな小人《こびと》ホビット族《ぞく》の若者《わかもの》フロドは、世界《せかい》を破《は》めつさせる魔力《まりょく》をひめた指輪《ゆびわ》を捨《す》てるために旅《たび》に出《で》ます。数々《かずかず》の出会《であ》いと別《わか》れ、愛《あい》と裏切《うらぎ》りをくり返《かえ》し、物語《ものがたり》は空前《くうぜん》の指輪《ゆびわ》大戦争《だいせんそう》に向《む》かいます。ファンタジー文学《ぶんがく》の金字塔《きんじとう》！

【オススメ図書《としょ》】
『指輪物語《ゆびわものがたり》 全《ぜん》10巻《かん》』（瀬田貞二《せたていじ》、田中明子《たなかあきこ》〔訳《やく》〕、評論社文庫《ひょうろんしゃぶんこ》）

◎ジョーン・G・ロビンソン

思《おも》い出《で》のマーニー

優《やさ》しいプレストン夫妻《ふさい》のもとで暮《く》らす孤児《こじ》のアンナ。ところがアンナはすべてに無気力《むきりょく》で自分《じぶん》のからに閉《と》じこもり友《とも》だちもできません。ひと夏《なつ》を海辺《うみべ》の田舎町《いなかまち》で暮《く》らすことになったアンナは、マーニーというとても不思議《ふしぎ》な女《おんな》の子《こ》に出会《であ》いました。この出会《であ》いがアンナを変《か》えるきせきの物語《ものがたり》の始《はじ》まりだったのです。愛《あい》と友情《ゆうじょう》と少女《しょうじょ》の成長《せいちょう》をえがく感動《かんどう》の名作《めいさく》。

【オススメ図書《としょ》】
『新訳《しんやく》 思《おも》い出《で》のマーニー』（越前敏弥《えちぜんとしや》、ないとうふみこ〔訳《やく》〕、角川文庫《かどかわぶんこ》）

◎セルマ・ラーゲルレーヴ

ニルスの不思議《ふしぎ》な旅《たび》

74ページ参照《さんしょう》

◎宗田《そうだ》理《おさむ》

ぼくらの七日間戦争《なのかかんせんそう》

明日《あした》から夏休《なつやす》みという一学期《いちがっき》の終《お》わり、東京下町《とうきょうしたまち》にある中《ちゅう》学校《がっこう》の一年《いちねん》二組《にくみ》の男子《だんし》全員《ぜんいん》が姿《すがた》を消《け》しました。事故《じこ》か集団《しゅうだん》ゆうかいかとさわぐ親《おや》たちの心配《しんぱい》をよそに、実《じつ》は彼《かれ》らは廃工《はいこう》場《じょう》に立《た》てこもり、大人《おとな》たちへの「叛乱《はんらん》」を起《お》こしたのです。「大人《おとな》と子《こ》どもの戦《たたか》い」をえがいたエンターテインメント！

【オススメ図書《としょ》】

『ぼくらの七日間戦争《なのかかんせんそう》』（角川《かどかわ》つばさ文庫《ぶんこ》）

◎ダイアナ・ウィン・ジョーンズ

魔法使《まほうつか》いハウルと火《ひ》の悪魔《あくま》

十八歳《じゅうはっさい》のソフィーは、「荒地《あれち》の魔女《まじょ》」にのろいをかけられ、九十歳《きゅうじっさい》の老婆《ろうば》に変身《へんしん》してしまいます。家《いえ》を出《で》て、悪名高《あくみょうだか》い「ハウルの動《うご》く城《しろ》」に、そうじ婦《ふ》として住《す》みこんだソフィーは、暖《だん》ろに住《す》む火《ひ》の悪魔《あくま》と仲《なか》よくなり、魔女《まじょ》に対抗《たいこう》し始《はじ》めました。アニメ映画《えいが》『ハウルの動《うご》く城《しろ》』の原作《げんさく》として有名《ゆうめい》な英国《えいこく》ファンタジーのけっ作《さく》です。

【オススメ図書《としょ》】

『ハウルの動《うご》く城《しろ》1　魔法使《まほうつか》いハウルと火《ひ》の悪魔《あくま》』（西村醇子《にしむらじゅんこ》〔訳《やく》〕、徳《とく》間文庫《まぶんこ》）

◎高橋健司《たかはしけんじ》

空《そら》の名前《なまえ》

うろこ雲《ぐも》、おぼろ雲《ぐも》、さば雲《ぐも》、雲《くも》のみお——雲《くも》の名前一《なまえひと》つとっても、天候《てんこう》や気象《きしょう》を表《あらわ》す日本語《にほんご》はこんなに豊《ゆた》か！　雲《くも》、雨《あめ》、風《かぜ》、季節《きせつ》……空《そら》にまつわる日本語《にほんご》を三百点余《さんびゃくてんあま》りの美《うつく》しい写《しゃ》真《しん》とともにまとめたフォトミュージアム。

【オススメ図書《としょ》】

『空《そら》の名前《なまえ》』（角川書店《かどかわしょてん》）

◎ダニエル・デフォー

ロビンソン・クルーソー

76ページ参照《さんしょう》

◎トーベ・ヤンソン

たのしいムーミン一家《いっか》

ムーミン谷《だに》に春《はる》がやってきました。冬眠《とうみん》から目《め》を覚《さ》ましたムーミントロールたちが発見《はっけん》したのは、中《なか》に入《い》れたものを変《へん》な姿《すがた》にする魔法《まほう》のぼうしでした。次々《つぎつぎ》に起《お》こるおかしな事件《じけん》をめぐって、ムーミン一家《いっか》は大《おお》さわぎ！　アニメで大人気《だいにんき》の「ムーミン」の原作《げんさく》になった詩情《しじょう》あふれるファンタジー。

【オススメ図書《としょ》】
『たのしいムーミン一家《いっか》』（山室静《やまむろしずか》〔訳《やく》〕、講談社青い鳥文庫《こうだんしゃあおいとりぶんこ》）

ペンキや

◎梨木香歩《なしきかほ》

ペンキ屋《や》のしんやは、お客《きゃく》さんがもっとも望《のぞ》む色《いろ》を探《さが》し出《だ》し、人々《ひとびと》を幸《しあわ》せにすることを願《ねが》います。喜《よろこ》びや悲《かな》しみ、いかりやあきらめ……それらが全部《ぜんぶ》が入《はい》った「ユトリロの白《しろ》」をぬりつづけた職人《しょくにん》の物語《ものがたり》。

【オススメ図書《としょ》】
『ペンキや』（理論社《りろんしゃ》）

坊《ぼっ》ちゃん

◎夏目漱石《なつめそうせき》

122ページ参照《さんしょう》

吾輩《わがはい》は猫《ねこ》である

124ページ参照《さんしょう》

ほんとうのことをいってもいいの？

◎パトリシア・C・マキサック

初《はじ》めてお母《かあ》さんにうそをついて友《とも》だちと遊《あそ》びに行《い》こうとしたリビー。後《こう》かいしたリビーは、その日《ひ》から本当《ほんとう》のことだけ言《い》うことにしましたが、今度《こんど》はその正直《しょうじき》さが、友《とも》だちを傷《きず》つけてしまいました。少女《しょうじょ》が成長《せいちょう》する姿《すがた》をえがいた絵本《えほん》。

【オススメ図書《としょ》】
『ほんとうのことをいってもいいの？』（ふくもとゆきこ〔訳《やく》〕、BL出版《しゅっぱん》）

林家木久蔵《はやしやきくぞう》の子《こ》ども落語《らくご》

◎林家木久蔵《はやしやきくぞう》

「落語《らくご》」は、私《わたし》たちがふだん生活《せいかつ》している中《なか》で見聞《みき》きする経験《けいけん》を面白《おもしろ》おかしく伝《つた》える日本《にほん》の古典芸能《こてんげいのう》です。いばっているおさむらいにみょうにぬけたところがあったり、いせいのいい町人《ちょうにん》がまぬけな姿《すがた》を見《み》せたりするゆかいな落語《らくご》を、人気《にんき》落語家《らくごか》の林家木久蔵《はやしやきくぞう》（現《げん》・林家木久扇《はやしやきくおう》）がしょうかいしてくれます。

【オススメ図書《としょ》】

『林《はやし》家《や》木《き》久《く》蔵《ぞう》の子《こ》ども落語《らくご》1～6』（フレーベル館《かん》）

◎ハリエット・ビーチャー・ストウ

アンクル・トム物語《ものがたり》

シェルビー家《け》で働《はたら》く強《つよ》くて優《やさ》しい初老《しょろう》の黒人《こくじん》どれいトムは、主人《しゅじん》の息子《むすこ》のジョージからなつかれて幸《しあわ》せに過《す》ごしていました。ところが主人《しゅじん》の家《いえ》が貧《まず》しくなったため、トムは売《う》られてしまいます。その後《あと》におとずれるトムの悲《かな》しい運命《うんめい》とは？　どれい解放運動《かいほううんどう》をめぐるアメリカの南北戦争《なんぼくせんそう》に、非常《ひじょう》に大《おお》きなえいきょうをあたえたけっ作小説《さくしょうせつ》です。

【オススメ図書《としょ》】
『アンクル・トム物語《ものがたり》』（中山知子《なかやまともこ》（文《ぶん》）、こども世界名作童話《せかいめいさくどうわ》　ポプラ社《しゃ》）

◎ハワード・パイル

ロビン・フッドの冒険《ぼうけん》

78ページ参照《さんしょう》

◎樋口一葉《ひぐちいちよう》

大《おお》つごもり

126ページ参照《さんしょう》

◎ヒュー・ロフティング

ドリトル先生《せんせい》アフリカへ行《い》く

80ページ参照《さんしょう》

◎フェリクス・ザルテン

バンビ

82ページ参照《さんしょう》

◎フランセス・ホジソン・バーネット

小公子《しょうこうし》

アメリカで母《はは》と二人暮《ふたりぐ》らしをしている快活《かいかつ》な少年《しょうねん》セドリックは、一度《いちど》も会《あ》ったことのない貴族《きぞく》の祖父《そふ》のあとつぎになるために、イギリスにわたりました。明《あか》るくむじゃきなセドリックとのふれあいで、高慢《こうまん》でがんこな祖父《そふ》のかたくなな心《こころ》はほぐれていきます。世界的《せかいてき》に有名《ゆうめい》な児童小説《じどうしょうせつ》の名作《めいさく》です。

【オススメ図書《としょ》】
『小公子《しょうこうし》』（脇明子《わきあきこ》（訳《やく》）、岩波少年文庫《いわなみしょうねんぶんこ》）

◎フランセス・ホジソン・バーネット

小公女《しょうこうじょ》セーラ

ロンドンで暮《く》らすセーラは、まるで「王女《おうじょ》」のように幸《しあわ》せでした。ところが、父《ちち》の死《し》でセーラの生活《せいかつ》は一変《いっぺん》。セーラは使用人《しようにん》にさせられてしまいます……。貧《まず》しい生活《せいかつ》の中《なか》でも気高《けだか》さを失《うしな》わず明《あか》るく暮《く》らす少女《しょうじょ》の物語《ものがたり》。

【オススメ図書《としょ》】
『小公女《しょうこうじょ》セーラ』（岡田好恵《おかだよしえ》〔訳《やく》〕、10歳《さい》までに読《よ》みたい世界名作《せかいめいさく》　学研《がっけん》プラス）

◎フランセス・ホジソン・バーネット

秘密《ひみつ》の花園《はなぞの》

84ページ参照《さんしょう》

◎ボーモン夫人《ふじん》

美女《びじょ》と野獣《やじゅう》

野獣《やじゅう》が住《す》む屋《や》しきにとらえられた商人《しょうにん》の身代《みが》わりに、末《すえ》むすめは野獣《やじゅう》の屋《や》しきに住《す》みます。優《やさ》しいむすめを好《す》きになった野獣《やじゅう》は、むすめに求《きゅう》こんしますが……。世界中《せかいじゅう》の人《ひと》に愛《あい》される童話《どうわ》。

【オススメ図書《としょ》】
『美女《びじょ》と野獣《やじゅう》』（村松潔《むらまつきよし》〔訳《やく》〕、新潮文庫《しんちょうぶんこ》）

◎ほしおさなえ

ふしぎな声《こえ》のする町《まち》で　ものだま探偵団《たんていだん》

ある日《ひ》、五年生《ごねんせい》の七子《ななこ》はクラスメイトの鳥羽《とば》が公園《こうえん》で一人《ひとり》でしゃべっているのを見《み》かけます。話相手《はなしあいて》は、なんとツボ。「もの」に宿《やど》ったたましい「ものだま」の声《こえ》を聞《き》くことができる鳥羽《とば》は、不思議《ふしぎ》な出来事《できごと》を解決《かいけつ》する「ものだま探偵《たんてい》」だったのです。身近《みぢか》なものを大切《たいせつ》にしたくなるファンタジー。

【オススメ図書《としょ》】
『ふしぎな声《こえ》のする町《まち》で　ものだま探偵団《たんていだん》』（徳間書店《とくましょてん》）

◎星新一《ほししんいち》

きまぐれロボット

表題作《ひょうだいさく》は、料理《りょうり》、そうじ、話《はな》し相手《あいて》など、なんでもできるロボットを連《つ》れて島《しま》の別荘《べっそう》に出《で》かけたエヌ氏《し》。ところが、ロボットがしだいにおかしな行動《こうどう》をとり始《はじ》める話《はなし》。「ショートショートの神様《かみさま》」星新一《ほししんいち》が短《みじか》い話《はなし》の中《なか》で物事《ものごと》の真理《しんり》をピタリとつきながら、思《おも》いもよらぬオチで読者《どくしゃ》をおどろかせてくれます。

【オススメ図書《としょ》】
『きまぐれロボット』（角川《かどかわ》つばさ文庫《ぶんこ》）

◎堀切《ほりきり》リエ

田中正造《たなかしょうぞう》　日本初《にほんはつ》の公害問題《こうがいもんだい》に立《た》ち向《む》かう

明治時代初期《めいじじだいしょき》、栃木県《とちぎけん》の渡良瀬川《わたらせがわ》の近《ちか》くに生《う》まれた田中正造《たなかしょうぞう》は、足尾銅山《あしおどうざん》の開発《かいはつ》でガスや鉱毒《こうどく》に苦《くる》しむ農民《のうみん》たちとともに立《た》ち上《あ》がり、巨大《きょだい》な権力《けんりょく》と戦《たたか》い始《はじ》めました。日本初《にほんはつ》の公害事件《こうがいじけん》といわれる足尾鉱毒事件《あしおこうどくじけん》で、常《つね》にひがい農民《のうみん》の立場《たちば》に立《た》って明治政府《めいじせいふ》を追《つい》きゅうし、ていこう運動《うんどう》をつらぬいた田中正造《たなかしょうぞう》の生《しょう》がいをえがいた伝記《でんき》。

【オススメ図書《としょ》】
『田中正造《たなかしょうぞう》　日本初《にほんはつ》の公害問題《こうがいもんだい》に立《た》ち向《む》かう』（伝記《でんき》を読《よ》もう　あかね書房《しょぼう》）

◎マーク・トウェイン

トム・ソーヤーの冒険《ぼうけん》

86ページ参照《さんしょう》

◎マージョリー・キナン・ローリングス

子鹿物語《こじかものがたり》

十九世紀後半《じゅうきゅうせいきこうはん》のフロリダの森《もり》で厳《きび》しい開《かい》こん生活《せいかつ》を送《おく》るバクスター一家《いっか》。ある日《ひ》、父《ちち》ペニーがうち殺《ころ》したシカのそばにいた子《こ》ジカを育《そだ》てたいとジョディは両親《りょうしん》にたのみこみます。ジョディは子《こ》ジカと幸《しあわ》せに暮《く》らしますが、やがて悲《かな》しい別《わか》れの日《ひ》が訪《おとず》れます。かこくな自然《しぜん》の中《なか》でたくましく生《い》きる人々《ひとびと》の営《いとな》みをえがいたアメリカ文学《ぶんがく》の名作《めいさく》です。

【オススメ図書《としょ》】
『子鹿物語《こじかものがたり》（上下巻《じょうげかん》）』（大久保康雄《おおくぼやすお》〔訳《やく》〕、偕成社文庫《かいせいしゃぶんこ》）

◎みうらかれん

夜明《よあ》けの落語《らくご》

四年生《よねんせい》の暁音《あかね》は、人前《ひとまえ》でしゃべるのがとても苦手《にがて》な女《おんな》の子《こ》。暁音《あかね》がクラスでスピーチをしなくてはならない日《ひ》、ちょっと変《か》わり者《もの》の男子《だんし》の三島《みしま》が、落語《らくご》をひろうして暁音《あかね》を助《たす》けてくれました。しだいに落語《らくご》の楽《たの》しさを知《し》った暁音《あかね》は、次《つぎ》のスピーチの回《かい》で「寿限無《じゅげむ》」を話《はな》すことを決心《けっしん》します。小学生《しょうがくせい》の成長《せいちょう》をユーモラスに、感動的《かんどうてき》にえがいた作品《さくひん》です。

【オススメ図書《としょ》】
『夜明《よあ》けの落語《らくご》』（文学《ぶんがく》の扉《とびら》　講談社《こうだんしゃ》）

◎ミゲル・デ・セルバンテス・サアベドラ

ドン・キホーテ

88ページ参照《さんしょう》

◎三田村信行《みたむらのぶゆき》

おとうさんがいっぱい

ある時《とき》とつ然《ぜん》、全国的《ぜんこくてき》にどの家《いえ》でもお父《とう》さんが五《ご》～六人《ろくにん》に増《ふ》えちゃった？　言《い》い争《あらそ》って自分《じぶん》が本物《ほんもの》だというお父《とう》さんたちに、困《こま》った政府《せいふ》は、強引《ごういん》にそれぞれの家庭《かてい》に一人《ひとり》だけを残《のこ》し、ほかのお父《とう》さんをどこかで管理《かんり》することにしましたが……。表題作《ひょうだいさく》をふくめた不思議《ふしぎ》でこわい五話《ごわ》の物語《ものがたり》。

【オススメ図書《としょ》】

『おとうさんがいっぱい』（新《しん》・名作《めいさく》の愛蔵版《あいぞうばん》　理論社《りろんしゃ》）

◎ミヒャエル・エンデ

はてしない物語《ものがたり》

少年《しょうねん》バスチアンは、古書店《こしょてん》で見《み》つけた一冊《いっさつ》の本《ほん》のとりこになります。その本《ほん》は虚無《きょむ》に飲《の》みこまれそうになる王国《おうこく》の危機《きき》を、主人公《しゅじんこう》アトレーユが助《たす》けようとする冒険《ぼうけん》の物語《ものがたり》でした。読《よ》み進《すす》めるうち、バスチアンは、その本《ほん》に読《よ》み手《て》である自分《じぶん》のことが書《か》かれていることに気《き》づきます……。現実《げんじつ》と物語《ものがたり》の世界《せかい》が入《い》り混《ま》じった本《ほん》の世界《せかい》の冒険《ぼうけん》ファンタジー。

【オススメ図書《としょ》】

『はてしない物語《ものがたり》（上下巻《じょうげかん》）』（上田真而子《うえだまにこ》、佐藤真理子《さとうまりこ》〔訳《やく》〕、岩波《いわなみ》少年文庫《しょうねんぶんこ》）

◎宮沢賢治《みやざわけんじ》

風《かぜ》の又三郎《またさぶろう》

128ページ参照《さんしょう》

銀河鉄道《ぎんがてつどう》の夜《よる》

130ページ参照《さんしょう》

セロ弾《ひ》きのゴーシュ

132ページ参照《さんしょう》

注文《ちゅうもん》の多《おお》い料理店《りょうりてん》

134ページ参照《さんしょう》

◎ミュンヒハウゼン

ほらふき男爵《だんしゃく》の冒険《ぼうけん》

90ページ参照《さんしょう》

◎メアリー・シェリー

フランケンシュタイン

92ページ参照《さんしょう》

◎メアリー・ノートン

床下《ゆかした》の小人《こびと》たち

イギリスのある古風《こふう》な家《いえ》の床下《ゆかした》に小人《こびと》の家族《かぞく》が暮《く》らしていました。生活《せいかつ》に必要《ひつよう》なものは、こっそり人間《にんげん》の家《いえ》から借《か》りるのです。ところがある日《ひ》、小人《こびと》の少女《しょうじょ》アリエッティが、その家《いえ》の男《おとこ》の子《こ》に見《み》つかってしまったから、さあ大変《たいへん》。小人《こびと》たちの今後《こんご》の暮《く》らしはどうなるのでしょう。イギリスファンタジーのけっ作《さく》「小人《こびと》の冒険《ぼうけん》シリーズ」の第一作《だいいっさく》。

【オススメ図書《としょ》】
『床下《ゆかした》の小人《こびと》たち　小人《こびと》の冒険《ぼうけん》シリーズ1』（林容吉《はやしようきち》（訳《やく》）、岩波少年文庫《いわなみしょうねんぶんこ》）

◎モーディカイ・ガースティン

綱渡《つなわた》りの男《おとこ》

一九七四年《ねん》、ニューヨークの新《あたら》しい観光名所《かんこうめいしょ》、世界貿易《せかいぼうえき》センター「ツイン・タワー」の二《ふた》つのビルの間《あいだ》に綱《つな》を張《は》り、その上《うえ》を渡《わた》ろうとした男《おとこ》がいました。地上四百《ちじょうよんひゃく》メートルの綱渡《つなわた》りというむぼうな試《こころ》みにいどんだ若《わか》き大道芸人《だいどうげいにん》、フィリップ・プティのおどろくべき実話《じつわ》が絵本《えほん》としてしょうかいされています。

【オススメ図書《としょ》】
『綱渡《つなわた》りの男《おとこ》』（川本三郎《かわもとさぶろう》（訳《やく》）、FOR YOU 絵本《えほん》コレクション「Y.A.」小峰書店《こみねしょてん》）

◎モーリス・ルブラン

ルパン対《たい》ホームズ

世界最高《せかいさいこう》のイギリスの名探偵《めいたんてい》とフランスの大《だい》かいとうが対決《たいけつ》したら、どちらが勝《か》つ？　伝説《でんせつ》の青《あお》ダイヤをルパンはぬすむことができるのか、それともホームズはそれを防《ふせ》いでルパンをつかまえられるのか。二人《ふたり》の天才《てんさい》がおのれのほこりと母国《ぼこく》の名《めい》よをかけて火花《ひばな》を散《ち》らす世紀《せいき》の決戦《けっせん》！　ルパンシリーズの作者《さくしゃ》が夢《ゆめ》の対決《たいけつ》をえがいた、胸《むね》がわくわくする物語《ものがたり》です。

【オススメ図書《としょ》】
『ルパン対《たい》ホームズ』（日暮《ひぐらし》まさみち（訳《やく》）、講談社青《こうだんしゃあお》い鳥文庫《とりぶんこ》）

◎百瀬《ももせ》しのぶ

ももへの手紙《てがみ》

けんかして仲直《なかなお》りもできないまま死《し》んでしまったお父《とう》さんのことが頭《あたま》からはなれないももは、お母《かあ》さんと瀬戸内《せとうち》の小《ちい》さな島《しま》に引《ひ》っこしてきた後《あと》も、島《しま》の生活《せいかつ》になじめません。ところが、ある日《ひ》からおかしな三《さん》びきの妖怪《ようかい》につきまとわれるようになって、ももの心境《しんきょう》が変化《へんか》していきます。家族《かぞく》のきずなについて考《かんが》えさせられる、温《あたた》かく優《やさ》しい物語《ものがたり》です。

【オススメ図書《としょ》】
『ももへの手紙《てがみ》』（角川《かどかわ》つばさ文庫《ぶんこ》）

タマゾン川《がわ》　多摩川《たまがわ》でいのちを考《かんが》える

◎山崎充哲《やまさきみつあき》

かつて生物《せいぶつ》が住《す》めない「死《し》の川《かわ》」と呼《よ》ばれた多摩川《たまがわ》は、今《いま》ではすっかりきれいになりました。でも、なぜ熱帯魚《ねったいぎょ》のピラニア、グッピーまでいるの？　これじゃあ、アマゾン川《がわ》じゃなくて「タマゾン川《がわ》」だよ！　かんきょう問題《もんだい》をやさしく教《おし》えてくれる本《ほん》です。

【オススメ図書《としょ》】
『タマゾン川《がわ》　多摩川《たまがわ》でいのちを考《かんが》える』（旬報社《じゅんぽうしゃ》）

ぼくがぼくであること

◎山中恒《やまなかひさし》

母親《ははおや》のお小言《こごと》にいや気《け》がさして、夏休《なつやす》みに家出《いえで》した「落《お》ちこぼれ」の秀一《ひでかず》。農家《のうか》で出会《であ》った少女《しょうじょ》とおじいさんとひと夏《なつ》を過《す》ごすうち、秀一《ひでかず》は力強《ちからづよ》く成長《せいちょう》します。家族《かぞく》のあり方《かた》や社《しゃ》会《かい》のしくみを考察《こうさつ》させてくれる作品《さくひん》。

【オススメ図書《としょ》】
『ぼくがぼくであること』（岩波少年文庫《いわなみしょうねんぶんこ》）

あの路《みち》

◎山本《やまもと》けんぞう

母《はは》と死《し》に別《わか》れておばさんに引《ひ》き取《と》られた一人《ひとり》ぼっちの少年《しょうねん》が、三本足《さんぼんあし》の犬《いぬ》と出会《であ》います。他人《たにん》から理不《りふ》じんな仕打《しう》ちを受《う》ける少年《しょうねん》と犬《いぬ》が友情《ゆうじょう》で結《むす》ばれ、やがて別《わか》れるまでをえがいた物語《ものがたり》。詩人《しじん》・山本《やまもと》けんぞうのとう明感《めいかん》のある文章《ぶんしょう》と絵《え》本作家《ほんさっか》・いせひでこの切《せつ》なく美《うつく》しい絵《え》でいろどられた絵本《えほん》。

【オススメ図書《としょ》】
『あの路《みち》』（平凡社《へいぼんしゃ》）

オズの魔法使《まほうつか》い

◎ライマン・フランク・バーム

94ページ参照《さんしょう》

若草物語《わかくさものがたり》

◎ルイザ・メイ・オルコット

96ページ参照《さんしょう》

◎ルイス・キャロル

不思議《ふしぎ》の国《くに》のアリス

98ページ参照《さんしょう》

◎L・M・モンゴメリ

赤毛《あかげ》のアン

100ページ参照《さんしょう》

◎レイフ・クリスチャンソン

わたしのせいじゃない　せきにんについて

男《おとこ》の子《こ》が一人《ひとり》で泣《な》いています。お友《とも》だちにその理由《りゆう》を聞《き》くと「みんなでやったの、私《わたし》のせいじゃないわ」。だれに聞《き》いてもたんたんとくり返《かえ》される「私《わたし》のせいじゃない」の言葉《ことば》が、重《おも》く深《ふか》く読者《どくしゃ》の心《こころ》をゆさぶります。責任《せきにん》について考《かんが》える、みんなでいっしょに読《よ》みたいスウェーデンの絵本《えほん》。

【オススメ図書《としょ》】

『わたしのせいじゃない　せきにんについて』（二文字理明《にもんじまさあき》〔訳《やく》〕、あなたへ6　岩崎書店《いわさきしょてん》）

◎ローラ・インガルス・ワイルダー

大《おお》きな森《もり》の小《ちい》さな家《いえ》

アメリカ北部《ほくぶ》の大《おお》きな森《もり》の中《なか》で、インガルス一家《いっか》は小《ちい》さな丸《まる》太小屋《たごや》を建《た》てて暮《く》らし始《はじ》めました。おおかみやくまがうろつき、冬《ふゆ》は氷《こおり》と雪《ゆき》に閉《と》ざされる厳《きび》しい大自然《だいしぜん》の中《なか》、好奇心《こうきしん》いっぱいの少女《しょうじょ》ローラは元気《げんき》に毎日《まいにち》を過《す》ごします。大自然生活《だいしぜんせいかつ》を通《とお》して、少女《しょうじょ》の成長《せいちょう》や家族《かぞく》のきずなをえがいた名作《めいさく》。

【オススメ図書《としょ》】

『大草原《だいそうげん》の小《ちい》さな家《いえ》シリーズ　大《おお》きな森《もり》の小《ちい》さな家《いえ》』（こだま　ともこ、渡辺南都子《わたなべなつこ》〔訳《やく》〕、講談社青い鳥文庫《こうだんしゃあおいとりぶんこ》）

◎イスラムの民話《みんわ》

アラジンと魔法《まほう》のランプ

102ページ参照《さんしょう》

アリババと四十人《よんじゅうにん》の盗賊《とうぞく》

104ページ参照《さんしょう》

シンドバッドの冒険《ぼうけん》

106ページ参照《さんしょう》

古典《こてん》や長編小説《ちょうへんしょうせつ》まで 高学年《こうがくねん》向《む》け

◎アーサー・コナン・ドイル

ロスト・ワールド　失《うしな》われた世界《せかい》

変人《へんじん》で名高《なだか》い生物学者《せいぶつがくしゃ》のチャレンジャー教授《きょうじゅ》の元《もと》を訪《たず》ねた新《しん》聞記者《ぶんきしゃ》のマローンは、教授《きょうじゅ》から現代《げんだい》にきょうりゅうが生《い》きていると知《し》らされておどろきます。興味《きょうみ》を持《も》ったマローンは、きょうりゅうがすむという南米《なんべい》の地《ち》へ、教授《きょうじゅ》と共《とも》に旅立《たびだ》ちました。彼《かれ》がそこで目《め》にしたものは?「シャーロック・ホームズ」の作者《さくしゃ》ドイルのスリル満点《まんてん》の冒険小説《ぼうけんしょうせつ》。

【オススメ図書《としょ》】
『ロスト・ワールド　失《うしな》われた世界《せかい》』（菅紘《かんひろし》〔訳《やく》〕、講談社青い鳥文庫《こうだんしゃあおとりぶんこ》）

◎アーサー・ビナード

さがしています

弁当箱《べんとうばこ》、軍手《ぐんて》、時計《とけい》……。一九四五年《ねん》八月六日《がつむいか》の朝《あさ》、広島《ひろしま》に核《かく》ばくだんが落《お》ちたあの日《ひ》から、持《も》ち主《ぬし》を失《うしな》ってしまった品《しな》物《もの》（カタリべたち）は、今《いま》も自分《じぶん》の持《も》ち主《ぬし》を探《さが》しています。本《ほん》を開《ひら》けば、「ものを言《い》わぬ」こげた弁当箱《べんとうばこ》や止《と》まったままの時計《とけい》の写真《しゃしん》が、大切《たいせつ》な何《なに》かを「語《かた》りかけて」くるのです。原《げん》ばくの悲劇《ひげき》を、品物《しなもの》の写真《しゃしん》で見《み》る絵本《えほん》。

【オススメ図書《としょ》】
『さがしています』（童心社《どうしんしゃ》）

◎相田《あいだ》みつを

にんげんだもの

悲《かな》しいとき、不安《ふあん》なとき、私《わたし》たちはどうすればよいのか、わからなくなってしまいます。みんな失敗《しっぱい》するのがこわいのです。そんなときは魔法《まほう》の言葉《ことば》をつぶやきましょう。「つまづいたっていいじゃないか　にんげんだもの」。完全《かんぜん》な人間《にんげん》なんていないのです。だれもが失敗《しっぱい》するし、だれもがざせつします。きっと相田《あいだ》みつをの一言《ひとこと》が、勇気《ゆうき》をくれるはずです。

【オススメ図書《としょ》】
『相田《あいだ》みつを　ザ・ベスト にんげんだもの　逢《あい》』（角川文庫《かどかわぶんこ》）

◎あさのあつこ

バッテリー

野球《やきゅう》のピッチャーとしての才能《さいのう》に自信《じしん》を持《も》つ原田巧《はらだたくみ》は、中学入学前《ちゅうがくにゅうがくまえ》にキャッチャーの永倉豪《ながくらごう》と出会《であ》います。才能《さいのう》あるピッチャーにありがちな我《が》の強《つよ》い巧《たくみ》に、バッテリーを組《く》んだ豪《ごう》はとまどいをおぼえますが、彼《かれ》のまばゆいばかりの才能《さいのう》にひかれていくのです。野球少年《やきゅうしょうねん》たちの成長物語《せいちょうものがたり》。

【オススメ図書《としょ》】
『バッテリー』（角川文庫《かどかわぶんこ》）

◎安部公房《あべこうぼう》

壁《かべ》　S《エス》・カルマ氏《し》の犯罪《はんざい》

ある朝《あさ》、とつ然《ぜん》、自分《じぶん》の「名刺《めいし》」ににげられたぼく。すると、ぼくは自分《じぶん》の「名前《なまえ》」と社会《しゃかい》での「存在《そんざい》」まで失《うしな》い、犯罪者《はんざいしゃ》か狂人《きょうじん》あつかいされることに……。独特《どくとく》のユーモアと、てつ学的《がくてき》なテーマをふくんだオムニバス形式《けいしき》の中短編小説《ちゅうたんぺんしょうせつ》。

【オススメ図書《としょ》】
『壁《かべ》』（新潮文庫《しんちょうぶんこ》）

◎アポロドーロス

ギリシア神話《しんわ》

愛《あい》と冒険《ぼうけん》となみだと笑《わら》いにいろどられた豊《ゆた》かでそう大《だい》な物語《ものがたり》がギリシア神話《しんわ》。ギリシアの神々《かみがみ》はおこりっぽくて、ほれっぽい、とても人間的《にんげんてき》な神様《かみさま》たちなのです。最高神《さいこうしん》ゼウスや太《たい》陽神《ようしん》アポロンの話《はなし》や、英雄《えいゆう》ヘラクレスやペルセウスの冒険《ぼうけん》たんなど、有名《ゆうめい》な話《はなし》ばかり集《あつ》めたギリシア神話《しんわ》の入門書《にゅうもんしょ》です。

【オススメ図書《としょ》】
『ギリシア神話《しんわ》』（高津春繁《こうづはるしげ》、高津久美子《こうづくみこ》〔訳《やく》〕、21世紀版《せいきばん》・少年少女《しょうねんしょうじょ》世界文学館《せかいぶんがくかん》第1巻《かん》　講談社《こうだんしゃ》）

◎天沢退二郎《あまざわたいじろう》

光車《ひかりぐるま》よ、まわれ！

大雨《おおあめ》の中《なか》、教室《きょうしつ》で六年生《ろくねんせい》の一郎《いちろう》は怪異《あやかし》に出会《であ》います。次々《つぎつぎ》に起《お》こる奇怪《きかい》な事件《じけん》のなぞを解《と》くため、一郎《いちろう》は仲間《なかま》とともに、不思議《ふしぎ》な力《ちから》を宿《やど》す三《みっ》つの「光車《ひかりぐるま》」を探《さが》し始《はじ》めました。敵《てき》の正体《しょうたい》とは、光車《ひかりぐるま》の力《ちから》とは何《なん》なのか？　異様《いよう》な世界《せかい》に巻《ま》きこまれた少年少女《しょうねんしょうじょ》のきょうふをえがいた物語《ものがたり》。

【オススメ図書《としょ》】
『光車《ひかりぐるま》よ、まわれ！』（ポプラ文庫《ぶんこ》ピュアフル）

◎有川浩《ありかわひろ》

図書館戦争《としょかんせんそう》

法律《ほうりつ》で「適切《てきせつ》な表現《ひょうげん》がされていない本《ほん》」は検《けん》えつされて、取《と》り上《あ》げられてしまうようになった日本《にほん》。本《ほん》が大好《だいす》きな女《おんな》の子《こ》笠原郁《かさはらいく》は図書館員《としょかんいん》となって、表現《ひょうげん》の自由《じゆう》を守《まも》るため、同《どう》りょうたちと共《とも》に武器《ぶき》を取《と》ってていこうします。「人権《じんけん》を守《まも》るため」という美名《びめい》のもとに、大好《だいす》きな本《ほん》をうばわれるというおそろしい想像上《そうぞうじょう》の日本《にほん》がえがかれたエンターテインメント小説《しょうせつ》です。

【オススメ図書《としょ》】
『図書館戦争《としょかんせんそう》　図書館戦争《としょかんせんそう》シリーズ1』（角川文庫《かどかわぶんこ》）

◎アルフレッド・ゴメス・セルダ

雨《あめ》あがりのメデジン

コロンビアのメデジンという都市《とし》にあるバリオ（貧民街《ひんみんがい》）に、カミーロとアンドレスという二人《ふたり》の男《おとこ》の子《こ》が住《す》んでいました。物《もの》をぬすんで生活《せいかつ》するしかない二人《ふたり》は、近所《きんじょ》の図書館《としょかん》に本《ほん》をぬすみに入《はい》りますが……。生《う》まれてはじめて本《ほん》を読《よ》んだ少年《しょうねん》の喜《よろこ》びと感動《かんどう》が伝《つた》わってくる物語《ものがたり》。

【オススメ図書《としょ》】
『雨《あめ》あがりのメデジン』（宇野和美《うのかずみ》〔訳《やく》〕、鈴木出版《すずきしゅっぱん》の海外児童文学《かいがいじどうぶんがく》　この地球《ちきゅう》を生《い》きる子《こ》どもたち）

◎アレクサンドル・デュマ・ペール

三銃士《さんじゅうし》

138ページ参照《さんしょう》

モンテ・クリスト伯《はく》

140ページ参照《さんしょう》

◎アントワーヌ・ド・サン＝テグジュペリ

星《ほし》の王子《おうじ》さま

142ページ参照《さんしょう》

◎池田《いけだ》まき子《こ》

まぼろしの大陸《たいりく》へ　白瀬中尉南極探検物語《しらせちゅういなんきょくたんけんものがたり》

一九一〇年《ねん》一一月《がつ》、白瀬矗《しらせのぶ》陸軍中尉《りくぐんちゅうい》は、二十六人《にじゅうろくにん》の隊員《たいいん》を率《ひき》いて、人類未《じんるいみ》とうの地《ち》・南極点《なんきょくてん》へ出発《しゅっぱつ》しました。わずか二百四《にひゃくよん》トンの木造《もくぞう》はん船《せん》で、彼《かれ》らは勇《ゆう》かんに冒険《ぼうけん》の旅《たび》に出《で》たのです。過《か》こくな状《じょう》きょうの中《なか》、熱《あつ》い情熱《じょうねつ》と不《ふ》くつの探検精神《たんけんせいしん》で立《た》ち向《む》かう白瀬中尉《しらせちゅうい》の姿《すがた》に、心《こころ》を打《う》たれる実話物語《じつわものがたり》です。

【オススメ図書《としょ》】
『まぼろしの大陸《たいりく》へ　白瀬中尉南極探検物語《しらせちゅういなんきょくたんけんものがたり》』（ノンフィクション・生《い》きるチカラ5　岩崎書店《いわさきしょてん》）

ブンとフン

◎井上《いのうえ》ひさし

自分《じぶん》が書《か》いた小説《しょうせつ》の主人公《しゅじんこう》、大《おお》どろぼうのブンが目《め》の前《まえ》に現《あらわ》れておどろいたフン先生《せんせい》。あまりに何《なん》でもできる人物《じんぶつ》として書《か》いたため、ブンは小説《しょうせつ》から飛《と》び出《だ》してきてしまったのです。ブンが世界中《せかいじゅう》で巻《ま》き起《お》こすおかしな事件《じけん》に、全世界《ぜんせかい》はてんやわんやの大《おお》さわぎ。日本《にほん》がほこる多才《たさい》かつ天才《てんさい》ユーモア作家《さっか》の処女長編小説《しょじょちょうへんしょうせつ》にして「ナンセンス文学《ぶんがく》」の決定版《けっていばん》！

【オススメ図書《としょ》】

『ブンとフン』（新潮文庫《しんちょうぶんこ》）

しろばんば

◎井上靖《いのうえやすし》

大正初期《たいしょうしょき》、静岡県伊豆湯ケ島《しずおかけんいずゆがしま》で、主人公《しゅじんこう》の洪作《こうさく》が多《おお》くの親《しん》せきや少女《しょうじょ》とふれあい成長《せいちょう》していく物語《ものがたり》。小学二年生《しょうがくにねんせい》から六《ろく》年生《ねんせい》までを通《とお》して、少年《しょうねん》の自我《じが》の芽生《めば》えと思春期《ししゅんき》をえがいた作者《さくしゃ》の自伝小説《じでんしょうせつ》です。「しろばんば」とは雪虫《ゆきむし》（秋《あき》から冬《ふゆ》にかけて飛《と》ぶ、白《しろ》い綿毛《わたげ》のように見《み》える虫《むし》）のこと。

【オススメ図書《としょ》】

『しろばんば』（新潮文庫《しんちょうぶんこ》）

ひめゆりの沖縄戦《おきなわせん》―少女《しょうじょ》は嵐《あらし》のなかを生《い》きた

◎伊波園子《いはそのこ》

第二次世界大戦《だいにじせかいたいせん》、日本全国《にほんぜんこく》は大《おお》きな戦禍《せんか》に見《み》まわれました。特《とく》に悲《ひ》さんなエピソードが伝《つた》わる沖縄《おきなわ》では、十代《じゅうだい》の少女《しょうじょ》たちが、命《いのち》がけで食事《しょくじ》を運《はこ》ぶ「飯上《めしあ》げ」、ごう掘《ほ》り、傷病兵《しょうびょうへい》の看護《かんご》などをしながら、死《し》の危険《きけん》にさらされたのです。「ひめゆり学徒隊《がくとたい》」の一少女《いちしょうじょ》の目《め》を通《とお》して、多数《たすう》の住民《じゅうみん》が死《し》に巻《ま》きこまれた沖縄戦《おきなわせん》の姿《すがた》がうかびあがる作品《さくひん》です。

【オススメ図書《としょ》】

『ひめゆりの沖縄戦《おきなわせん》―少女《しょうじょ》は嵐《あらし》のなかを生《い》きた』（岩波《いわなみ》ジュニア新書《しんしょ》）

はつ恋《こい》

◎イワン・ツルゲーネフ

144ページ参照《さんしょう》

ロミオとジュリエット

◎ウィリアム・シェイクスピア

146ページ参照《さんしょう》

◎上田秋成《うえだあきなり》

雨月物語《うげつものがたり》

がんばり屋《や》で美《うつく》しい磯良《いそら》は、まじめに働《はたら》かない正太郎《しょうたろう》とけっこんすることになりました。けっこん式《しき》の日《ひ》、神様《かみさま》が幸運《こううん》を授《さず》けるしるしに大《おお》きな音《おと》を立《た》てるはずの釜《かま》は、鳴《な》りません。「がんばり屋《や》【吉備津《きびつ》の釜《かま》】」など、不思議《ふしぎ》でおそろしい話《はなし》が特《とく》ちょうの古典名作四編《こてんめいさくよんぺん》がわかりやすい文章《ぶんしょう》で読《よ》めます。

【オススメ図書《としょ》】

『雨月物語《うげつものがたり》　悲《かな》しくて、おそろしいお話《はなし》』（時海結以《ときうみゆい》〔文《ぶん》〕、講談社青い鳥文庫《こうだんしゃあおいとりぶんこ》）

◎エドモンド・デ・アミーチス

母《はは》をたずねて

148ページ参照《さんしょう》

◎エミリー・ジェーン・ブロンテ

嵐《あらし》が丘《おか》

150ページ参照《さんしょう》

◎遠藤周作《えんどうしゅうさく》

おバカさん

銀行員《ぎんこういん》・隆盛《たかもり》の妹《いもうと》、巴絵《ともえ》のところにフランス人《じん》のガストン・ボナパルトがやってきました。英雄《えいゆう》ナポレオンの子孫《しそん》を名乗《なの》る彼《かれ》ですが、おくびょうかつ無類《むるい》のお人好《ひとよ》しで、犬《いぬ》と子《こ》どもが大好《だいす》きな「おバカさん」にしか見《み》えません。ガストンの人《ひと》を信《しん》じる美《うつく》しい心《こころ》が笑《わら》いとなみだを呼《よ》び起《お》こす、とても優《やさ》しい物語《ものがたり》。

【オススメ図書《としょ》】

『おバカさん』（P+D BOOKS　小学館《しょうがくかん》）

◎及川和男《おいかわかずお》

村長《そんちょう》ありき—沢内村《さわうちむら》 深沢晟雄《ふかさわまさお》の生涯《しょうがい》

ごう雪《せつ》、多病《たびょう》、貧困《ひんこん》など、東北《とうほく》の冬《ふゆ》は厳《きび》しくつらく、生《い》きていくことだけでも大変《たいへん》でした。命《いのち》の大切《たいせつ》さをうったえ、村《そん》長《ちょう》となった深沢晟雄《ふかさわまさお》は、一九六一年《ねん》に一歳未満《いっさいみまん》、六十歳以《ろくじっさいい》上《じょう》の医《い》りょう費《ひ》を無料化《むりょうか》し、一九六二年《ねん》には全国自治体初《ぜんこくじちたいはつ》の乳児死亡率《にゅうじしぼうりつ》ゼロを達成《たっせい》します。多《おお》くの村民《そんみん》の命《いのち》を救《すく》った名村長《めいそんちょう》の全生《ぜんしょう》がい。

【オススメ図書《としょ》】

『村長《そんちょう》ありき—沢内村《さわうちむら》 深沢晟雄《ふかさわまさお》の生涯《しょうがい》』（れんが書房新社《しょぼうしんしゃ》）

◎太田大輔《おおただいすけ》

江戸《えど》のまち

昔《むかし》から東京《とうきょう》にすみついていて町《まち》の移《うつ》り変《か》わりを見《み》てきたという「妖怪小僧《ようかいこぞう》」を案内役《あんないやく》に、江戸《えど》の町《まち》の風景《ふうけい》と人々《ひとびと》の様子《ようす》を綿密《めんみつ》な絵《え》でしょうかいする江戸絵本《えどえほん》の決定版《けっていばん》。正確《せいかく》な知識《ちしき》に基《もと》づいた江戸《えど》の一場面《いちばめん》をえがいた多《おお》くの絵《え》をながめているだけでも楽《たの》しく、江戸《えど》の町《まち》を訪《たず》ねたような気分《きぶん》になれます。

【オススメ図書《としょ》】
『絵本《えほん》 江戸《えど》のまち』（講談社《こうだんしゃ》の創作絵本《そうさくえほん》）

◎岡田淳《おかだじゅん》

びりっかすの神《かみ》さま

転校《てんこう》してきた四年生《よねんせい》の木下始《きのしたはじめ》は、教室《きょうしつ》で「びりっかす」になった子《こ》どもの気持《きも》ちが集《あつ》まった神様《かみさま》をぐう然見《ぜんみ》つけました。神様《かみさま》の存在《そんざい》が少《すこ》しずつクラスに広《ひろ》まると、落《お》ちこぼれたちは、わざとびりをとる「びりっかす作戦《さくせん》」を始《はじ》め、仲間《なかま》がどんどん増《ふ》えていきます。そして運動会《うんどうかい》の季節《きせつ》がやってくるのですが……？　児童小説《じどうしょうせつ》の名手《めいしゅ》、岡田淳《おかだじゅん》のけっ作小説《さくしょうせつ》。

【オススメ図書《としょ》】
『びりっかすの神《かみ》さま』（偕成社文庫《かいせいしゃぶんこ》）

◎小川洋子《おがわようこ》

博士《はかせ》の愛《あい》した数式《すうしき》

「ぼくの記憶《きおく》は八十分《はちじゅっぷん》しかもたない」というメモが、博士《はかせ》の背広《せびろ》のそでに留《と》められています。毎日《まいにち》、博士《はかせ》のお世話《せわ》をする「私《わたし》」は、記憶力《きおくりょく》を失《うしな》った博士《はかせ》にとって常《つね》に「新《あたら》しい」家政婦《かせいふ》なのです。やがて私《わたし》の十歳《じっさい》の息子《むすこ》も加《くわ》わり、三人《さんにん》の切《せつ》なく優《やさ》しい日々《ひび》が始《はじ》まります。悲《かな》しくも温《あたた》かさに満《み》ちた物語《ものがたり》。

【オススメ図書《としょ》】
『博士《はかせ》の愛《あい》した数式《すうしき》』（新潮文庫《しんちょうぶんこ》）

◎興津要《おきつかなめ》・編《へん》

古典落語《こてんらくご》

「さんまは目黒《めぐろ》にかぎる」（目黒《めぐろ》のさんま）、「いまなんどきだい？」（時《とき》そば）、「寿限無寿限無《じゅげむじゅげむ》……」（寿限無《じゅげむ》）。どこかで聞《き》いた笑《わら》い話《ばなし》は、みんな有名《ゆうめい》な落語《らくご》です。落語《らくご》の名人《めいじん》たちが至高《しこう》の話芸《わげい》で伝《つた》えてきたけっ作落語《さくらくご》ばかり二十一編《にじゅういっぺん》が集《あつ》められた「文章《ぶんしょう》で読《よ》む落語《らくご》」集《しゅう》。

【オススメ図書《としょ》】
『古典落語《こてんらくご》』（講談社学術文庫《こうだんしゃがくじゅつぶんこ》）

◎長田弘《おさだひろし》

なつかしい時間《じかん》

本《ほん》があれば、どこへでも行《い》ける。それが過去《かこ》でも、未来《みらい》でも。本《ほん》を開《ひら》けば、とても簡単《かんたん》に時間《じかん》も空間《くうかん》も飛《と》びこえることができるのです。詩人《しじん》・長田弘《おさだひろし》が、みずからの詩《し》とともに、N《エヌ》HK《エイチケー》テレビ『視点《してん》・論点《ろんてん》』で語《かた》った十七年《じゅうしちねん》を集成《しゅうせい》した随筆《ずいひつ》集《しゅう》。

【オススメ図書《としょ》】
『なつかしい時間《じかん》』（岩波新書《いわなみしんしょ》）

◎小山内美江子《おさないみえこ》

アンネ・フランク物語《ものがたり》

第二次世界大戦中《だいにじせかいたいせんちゅう》、ユダヤ人《じん》たちは食《た》べることもねむることも制限《せいげん》されながら暮《く》らすことを強制《きょうせい》されました。かくれ家《が》の中《なか》で、少女《しょうじょ》アンネは未来《みらい》に希望《きぼう》を失《うしな》わず、日記《にっき》を書《か》きつづけます。十五歳《じゅうごさい》の短《みじか》い生《しょう》がいを終《お》えたアンネの一生《いっしょう》が、時代背景《じだいはいけい》の解説《かいせつ》とともに読《よ》みやすく書《か》かれた作品《さくひん》です。

【オススメ図書《としょ》】
『アンネ・フランク物語《ものがたり》』（講談社青い鳥文庫《こうだんしゃあおいとりぶんこ》）

◎恩田陸《おんだりく》

夜《よる》のピクニック

甲田貴子《こうだたかこ》の通《かよ》う高校《こうこう》には学校生活最後《がっこうせいかつさいご》をかざるイベント「歩行祭《ほこうさい》」がありました。それは全校生徒《ぜんこうせいと》が夜《よ》をてっして八十《はちじっ》キロ歩《ある》き通《とお》すという伝統行事《でんとうぎょうじ》。だれにも言《い》えない秘密《ひみつ》を清算《せいさん》するために、貴子《たかこ》はクラスメイトの西脇融《にしわきとおる》に声《こえ》をかけるという小《ちい》さなかけを胸《むね》に秘《ひ》めました。いつの時代《じだい》も変《か》わらない、だれにでも訪《おとず》れる青春《せいしゅん》をあざやかにえがいた小説《しょうせつ》です。

【オススメ図書《としょ》】
『夜《よる》のピクニック』（新潮文庫《しんちょうぶんこ》）

◎梶井基次郎《かじいもとじろう》

桜《さくら》の樹《き》の下《した》には

180ページ参照《さんしょう》

檸《れ》檬《もん》

182ページ参照《さんしょう》

◎ガッサーン・カナファーニー

太陽《たいよう》の男《おとこ》たち

クェートへ密入国《みつにゅうこく》しようとする三人《さんにん》のパレスチナ難民《なんみん》の男《おとこ》

たちは、用意《ようい》されたタンクローリーに乗《の》ります。ところが、砂《さ》ばくの炎天下《えんてんか》、男《おとこ》たちの乗《の》りこんだタンクローリーが、検問所《けんもんじょ》で長時間《ちょうじかん》留《と》め置《お》かれてしまうのです。パレスチナの現状《げんじょう》をえがいた作品《さくひん》。表題作《ひょうだいさく》の「ハイファに戻《もど》って」もぜひ読《よ》んでほしい名作《めいさく》です。

【オススメ図書《としょ》】

『ハイファに戻《もど》って／太陽《たいよう》の男《おとこ》たち』（黒田寿郎《くろだとしお》、奴田原睦明《ぬたはらのぶあき》〔訳《やく》〕、河出文庫《かわでぶんこ》）

◎ガッサーン・カナファーニー

ラムレの証言《しょうげん》

ラムレの街《まち》にやってきたユダヤ人《じん》たちが、ぼくらに銃《じゅう》をつきつけ、両手《りょうて》を頭上《ずじょう》で交差《こうさ》して並《なら》ぶように命《めい》じました。兵士《へいし》に目《め》をつけられたぼくは、さらに片足《かたあし》で立《た》つように命《めい》じられました。そして、床屋《とこや》のアブー・オスマーンのむすめが殺《ころ》されたのです……。爆殺《ばくさつ》されたパレスチナ作家《さっか》が、「現実《げんじつ》の中《ちゅう》東《とう》」をえがいた名作短編《めいさくたんぺん》です。

【オススメ図書《としょ》】

『短篇《たんぺん》コレクションⅠ（池澤夏樹《いけざわなつき》＝個人編集《こじんへんしゅう》　世界文学全集《せかいぶんがくぜんしゅう》　第《だい》3集《しゅう》）』（岡真理《おかまり》〔訳《やく》〕、河出書房新社《かわでしょぼうしんしゃ》）

◎桂《かつら》かい枝《し》

英語《えいご》DE《デ》落語《らくご》　動物園《どうぶつえん》

動物園《どうぶつえん》の求人《きゅうじん》ぼ集《しゅう》は、朝十時《あさじゅうじ》から夕方四時《ゆうがたよじ》までで日給一万《にっきゅういちまん》円《えん》、簡単《かんたん》な仕事《しごと》で昼食《ちゅうしょく》・昼寝《ひるね》つきという好条件《こうじょうけん》。喜《よろこ》んだ男《おとこ》が早速面接《さっそくめんせつ》に行《い》くと即採用《そくさいよう》で、なぜか動物《どうぶつ》の着《き》ぐるみをわたされて?!「海外《かいがい》で最《もっと》も受《う》ける落語《らくご》」を英語落語《えいごらくご》の第一人者《だいいちにんしゃ》がしょうかい。楽《たの》しく自然《しぜん》に英語《えいご》の勉強《べんきょう》もできます。

【オススメ図書《としょ》】

『英語《えいご》DE《デ》落語《らくご》　動物園《どうぶつえん》』（鈴木出版《すずきしゅっぱん》）

◎加藤純子《かとうじゅんこ》

荻野吟子《おぎのぎんこ》　日本《にほん》で初《はじ》めての女性医師《じょせいいし》

一八八四年《ねん》（明治《めいじ》一八年《ねん》）、まだ女性《じょせい》の権利《けんり》が確立《かくりつ》されていなかった時代《じだい》に、国家資格《こっかしかく》を持《も》った初《はつ》の日本人女性医師《にほんじんじょせいいし》が誕生《たんじょう》しました。男子学生《だんしがくせい》からのいじめにたえながら、歯《は》を食《く》いしばって夢《ゆめ》をかなえ、女性《じょせい》たちのためにがんばった荻野吟子《おぎのぎんこ》の人生《じんせい》がつづられた伝記物語《でんきものがたり》。

【オススメ図書《としょ》】

『荻野吟子《おぎのぎんこ》　日本《にほん》で初《はじ》めての女性医師《じょせいいし》』（伝記《でんき》を読《よ》もう　あかね書房《しょぼう》）

◎加藤由子《かとうよしこ》

ゾウの鼻《はな》はなぜ長《なが》い

「ネコの目《め》はなぜ光《ひか》る?」「ライオンのオスには、なぜたてがみがあるの?」動物《どうぶつ》の体《からだ》がそれぞれちがうのは、長《なが》い時間《じかん》をかけて、厳《きび》しいかんきょうに適応《てきおう》してきたからです。動物《どうぶつ》たちが生《い》き残《のこ》りのために身《み》につけたおどろきの生態《せいたい》を、元動物《もとどうぶつ》園《えん》の解説員《かいせついん》が楽《たの》しくわかりやすく解説《かいせつ》してくれます。

【オススメ図書《としょ》】

『ゾウの鼻《はな》はなぜ長《なが》い　知《し》れば知《し》るほど面白《おもしろ》い　動物《どうぶつ》のふしぎ33』(ちくま文庫《ぶんこ》)

◎菊池寛《きくちかん》

恩讐《おんしゅう》の彼方《かなた》に

かつて人《ひと》を殺《あや》めたことを後《こう》かいし出家《しゅっけ》した市九郎《いちくろう》。旅先《たびさき》の険《けわ》しい難所《なんしょ》で、そう難《なん》が相次《あいつ》いでいることを知《し》った彼《かれ》は、岩山《いわやま》をくりぬいて道《みち》を作《つく》る決心《けっしん》をします。ところが、彼《かれ》が殺《ころ》した親《おや》のかたきをとるため、息子《むすこ》の実之助《じつのすけ》がやってきました。道《みち》は未完成《みかんせい》の中《なか》、彼《かれ》らの行動《こうどう》はいかに? 罪《つみ》を後《こう》かいする者《もの》と復《ふく》しゅうを果《は》たそうとする者《もの》、ゆれ動《うご》く心《こころ》をえがいた短編《たんぺん》。

【オススメ図書《としょ》】

『藤十郎《とうじゅうろう》の恋《こい》・恩讐《おんしゅう》の彼方《かなた》に』(新潮文庫《しんちょうぶんこ》)

◎曲亭馬琴《きょくていばきん》

南総里見八犬伝《なんそうさとみはっけんでん》

184ページ参照《さんしょう》

◎クリス・ヴァン・オールズバーグ

急行《きゅうこう》「北極号《ほっきょくごう》」

クリスマスイブ、ぼくのところに来《き》たのは、真《ま》っ白《しろ》な蒸気《じょうき》に包《つつ》まれた急行《きゅうこう》「北極号《ほっきょくごう》」でした。その不思議《ふしぎ》な汽車《きしゃ》に乗《の》りこむと、車内《しゃない》はパジャマ姿《すがた》の子《こ》どもたちでいっぱい。サンタクロースが待《ま》つ北極点《ほっきょくてん》を目指《めざ》して、北《きた》へ進《すす》む汽車《きしゃ》に乗《の》った子《こ》どもたちの旅《たび》をえがいたげんそう的《てき》なストーリー。

【オススメ図書《としょ》】

『急行《きゅうこう》「北極号《ほっきょくごう》」』(村上春樹《むらかみはるき》〔訳《やく》〕、あすなろ書房《しょぼう》)

◎黒島伝治《くろしまでんじ》

渦巻《うずま》ける烏《からす》の群《むれ》

186ページ参照《さんしょう》

◎小泉八雲《こいずみやくも》

耳《みみ》なし芳一《ほういち》

188ページ参照《さんしょう》

◎小林可多入《こばやしかおる》

キュリー夫人《ふじん》

貧《まず》しい生活《せいかつ》の中《なか》、家事《かじ》と育児《いくじ》をしながら、放射能《ほうしゃのう》の研究《けんきゅう》を続《つづ》けたポーランドのマリー・キュリーは、一九〇三年《ねん》と一九一〇年《ねん》に物理《ぶつり》と化学《かがく》の異《こと》なる分野《ぶんや》で、二度《にど》もノーベル賞《しょう》を受賞《じゅしょう》しました。女性《じょせい》として初《はじ》めてノーベル賞《しょう》にかがやいた天才科学者《てんさいかがくしゃ》の努力《どりょく》と栄光《えいこう》をマンガで読《よ》める伝記物語《でんきものがたり》。

【オススメ図書《としょ》】
『キュリー夫人《ふじん》』（栃山修《とちやまおさむ》〔監修《かんしゅう》〕、コミック版《ばん》世界《せかい》の伝記《でんき》6　ポプラ社《しゃ》）

◎小林多喜二《こばやしたきじ》

蟹工船《かにこうせん》

190ページ参照《さんしょう》

◎呉承恩《ごしょうおん》

西遊記《さいゆうき》

152ページ参照《さんしょう》

◎斉藤洋《さいとうひろし》

風力鉄道《ふうりょくてつどう》に乗《の》って

中学受験《ちゅうがくじゅけん》をひかえた小学生《しょうがくせい》の坂井渉《さかいわたる》は、じゅくに行《い》くためにいつもの電車《でんしゃ》に乗《の》ったつもりでした。ところが、様子《ようす》がどうも変《へん》。次々《つぎつぎ》に現《あらわ》れる不思議《ふしぎ》な乗客《じょうきゃく》たちはキツネの顔《かお》にねこの顔《かお》、止《と》まるはずの駅《えき》にも着《つ》かないし……。おかしな乗《じょう》客《きゃく》を乗《の》せておかしな世界《せかい》を走《はし》る風力電車《ふうりょくでんしゃ》に乗《の》った少年《しょうねん》の不《ふ》思議《しぎ》な旅《たび》。

【オススメ図書《としょ》】
『風力鉄道《ふうりょくてつどう》に乗《の》って』（童話《どうわ》パラダイス　理論社《りろんしゃ》）

◎サイモン・シン

フェルマーの最終定理《さいしゅうていり》

「3以上《いじょう》の自然数《しぜんすう》nについて、$x^n + y^n - z^n$となる自然数《しぜんすう》の組《くみ》（x、y、z）は存在《そんざい》しない」。一九九五年《ねん》に天才数学者《てんさいすうがくしゃ》ワイルズが完全証明《かんぜんしょうめい》を成《な》しとげるまで、三百五十年間《さんびゃくごじゅうねんかん》だれにも証明《しょうめい》できなかった数学界最大《すうがくかいさいだい》のちょう難問《なんもん》「フェルマーの最終定理《さいしゅうていり》」にいどんだ数学者《すうがくしゃ》たちの物語《ものがたり》。奇人《きじん》・変人《へんじん》・天才《てんさい》が登場《とうじょう》するばつぐんに面白《おもしろ》いお話《はなし》は、算数《さんすう》ぎらいでも問題《もんだい》なし！

【オススメ図書《としょ》】

『フェルマーの最終定理《さいしゅうていり》』（青木薫《あおきかおる》〔訳《やく》〕、新潮文庫《しんちょうぶんこ》）

◎笹生陽子《さそうようこ》

ぼくらのサイテーの夏《なつ》

小学生最後《しょうがくせいさいご》の夏休《なつやす》みは、サイテーの状態《じょうたい》で始《はじ》まった……。一学期《いちがっき》の終業式《しゅうぎょうしき》の日《ひ》、なぞの同級生《どうきゅうせい》との勝負《しょうぶ》で負《ま》けてケガをしたぼく。最悪《さいあく》の気分《きぶん》でいたぼくを待《ま》っていたのは、気《き》に入《い》らないあいつと二人《ふたり》きりでプールそうじをするというばつでした。友情《ゆうじょう》や家族《かぞく》が大人《おとな》ぶった少年《しょうねん》の目《め》を通《とお》してえがかれています。

【オススメ図書《としょ》】

『ぼくらのサイテーの夏《なつ》』（講談社文庫《こうだんしゃぶんこ》）

◎サムイル・マルシャーク

森《もり》は生《い》きている

真冬《まふゆ》のさなかの大《おお》みそか、四月《しがつ》の花《はな》マツユキソウが欲《ほ》しいと、気《き》まぐれな女王《じょおう》が言《い》い出《だ》したから国中《くにじゅう》は大《おお》さわぎ。ごほうび目当《めあ》てのまま母《はは》の言《い》いつけで、夜中《よなか》のふぶきの森《もり》に行《い》かされた少女《しょうじょ》は、十二《じゅうに》の月《つき》の精《せい》たちに出会《であ》いました。スラブの民《みん》話《わ》を基《もと》にして作《つく》られた児童劇《じどうげき》。

【オススメ図書《としょ》】

『森《もり》は生きている』（湯浅芳子《ゆあさよしこ》〔訳《やく》〕、岩波少年文庫《いわなみしょうねんぶんこ》）

◎ジェイムズ・ノウルズ

アーサー王物語《おうものがたり》

だれもぬけなかった剣《けん》を岩《いわ》から引《ひ》きぬき、「選《えら》ばれた王《おう》」となったアーサー。知恵深《ちえぶか》き魔術師《まじゅつし》マーリンと勇《ゆう》かんな円卓《えんたく》の騎士《きし》たちの力《ちから》を借《か》りて、湖《みずうみ》の乙女《おとめ》から授《さず》けられた聖剣《せいけん》エスクカリバーを持《も》ったアーサー王《おう》は、ブリテン国《こく》を統一《とういつ》します。世界中《せかいじゅう》で愛《あい》される伝説《でんせつ》の騎士王《きしおう》の冒険物語《ぼうけんものがたり》です。

【オススメ図書《としょ》】

『アーサー王物語《おうものがたり》』（金原瑞人《かねはらみずひと》〔訳《やく》〕、偕成社文庫《かいせいしゃぶんこ》）

◎ジェローム・ディヴィッド・サリンジャー

ライ麦畑《むぎばたけ》でつかまえて

154ページ参照《さんしょう》

◎志賀直哉《しがなおや》

小僧《こぞう》の神様《かみさま》

神田《かんだ》でほうこうをしている小僧《こぞう》の仙吉《せんきち》は、うわさのすしを食《た》べたいと思《おも》っていました。するとある日《ひ》、ぐう然出会《ぜんであ》った男《おとこ》が、すしをおごってくれたのです。仙吉《せんきち》は男《おとこ》のことを神様《かみさま》ではないかと思《おも》うのでした。深《ふか》い人間観察《にんげんかんさつ》とするどいびょう写《しゃ》力《りょく》で知《し》られる短編《たんぺん》の名手《めいしゅ》、志賀直哉《しがなおや》の代表作《だいひょうさく》。

【オススメ図書《としょ》】
『小僧《こぞう》の神様《かみさま》・城《き》の崎《さき》にて』（新潮文庫《しんちょうぶんこ》）

◎十返舎一九《じっぺんしゃいっく》
東海道中膝栗毛《とうかいどうちゅうひざくりげ》
192ページ参照《さんしょう》

◎島崎藤村《しまざきとうそん》
春《はる》
194ページ参照《さんしょう》

◎下村湖人《しもむらこじん》
次郎物語《じろうものがたり》

本田家《ほんだけ》の次男《じなん》に生《う》まれた次郎《じろう》は里子《さとご》に出《だ》されるものの、母親《ははおや》代《が》わりのお浜《はま》の愛《あい》に包《つつ》まれて、のびのびと育《そだ》ちます。ところが、五歳《ごさい》のある日《ひ》に生家《せいか》につれもどされてからは、次郎《じろう》は実《じっ》家《か》になじめません。愛《あい》にうえ、なやみながら育《そだ》つ次郎《じろう》の姿《すがた》をえがいた「少年《しょうねん》の成長物語《せいちょうものがたり》」として有名《ゆうめい》な名作《めいさく》です。

【オススメ図書《としょ》】
『次郎物語《じろうものがたり》（上下巻《じょうげかん》）』（講談社青《こうだんしゃあお》い鳥文庫《とりぶんこ》）

◎シャーロット・ブロンテ
ジェイン・エア
156ページ参照《さんしょう》

◎ジュール・ヴェルヌ
海底二万里《かいていにまんり》
158ページ参照《さんしょう》

◎ジョゼフ・ラドヤード・キップリング
ジャングル・ブック
160ページ参照《さんしょう》

◎杉原幸子《すぎはらゆきこ》・杉原弘樹《すぎはらひろき》
杉原千畝物語《すぎはらちうねものがたり》　命《いのち》のビザをありがとう

一九三九年《ねん》、杉原千畝《すぎはらちうね》は第二次世界大戦《だいにじせかいたいせん》の最中《さいちゅう》にリトアニアの日本領事館《にほんりょうじかん》の領事代理《りょうじだいり》になりました。彼《かれ》は、はく害《がい》されたユダヤ人《じん》を救《すく》うために通過《つうか》ビザを発給《はっきゅう》し、六千人《ろくせんにん》のユダヤ人《じん》の命《いのち》を救《すく》いました。しかしこれは、外務省《がいむしょう》の命令《めいれい》にそむいた行為《こうい》だったのです。後世《こうせい》、世界中《せかいじゅう》の人々《ひとびと》は、彼《かれ》の行為《こうい》を絶賛《ぜっさん》しました。自《みずか》らの良心《りょうしん》に従《したが》った外交官《がいこうかん》の生《しょう》がい。

【オススメ図書《としょ》】
『杉原千畝物語《すぎはらちうねものがたり》　命《いのち》のビザをありがとう』（フォア文庫《ぶんこ》　金《きん》の星社《ほししゃ》）

◎スティーヴン・キング
刑務所《けいむしょ》のリタ・ヘイワース

レッドはショーシャンク刑務所《けいむしょ》に服役《ふくえき》し、囚人《しゅうじん》たちの身《み》の回《まわ》りの品《しな》を入手《にゅうしゅ》する調達屋《ちょうたつや》をしていました。そこに、アンディーという男《おとこ》が殺人罪《さつじんざい》で入所《にゅうしょ》してきます。無実《むじつ》の罪《つみ》をうったえるアンディーは、レッドに女優《じょゆう》のリタ・ヘイワースのポスターの調達《ちょうたつ》をいらいしてきました。映画《えいが》の名作《めいさく》『ショーシャンクの空《そら》に』の原作《げんさく》として有名《ゆうめい》な作品《さくひん》。

【オススメ図書《としょ》】
『ゴールデンボーイ——恐怖《きょうふ》の四季《しき》　春夏編《はるなつへん》——』所収《しょしゅう》（浅倉久志《あさくらひさし》〔訳《やく》〕、新潮文庫《しんちょうぶんこ》）

◎スティーヴン・キング
スタンド・バイ・ミー

三十《さんじっ》キロ先《さき》の森《もり》のおくに子《こ》どもの死体《したい》があることを知《し》った四《よ》人《にん》の少年《しょうねん》たちは、死体探《したいさが》しの旅《たび》に出《で》ます。その動機《どうき》は「死体《したい》を見《み》つければ有名《ゆうめい》になれる」という単純《たんじゅん》なものでした……。仲間《なかま》の一人《ひとり》だった作家《さっか》が、無《む》じゃ気《き》な少年《しょうねん》の日々《ひび》をえがいた作品《さくひん》。同名《どうめい》の映画《えいが》・主題歌《しゅだいか》も世界中《せかいじゅう》でヒットしました。

【オススメ図書《としょ》】
『スタンド・バイ・ミー——恐怖《きょうふ》の四季《しき》　秋冬編《あきふゆへん》——』（山田順子《やまだじゅんこ》〔訳《やく》〕、新潮文庫《しんちょうぶんこ》）

◎田川日出夫《たがわひでお》
生物《せいぶつ》の消《き》えた島《しま》

一八八三年《ねん》、インドネシアのクラカタウ島《とう》の大噴火《だいふんか》は、人間《にんげん》も動物《どうぶつ》も植物《しょくぶつ》も、すべての命《いのち》をうばいました。一《いっ》か月後《げつご》に上陸《じょうりく》した科学者《かがくしゃ》の目《め》にうつったのは完全《かんぜん》な死《し》の世界《せかい》。しかし、何年《なんねん》もかけて調査《ちょうさ》を続《つづ》けていくと、少《すこ》しずつ生物《せいぶつ》が現《あらわ》れ始《はじ》めたのです！　どこから、どうやって現《あらわ》れた？　世界中《せかいじゅう》の生物学者《せいぶつがくしゃ》をおどろかせた現代《げんだい》の「天地創造《てんちそうぞう》」の物語《ものがたり》。

【オススメ図書《としょ》】
『生物《せいぶつ》の消《き》えた島《しま》』（福音館《ふくいんかん》の科学《かがく》シリーズ）

◎太宰治《だざいおさむ》
猿《さる》ケ《が》島《しま》

196ページ参照《さんしょう》

人間失格《にんげんしっかく》

198ページ参照《さんしょう》

支倉常長《はせくらつねなが》　武士《ぶし》、ローマを行進《こうしん》す

◎田中英道《たなかひでみち》

戦国時代《せんごくじだい》の気風《きふう》がまだ残《のこ》る江戸時代初期《えどじだいしょき》、東北《とうほく》の英雄伊達政宗《えいゆうだてまさむね》は、家臣《かしん》の支倉常長《はせくらつねなが》をスペイン・ローマに派《は》けんしました。ローマの人々《ひとびと》は初《はじ》めて見《み》る武士《ぶし》たちの姿《すがた》に、おどろいたと伝《つた》わります。日本人初《にほんじんはつ》の西洋使節《せいようしせつ》として成功《せいこう》した武士《ぶし》の物語《ものがたり》。

【オススメ図書《としょ》】
『支倉常長《はせくらつねなが》　武士《ぶし》、ローマを行進《こうしん》す』（ミネルヴァ日本評伝選《にほんひょうでんせん》）

六号病室《ろくごうびょうしつ》のなかまたち

◎ダニエラ・カルミ

弟《おとうと》を戦争《せんそう》で殺《ころ》された少年《しょうねん》サミールは、イスラエル人《じん》をにくんでいました。しかし、ひざの手術《しゅじゅつ》のため入院《にゅういん》したサミールは、同《おな》じ病室《びょうしつ》のイスラエルの子《こ》どもたちと少《すこ》しずつ会話《かいわ》をすることで、みんなと仲良《なかよ》くなっていきます。民族間《みんぞくかん》のにくしみをこえて、人間同士《にんげんどうし》の友情《ゆうじょう》をえがいた作品《さくひん》です。

【オススメ図書《としょ》】
『六号病室《ろくごうびょうしつ》のなかまたち』（樋口範子《ひぐちのりこ》〔訳《やく》〕、外国《がいこく》の読《よ》みものシリーズ　さ・え・ら書房《しょぼう》）

クリスマス・キャロル

◎チャールズ・ディケンズ

162ページ参照《さんしょう》

ぼくのメジャースプーン

◎辻村深月《つじむらみづき》

小学四年生《しょうがくよねんせい》になった「ぼく」の学校《がっこう》で、うさぎたちが殺《ころ》されました。幼《おさな》なじみのふみちゃんは、以来《いらい》、心《こころ》を固《かた》く閉《と》ざし、言葉《ことば》を失《うしな》いました。ふみちゃんの心《こころ》を取《と》りもどすため、「ぼく」はお母《かあ》さんに禁《きん》じられた特別《とくべつ》な「能力《のうりょく》」を使《つか》って、犯罪者《はんざいしゃ》たちに復《ふく》しゅうすることをちかいました。人《ひと》の善悪《ぜんあく》とは、愛《あい》とはなにかを考《かんが》えさせられる小説《しょうせつ》です。

【オススメ図書《としょ》】
『ぼくのメジャースプーン』（講談社文庫《こうだんしゃぶんこ》）

家族八景《かぞくはっけい》

◎筒井康隆《つついやすたか》

人《ひと》の心《こころ》が読《よ》めるテレパシー能力《のうりょく》を持《も》った十八歳《じゅうはっさい》のむすめ、七瀬《ななせ》は住《す》み込《こ》みのお手伝《てつだ》いさんとなって、いろいろな家庭《かてい》を転々《てんてん》とします。一見温《いっけんあたた》かく見《み》える各家庭《かくかてい》の中《なか》に、テレパスの七瀬《ななせ》は欲望《よくぼう》がむき出《だ》しの家族《かぞく》の心《こころ》を見《み》てしまうのです。日《にち》常《じょう》にひそむ、家族間《かぞくかん》のやみをえぐり出《だ》すSF《エスエフ》短編連作《たんぺんれんさく》。『七《なな》瀬《せ》ふたたび』は、その続編《ぞくへん》。

【オススメ図書《としょ》】

『家族八景《かぞくはっけい》』（新潮文庫《しんちょうぶんこ》）

◎壺井栄《つぼいさかえ》

二十四《にじゅうし》の瞳《ひとみ》

200ページ参照《さんしょう》

◎天童荒太《てんどうあらた》

包帯《ほうたい》クラブ

この世界《せかい》のどこかで、私《わたし》の痛《いた》み、傷《きず》を知《し》ってくれている人《ひと》がいる。それなら私《わたし》は明日《あした》も生《い》きていける……。女子校生《じょしこうせい》のワラは、変《か》わった男子高生《だんしこうせい》ディノに会《あ》ったことがきっかけで、包帯《ほうたい》クラブを結成《けっせい》します。その内容《ないよう》は、傷《きず》を受《う》けた体《からだ》にではなく、自分《じぶん》に傷《きず》をつけた原因《げんいん》があった場所《ばしょ》に包帯《ほうたい》を巻《ま》くことでした。体《からだ》と心《こころ》が傷《きず》ついた少年少女《しょうねんしょうじょ》たちの物語《ものがたり》。

【オススメ図書《としょ》】

『包帯《ほうたい》クラブ』（ちくま文庫《ぶんこ》）

◎天藤真《てんどうしん》

大誘拐《だいゆうかい》

けいむ所《しょ》で知《し》り合《あ》った健次《けんじ》、正義《まさよし》、平太《へいた》の三人《さんにん》は、更生《こうせい》するためには大金《たいきん》が必要《ひつよう》と考《かんが》え、最後《さいご》の悪事《あくじ》を計画《けいかく》。三人《さんにん》は大《おお》金持《がねも》ちの老婆《ろうば》・とし子《こ》を誘拐《ゆうかい》しますが、このおばあちゃんはただ者《もの》ではありませんでした。なんと自分《じぶん》の身代金《みのしろきん》を勝手《かって》に百億円《ひゃくおくえん》と決《き》め、三人組《さんにんぐみ》に誘拐計画《ゆうかいけいかく》の指図《さしず》を始《はじ》めたのです。日《に》本全国《ほんぜんこく》を大《だい》そう動《どう》に巻《ま》きこんだ大笑《おおわら》いの大誘拐劇《だいゆうかいげき》！

【オススメ図書《としょ》】

『大誘拐《だいゆうかい》　天藤真推理小説全集《てんどうしんすいりしょうせつぜんしゅう》9』（創元推理文庫《そうげんすいりぶんこ》）

◎トーマス・マン

トーニオ・クレーガー

二十世紀初頭《にじゅっせいきしょとう》のドイツ、トーニオは孤独癖《こどくへき》があり文学《ぶんがく》しゅみを持《も》つためか、周囲《しゅうい》からういた少年《しょうねん》でした。親友《しんゆう》になりたかった美青年《びせいねん》ハンスや恋《こい》するインゲボルクともわかりあえず、「ふつうの人《ひと》」にあこがれて青年時代《せいねんじだい》を過《す》ごしたトーニオは、やがて芸術家《げいじゅつか》として成功《せいこう》していきます。大江健三郎《おおえけんざぶろう》や北杜夫《きたもりお》など、日本《にほん》の作家《さっか》もえいきょうされた巨匠《きょしょう》マンの青《せい》春《しゅん》小説《しょうせつ》。

【オススメ図書《としょ》】

『トーニオ・クレーガー　他一篇《ほかいっぺん》』（平野卿子《ひらのきょうこ》〔訳《やく》〕、河出文庫《かわでぶんこ》）

川《かわ》は生《い》きている

◎富山和子《とみやまかずこ》

人類《じんるい》の歴史《れきし》は、はんらんする川《かわ》との戦《たたか》いの歴史《れきし》です。世界《せかい》でも急流《きゅうりゅう》として知《し》られる日本《にほん》の川《かわ》も、大雨《おおあめ》が降《ふ》ればこう水《ずい》を起《お》こす「あばれ川《がわ》」。ダムやていぼうを作《つく》っても、なかなかこう水《ずい》は治《おさ》まらないのはなぜでしょう？　自然《しぜん》と人間《にんげん》のかかわりを教《おし》えてくれる小中学生必読《しょうちゅうがくせいひつどく》のノンフィクション。

【オススメ図書《としょ》】
『川《かわ》は生《い》きている』（講談社青い鳥文庫《こうだんしゃあおいとりぶんこ》）

ミリアム

◎トルーマン・カポーティ

ニューヨークに住《す》む未亡人《みぼうじん》ミラーは、雪《ゆき》の降《ふ》る夜《よる》、「ミリアム」と名乗《なの》る美《うつく》しい少女《しょうじょ》と出会《であ》いました。以来《いらい》、ミリアムはたびたびミラーの家《いえ》にやってきて、好《す》き勝手《かって》にふるまい始《はじ》めます。次第《しだい》にきょうふが強《つよ》まるミラー。ミリアムとは一体何者《いったいなにもの》なのか。若《わか》き天才《てんさい》と称《しょう》されたカポーティの初期短編《しょきたんぺん》。

【オススメ図書《としょ》】
『夜《よる》の樹《き》』所収《しょしゅう》（川本三郎《かわもとさぶろう》〔訳《やく》〕、新潮文庫《しんちょうぶんこ》）

◎中島敦《なかじまあつし》

山月記《さんげつき》

202ページ参照《さんしょう》

名人伝《めいじんでん》

204ページ参照《さんしょう》

汚《よご》れつちまった悲《かな》しみに

◎中原中也《なかはらちゅうや》

「汚《よご》れつちまった悲《かな》しみに　今日《きょう》も小雪《こゆき》の降《ふ》りかかる　汚《よご》れつちまった悲《かな》しみに　今日《きょう》も風《かぜ》さへ吹《ふ》きすぎる」。せん細《さい》な感性《かんせい》に激《はげ》しい感情《かんじょう》をのせて、言葉《ことば》をたたきつけるようにうたいあげた天才詩人《てんさいしじん》・中原中也《なかはらちゅうや》の詩集《ししゅう》。今《いま》なお、私《わたし》たちの心《こころ》をゆさぶる美《うつく》しくあいせつに満《み》ちた中也《ちゅうや》の詩《し》を味《あじ》わってみてください。

【オススメ図書《としょ》】
『汚《よご》れつちまった悲《かな》しみに……中原中也詩集《なかはらちゅうやししゅう》』（佐々木幹郎《ささきみきろう》〔編《へん》〕、角川文庫《かどかわぶんこ》）

◎なだいなだ

TN君《ティーエヌくん》の伝記《でんき》

明治維新《めいじいしん》の時代《じだい》、土佐《とさ》の足軽《あしがる》の子《こ》に生《う》まれ、ルソーに学《まな》び、人間《にんげん》の自由《じゆう》を求《もと》めつづけた思想家《しそうか》・TN君《ティーエヌくん》。名前《なまえ》は出《だ》しません。だって、大事《だいじ》なものは彼《かれ》の名前《なまえ》じゃなくて、彼《かれ》のしてきたことだから。彼《かれ》の目《め》を通《とお》して、明治《めいじ》という時代《じだい》から現代《げんだい》までつながるいろいろな問題《もんだい》について考《かんが》えます。伝記《でんき》なのに主人公《しゅじんこう》の名前《なまえ》が出《で》ない、異色《いしょく》の伝記文学《でんきぶんがく》のけっ作《さく》です。

【オススメ図書《としょ》】
『TN君《ティーエヌくん》の伝記《でんき》』（福音館文庫《ふくいんかんぶんこ》 ノンフィクション）

◎滑川道夫《なめかわみちお》

野口英世《のぐちひでよ》

一八七六年《ねん》、福島県《ふくしまけん》の貧《まず》しい農家《のうか》に生《う》まれた野口英世《のぐちひでよ》は、小《ちい》さなころの大火傷《おおやけど》が原因《げんいん》で、左手《ひだりて》が不自由《ふじゆう》になりました。しかし、お母《かあ》さんのはげましで勉強《べんきょう》をし、医学《いがく》を志《こころざ》したのです。そして、細菌学《さいきんがく》の研究者《けんきゅうしゃ》になり黄熱病《おうねつびょう》や梅毒《ばいどく》のなぞを解明《かいめい》しました。世界《せかい》に大《おお》きなこうけんをした野口英世《のぐちひでよ》の伝記《でんき》です。

【オススメ図書《としょ》】
『野口英世《のぐちひでよ》』（講談社《こうだんしゃ》 火《ひ》の鳥伝記文庫《とりでんきぶんこ》）

◎ナンシー・ウッド

今日《きょう》は死《し》ぬのにもってこいの日《ひ》

「今日《きょう》は死《し》ぬのにもってこいの日《ひ》だ。生《い》きているものすべてが、私《わたし》と呼吸《こきゅう》を合《あ》わせている」。ネイティブアメリカン・プエブロ族《ぞく》の古老《ころう》たちの、単純《たんじゅん》ゆえに骨太《ほねぶと》な死生観《しせいかん》が感動《かんどう》を呼《よ》び起《お》こす、詩《し》と散文《さんぶん》の人生《じんせい》てつ学《がく》。大地《だいち》に生《い》きる大《おお》いなる生命《せいめい》の賛歌《さんか》を感《かん》じ取《と》ることができます。

【オススメ図書《としょ》】
『今日《きょう》は死《し》ぬのにもってこいの日《ひ》』（金関寿夫《かなせきひさお》〔訳《やく》〕、めるくまーる）

◎新田次郎《にったじろう》

つぶやき岩《いわ》の秘密《ひみつ》

六年生《ろくねんせい》の紫郎《しろう》は、海《うみ》のつぶやきを聞《き》くのが好《す》きでした。両親《りょうしん》を亡《な》くした紫郎《しろう》は、岩場《いわば》に耳《みみ》を当《あ》てることで母《はは》の声《こえ》が聞《き》こえるような気《き》がしていたのです。ある日《ひ》、紫郎《しろう》は人《ひと》が通《とお》れないがけの半《なか》ばに人影《ひとかげ》を見《み》ます。以来《いらい》、次々《つぎつぎ》に事件《じけん》が起《お》こり始《はじ》めました。がけの秘密《ひみつ》、暗号解読《あんごうかいどく》、両親《りょうしん》の死《し》のなぞ、冒険小説《ぼうけんしょうせつ》の要素《ようそ》がたっぷりつまった、心《こころ》がおどる少年小説《しょうねんしょうせつ》。

【オススメ図書《としょ》】
『つぶやき岩《いわ》の秘密《ひみつ》』（新潮文庫《しんちょうぶんこ》）

◎野坂昭如《のさかあきゆき》

火垂《ほた》るの墓《はか》

一九四五年《ねん》九月《がつ》、三ノ宮駅構内《さんのみやえきこうない》ですいじゃく死《し》した少年《しょうねん》が発見《はっけん》されました。所持品《しょじひん》にあったドロップかんの中《なか》の小《ちい》さな骨《ほね》は、彼《かれ》の妹《いもうと》のものでした。こぼれ落《お》ちた遺骨《いこつ》のまわりには、ほたるが飛《と》び交《か》っていました。戦火《せんか》の下《もと》、十四歳《じゅうよんさい》の兄《あに》と四歳《よんさい》の妹《いもうと》が悲劇的《ひげきてき》な死《し》をむかえる姿《すがた》をえがいた戦争悲劇《せんそうひげき》のけっ作短編《さくたんぺん》です。

【オススメ図書《としょ》】
『アメリカひじき・火垂《ほた》るの墓《はか》』（新潮文庫《しんちょうぶんこ》）

◎H・G・ウェルズ

宇宙戦争《うちゅうせんそう》

イギリスの一地方《いちちほう》に、ある晩《ばん》、いん石《せき》が落《お》ちました。そこから現《あらわ》れたのは、V字形《ブイじがた》にえぐれた口《くち》と巨大《きょだい》な二《ふた》つの目《め》、不気《ぶき》味《み》なしょく手《しゅ》をもつ生物《せいぶつ》でした。火星人《かせいじん》の地球《ちきゅう》しんりゃくが始《はじ》まったのです。SF小説《エスエフしょうせつ》の父《ちち》ウェルズの代表作《だいひょうさく》。

【オススメ図書《としょ》】
『宇宙戦争《うちゅうせんそう》』（雨沢泰《あめざわやすし》〔訳《やく》〕、偕成社文庫《かいせいしゃぶんこ》）

◎ハーマン・メルヴィル

白鯨《モビー・ディック》

164ページ参照《さんしょう》

◎灰谷健次郎《はいたにけんじろう》

兎《うさぎ》の眼《め》

学校《がっこう》ではまったくしゃべらない少年《しょうねん》・鉄三《てつぞう》がいる一年生《いちねんせい》のクラスを受《う》け持《も》った新任女性教師《しんにんじょせいきょうし》の小谷先生《こたにせんせい》。困《こま》り果《は》てる小谷《こたに》先生《せんせい》に同《どう》りょうの足立先生《あだちせんせい》は、何《なに》か大切《たいせつ》なものを見落《みお》としていないかとアドバイスします。そんな中《なか》、ちょっと変《か》わった転校生《てんこうせい》・みな子《こ》も加《くわ》わって、小谷先生《こたにせんせい》は四苦八苦《しくはっく》。みんなでなやんだり泣《な》いたりしながら、「大切《たいせつ》なもの」を見《み》つける物《もの》語《がたり》。

【オススメ図書《としょ》】
『兎《うさぎ》の眼《め》』（角川《かどかわ》つばさ文庫《ぶんこ》）

◎ハインリヒ・シュリーマン

古代《こだい》への情熱《じょうねつ》

166ページ参照《さんしょう》

◎パム・ポロック

スティーブ・ジョブズ

一九九七年《ねん》に、破《は》たん寸前《すんぜん》だったアップル社《しゃ》を再生《さいせい》させ、世《せ》界有数《かいゆうすう》の大企業《だいきぎょう》に成長《せいちょう》させたスティーブ・ジョブズ。彼《かれ》はパソコン、iPod《アイポッド》、iPhone《アイフォン》、iPad《アイパッド》などの美《うつく》しいデザインと機能《きのう》を持《も》った製品《せいひん》を作《つく》り出《だ》しました。当時《とうじ》のコンピューター事情《じじょう》や周辺《しゅうへん》の人物《じんぶつ》もわかる伝記《でんき》です。

【オススメ図書《としょ》】

『伝記《でんき》　スティーブ・ジョブズ』（伊藤菜摘子《いとうなつこ》〔訳《やく》〕、ポプラ社《しゃ》ノンフィクション）

◎久松《ひさまつ》ゆのみ

ココ・シャネル

二十世紀《にじゅっせいき》を代表《だいひょう》するファッションデザイナーが、ココ・シャネルです。レディース商品《しょうひん》を中心《ちゅうしん》に、服《ふく》しょく・化《け》しょう品《ひん》・こう水《すい》などをあつかうシャネルブランドを立《た》ち上《あ》げ、デザイナー、女性実業家《じょせいじつぎょうか》として活《かつ》やくしました。自由《じゆう》な発想《はっそう》と実行力《じっこうりょく》で時代《じだい》を変《か》えた女性《じょせい》の伝記《でんき》をマンガで楽《たの》しめます。

【オススメ図書《としょ》】

『ココ・シャネル』（塚田朋子《つかだともこ》〔監修《かんしゅう》〕、コミック版《ばん》世界《せかい》の伝記《でんき》　ポプラ社《しゃ》）

◎廣木明美《ひろきあけみ》

炎《ほのお》は消《き》えず　瓜生岩子物語《うりゅういわこものがたり》

医師《いし》のおじから教《おし》えられた実《じっ》せん的《てき》なてつ学《がく》と中絶防止《ちゅうぜつぼうし》の啓《けい》もう運動《うんどう》を学《まな》んだ瓜生岩子《うりゅういわこ》は、貧民《ひんみん》と共《とも》に生《い》き、貧民救済《ひんみんきゅうさい》に明《あ》け暮《く》れる人生《じんせい》を選《えら》びました。「菩薩《ぼさつ》の化身《けしん》」「日本《にほん》のナイチンゲール」ともしょうされた瓜生岩子《うりゅういわこ》の生《しょう》がいをえがいた伝記《でんき》です。

【オススメ図書《としょ》】

『炎《ほのお》は消《き》えず　瓜生岩子物語《うりゅういわこものがたり》』（文芸社《ぶんげいしゃ》）

◎ピョートル・エルショーフ

イワンとふしぎなこうま

三人兄弟《さんにんきょうだい》の末《すえ》っ子《こ》のイワンは、不思議《ふしぎ》なしゃべる小馬《こうま》を手《て》に入《い》れました。イワンは欲深《よくぶか》な王様《おうさま》から無理難題《むりなんだい》をふっかけられ、火《ひ》の鳥《とり》をつかまえたり、天空《てんくう》の館《やかた》へ旅立《たびだ》ったりする冒険《ぼうけん》の旅《たび》に出《で》ます。ロシア民話《みんわ》をもとに、詩人《しじん》エルショーフが詩《し》の形式《けいしき》で書《か》いた物語《ものがたり》。

【オススメ図書《としょ》】

『イワンとふしぎなこうま』（浦雅春《うらまさはる》〔訳《やく》〕、岩波少年文庫《いわなみしょうねんぶんこ》）

◎フィリパ・ピアス

トムは真夜中《まよなか》の庭《にわ》で

真夜中《まよなか》に古時計《ふるどけい》が十三回《じゅうさんかい》鳴《な》るのを聞《き》いたトムが庭園《ていえん》に出《で》たところ、ヴィクトリア時代《じだい》の不思議《ふしぎ》な少女《しょうじょ》ハティと知《し》り合《あ》いました。「時間《じかん》」という説明《せつめい》の難《むずか》しいがい念《ねん》を上手《じょうず》にあつかい、歴史《れきし》と幻想《げんそう》をたくみに織《お》りまぜたけっ作《さく》ファンタジー。

【オススメ図書《としょ》】
『トムは真夜中《まよなか》の庭《にわ》で』（高杉一郎《たかすぎいちろう》〔訳《やく》〕、岩波少年文庫《いわなみしょうねんぶんこ》）

◎藤沢周平《ふじざわしゅうへい》

蝉《せみ》しぐれ

東北《とうほく》の小藩《しょうはん》・海坂藩《うなさかはん》の武家《ぶけ》の息子《むすこ》、十五歳《じゅうごさい》の文四郎《ぶんしろう》は、父《ちち》の切腹《せっぷく》という悲劇《ひげき》をむかえますが、貧困《ひんこん》や周囲《しゅうい》の心《こころ》ない仕《し》打《う》ちにたえつつ、たくましく成長《せいちょう》してゆきます。友情《ゆうじょう》、家《か》族《ぞく》、初恋《はつこい》などふへん的《てき》なエピソードが多《おお》くの読者《どくしゃ》の共感《きょうかん》を呼《よ》び、長編時代小説《ちょうへんじだいしょうせつ》の中《なか》で不動《ふどう》の人気《にんき》をほこるけっ作《さく》です。

【オススメ図書《としょ》】
『蝉《せみ》しぐれ（上下巻《じょうげかん》）』（文春文庫《ぶんしゅんぶんこ》）

◎藤沢周平《ふじさわしゅうへい》

用心棒日月抄《ようじんぼうじつげっしょう》

東北《とうほく》の小藩《しょうはん》の武士《ぶし》・青江又八郎《あおえまたはちろう》は、藩《はん》の秘密《ひみつ》を知《し》ってしまい、妻《つま》と別《わか》れて脱藩《だっぱん》し、生活《せいかつ》のために江戸《えど》で用心棒稼業《ようじんぼうかぎょう》を始《はじ》めます。ところが、江戸《えど》では赤穂藩《あこうはん》の浪人《ろうにん》が吉良上野介《きらこうずけのすけ》を討《う》つといううわさでもちきりでした。友情《ゆうじょう》、笑《わら》い、剣劇《けんげき》と、時代《じだい》小説《しょうせつ》の面白《おもしろ》さがたっぷりつまった連作短編小説《れんさくたんぺんしょうせつ》。

【オススメ図書《としょ》】
『用心棒日月抄《ようじんぼうじつげっしょう》』（新潮文庫《しんちょうぶんこ》）

◎フョードル・ドストエフスキー

罪《つみ》と罰《ばつ》

168ページ参照《さんしょう》

◎フランツ・カフカ

変身《へんしん》

ある朝《あさ》、目覚《めざ》めた平《へい》ぼんなセールスマンのザムザは、自分《じぶん》の姿《すがた》が巨大《きょだい》な毒虫《どくむし》に変《か》わってしまったことを知《し》りました。理由《りゆう》も原因《げんいん》もありません。ザムザは外《そと》に出《で》ることもなくなり、家《か》族《ぞく》もとほうにくれます……。人間《にんげん》の孤独《こどく》をあらわにした世界《せかい》的《てき》に有名《ゆうめい》な短編《たんぺん》。

【オススメ図書《としょ》】
『変身《へんしん》』（中井正文《なかいまさふみ》〔訳《やく》〕、角川文庫《かどかわぶんこ》）

◎ヘルマン・ヘッセ

車輪《しゃりん》の下《した》

周囲《しゅうい》の人々《ひとびと》の期待《きたい》にこたえるため、神学校《しんがっこう》の入学試験《にゅうがくしけん》に通《とお》ったハンス。でも、神学校《しんがっこう》での生活《せいかつ》は規則《きそく》ずくめで、次第《しだい》にハンスの心《こころ》はつかれていきました。そして、ハンスは神学《しんがっ》校《こう》を退学《たいがく》しますが……。期待《きたい》を一身《いっしん》に受《う》けた少年《しょうねん》が心《こころ》をつぶされていく様子《ようす》がいたましい、作者《さくしゃ》の自伝的長編小説《じでんてきちょうへんしょうせつ》。

【オススメ図書《としょ》】
『車輪《しゃりん》の下《した》』（高橋健二《たかはしけんじ》〔訳《やく》〕、新潮文庫《しんちょうぶんこ》）

◎堀辰雄《ほりたつお》

風立《かぜた》ちぬ

206ページ参照《さんしょう》

◎マーガレット・ミッチェル

風《かぜ》と共《とも》に去《さ》りぬ

170ページ参照《さんしょう》

◎マーク・トウェイン

ハックルベリー・フィンの冒険《ぼうけん》

172ページ参照《さんしょう》

◎マイケル・モーパーゴ

モーツァルトはおことわり

新人記者《しんじんきしゃ》が世界的《せかいてき》バイオリニストのパオロにインタビューすることになりました。パオロは決《けっ》してモーツァルトを演奏《えんそう》しません。その理由《りゆう》は、ナチス強制収容所《きょうせいしゅうようじょ》での悲《かな》しい記《き》おくとつながっていたのです。第二次世界大戦《だいにじせかいたいせん》でくり返《かえ》された悲《ひ》劇《げき》を、音楽《おんがく》を通《とお》してえがく悲《かな》しく美《うつく》しい絵本《えほん》です。

【オススメ図書《としょ》】
『モーツァルトはおことわり』（さくまゆみこ〔訳《やく》〕、岩崎書店《いわさきしょてん》）

◎ミヒャエル・エンデ

モモ

町《まち》はずれの円形劇場《えんけいげきじょう》に住《す》むモモは、人《ひと》の話《はなし》を聞《き》くことで、その人《ひと》を幸《しあわ》せにする力《ちから》を持《も》つ不思議《ふしぎ》な少女《しょうじょ》。ところが、町《まち》に「時間《じかん》どろぼう」たちが現《あらわ》れて、人々《ひとびと》の時間《じかん》をうばい始《はじ》めました。モモはみんなの時間《じかん》を取《と》りもどすために、「時間《じかん》どろぼう」に立《た》ち向《む》かいます。世界中《せかいじゅう》に愛《あい》される名作《めいさく》。

【オススメ図書《としょ》】
『モモ』（大島《おおしま》かおり〔訳《やく》〕、岩波少年文庫《いわなみしょうねんぶんこ》）

◎宮下奈都《みやしたなつ》

羊《ひつじ》と鋼《はがね》の森《もり》

高校《こうこう》二年生《にねんせい》の時《とき》、ぐう然《ぜん》ピアノ調律師《ちょうりつし》の板鳥《いたどり》と出会《であ》ったことがきっかけで、調律師《ちょうりつし》になった外村《そとむら》。外村《そとむら》は、ピアノを愛《あい》する姉妹《しまい》や個性豊《こせいゆた》かな先《せん》ぱいたちと向《む》き合《あ》いながら、音《おと》の世界《せかい》「調律《ちょうりつ》の森《もり》」へと分《わ》け入《い》っていきます。調律《ちょうりつ》の世界《せかい》にみせられた青年《せいねん》の成長《せいちょう》をえがく感動物語《かんどうものがたり》。

【オススメ図書《としょ》】
『羊《ひつじ》と鋼《はがね》の森《もり》』（文春文庫《ぶんしゅんぶんこ》）

◎モーリス・メーテルリンク

青《あお》い鳥《とり》

174ページ参照《さんしょう》

◎森鷗外《もりおうがい》

最後《さいご》の一句《いっく》

208ページ参照《さんしょう》

山椒大夫《さんしょうだゆう》

210ページ参照《さんしょう》

◎安岡章太郎《やすおかしょうたろう》

サアカスの馬《うま》

なんのとりえもないぼくは、「まあいいや、どうだって」が口《くち》ぐせのクラスの落《お》ちこぼれ。ある日《ひ》、そんなぼくの前《まえ》にサーカスがやってきました。よぼよぼのサーカスの馬《うま》を見《み》たぼくは、落《お》ちこぼれの同類《どうるい》だと思《おも》い、馬《うま》に共感《きょうかん》を覚《おぼ》えました。ところが実《じつ》は、馬《うま》はサーカスの花形《はながた》スターだったのです。読《よ》み終《お》わると、自分《じぶん》もがんばろう、という気《き》になる作品《さくひん》です。

【オススメ図書《としょ》】
『サアカスの馬《うま》・童謡《どうよう》』（21世紀版《せいきばん》・少年少女日本文学館《しょうねんしょうじょにほんぶんがくかん》18　講談社《こうだんしゃ》）

◎椰月美智子《やづきみちこ》

しずかな日々《ひび》

ぼくは時《とき》おり、あのころのことをていねいに思《おも》い出《だ》す。ぼくはいつだってもどることができる。あの、はじまりの夏《なつ》に――。五年生《ごねんせい》の夏《なつ》から過《す》ごし始《はじ》めたおじいさんの家《いえ》での日々《ひび》は、ぼくにとって唯一無二《ゆういつむに》の帰《かえ》る場所《ばしょ》なのです。「人生《じんせい》とは劇的《げきてき》ではない」と思《おも》うぼくが、少年《しょうねん》の日々《ひび》をふり返《かえ》る感動作《かんどうさく》。

【オススメ図書《としょ》】
『しずかな日々《ひび》』（講談社文庫《こうだんしゃぶんこ》）

◎柳田国男《やなぎたくにお》

遠野物語《とおのものがたり》

東北《とうほく》に伝《つた》わる天狗《てんぐ》や座敷童子《ざしきわらし》などの妖怪《ようかい》や不思議《ふしぎ》な出来事《できごと》、風習《ふうしゅう》をていねいに集《あつ》めた名作《めいさく》『遠野物語《とおのものがたり》』を、わかりやすい現代口語文《げんだいこうごぶん》に再構成《さいこうせい》した作品《さくひん》。いつか読《よ》みたい原典《げんてん》への橋《はし》わたしをしてくれる良書《りょうしょ》です。

【オススメ図書《としょ》】

『口語訳《こうごやく》 遠野物語《とおのものがたり》』（佐藤誠輔《さとうせいゆう》〔訳《やく》〕、小田富英《おだとみひで》〔注釈《ちゅうしゃく》〕、河出文庫《かわでぶんこ》）

◎やなぎやけいこ

マザー・テレサ

最《もっと》も貧《まず》しい人々《ひとびと》の間《あいだ》で働《はたら》くこと、それがマザー・テレサの願《ねが》いでした。彼女《かのじょ》は修道院《しゅうどういん》を出《で》て、たった一人《ひとり》でカルカッタのスラム街《がい》の中《なか》へ入《はい》っていき、学校《がっこう》に行《い》けないホームレスの子《こ》どもたちを集《あつ》めて街頭《がいとう》での無料授業《むりょうじゅぎょう》を行《おこな》ったのです。たった一人《ひとり》で世界《せかい》を動《うご》かした「愛《あい》の力《ちから》」の物語《ものがたり》。

【オススメ図書《としょ》】

『子《こ》どもの伝記《でんき》2　マザー・テレサ』（ポプラポケット文庫《ぶんこ》）

◎山本周五郎《やまもとしゅうごろう》

赤《あか》ひげ診療譚《しんりょうたん》

長崎《ながさき》で医学《いがく》を学《まな》んだ保本登《やすもとのぼる》は、江戸《えど》の小石川養生所《こいしがわようじょうしょ》で働《はたら》くことになりました。養生所《ようじょうしょ》の責任者《せきにんしゃ》は「赤《あか》ひげ」と呼《よ》ばれる新出去定《にいできょじょう》。当初《とうしょ》は、新出《にいで》の乱暴《らんぼう》な言動《げんどう》に反発《はんぱつ》を覚《おぼ》えた登《のぼる》でしたが、貧《まず》しく不幸《ふこう》な人々《ひとびと》のために最善《さいぜん》をつくす新出《にいで》の姿《すがた》に、次第《しだい》にひかれていくのでした。ヒューマンドラマの名作《めいさく》として名高《なだか》い八《やっ》つの連作短編小説《れんさくたんぺんしょうせつ》です。

【オススメ図書《としょ》】

『赤《あか》ひげ診療譚《しんりょうたん》』（新潮文庫《しんちょうぶんこ》）

◎夢野久作《ゆめのきゅうさく》

虫《むし》の生命《いのち》

212ページ参照《さんしょう》

◎湯本香樹実《ゆもとかずみ》

夏《なつ》の庭《にわ》―The《ザ》 Friends《フレンズ》―

「人《ひと》が死《し》ぬしゅん間《かん》が見《み》たい」という考《かんが》えから、六年生《ろくねんせい》のぼくと山下《やました》、河辺《かわべ》の三人《さんにん》は、近所《きんじょ》に住《す》む一人暮《ひとりぐ》らしのおじいさんを観察《かんさつ》することにしました。三人《さんにん》はおじいさんとふれ合《あ》ううち、だんだん仲良《なかよ》くなっていき、やがて友情《ゆうじょう》で結《むす》ばれるのですが……。世界各国《せかいかっこく》で愛読《あいどく》されている児童文学《じどうぶんがく》の名作《めいさく》。

【オススメ図書《としょ》】

『夏《なつ》の庭《にわ》―The《ザ》 Friends《フレンズ》―』（新潮文庫《しんちょうぶんこ》）

◎ヨースタイン・ゴルデル

ソフィーの世界《せかい》

哲学者《てつがくしゃ》からの不思議《ふしぎ》な手紙《てがみ》

ある日《ひ》、十四歳《じゅうよんさい》の少女《しょうじょ》ソフィーのもとに差出人不明《さしだしにんふめい》の手紙《てがみ》が届《とど》きました。「あなたはだれ？」その手紙《てがみ》にある、たった一行《いちぎょう》の言葉《ことば》に、ソフィーは考《かんが》えこみます。「私《わたし》っていったいだれなんだろう？」ファンタジーミステリー仕立《じた》てで書《か》かれた、楽《たの》しく読《よ》める西洋哲学《せいようてつがく》の入門書《にゅうもんしょ》です。

【オススメ図書《としょ》】
『ソフィーの世界《せかい》　哲学者《てつがくしゃ》からの不思議《ふしぎ》な手紙《てがみ》（上下巻《じょうげかん》）』（池田香代子《いけだかよこ》（訳《やく》）、ＮＨＫ出版《しゅっぱん》）

◎吉川英治《よしかわえいじ》

三国志《さんごくし》

214ページ参照《さんしょう》

◎吉川英治《よしかわえいじ》

太閤記《たいこうき》

織田信長《おだのぶなが》に気《き》に入《い》られぞうり取《と》りになったことで、木下藤吉郎《きのしたとうきちろう》（豊臣秀吉《とよとみひでよし》）は、とんとん拍子《びょうし》に出世《しゅっせ》していきます。下層階級《かそうかいきゅう》の身分《みぶん》から太閤《たいこう》の位《くらい》までのぼりつめ、日本一《にほんいち》の大出世《だいしゅっせ》をはたした豊臣秀吉《とよとみひでよし》の一代記《いちだいき》。日本人《にほんじん》がイメージする「知恵《ちえ》が回《まわ》って明《あか》るくのびやかな」秀吉像《ひでよしぞう》を決定《けってい》づけた作品《さくひん》です。

【オススメ図書《としょ》】
『新書太閤記《しんしょたいこうき》　全《ぜん》11巻《かん》』（吉川英治歴史時代文庫《よしかわえいじれきしじだいぶんこ》　講談社《こうだんしゃ》）

◎芳沢光雄《よしざわみつお》

ふしぎな数《かず》のおはなし

二《ふた》つの棒《ぼう》があれば長《なが》さは測《はか》ることができる？　ジャンケンで有利《ゆうり》になる方法《ほうほう》ってあるの？　数《かず》の不思議《ふしぎ》さを「整数《せいすう》」「数《かず》の変化《へんか》」「図形《ずけい》」「組《く》み合《あ》わせ」のテーマに分《わ》けて面白《おもしろ》く教《おし》えてくれます。数《かず》にまつわる面白《おもしろ》いエピソードがたくさんしょうかいされた、算数《さんすう》が苦手《にがて》でも大丈夫《だいじょうぶ》な絵本《えほん》。

【オススメ図書《としょ》】
『ふしぎな数《かず》のおはなし』（チャートBOOKS　数研出版《すうけんしゅっぱん》）

◎吉野源三郎《よしのげんざぶろう》

君《きみ》たちはどう生《い》きるか

十五歳《じゅうごさい》のコペル君《くん》は、勉強《べんきょう》もスポーツもでき、クラスで人気《にんき》もある男《おとこ》の子《こ》。コペル君《くん》は学校生活《がっこうせいかつ》で経験《けいけん》をしたさまざまなことを叔父《おじ》さんに報告《ほうこく》するのでした。いじめ、貧困《ひんこん》、格《かく》差《さ》、教養《きょうよう》などどふへんの真理《しんり》をテーマに、いろんな生《い》き方《かた》があることをコペル君《くん》は学《まな》び、自分《じぶん》の生《い》き方《かた》を決意《けつい》します。さて、この作品《さくひん》を読《よ》んだ「君《きみ》たち」は「どう生《い》きるか」。

【オススメ図書《としょ》】
『君《きみ》たちはどう生《い》きるか』（マガジンハウス）

ご冗談《じょうだん》でしょう、ファインマンさん

◎リチャード・P.・ファインマン

カジノでプロのギャンブラーに弟子《でし》入《い》りしたり、バレエの国《こく》際《さい》コンクールの伴奏《ばんそう》をしたり、好奇心《こうきしん》のおもむくままに人生《じんせい》を楽《たの》しむファインマン。ノーベル物理学賞《ぶつりがくしょう》を受賞《じゅしょう》し、天才《てんさい》物理学者《ぶつりがくしゃ》として名高《なだか》い彼《かれ》の行動原理《こうどうげんり》は「好奇心《こうきしん》」でした。子《こ》どものころからのさまざまなエピソードが書《か》かれています。

【オススメ図書《としょ》】
『ご冗談《じょうだん》でしょう、ファインマンさん（上下巻《じょうげかん》）』（大貫昌子《おおぬきまさこ》〔訳《やく》〕、岩《いわ》波現代文庫《なみげんだいぶんこ》）

エリカ　奇跡《きせき》のいのち

◎ルース・バンダー・ジー

第二次世界大戦時《だいにじせかいたいせんじ》、ユダヤ人《じん》の両親《りょうしん》と生《う》まれたばかりのエリカは貨物列車《かもつれっしゃ》に乗《の》せられ、強制収容所《きょうせいしゅうようじょ》に連行《れんこう》されるところでした。強制収容所《きょうせいしゅうようじょ》で待《ま》つのは「死《し》」です。列車《れっしゃ》のスピードが落《お》ちたとき、母親《ははおや》は赤《あか》んぼうのエリカを外《そと》へ放《ほう》り投《な》げ、奇跡《きせき》的《てき》にエリカは助《たす》かりました。わずかな「生《せい》」への可能性《かのうせい》をかけて、母親《ははおや》が選《えら》んだすさまじい決断《けつだん》に心《こころ》を打《う》たれる物語《ものがたり》。

【オススメ図書《としょ》】
『エリカ　奇跡《きせき》のいのち』（柳田邦男《やなぎだくにお》〔訳《やく》〕、講談社《こうだんしゃ》）

すももの夏《なつ》

◎ルーマー・ゴッデン

イギリスに住《す》む十三歳《じゅうさんさい》の女《おんな》の子《こ》の「私《わたし》」は、母《はは》や兄弟姉妹《きょうだいしまい》と共《とも》にフランスに行《い》きました。ところが母《はは》がたおれてしまい、子《こ》どもたちだけでホテル暮《ぐ》らしをすることになったのです。異国《いこく》での夏《なつ》は、ミステリーとロマンスにいろどられたものでした。大人《おとな》の世界《せかい》をかいま見《み》る少女《しょうじょ》のひと夏《なつ》の体験物語《たいけんものがたり》。

【オススメ図書《としょ》】
『すももの夏《なつ》』（野口絵美《のぐちえみ》〔訳《やく》〕、徳間書店《とくましょてん》）

草原《そうげん》

◎レイ・ブラッドベリ

子《こ》どもたちが望《のぞ》む世界《せかい》を、部屋《へや》に再現《さいげん》させることができる未《み》来世界《らいせかい》。部屋《へや》にアフリカのジャングルばかり出現《しゅつげん》させることを心配《しんぱい》した両親《りょうしん》は、子《こ》どもたちを止《と》めようとしますが、反抗《はんこう》されてしまいます。両親《りょうしん》はついに実力行使《じつりょくこうし》に出《で》ようとしますが……。苦《にが》い結末《けつまつ》をえがいたSF《エスエフ》の大家《たいか》のけっ作短編《さくたんぺん》。

【オススメ図書《としょ》】
『万華鏡《まんげきょう》（ブラッドベリ自選傑作集《じせんけっさくしゅう》）』所収《しょしゅう》（中村融《なかむらとおる》〔訳《やく》〕、創元《そうげん》SF《エスエフ》文庫《ぶんこ》）

◎レフ・ニコラーエヴィッチ・トルストイ

少年時代《しょうねんじだい》

176ページ参照《さんしょう》

◎ロバート・A・ハインライン

夏《なつ》への扉《とびら》

冬《ふゆ》になると、楽《たの》しい夏《なつ》に通《つう》じる扉《とびら》を探《さが》すねこのピート。恋《こい》人《びと》に裏切《うらぎ》られ、親友《しんゆう》にだまされて会社《かいしゃ》を追《お》い出《だ》されたぼくも「夏《なつ》の扉《とびら》」を求《もと》めて、ピートと共《とも》に冷とうすいみん《コールドスリープ》で未来世《みらいせ》界《かい》へ旅立《たびだ》ちます。SF《エスエフ》小説《しょうせつ》の一大《いちだい》テーマ、タイムトラベルをあつかった名作《めいさく》。ねこ好《ず》きの人《ひと》にもおすすめ！

【オススメ図書《としょ》】
『夏《なつ》への扉《とびら》』（福島正実《ふくしままさみ》〔訳《やく》〕、ハヤカワ文庫《ぶんこ》SF《エスエフ》）

◎ロバート・ルイス・スティーヴンソン

ジキル博士《はかせ》とハイド氏《し》

178ページ参照《さんしょう》

◎ワシントン・アーヴィング

リップ・ヴァン・ウィンクル

森《もり》で迷《まよ》ったリップは、そこで出会《であ》った不思議《ふしぎ》な老人《ろうじん》と酒盛《さかも》りをし、深《ふか》いねむりにおそわれます。目覚《めざ》めたとき、なんと二十年《にじゅうねん》もの月日《つきひ》が経《た》っていたのです。「アメリカ版浦《ばんうら》島太郎《しまたろう》」として有名《ゆうめい》な短編《たんぺん》です。

【オススメ図書《としょ》】
『スケッチ・ブック（上巻《じょうかん》）』所収《しょしゅう》（齊藤昇《さいとうのぼる》〔訳《やく》〕、岩波文庫《いわなみぶんこ》）

◎日本の古典

宇治拾遺物語《うじしゅういものがたり》

昔話《むかしばなし》「こぶとりじいさん」や芥川龍之介《あくたがわりゅうのすけ》の「鼻《はな》」（本書《ほんしょ》108ページ）の原典《げんてん》として有名《ゆうめい》な「鼻《はな》の長《なが》い僧《そう》の話《はなし》」など、不思議《ふしぎ》な話《はなし》、こわい話《はなし》など教訓《きょうくん》を含《ふく》んだ古典《こてん》。鎌倉時代《かまくらじだい》から伝《つた》わる短編物語《たんぺんものがたり》をわかりやすい解説《かいせつ》とともに読《よ》んでください。

【オススメ図書《としょ》】

『宇治拾遺物語《うじしゅういものがたり》　ビギナーズ・クラシックス　日本《にほん》の古典《こてん》』（伊東玉美《いとうたまみ》〔編《へん》〕、角川《かどかわ》ソフィア文庫《ぶんこ》）

古事記《こじき》

日本《にほん》ができた由来《ゆらい》を語《かた》るイザナギ・イザナミの物語《ものがたり》、太陽神《たいようしん》アマテラスオオミカミが岩戸《いわと》にかくれて日本中《にほんじゅう》が大《おお》さわぎになった話《はなし》、スサノオノミコトの大蛇退治《おろちたいじ》など、日本最古《にほんさいこ》の歴史書《れきししょ》「古事記《こじき》」に書《か》かれた神話《しんわ》がわかりやすく書《か》かれた作品《さくひん》です。

【オススメ図書《としょ》】
『古事記物語《こじきものがたり》』（福永武彦《ふくながたけひこ》〔著《ちょ》〕、岩波少年文庫《いわなみしょうねんぶんこ》）

今昔物語集《こんじゃくものがたりしゅう》

すべての話《はなし》が「今《いま》は昔《むかし》」という書《か》き出《だ》しで始《はじ》まることで有名《ゆうめい》な今昔物語《こんじゃくものがたり》。平安時代末期《へいあんじだいまっき》に成立《せいりつ》したとされるこの物語《ものがたり》には、僧《そう》・武士《ぶし》・庶民《しょみん》などさまざまな人物《じんぶつ》が登場《とうじょう》して、当時《とうじ》の人々《ひとびと》の生《い》き方《かた》や考《かんが》え方《かた》を教《おし》えてくれます。古文《こぶん》が読《よ》めなくても楽《たの》しく読《よ》める、現代語訳《げんだいごやく》の昔話《むかしばなし》。

【オススメ図書《としょ》】
『今昔物語集《こんじゃくものがたりしゅう》　ビギナーズ・クラシックス　日本《にほん》の古典《こてん》』（角川書店《かどかわしょてん》〔編《へん》〕、角川《かどかわ》ソフィア文庫《ぶんこ》）

真田十勇士《さなだじゅうゆうし》

戦国時代末期《せんごくじだいまっき》、山《やま》で忍術《にんじゅつ》の修行《しゅぎょう》をつんだ佐助《さすけ》は、真田幸村《さなだゆきむら》に気《き》に入《い》られ、家来《けらい》となりました。幸村《ゆきむら》の家来《けらい》は、力持《ちからも》ちの兄弟《きょうだい》、爆薬使《ばくやくつか》い、鉄《てっ》ぽうの名人《めいじん》など、個性的《こせいてき》な勇者《ゆうしゃ》ばかりです。佐助《さすけ》を含《ふく》む幸村《ゆきむら》の十人《じゅうにん》の家来《けらい》「真田十勇士《さなだじゅうゆうし》」たちは、天下《てんか》をうばおうとする徳川家《とくがわけ》の大軍《たいぐん》を相手《あいて》に、大坂《おおさか》の陣《じん》にのぞみます！　明治《めいじ》・大正期《たいしょうき》の人気講談《にんきこうだん》をわかりやすく再構成《さいこうせい》。

【オススメ図書《としょ》】
『真田十勇士《さなだじゅうゆうし》』（時海結以《ときうみゆい》〔文《ぶん》〕、講談社青《こうだんしゃあお》い鳥文庫《とりぶんこ》）

太平記《たいへいき》

鎌倉幕府《かまくらばくふ》がほうかいし、日本《にほん》に天皇《てんのう》が二人《ふたり》いるという事態《じたい》をむかえた南北朝時代《なんぼくちょうじだい》、おたがいが大義名分《たいぎめいぶん》をかかげて一大抗《いちだいこう》争《そう》を始《はじ》めました。後醍醐天皇即位《ごだいごてんのうそくい》から室町幕府細川頼之管領《むろまちばくふほそかわよりゆきかんれい》就任《しゅうにん》までの動乱《どうらん》の約五十年間《やくごじゅうねんかん》をえがく軍記物語《ぐんきものがたり》。後醍醐天《ごだいごてん》皇《のう》、足利尊氏《あしかがたかうじ》、楠木正成《くすのきまさしげ》といった強《きょう》れつな個性《こせい》の人間《にんげん》たちの物語《ものがたり》は、『平家物語《へいけものがたり》』と並《なら》ぶ軍記物語《ぐんきものがたり》のけっ作《さく》です。

【オススメ図書《としょ》】
『太平記《たいへいき》　ビギナーズ・クラシックス　日本《にほん》の古典《こてん》』（武田友宏《たけだともひろ》〔編《へん》〕、角川《かどかわ》ソフィア文庫《ぶんこ》）

竹取物語《たけとりものがたり》

216ページ参照《さんしょう》

とりかえばや物語《ものがたり》

平安時代《へいあんじだい》の京《きょう》の都《みやこ》に、評判《ひょうばん》の権大納言家《ごんだいなごんけ》のりりしい若君《わかぎみ》・春風《はるかぜ》と、美《うつく》しくたおやかな姫君《ひめぎみ》・秋月《あきづき》の兄妹《きょうだい》がいました。ところが実《じつ》はこの兄妹《きょうだい》、りりしい春風《はるかせ》は姫君《ひめぎみ》で、美《うつく》しい秋《あき》月《づき》は若君《わかぎみ》だったのです。そしてついに、姫君《ひめぎみ》が宮中《きゅうちゅう》で働《はたら》き、若君《わかぎみ》は帝《みかど》にちょうあいされることに？　平安時代《へいあんじだい》に書《か》かれたゆかい、奇《き》っ怪《かい》ラブコメディ！

【オススメ図書《としょ》】

『とりかえばや物語《ものがたり》』（田辺聖子《たなべせいこ》〔著《ちょ》〕、文春文庫《ぶんしゅんぶんこ》）

百人一首《ひゃくにんいっしゅ》

平安時代《へいあんじだい》の藤原定家《ふじわらさだいえ》が選《えら》んだ、一番《いちばん》の天智天皇《てんちてんのう》の歌《うた》から百番《ひゃくばん》の順徳院《じゅんとくいん》の歌《うた》までからなる小倉百人一首《おぐらひゃくにんいっしゅ》。この本《ほん》では百首《ひゃくしゅ》全《すべ》ての歌《うた》の内容《ないよう》がイラストを交《まじ》えて、わかりやすく解説《かいせつ》されています。「ゴロ合《あ》わせ」や「決《き》まり字《じ》」で歌《うた》を覚《おぼ》えることで、競技《きょうぎ》かるたや正月《しょうがつ》の遊《あそ》びにも応用《おうよう》できる本《ほん》です。

【オススメ図書《としょ》】

『暗誦《あんしょう》　百人一首《ひゃくにんいっしゅ》』（吉海直人《よしかいなおと》〔文《ぶん》・監修《かんしゅう》〕、永岡書店《ながおかしょてん》）

平家物語《へいけものがたり》

平安貴族《へいあんきぞく》の時代《じだい》から武家《ぶけ》の時代《じだい》へ移《うつ》り変《か》わろうとする激動《げきどう》の時代《じだい》。日本《にほん》を二分《にぶん》した大決戦《だいけっせん》として有名《ゆうめい》な源氏《げんじ》と平家《へいけ》の戦《たたか》い「源平合戦《げんぺいかっせん》」を通《とお》して、平家《へいけ》の栄光《えいこう》とぼつらくまでがえがかれています。そう大《だい》な歴史《れきし》ロマンが現代文《げんだいぶん》で読《よ》める良書《りょうしょ》。

【オススメ図書《としょ》】

『平家物語《へいけものがたり》　ビギナーズ・クラシックス　日本《にほん》の古典《こてん》』（角川書店《かどかわしょてん》〔編《へん》〕、角川《かどかわ》ソフィア文庫《ぶんこ》）

四谷怪談《よつやかいだん》

四谷《よつや》に住《す》む田宮家《たみやけ》の一人《ひとり》むすめ・岩《いわ》は、浪人《ろうにん》の伊右衛門《いえもん》のよめになります。伊右衛門《いえもん》は美《うつく》しくない岩《いわ》をきらい、だまして死《し》なせました。死《し》んだ岩《いわ》は伊右衛門《いえもん》をうらみ、亡霊《ぼうれい》となって彼《かれ》の前《まえ》に現《あらわ》れます……。歌舞伎狂言《かぶききょうげん》の作者《さくしゃ》、四代目《よんだいめ》・鶴屋《つるや》南北《なんぼく》の最高《さいこう》けっ作《さく》「東海道四谷怪談《とうかいどうよつやかいだん》」が現代文《げんだいぶん》で読《よ》めます。

【オススメ図書《としょ》】

『四谷怪談《よつやかいだん》』（高橋克彦《たかはしかつひこ》〔著《ちょ》〕、21世紀版《せいきばん》・少年少女古典文学館《しょうねんしょうじょこてんぶんがくかん》第22巻《かん》　講談社《こうだんしゃ》）

索引《さくいん》（五十音順《ごじゅうおんじゅん》）

おうちの方へ

この本を手に取ってくださり、ありがとうございます。

子どもたちに本を読んでほしい、そして、読書を通して、感受性が豊かで、知的な人間に成長してほしいと、親なら誰もが願うと存じます。私もその一人です。

しかし、いざ選書するとなると、何を基準にしたらよいのか、しばしば迷います。古今東西の名作を薦めるにしても、自分がたまたま読んでいない作品もあるかもしれません。そんなとき、微笑みながら「まあ、読んでみなさい」などとは言えないですよね。また、比較的新しい作品だと、すでに大人になっていて、児童書の類いはそもそも手に取る機会もなく、もちろん読む時間もないまま、仕事や家事・育児に忙殺される日々を過ごしていらっしゃるのではないでしょうか。

この本は、近年刊行された中から、文章として読みやすく、内容としては奥の深い作品を選ぶ一方、これまで名作とされてきたものをも取り上げて、低学年・中学年・高学年の三段階に分けて、内容の紹介をしています。

ですから、この本を読んだだけでも、それぞれの作品のエッセンスをつかみ取ることができるでしょう。何より、この本をさまざまな文学作品への〈とびら〉として役立てていただければと思います。

また、もちろんお子様の成長の一助にしていただくことを第一に望みますが、一方で、保護者の皆様にとっても、懐かしさを感じていただけるラインナップになっていると存じます。皆様が、同じ物語について、親子で語り合う時間を持てることを、願ってやみません。

中島克治

監修者

中島克治

1962年東京生まれ。東京大学文学部卒業、博士課程に進んだ後、母校である麻布中学校・高等学校国語科教諭に。精力的に読書指導を行い、人間的な成長における読書の重要性を伝えている。著書に『小学生のための読解力をつける魔法の本棚』『本物の国語力をつけることばパズル 入門編／初級編／中級編』（小学館）など。

編集 ………………………… 大西史恵、小長光哲郎
執筆協力 ………………… 中江文一
カバー・本文デザイン …… 鈴木大輔、仲條世菜（ソウルデザイン）
イラスト ………………… 松野千歌、角しんさく、ヤマネアヤ
DTP ……………………… 株式会社センターメディア

本書の内容に関するお問い合わせは、**書名、発行年月日、該当ページを明記**の上、書面、FAX、お問い合わせフォームにて、当社編集部宛にお送りください。**電話によるお問い合わせはお受けしておりません**。また、本書の範囲を超えるご質問等にもお答えできませんので、あらかじめご了承ください。
FAX：03－3831－0902
お問い合わせフォーム：https://www.shin-sei.co.jp/np/contact-form3.html

落丁・乱丁のあった場合は、送料当社負担でお取替えいたします。当社営業部宛にお送りください。

本書の複写、複製を希望される場合は、そのつど事前に、出版者著作権管理機構（電話：03-5244-5088、FAX：03-5244-5089、e-mail：info@jcopy.or.jp）の許諾を得てください。

JCOPY <出版者著作権管理機構 委託出版物>

1話5分！

12歳までに読みたい名作100

2018年12月5日　初版発行
2024年3月15日　第18刷発行

監修者　中島克治
発行者　富永靖弘
印刷所　誠宏印刷株式会社

発行所　東京都台東区台東2丁目24　株式会社 新星出版社
〒110－0016　☎03(3831)0743

© SHINSEI Publishing Co., Ltd.　Printed in Japan

ISBN978-4-405-07283-1